臺灣高等經學研討論集叢刊

變動時代的經學與經學家

——民國時期（1912-1949）經學研究

第五冊
經學史研究

林慶彰
蔣秋華　總策畫

林慶彰　主編

總序

一　前言

經學史的研究本來是中國文學系的專利，但是一研究到晚清民國時期這一時段，一向擁有專利的中文人卻失去了他們的發言權，由歷史學人來主導，這個時段也被稱為「經學的史學化」，當然研究這個時段的史學家都跑來研究經學，他們用史學的眼光來探究經學，把經學問題都看成史學問題，經學的史學化也是必然的結果，但是我們不禁要問民國時期的經學著作有多少種？這些講經學史學化的學者又讀了多少種？研究經學的人，對這兩個問題沒有正確觀念，要和他談這一時段的經學也就很困難。

從來沒有人對民國時期的經學著作有多少種做過精確的統計，中國國家圖書館所編輯的《民國時期總書目》總計二十冊，其中並沒有經學的類目，經學的著作到處流竄，要統計它的正確數字必須二十本書全部翻完。我粗略翻閱的結果，大概有二百二十種。我所主編的《經學研究論著目錄（1912-1987）》用漢學研究中心所建置的檢索系統加以檢索約有六百六十種。我還是不相信這個時段的經學著作有這麼少，這也是激發我們執行民國以來經學研究計畫的主要原因。

二　執行「民國以來經學研究計畫」

我們不但質疑當時經學著作的總數，對某些圖書館處理民國文獻的方法不夠嚴謹，大陸有不少圖書館是將民國時期的文獻堆積在倉庫或走道，臺灣因為民國時期是屬於日本統治時期，要求臺灣人民皇民化，漢字寫的書看得越少越好，所以有不少民國時期的著作都流入舊書攤。要喚起學界對民國時期文獻的重視，光是寫寫文章來呼籲，效果相當有限。我們明知要研究這個課題有許多問題亟待解決，但是如果我們不去研究它，還有誰能代我們去研究呢？所以我們經學文獻組的同仁經過幾次討論後，大家同意這六年全心全意執行民國以來經學的研究計畫。此一研究計畫是從二〇〇七年一月起開始執行，二〇一二年十二月結束，前後六年。前四年（2007-2010）執行民國時期經學研究計畫，後兩年（2011-2012）執行新中國的經學研究計畫。

民國時期是指民國元年（1912）至民國三十八年（1949）新中國成立前的時段。這一時段就經學這一學科來說，可說是生死存亡的關頭，因此諸事百廢待舉，就連一本反映當時經學實況的書目也沒有，何況其他？為了能有效執行這個研究計畫，我們做了數項基礎工作：

（一）編輯經學家著作目錄

要了解一位學者的學說，應從閱讀他的著作入手，要比較全面的了解他的著作，應先有一份完整的著作目錄。民國時期的學者由於時局動盪不安，大都沒有較完整的著作目錄。我挑選出數十位經學家，在東吳大學中國文學系博碩士班講授「中國經學史專題研究」、「經學文獻學」的課程時，以作期末作業的方式完成了數十篇，有部分著作目錄已刊登於《中國文哲研究通訊》、《經學研究集刊》。再要求原作者修訂，然後收入《民國時期經學家著作目錄彙編》中。《彙編》的第一輯，預計二〇一四年十二月底出版。

（二）編輯《民國時期經學叢書》

要執行此一研究計畫，第一就是要提供學者這個時期的經學著作，可是民國時期的經學著作從來沒有人整理過，為了順利執行此一計畫，我開始有系統的收集民國時期經學著作。先根據我所主編的《經學研究論著目錄（1912-1987）》找出一九一二到一九四九年的經學專著，計六百六十多種，編成《民國時期經學圖書總目》（初稿），再陸續增補，到目前已經有一千五百多種，根據這個書目檢查各書典藏的所在，然後設法收集到文本，經過八年的努力，已經編成《民國時期經學叢書》六輯，每輯六十冊，六輯合計三百六十冊，每冊平均收二至三種著作，總計收錄近一千種。約民國時期經學著作的三分之二。

（三）編輯經學家著作集

許多經學家的著作當時刊載在各種報刊雜誌中，有典藏這些報刊雜誌的圖書館少之又少，如果有典藏也因為這些報刊雜誌的紙質脆弱而不准借閱，所以要從報刊雜誌中收集經學家的論文困難重重，為了讓研究計畫順利開展，選定李源澄與張壽林，為他們兩人編輯著作集，由於他們的傳記資料相當有限，要蒐集他們的經學論文有不知如何入手之感，有時只能靠運氣，其間的辛苦可參考我所發表的〈我收集李源澄著作的經過〉一文，經過兩年的努力終於完成《李源澄著作集》四冊、《張壽林著作集》六冊，為民國時期的經學研究添加了不少新的材料。

三　舉辦八次學術研討會

以上所述都是執行此一計畫的基礎工作，執行計畫的重頭戲，還是舉辦學術研討會。研討會可以匯集研究人力，提供學術交流的平臺。民國時期經學研究計畫執行四年，共舉辦八次研討會。發表論文一百四十餘篇，茲將各次研討會的時間、發表論文的篇數，臚列如下：

第一次研討會，二〇〇七年七月十二日，發表論文十三篇。

第二次研討會，二〇〇七年十一月十九至二十日，發表論文二十篇。

第三次研討會，二〇〇八年七月十七至十八日，發表論文十九篇。

第四次研討會，二〇〇八年十一月六至七日，發表論文十八篇。

第五次研討會，二〇〇九年七月十三至十四日，發表論文十六篇。

第六次研討會，二〇〇九年十一月十九至二十日，發表論文二十篇。

第七次研討會，二〇一〇年六月十至十一日，發表論文十八篇。

第八次研討會，二〇一〇年十一月四至五日，發表論文二十一篇。

第八次學術研討會，是此一研究計畫的最後一次研討會，我們安排了兩場別開生面的座談會。第一場座談會「民國經學家後代談親人」，我們邀請了顧頡剛之女顧潮女士，童書業之女童教英女士，張西堂之子張銘洽先生，聞一多之孫聞黎明教授四人。這幾位經學家的後代，對臺灣學術界仍重視他們的親人，相當感動。他們說他們在大陸是相當平凡的人，沒想到在臺灣學術界如此重視他們，可說愛屋及烏，反而有受寵若驚的感覺。第二場座談會是「紀念顧頡剛逝世三十週年」，本來安排中央研究院副院長王汎森院士主持，他臨時有事不能來，由本人代為主持。這場的引言人有丁亞傑、車行健、蔡長林、劉德明等教授，經學家的後代則邀了顧潮女士。

四　出版研討會論文集

近年，各級機關學校由於經費短缺，很多研討會都無法出版論文集。甚至於受理工科學術研討會的影響，認為研討會論文的學術水平不高，所以研討會能出版論文集者，少之又少。我個人覺得理工學界研討會發表的論文，也許僅僅是一個構想，大都未寫成完整的論文。這樣的一點構想，也許有創見，但是要和文史哲學界經過嚴格的審查，然後匯集成論文集的論文相比，恐怕不是對手。但是文史哲學界，尤其是中文學界的學者，往往缺乏自信心，一有風吹草動就棄械投降。即使有出版論文集，也不敢用論文集的名稱。辛辛苦苦撰寫的研究成果，竟無法與世人公開見面。這是中文學界最大的悲哀。我們想重建中文學人的自信心，先前發表的論文，經作者修改後，再送學者嚴格審查，審稿者同意發表的才能刊登出來。八次研討會的論文，分成七大冊，總計收入一百二十五篇。各冊之主編及所收論文篇數如下：

第一冊　周易十篇、尚書七篇。由蔣秋華教授主編

第二冊　詩經十九篇。由楊晉龍教授主編。

第三冊　三禮九篇、小學六篇。由范麗梅教授主編。

第四冊　春秋十七篇、四書八篇。由蔡長林教授主編。

第五冊　經學史二十三篇。由本人主編。

第六冊與第七冊　經學家二十六篇。由張文朝教授主編。

除了各經都有學者撰寫論文外，最重要的是屬於經學家的有二十六篇，其中有不少被遺忘的經學家，例如劉咸炘、王樹榮、唐文治、陳柱、楊筠如、蔣伯潛、龔道耕、陳鼎忠等人，都是以前研究經學的人所忽略的，現在一併把他們表彰出來，就可以知道民國時期的經學並沒有衰亡，也未必邊緣化，這是執行這個計畫最重要的目的。這個研究計畫雖然已經結束，但研究民國經學的風氣正逐漸展開，已形成經學研究最熱門的課題。中央研究院中國文哲研究所經學文獻組執行很多計畫都具有開風氣的作用，這是我們做為中國文哲研究領航者所應盡的責任和義務。

五　結語

中央研究院中國文哲研究所成立於一九八八年，至今二十五年間，執行過的計畫無數。尤其是經學文獻組所執行的計畫，對國內經學界有很深的影響。中國大陸的經學逐漸復甦，國內外學人都以為受文哲所經學文獻組的影響，我們不敢說我們有如此的影響力。但是我們已竭盡全力去執行這些計畫。

這套論文集，由此一計畫的共同主持人蔣秋華教授和本人擔任總策畫。經學文獻組六位研究人員每人負責一冊，靠大家群策群力，才能在極短的時間內，完成編輯工作。當然最辛苦的還是蔡雅如學棣，她一個人獨力完成整套論文集的體例統一與校對工作，我們深深的感謝她。也感謝百忙中撰稿參加研討會的先進朋友。

二〇一四年十月十三日林慶彰誌於

中央研究院中國文哲研究所五〇一研究室

總目次

第一冊

周易研究

尚書研究

第二冊

詩經研究

第三冊

三禮研究

小學研究

第四冊

春秋研究

四書研究

第五冊

經學史研究

第六冊

經學家研究

第七冊

經學家研究

本冊目次

何定生《治學的方法與材料及其他》所呈現的民國時期治學方法的爭議*

徐其寧

國立清華大學中國文學系博士

一　前言

作為中國現代化的口號之一，「科學」自晚清以來逐漸成為中國尋求「富強」與「現代」的思維與方法。隨著《新青年》的創刊，當中標舉的科學與民主，將科學帶入學術工作，科學正式與中國近代學術有了恰切而緊密的結合，成為廿世紀學術重要的關鍵詞。就在一班「新青年」因「整理國故」中蘊含著學術救國的信念而紛紛投入考據整理的學術工作時，胡適對以科學整治國學的態度卻有了改變。一九二八年九月，胡適作文〈治學的方法與材料〉[1]，一反之前科學整理國故的積極態度，勸一班追隨他的青年「換條路走」，去學真正的「科學」——西洋的自然科學，並呼籲：「等你們在科學試驗室裏有了好成績，然後拿出你們的餘力，回來整理我們的國故」[2]；

---

* 本文初稿曾發表於二〇一〇年十一月五日中央研究院中國文哲研究所舉辦之「變動時代的經學和經學家（1912-1949）第八次學術研討會」。二稿於二〇一〇年十二月十八日文哲所「第五次罕傳本經典研讀讀書會」上公開討論。此次收入論文集又經大幅修訂。感謝蔣秋華、楊貞德、車行健三位師長與審查人對拙作提出的許多指正，謹此致上最誠摯的謝意。

1 胡適：〈治學的方法與材料〉，《新月》第1卷第9期（1929年1月）（上海市：上海書店影本，1985年6月）。

2 胡適：〈治學的方法與材料〉，《治學的方法與材料》，收入《胡適作品集11》（臺北市：

當中並稱國學為埋沒「第一流的聰明才智」的「故紙堆」。這種幾近截斷眾流、對過往信念的背棄，背後實隱含了胡適對於自己掀起的整理國故風潮的沉痛反思，與「再造文明」理念的挫敗。除了引發社會論爭，在學術內部，對整理方法、整理目的等治學方式，不唯有志者各家立場殊異，鄙棄者也與之相互攻詰，甚至演變成學衡派與新青年派各擁立場互別苗頭之衝突場面。以此，尚未整理出一系統，已是眾議難平，相互拮抗。再者，整理者雖說是運用了科學方法，援用不少西洋學科理論，對國學做出新的詮釋，但在此之中，不少「新解」如墨翟是印度人、大禹蟲說，也引來整理者的不滿。國學在一九二〇年代，屢屢成為紛擾焦點，變成最需要打倒、重整的對象。對於整理國故說的首倡者胡適而言，確實是相當痛心的。在這樣歉疚的心態下，胡適不得不感到「懺悔」[3]，要這些青年人儘早「換條路走」。

相對於胡適政治或學術上的諸多爭議，〈治學的方法與材料〉中所出現的「換條路走」的說法，雖然不為近代學術史的論述焦點，但在位處中國南方的廣州確曾引發一陣對國學治學方法的討論。在這些「跟著我們向故紙堆去亂鑽」的「一班青年人」中，有位曾經得到胡適讚賞整理「方法很細緻」[4]，當時為廣州中山大學、師從顧頡剛（1893-1980）的學術新秀何定生（1911-1970），對於胡適態度的轉變，以及文中隱含對《古史辨》的批評，感到不解與不滿。在初生之犢的氣勢下，何定生蒐集了部份刊登於廣州《民國日報》「現代青年」上師長學友們的討論文章，附胡適〈治學的方法與材料〉於末，以《治學的方法與材料及其他》為名，一九二九年九月由樸社刊行[5]。

《治學的方法與材料及其他》除主要撰作與編輯者何定生外，尚有陳槃

遠流出版公司，1994年2月），頁156。

3 胡適：〈研究所國學門第四次懇親會紀事〉（1926年10月），《北京大學研究所國學門月刊》（臺北市：文海出版社1979年7月），第1卷第1期，頁143-145。

4 曹伯言整理：《胡適日記全集》（臺北市：聯經出版公司，2004年5月），冊5，頁397-398。

5 關於此書成書過程與爭議，詳參車行健、徐其寧：〈顧頡剛與何定生的師生情緣〉，《中國文哲研究通訊》第20卷第2期（2010年9月），頁58-59。

（1905-1999）、何之、何子恆、趙簡子。除何子恆為顧頡剛友人外，[6]餘三人皆受業於顧頡剛[7]，同為廣州中山大學學生。從完稿時間來看，這本書中九篇文章幾乎悉數撰成於一九二九年上半年，成文最早的一篇是何定生〈願胡適之先生勿「懺悔」〉（1929 年）[8]，其次是〈「新」「舊」材料與治學的方法〉（1929 年 1 月 29 日）、何之〈顧頡剛先生的懷疑精神〉（1929 年 4 月 26 日）、陳槃〈為懷疑精神等等質何之〉（1929 年 5 月 7 日）、趙簡子〈我對於國學的見解〉（1929 年 5 月 13 日）、何子恆〈說幾句〉[9]、陳槃〈書獃子篇寄

---

6 《顧頡剛日記》1928年「4月23日」記：「何子恆來」。顧潮編：《顧頡剛日記》（臺北市：聯經出版公司，2007年5月），卷2，頁157。胡適日記則未見載注此人事蹟。而據何定生〈願胡適之先生勿「懺悔」〉中說：「《現代青年》的何子恆先生便寫了〈因胡適的治學方法與材料問到西洋科學發達的背景〉一文來。」又對何定生說：「你如有意見，請你給《現代青年》發表罷。」疑何子恆或為《現代青年》主編。

7 何定生、陳槃是修習顧頡剛「尚書專題」與「上古史專題」，何之則修習顧頡剛「上古史專題」、「孔子研究」專題。何之，當為何德讓。〈顧頡剛先生的懷疑精神〉一文中，曾自言何之「是我的別字」見何定生編：《治學的方法與材料及其他》（北京市：樸社，1929年9月），頁103。陳槃〈為懷疑精神等等質何之〉中，亦指出「何德讓的『何之』」，可證此何之之名。而何之〈顧頡剛先生的懷疑精神〉中曾說：「我們中山大學曾經幾次的易名，也曾經過幾次的變態（……）。」以及「後來上上古史的課，又還讀到禹傳啟一類的講義」等說，可證何之亦為中山大學、顧頡剛之學生。

8 據年譜記載，何定生一九二八年暑假退學後，一九二九年二月隨顧頡剛北上北平。詳參楊晉龍：〈何定生教授年表初稿〉，《中國文哲研究通訊》第20卷第2期（2010年9月），頁7。此文文末記載，初稿完成於「一九二九年上午三時，在廣州」，是此文之作當在隨顧赴港、平之前。而此文開篇何定生自言其之所以注意到胡適此文，以及作文批評胡文，是在報上見到何子恆：〈因胡適的治學方法與材料問到西洋科學發達的背景〉一文的啟發，始知胡適態度的轉變，翻找《新月》所刊胡文。其後又於車上巧遇何子恆，何子恆鼓勵何定生將意見發給《現代青年》。是此文之初稿當早於後來發表在《現代青年》上的〈「新」「舊」材料與治學的方法〉一文。而此文原題〈願胡適之先生更進一步〉收入文集時改題〈願胡適之先生勿「懺悔」〉（見文末案語，與同集陳槃〈書獃子篇寄定生北平〉文末何定生按語，《治學的方法與材料及其他》頁75）同時，在〈「新」「舊」材料與治學的方法〉一文中，何定生亦自言：「我在〈願胡適之先生勿懺悔〉文中，嘗謂……」，可知〈願〉篇當成文早於〈「新」「舊」材料與治學的方法〉一文。

9 原文未書撰作時間，但從文章內容中提及「填補趙君的空白」以及「我對於趙君的文

定生北平〉(1929 年 6 月 28 日)、何定生〈又來「罵」胡適之先生〉(1929 年 7 月 16 日)、何定生〈再寫在椠的文後〉(7 月 18 日)。合附錄胡適的〈治學的方法與材料〉，總計一百九十六頁。

歷來對胡適於一九二九年之自呼：「現在我的思想變了，我不疑古了，要信古了！」[10]不僅同時人難以確認轉變因由[11]，後來研究胡適者，對此亦難成周說。曾有論者著眼於此書，以此作為胡、顧私誼變化，親近傅斯年（1896-1950）的間接證據。[12]然胡適態度的轉變，恰恰可在〈治學的方法與材料〉一文中得到解答。透過《治學的方法與材料及其他》中的討論，可以看到胡適以自然科學的實驗室態度，取代以往的疑古方法；又多論考古發見與漢學家之國學研究，已有從疑古轉向「證古」或「信古」的傾向。

章有許多不能苟同的地方」等推測，此文當成於趙簡子之後，故暫繫於此。

10 顧潮：《顧頡剛年譜》(北京市：中國社會科學出版社，1993年)，頁171。

11 顧頡剛：〈我是怎樣編寫《古史辨》的？〉《古史辨》(上海市：上海古籍出版社，1982年11月)，冊1，頁13。

12 如王汎森、杜正勝等論者都注意到胡適在一九二九年之後的思想轉向，但二人都從傅斯年的影響入手為論。對於胡適思想的轉變，王汎森認為與殷墟的發掘關係較大。見王汎森：〈傅斯年對胡適文史觀點的影響〉，《中國近代思想與學術的系譜》(臺北市：聯經出版公司，2005年11月)，頁327。杜正勝則未書明原因。杜說見氏撰：〈傅斯年的史學革命（上）〉，《新史學之路》(臺北市：三民書局，2004年5月)，頁115-118。然在論述胡適與顧頡剛、傅斯年二人之交誼情形時，王汎森另外注意到，顧潮編著之《顧頡剛年譜》中，繫有何定生作書《關於胡適之與顧頡剛》一書影響顧、胡交誼記載。見王汎森：〈傅斯年對胡適文史觀點的影響〉，《中國近代思想與學術的系譜》，註11，頁324。張京華則直接將何定生《關於胡適之與顧頡剛》一書視作胡適思維轉換的關鍵之一。見氏撰：〈古史辨與二十世紀學術史：幾種視角的考察〉，收入吳少珉、趙金昭主編：《二十世紀疑古思潮》(北京市：學苑出版社，2003年7月)，頁293。此外，羅志田則將胡適思想的轉變以北伐（1926-1928）後為界，認為胡適在北發後從方法轉向材料，違背自己原來主張的中西科學成就為相對等的態度，轉而向青年呼籲：學自然科學和技術的路是活路，鑽故紙堆是死路。見羅志田：〈走向國學與史學的「賽先生」〉，《裂變中的傳承》(北京市：中華書局，2009年6月)，頁249-250。此外，許冠三對胡適此文曾作過關注的，但僅指出此文是胡適「由注重方法而以方法與材料並重的標誌。」見許冠三：〈胡適：注重事實服從證據〉，《新史學九十年》(長沙市：嶽麓書社，2003年9月)，頁153。

《治學的方法與材料及其他》這本小冊子不僅記載了這次論爭，也為胡適思想的轉變，提供了饒富討論的具體細節。以下，本文即試圖從這樣的治學方法與材料的爭議中，具現這場科學治學爭議與當中蘊含的時代精神，並爬梳胡適古史態度轉變之可能原委。

二　治學材料論爭：實驗室態度與疑古精神的併治與分途

作為國學科學範式的樸學，為中國文化與近代學術提出一連續性的精神連結，也在中國學術與西洋學術之間，建構了共同的理念基礎。在〈治學的方法與材料〉中，胡適仍維持相同的論點，他說：

> 在歷史上，西洋這三百年的自然科學都是這種方法的成績；中國這三百年的樸學也都是這種方法的結果。顧炎武、閻若璩的方法，同葛利略（Galileo）、牛敦（Newton）的方法，是一樣的：他們都能把他們的學說建築在證據之上。戴震、錢大昕的方法，同達爾文（Darwin）、柏司德（Pasteur）的方法，也是一樣的：他們都能大膽地假設，小心地求證。[13]

胡適雖然維繫了這樣連續性的科學精神，但「最高的成績始終不過幾部古書的整理」的結論，以及文中對國學「材料」不如西洋科學的批評，都使青年學子感到質疑與不滿，不明白何以同一科學方法，同一治學材料，卻有二極差異之評價。這種對材料的否定，不僅提升了國學與科學的異質性，增加二者衝突的可能；做為治學方法的科學，也產生了究竟是指自然科學的實驗室態度，還是以往的樸學式疑古精神的困惑。以下申論之。

13　胡適：〈治學的方法與材料〉，《治學的方法與材料》，頁144。

（一）再造文明的挫敗：治學「材料」與科學精神連續性的衝突

在〈治學的方法與材料〉開始，胡適以修電話的日常例子，試圖從材料角度，將科學精神與科學方法作出區別。對比胡適「整理國故」前提中「整理」、「系統化」等科學精神「意識型態」的提倡，到了一九二八年，已有「社會改造」的傾向。而從〈治學的方法與材料〉鋪排的中西學術發展簡表，亦可以看到，當歐洲發明望遠鏡的時候，中國的科學先驅陳第、黃宗羲、顧炎武等甫出世；而歐洲科學的重要理論如「行星第三律」、《哥白尼天文學要指》、《血液運行論》形成之際，王夫之、毛奇齡、閻若璩等造出科學成果的樸學家也才剛誕生；當歐洲不斷產生更進步的新發明，開創更精采的科學文明時，中國的科學代表則是費時十多年完成《韻補》。中國儘管有《天工開物》、《尚書古文疏證》等苦心孤詣著成之「科學的」著作，但無論如何都無法與歐洲科學技術發展造福人類這樣的成就相比。在這個極不平等的學術成果對照中，我們可以看到，原先以「精神文明」為擅場的東方文明，因「材料」之與西方異質，「精神文明」的優勢也不得不讓給西方「物質文明」。這種東方文明因「材料」本質上的缺失，使其「精神文明」也連帶不如西方「物質文明」等隱喻[14]，對於胡適的追隨者而言，確實是一大震撼。如文集中何定生所說：

> 本來，適之先生所說「三百年來最高的成績，終不過幾部古書的整理，於人生有何益處？於國家治亂安危有何裨補」幾句話，是會叫人聽了心痛的！[15]

對向以胡適為學術導師的青年學人，本期望從國學整理中，獲致國家與自我未來的信念以及人生目標，至此幾乎前功盡棄。何定生不無悲觀的說：

---

14 參周質平：〈評胡適的提倡科學與整理國故〉，《胡適叢論》（臺北市：三民書局，1992年7月），頁20。

15 何定生：〈願胡適之先生勿「懺悔」〉，《治學的方法材料及其他》，頁41-42。

> 固然，我也絕對不主張青年人都跑去國學之路，而且我自家便是不配跑此。但，我也絕對不相信路的忽死忽活，在同一用科學方法！我相信今日的中國必向自然科學方面發展，但我決不相信淺薄的功利主義會益於治亂安危！……我總以為這個傳統思想澈底大革命的工作，不該在適之先生的手上，顯出反動勢力來！[16]

對胡適態度改轍的原因，何定生認為，是因為過度功利化的考量，以致混淆了事實問題與價值問題。他認為，科學肩負的雖然是桅桿般領航的作用，但畢竟只是一「方法」，其目的當引領材料有更為科學精神的表現，而非成為材料本身。一味的追求科學，是太講求實利的說法。何定生說：

> 持實利主義者實在太淺薄。學問不能離實有世界而存在，即一切學問自身便有實利在，根本上無標揭什麼實利之必要。……哥白尼不去從種田，織布，營商業著想，偏偏去研究那大家目為狂妄的什麼地又會動，又是圓的的天文學，這真是有什麼用，在常論上看來？牛頓看見蘋果墜地，瓦特看見水汽掀動鍋蓋，便要去冥想，這不是常見上的所謂傻子？故治學問，我們把定了方向了，向學問深深鑽進去，並沒有覺得什麼用懸在目前，這卻往往是真的，大的實利所在。所以，我們也可以說，實利這件事物並不是意中的功效，而是意外的酬報。[17]

何定生所謂「實利態度」，指的就是胡適將整理國故與創造文明二工作間的結合。他認為治學本為求真理，本沒有什麼預期的成果，更不用說想到創造之後的用處。這種以實利為前提的治學態度，根本是開倒車的行為。因此，不能從現實需求思考治學方向與選擇治學的「材料」，應該關注的，是「材料」當中的真理，只有真理才是「實利」所在。

除了對胡適治學心態的批評，何定生也注意到，胡適亟欲維繫既有的科學性，卻因此產生前後矛盾的論點。他說：

---

16 同前註，頁44。

17 同註15，頁33-34。

> 一九二六年懇親會所講，明明說「這條死路要從生路跑起」，又說，「生路就是一切科學，尤其是科學的方法」。那時的「國學」，不是依然目今說的國學，不是依然「死材料」的「文字」？何以那時的生路，的科學方法，便不會跟同一樣死材料而死呢？這不是前後的論理矛盾了？[18]

> 適之先生須知，你所謂方法，是同一之方法也。同一之方法，既因為人限死而異，已奇；又因有經過某種養成而又會生活（外動詞）人家的死的紙上材料，此不是第五度的空間乎？[19]

這種矛盾論點，何定生認為是胡適放棄了原先整理國故的初衷，憤懣的說：

> 我們所提的紙上材料與自然科學的話，只有態度之一問題。我們需要自然科學乎？我們要仍事紙上學乎？從此二者中擇其一而「固執」之，此之謂態度。此絕然與紙上成績如此，自然成績如彼無關。我們決然捨去紙上學問不談，初並沒有絲毫減少及於紙上學問自有的尊嚴，因為我們是持此態度。我們決然而欲研紙上材料，也於紙上材料的自身之尊嚴無增。[20]

確實，胡適前後論述的衝突關鍵，正在於他維繫國學科學精神的連續性，他始終沒有放棄樸學作為中國科學的根[21]，因此出現這樣前後不一的論述，相同的科學精神，在以往是中國創造科學成果的重要推手，但今日卻成為中國無能產生科學的原因。對此，何定生就顯得更為大膽，他認為樸學精神實在不能說具有科學性。他說：

> 中國三百年來的治國學的方法，分明未到家，這一點，適之先生也該

18 同註15，《治學的方法與材料及其他》，頁37。

19 何定生：〈又來「罵」胡適之先生〉，《治學的方法與材料及其他》，頁22。

20 同前註，頁21。

21 周質平：《胡適叢論》，頁14。

> 見到的，他卻說他們的方法完全和牛頓一樣。……實在，清代的漢學家是不能認為真的科學方法的。其原故，皆是適之先生所說過，便是不會「創造平常不可見的情景」，不能夠「根據假設的理論，造出種種條件，把證據逼出來！」[22]

因此，相較於先前期望從科學治學發展出科學思維，胡適此時的「故紙堆」評價，就將國學與科學二者，從併治不得不轉為分途。這種分途，在《治學的方法與材料及其他》中表現出對國學材料為「死」的反駁，以及對「實驗室態度」說的不滿。何定生對胡適文章作了分析，他說：

> 適之先生是將西洋的治學來和中國的治學比較的，他認為西洋三百年來的學是會有「驚人的成績」的，而我國則只是「枉勞心思的開倒車」。依他的話，我們可排成下面的論理形式：
>
> 1. 關於材料的
>
> 「文字的材料是死的」，
>
> 「顧氏閻氏的材料全是文字的」，
>
> 故顧氏閻氏的材料全是死的。
>
> 好，材料有生有死，同樣的方法該前後一致呀！但他不這樣承認。他由「生路是一切科學的，尤其是科學的方法」一變而為方法也可以跟材料而死。他說：
>
> 2. 關於方法的
>
> 「顧炎武閻若璩的方法，和葛利略牛頓的方法是一樣的」，
>
> 可惜「顧氏閻氏的材料全是死的」
>
> 故顧氏等的方法也死了。
>
> 這種論理，我頗懷疑。分明是在材料自身，何以「方法」會有兩樣屬性？然則是沒有科學的方法，以實物為對象，也可以產生所謂「生」的學問了？然則科學的地位不是根本動搖了？方法會跟材料而

---

22 何定生：〈願胡適之先生勿「懺悔」〉，《治學的方法材料及其他》，頁41-42、44。

生死，復何貴乎科學方法？（……）承認方法是生的，即不能說閻若璩等的方法是死。[23]

這種對國學材料由生轉死的改變，何定生稱之為「模稜」[24]，他認為，國學與科學二者本為異質，以科學方法治學，本不在期望國學最終會成為科學，而是藉其客觀性，能對原先沒有系統、混雜的國學進行「整理」。對胡適指稱，國學「材料」不如科學，以致治學成績：「鑽來鑽去，總不出這故紙堆的範圍；故三百年的中國學術的最大成績不過是兩大部《皇清經解》而已。」對此，他認為是胡適文章的第二個矛盾處。他說：

適之先生之大錯處，是在紙上將紙上材料與自然界混為一談！紙上材料是一事，自然界是一事，這其間各有各的領土。紙上材料（注意！是材料），那怕你「七十二變」，自混沌初開以來至末日審判仍是紙上材料，則其弄出來的成績是紙上成績。自然材料會造成物質文明，是自然材料的個性。[25]

為瞭解開胡適言論上的「矛盾」，何定生借生物學為喻，說：

材料分紙上與自然界，假定可以這樣比喻，其不能互換，猶男之不能變女，女之不能變男也。哪怕廣告上吹牛如「生殖靈」！假若是真時，也只能叫男子的胸膛吃銀盒藥而墳起。若女性，其多餘之某部肉，決不會忽然而窅深。此理至明。[26]

接受西方學科的知識，在當時亦是「科學」的一種表現。何定生借生物學之喻，指責胡適混淆了國學的本質，以及國學所該負的責任。類似的意見，在《治學的方法與材料及其他》亦可得見。如趙簡子就指出：

---

23 何定生：〈又來「罵」胡適之先生〉，《治學的方法與材料及其他》，頁22。

24 何定生：〈再寫在槃的文後〉，《治學的方法與材料及其他》，頁78。

25 何定生：〈又來「罵」胡適之先生〉，《治學的方法與材料及其他》，頁13。

26 同前註，頁14。

> 現代研究國學的人都多少缺乏科學的修養，因此使國學變為一團糟和烏煙瘴氣，這是無容諱飾，而須養成科學的基礎為研究國學的準備，也是彰彰然無須諱言的。不過一般人未免有些矯枉過正，似欲把語言歷史學（國學）完全地視為自然科學，把研究自然科學的方法及目的等視為和研究語言歷史學完全一樣。這是很大的謬妄，這是把自然科學和語言歷史學視為同一的東西，這是忽略了語言歷史學的本質！倘使這兩者之基本觀念不分清，不能澈底瞭解，則國學的舊有的烏煙瘴氣未除，而國學的新一團糟又加上了。[27]

對國學整理需要使用「科學方法」，雖為時人的共識，但並不意味要將國學整治成科學。國學與科學異質的強調，說明瞭科學方法對國學的介入有一限度，不能主客易位。以此，對胡適文章中，不斷引述的實驗室態度，乃至堅持要青年人「用慣了實驗室方法，再回過頭來整理國故」的建議，就不免感到不解。何定生說：

> 試問，「在實驗室裏有了好成績」與「回來整理國故」何關！在實驗室裏有了好成績最多不過是為其科學方法「用慣」了保證而已，同整理國故何關！「國故」不終古如斯的依然紙上材料的故我！難到「實驗室」同「用慣」等會保證到紙上材料忽然而像自然界似的可以造成物質文明？用的果是科學方法，只能問方法，則在國內也可以打倒顧亭林，且並不必於實驗室有成績。[28]

以及：

> 紙上材料便是紙上材料，以科學方法對之，仍是紙上材料。實驗室，習慣養成，餘力，決不能改變之也。[29]

---

27 趙簡子：〈我對於國學的見解〉，《治學的方法與材料及其他》，頁122。

28 何定生：〈又來「罵」胡適之先生〉，《治學的方法與材料及其他》，頁19。

29 同前註，頁19。

何定生認為，科學態度與方法不必非從實驗室中養成不可，即使用了實驗方法，也無法使紙上材料創造出物質文明。

胡適不願放棄樸學作為中國科學典範，但卻因文章中揚西學抑國學的呼籲，反而傷害了影響一代學子的科學精神信仰，也引來了治學材料的論爭。隨著地質學家、域外漢學家紛紛投入國學整理行列，國學有了新的治學現場與方式，治學「材料」確實必須跳脫既有「故紙堆」範疇，治學方法也應該與時俱進，更注意樸學以外的研究視角。而論爭中對胡適態度的分析與批評，也使我們看到這篇文章中所隱含糊適自己治學方式的轉向，包括強調實驗室態度、走出書齋、創造證據，以及對域外漢學研究成果的重視。這些主張，都宣告了胡適古史態度的轉向，以及與疑古派的分殊。

（二）疑古精神科學性的駁議與國學科學價值的重估

與國學、科學分途相伴而生的問題是，如果實驗室態度才代表真正的科學方法或科學精神，那麼，「疑古」還能作為國學的科學價值與科學意識？對胡適來說，〈治學的方法與材料〉結論所拋出的國學死路、枉費心思說，除了針對過往的樸學成果，更包含顧頡剛所主持的《古史辨》。〈治學的方法與材料〉云：

> 從梅鷟的《古文尚書考異》到顧頡剛的《古史辨》，從陳第的《毛詩古音考》到章炳麟的《文始》，方法雖是科學的，材料卻是始終是文字的。科學的方法居然能使故紙堆裏大放光明，然而故紙的材料終久限死了科學的方法，故這三百年的學術也只不過文字的學術。[30]

《古史辨》誠然是以顧頡剛為首，然其背後的疑古精神，卻是始自胡適。一九二六年，《古史辨》出版，疑古精神被落實為具體的學術實踐。一時之間，「疑古」之說取代「整理國故」，成為國學研究的新口號、新方法，甚而

30 胡適：〈治學的方法與材料〉，《治學的方法與材料》，頁146、150。

一躍成為國學新的科學價值。然而「疑古」之說雖風靡一時，但當中衍發的胡亂懷疑、隨便臆解，「比附」過甚的研究成果，導致「大禹是條蟲」、「墨翟是印度人」等說的出現，亦不免使人懷疑：這就是科學的治學成果？原先期望藉由科學的客觀性視野，為古史研究帶來出乎意外的審視[31]，但其結果卻是「驚人耳目」有虞，具體結論闕如，一班扛疑古大旗創造出的科學謬解為疑古帶來負面形象。《治學的方法與材料及其他》文集中對此攻擊最力的，就是何之。他在觀察了當時疑古成績後，認為這樣的懷疑態度，既提不出具體無法顛仆不破的結論，只圖新人耳目，不過是「不負責任的懷疑」罷了。何之〈顧頡剛先生的懷疑精神〉文謂：

> 《古史辨》裡顧先生找了無數的材料，翻了許多的古籍，我看了不能不佩服他的勤勞和苦心。不過因要求過奢的心理推使，怨恨他就然生了出來，因為我看見他援據了無數的證據，預料定有斷然的結論在後頭，末了仍是「黑漆一團」。……科學的方法，恐沒有這樣浮泛的罷？所以我讀完《古史辨》之後，膽敢下這樣的批評：（一）顧先生搜集無數材料的價值，遠不及丁文江君僅略加研究過一遍火成巖的變遷。（二）顧先生認禹沒有其人是用懷疑的方法；丁君決定沒有夏禹治水的一回事，這才是真正的科學方法。或者有人以為懷疑，就是等於科學方法中的假設一樣。這也恐是勇於疑古的人，所持的成見，就因為假設不是如同不負責的懷疑一樣，所以結果，也就大大的不同。[32]

「科學」既然有求證之工，當造出「實證」之事實，這是時人對於科學治學工作的期許，但沒料到同是科學治學，疑古卻只能發出不斷然的結論。何子恆也認為：

> 我們並不反對頡剛的懷疑。我們不滿的乃是顧先生高揭科學方法的旗

31 參徐雁平：《胡適與整理國故考論》（合肥市：安徽教育出版社，2004年2月），頁3。

32 何之：〈顧頡剛先生的懷疑精神〉，《治學的方法與材料及其他》，頁94-95。

> 懺，而造不出一些科學的事實來。[33]

趙簡子則為顧頡剛緩頰說：

> 顧先生卒不是傳統保守的思想的人，他是處處唯謹唯慎的。……他的懷疑是從極纖細的心理出發的。從找到許多材料證據來立論的，因此使他不得不懷疑。他的工作並沒有不合科學的：不過他卻沒有用地質學，人種學，古生物學來作純粹的研究而有所貢獻。這一層我們在良心上及事實上總不能苛責於顧先生，因為顧先生在北大讀書時，尚沒有用科學來幫助國學的提倡，而且中國的學術在故紙中尚有無數須整理的工作，所以顧先生沒有吸足科學的修養。這是中國學術幼稚的影響。[34]

不論如何，事實的匱乏，確實是《古史辨》或疑古思想所未能達到的「科學」目標，而此也即是胡適批評《古史辨》處。胡適援漢學家的治學成果，對比樸學研究的缺陷說：

> 珂先生……有西洋的音韻學原理作工具，又很充分地運用方言的材料，……所以他幾年的成績便可以推倒顧炎武以來三百年的中國學者的紙上工夫。……三百年的古韻學抵不得一個外國學者運用活方言的實驗。幾千年的古史傳說禁不起兩三個學者的批評指摘。然而河南發現了一地的龜甲獸骨，便可以把古代殷商民族的歷史建立在實物的基礎之上。一個瑞典學者安特森（J. Q. Anderson）發見了一些舊石器，便又可以把中國史前文化拉長幾千年。……向來學者所認為紙上的學問，如今都要跳在故紙堆外去研究了。[35]

---

33 何子恆：〈為「懷疑精神」等等質何之〉按語，《治學的方法與材料及其他》，頁107。

34 趙簡子：〈我對於國學的見解〉，《治學的方法與材料及其他》，頁132-133。

35 胡適：〈治學的方法與材料〉，《治學的方法與材料》，頁155-156。

由此，原先最引為科學的樸學成果，至今也就有限的很。胡適說：

> 那班最有科學精神的大師——顧炎武、戴震、錢大昕、段玉裁、孔廣森、王念孫、王引之等——他們的科學成績也就有限的很。他們最精的是校勘訓詁兩種學問，至於他們最用心的聲韻之學簡直是沒有多大成績可說。[36]

樸學如此，《古史辨》亦如此。

然而，中國的治學方式是否真的不如西洋學術，而真的需要「用慣」實驗室方法後始能得之？何定生認為，當前最需要作的，是整飭疑古學風，而不是聲討疑古方法。他以衛聚賢之治學成果為例，說：

> 近人以統計學來應用在古史上的，有衛聚賢的《古史研究》。這種新的方向，我是十二分重視的。但衛氏的用統計學，並不能充分的表現這個方法的意義。他一方面用統計法，一方卻不能用合邏輯的辯證。……他用統計來歸納通例，所用的材料的斷案，是在數目中如「十一月」，古是作「十有一月」，或「十三年」，……這種統計，看來是很好，但他卻同時將好幾個最古的作品——甲骨文中沒有「又」字的例子：像十一月，十二月，十三月等許多寫法都放過了。他也知道這是不妥當的，於是輕輕用「因書法關係而省略」般的淡寫一提完事。他是急於將通例弄起來，殊不知只這樣一點便剛剛好將通例推翻。……這樣使用統計法是沒有用的，顯不出價值的。[37]

類似將科學方法隨意的「拿來」的比附運用，不僅無功於國學整理，亦無法顯出方法的科學價值，反而增添了隨意推論的負面印象。此現象的產生，均緣於大眾對科學方法的一知半解所致。何定生指出：

---

36 何定生：〈「新」「舊」材料與治學的方法問題〉，《治學的方法與材料及其他》，頁155-156。

37 同前註，頁156-157。

> 當這二十世紀，科學的世紀，大家仍都往往只將牠記得一半，只會「大膽假設」，而不肯「小心求證」。其所得的學問成績於是便非像「如數家珍」般的衛聚賢的古史研究的隨便斷判，便是像胡懷琛的〈墨翟為印度人辨〉的想入非非。信如這樣的幹下去，「懷疑精神」固然也為國人的異樣光榮……故我以為要是科學方法而不能夠莊嚴，則現有的什麼學術的紙上材料，仍永久是新的，仍永久要待研究，整理。[38]

然而，科學方法既未臻成熟，使用者也仍處摸索試驗階段，國學仍需要科學方法嗎？答案顯然是肯定的。何子恆即明確主張，「國學的研究須築在現代科學的基礎上，這是大家公認的一個結論。」[39]何定生則進一步指出，正因為科學方法與國學材料間未曾訂出全面的計劃，以致造成隨意的誤用，不唯一般民眾無法從中感受科學的好處，整理者也因未達預期的成果感到失望。他說：

> 目今之計，整理故學，我以為仍宜從科學方法的根據上定大規模的計畫，初不必斤斤於材料。要是材料有了，給衛氏胡氏（案：衛聚賢、胡懷琛）等所用方法去整理，畢竟仍是枉然。定得整個的具體計畫，於是照分工的原則，沒成見，冷靜、沈潛、精細、持續的做去，才有希望。[40]

最有力的證據，就是顧頡剛的治學成績。何定生說：

> 在這樣場合上，我和何先生（案：何子恆）的意思，可以說幾乎是一致。故我欲說的話，是對於胡先生的文而發。不過何先生也有一處，似乎和我的觀察不同。他以梁啟超，胡適之，和顧頡剛相提並論，這

---

38 同註36，頁154-155。

39 何子恆：〈說幾句〉，《治學的方法與材料及其他》，頁140。

40 何定生：〈「新」「舊」材料與治學的方法問題〉，《治學的方法與材料及其他》，頁162-163。

> 分明是對於新近治國學的新方向——非三百年來的樸學所能夠會有的——不嘗加以認清。……其實治國學而像顧頡剛所持的方法和態度，已有更達於科學的之傾向。[41]

何定生觀察到，顧頡剛雖是以樸學考據之方法治古史，但顧氏能從既有的材料中，發顯不同的歷史意義，已是遠遠超出樸學之成績，以此，他以《古史辨》作為當代科學之代表。又說：

> 顧頡剛不是造一本《古史辯》，便謔倒了許多大人君子，聖人之徒麼！傳統思想且因為他的新貢獻而根本動搖，此不是很光榮的一道新的亮光，不是很威猛的一種新的力量！適之先生說方法跟材料而死，這何嘗會死！適之先生說「於人生有什麼利益」，這不是於思想上開了新紀元！[42]

對比胡適之斥《古史辨》為死路之說，何定生於此大舉顧頡剛《古史辨》為學術新力量，與胡適之說可說是正面交鋒，確實很有揚顧抑胡的意圖，無怪此書甫披露面世，會引發學界譁然與爭議。

三　從考據到考古，從考證到實證：古史「現場」的歧異與重建方法的分途

（一）科學的體制化與古史「現場」的出現

自安特生（Anderson, Johan Gunnar, 1874-1960）一九一四年受聘為農商部礦產顧問，一九二一年發掘仰韶文物後，即開始了中國「科學考古」時期。一九二五年，王國維提出「二重證據法」。一九二八年，中央研究院歷史語言研究所正式組織殷墟探勘隊，屬於中國人自己的考古、探勘活動正式

41 何定生：〈願胡適之先生勿「懺悔」〉，《治學的方法與材料及其他》，頁27-28。

42 同前註，頁44-45。

展開。與此同時，新式的學術機構亦紛紛成立，發展最速的，就是地質、考古機構的成立。紛然出現的考古實證機構，也帶動了學界實證考古的風潮，如「風俗會」、「科學考察團」等。隨著殷墟探勘成果的發布，「地下」材料如雨後春筍紛紛出現，考古材料因與自然科學材料同為自然界實物，又運用了自然科學上地質學的方法，使其成為國學研究中最具科學的一支。在科學意識、科學方法喊得震聲價響的學術氛圍中，無疑是最受關注的一新興學科。一九二六年十月，《北京大學研究所國學門月刊》創刊，創刊號即為「考古學專號」。一九二〇年間，考古蘊含的「實證」意識已一躍成為國學的新課題，不僅成為「整理」的新科學方法，其所發掘的歷史「真相」，不僅使紙上的材料有了印證的可能，更擴展了國學的詮釋視野，使古史的重建有了可靠的基礎。同時，考古歌謠、方言等「生活現場」材料的加入，也使古史更多了「現場」的意象。凡此均可見此時之學風，已有走出疑古，轉往重建古史與證古方向前進之傾向。

在科學逐步取得體制的發展之際，二重證據法的提出，進一步使實證方法與樸學精神有了緊密的結合，成為新時期最具代表性的治學方法。王國維說：

> 吾輩生於今日，幸於紙上之材料外，更得地下之新材料。由此種材料，我輩固得據以補正紙上之材料，亦得證明古書之某部份全為實錄。即百家不雅馴之言，亦不無表示一面之事實。此二重證據法惟在今日始得為之。雖古書之未得證明者，不能加以否定；而其已得證明者，不能加以肯定可斷言也。[43]

此說不唯保存了樸學「考證」之效，更讓「證據」有了更為新穎的學術視野，從而揭示了國學研究的新範式。相較於胡適從「科學」意識上尋求與傳統的連續性，王國維合「紙上之材料」與「地下之材料」而成之新考證學，

---

43 王國維：《古史新證——王國維最後的講義》（北京市：清華大學出版社，2000年4月），頁2-3。

為既有的學術成績，賦予一新的意涵，使既存的「實證」不僅兼有樸學考證意義，更與當時的「實證科學」巧妙接榫，減低了傳統與現實間的緊張，也為傳統治學成果，提供了新的價值意識。由此，不唯方法才有方法意識，材料本身即可成為一種新的方法意識。而材料的方法化，不僅擴大了方法定義，也提升了材料的層次，使其不再只是紙上文字，而成為影響國學解釋的關鍵，並擴大了史料的範圍。而這股考古實證之風對國學整理最大的影響，就是傳統的考據之學，逐漸走向「考古」，考證之方也轉型成為「實證」。至此，國學研究也從辨偽、疑古的「揪謬」式的「整理」，正式轉為另尋證據的「重建」。而從考證到實證，或是從考據到考古，不唯是詞語上的滑動，而涵蓋了材料與方法意識的巨大變異：從紙上材料到出土實證材料，從紙上證據之考索到書齋之外的移地考察。當中感受最深的，就是胡適。一九二六年，胡適在巴黎國家圖書館，從伯希和（Pelliot, Paul, 1878-1945）帶回的敦煌寫本中，考訂得出荷澤大師神會語錄，胡適難掩興奮之情，說：「我走了一萬多哩路，從西伯利亞到歐洲，要找禪宗的材料；到巴黎不到三天就找到了。」[44]這種於域外親見古史現場的震撼，使胡適不得不放棄舊有的紙上現場，而要走出書齋，尋訪、觸摸歷史。

（二）古史重建態度的分歧：疑古派之「舊史料與新心理」與信古說之「創造證據」

〈治學的方法與材料〉中，胡適曾藉由比對中西近三百年的學術成果，突顯中國「文字的學術」特色，遠遜於西洋物質文明。值得注意的是，這個對照表明顯帶有實證意識，不僅反映出中國文明的無關乎現實，更顯示了中國學術方法與材料，缺乏實證的缺陷。由此，胡適重新梳理了樸學的治學方法與材料。他說：

---

44 胡頌平編著：《胡適之先生年譜長編初稿》（臺北市：聯經出版公司，1990年）（二）「民國15年9月4日」條，頁649。

（樸學）文字的材料是死的，故考證學只能跟著材料走，雖然不能不搜求材料，卻不能捏造材料。從文字的校勘以至歷史的考據，都只能尊重證據，卻不能創造證據。……紙上的材料只能產生考據的方法；考據的方法只是被動的運動材料。自然科學的材料卻可以產生實驗的方法；實驗便不受現成材料的拘束，可以隨便創造平常不可得見的情境，逼拶出新結果來。……肉眼看不見的，他可以用望遠鏡，可以用顯微鏡。生長在野外的，他可以叫它生長在花房裏；生長在夏天的，他可以叫它生在冬天。[45]

在此論述之中，樸學被視為一種被動的學術，不僅仰賴已存在的史料，方法也只能在既有的材料中找尋出路，原先以考據為國學最具科學價值的部份，現在卻「只能尊重證據，卻不能創造證據」，不能「創造不常有的情境」，也無法「造出種種條件，把證據逼出來」，成為一種封閉的學術，只存在書齋、故紙堆中。胡適對樸學態度的轉變，正是其從疑古轉為信古的關鍵。而此時胡適對考據方法與材料的批評，正足以說明疑古與信古二派，在方法與材料意識上的歧異。

對胡適以國學材料為死，西學為生的論點，何定生嘗以「新舊」說代換「生死」論，指出材料無所謂生死，只有新舊問題。放在史學的角度，此正是疑古派「舊史料新心理」[46]的治學特徵。何定生認為，史料之新舊、有用與否，端賴研究者對史料能否是否能別具慧眼，以及是否有新的問題意識。他反駁胡適說：

在事實方面，我們也可以看出材料並沒有所謂生死。……河南殷墟挖出來的獸骨龜甲，章炳麟劉師培等並不能夠從而於學問而有所貢獻——他們不相信地下材料。在骨董客，這些古物，「死」自不消說；學者如章氏劉氏也復何嘗會「生」？但，一到孫詒讓的手裡，史

45 胡適：〈治學的方法與材料〉，《治學的方法與材料》，頁151。

46 王汎森：〈顧頡剛與古史辨運動〉，《古史辨運動的興起》（臺北市：允晨文化公司，1987年4月），頁215。

> 學上且有新的解釋。……近人治學，常有待於地下材料的傾向。自「甲骨」文在「國學」上有了新發展之後，各地的從事發掘者，更加高興。這些未來或來著的地下材料，我們當然叫牠「新」的；至出土之甲骨文也即是新材料。「新」的材料意思是說牠於我們的研究，會給予以新的激刺之謂，故當然也不限於所謂實物的或是紙上的文字。[47]

何定生以史料之「新」為意識之新，而不是新發見與否。他認為，所有的材料都可以是新的，只要對之有新的想法即可。由此不論材料是紙上或實物，凡能引起研究刺激，能造出新的研究，都能稱之為新材料。何定生並未意識到，胡適所主張的實驗室方法，與考古發現之說，正足以代表新古史現場的重建，而不僅僅是一種新治學精神而已。以此不能明白胡適汲汲想從二種出乎其「外」的視角——域外與紙外——對「舊史料新心理」治學態度進行改造，以提出更為確鑿與科學性的解釋。何定生反駁說：

> 紙上材料所負有的責任，只是科學方法，而不是「實驗室」的實驗，因為紙上材料就不可能實驗。例如適之先生最近著的〈入聲考〉（《新月》一卷十一號）所用的例證，都是《詩經》的均。試問這能夠起古人西渡太平洋，用美國的語言實驗室記留其吟詠之音浪，如劉復氏的工作然否？然則紙上材料既不可造出自然貨色，則奈之何往西洋「實驗室有了好成績」之後，「回來整理我們的國故」，就會好呢？[48]

對陳槃之贊成胡適之說，何定生也反駁他說：

> 我們治紙上材料的所謂「國學」時，我們是絕不會去取水來當材料，不會取電來當材料，不會取鐳來當材料，不會取銑來當材料……這大概槃會相信吧！這何以故，以我們是治紙上材料的學問故，不是自然

47 何定生：〈「新」「舊」材料與治學的方法問題〉，《治學的方法與材料及其他》，頁146-147、149。

48 何定生：〈再寫在槃的文後〉，《治學的方法與材料及其他》，頁78-79。

> 科學故！[49]

可以看到，對於胡適期望藉由這些外在的實證來整理古史的態度，何定生不解也不滿。他認為，「整理」當從國學「內在」來做，先解決了國學內在真偽紛雜的問題後，再來借鑑國外研究成果與方法。他指出：

> 於古代學術的整理，果然都有過工作了麼？我知道這句話問出去，答案最少是承認工作過不少了的。其實，嚴格說起來，有許多許多前人的工作，我們不能承認其為工作過的。有許多前人雖工作過了，到我們仍是需要工作的。我們所不承認已工作過的材料，這固然在我們是「新」材料，即前人明是工作過了的，到我們仍需要工作時，便也仍是新材料。[50]

以及：

> 我以為要是科學方法而不能夠莊嚴，則現有的什麼學術的紙上材料，仍永久是新的，仍永久要待研究，整理。[51]

顧頡剛在《古史辨》第一冊自序中曾指出，他的古史研究主要在「辨證偽古史」[52]，是以其雖亦驚喜於地下出土文物，但歸結到底，仍期望這些「研究古代實物的人，我也希望他們肯涉獵到辨偽方面。」[53]他曾借章鴻釗之研究指出：

> 章演群先生（鴻釗）所著的《石雅》，不愧是近年的一部大著作，但裡邊對於偽書偽史不家別擇，實是一個大缺點。他據了《拾遺記》的

---

49 同前註，《治學的方法與材料及其他》，頁81。

50 何定生：〈「新」「舊」材料與治學方法問題〉，《治學的方法材料及其他》，頁151-152。

51 同前註，頁155。

52 顧頡剛：〈自序〉，《古史辨》（臺北市：藍燈文化公司，1993年8月），冊1，頁58。

53 同前註。

> 「神農采峻鍰之銅以為器」，《史記》的「黃帝採首山銅鑄鼎」，說中國在神農黃帝時已入銅器時代。（……）這種見解，很能妨礙真確的史實的領受。[54]

因此，對於在具體的古史研究上，顧頡剛《古史辨》第三冊序自陳：

> 這分明是古書辨了，哪裡可以叫做古史辨？……這些工作做完的時候，古史的材料在書籍裡已經整理完工了，那時的史學家就可根據了這些結論，再加上考古學上的許多發見，寫出一部正確的《中國上古史》了。[55]

由此，考古發掘對於顧頡剛來說，最終仍須回饋到古史、古書的「辨偽」上，而他們的古史現場，自然也只能侷限在紙上。在講求內在的梳理、辨偽的原則下，疑古派對古史重建的方式，就成了「編講義」。即藉由史料的撿擇、取捨，傳達史家的史觀。對此，何定生有很敏銳的觀察。他說：

> 頡剛先生這兩年來在中山大學只是編講義。在皮相的旁觀者說他只會找材料，編講義，並沒有做什麼研究。這些話外行得很可以，你說他只找材料，編講義，其實他正正應該不宜隨便做什麼研究，……編講義，一般人以為是很平常的事，尤其謂是只在找材料。其實，方法不同，則毫釐千里。試問世上編講義者，有過編二百萬言的材料？（〈「新」「舊」材料與治學的方法〉）

這種「編講義」式的治學方式，背後所隱涵的對於史料的甄別與古史系統的建立，正是疑古派承繼樸學精神以重建古史的方法。何定生能從業師的工作方式中，體察到箇中的學術意義，確實是一項當精微的觀察。

隨著新證據的出現，證據所顯示的方法意識也逐漸為人所注重，胡適即從中修正了對於古史的態度。藉由安特生等人的挖掘成果，胡適就「又可以

---

54 同註52。

55 顧頡剛：《古史辨．序》（臺北市：藍燈文化公司，1993年8月），冊3，頁4-5。

把中國史前文化拉長幾千年」。對曾經丟開唐、虞、夏、商四朝，逕以周為中國哲學之始的胡適，今日竟然肯定上古的存在，不能不說是其思想上的一大突破。而激起他思想上的重大轉變的，正是域外漢學與考古實證成果給予的刺激。於此，胡適就不得不對原先讚以科學表率的樸學成績為不滿了。如曾被胡適視為「科學的學問」的顧炎武上古音韻研究成果，如今是漏洞百出，又欠缺實證的「紙上學問」。他說：

> 顧炎武找了一百六十二條證據來證明「服」字古音「逼」，到底還不值得一個廣東鄉下人的一笑，因為顧炎武始終不知道「逼」字怎樣讀法。又如三百年的古音學不能決定古代究竟有無入聲；段玉裁說古有入聲而去聲為後起，孔廣森說入聲是江左後起之音。二百年來，這個問題似乎沒有定論。……況且依二百年來「對轉」、「通轉」之說，幾乎古韻無一部不可通他部，如果部部本都可通，那還有什麼韻可說！[56]

以此，唯有實證，才能保證論證之可信，不然都只是紙上談兵，稱不上科學。胡適又說：

> 在音韻學方面，一個格林姆（Grimm）便抵得許多錢大昕、孔廣森的成績。他們研究音韻的轉變，文字的材料之外，還要實地考察各地的方言，和人身發音的器官。由實地的考察，歸納成種種通則，故能成為有系統的科學。[57]

由此，舊式的樸學治學方式，已有了打倒的必要。同樣的研究課題，在西洋實證方法運作之下，輕而易舉地就能推翻甚且解決中國長期懸而難解的問題。對中西治學方法，胡適曾有相當生動的比喻。他說，樸學的方法就如同法官判案：

> 他坐在堂上靜聽兩造的律師把證據都呈上來了，他提起筆來，宣判

56 胡適：〈治學的方法與材料〉，《治學的方法與材料》，頁155。

57 同前註。

> 道：某一造的證據不充足，敗訴了；某一造的證據充足，勝訴了。他的職務只是評判現成的證據，他不能跳出現成的證據之外。[58]

而西洋的治學方式，是講求實證的方式，要走出書齋，如福爾摩斯訪案：

> 他必須改裝微行，出外探險，造出種種機會來，使罪人不能不呈獻真憑實據，他可以不動筆，但他不能不動手動腳，去創造那逼出證據的境地與機會。[59]

胡適這些說法，從對注重西洋研究以擴充史料到「動手動腳」說的出現，都與傅斯年之〈歷史語言研究所工作之旨趣〉一文，有許多幾近相同的主張。可以知道，胡適日後之親傅疏顧，與其說是私誼的改變，更多的是學術視野的交集。值得注意的是，文集中唯一對胡適觀點表達支持態度的陳槃，也是站在傅斯年學說的立場論說的。陳槃說：

> 我對胡適之的態度不算前後矛盾的。我站在整個文化（物質的，精神的）「分工合作」的原則的立場，我反對胡適之只好玩機器而抹煞人類精神的效用；我站在考古的立場，我要利用自然科學所給與的各種工具（方法）和成績（如歷史地質學，氣象學，人類學，生理學，統計學，等等。）考古學家不藉賴科學家的工具和成績，一切工作（尤其是地下工作，言語學的工作和人種學的工具）是無法子進行的。[60]

陳槃明白胡適之論，除要熟悉西方治學的思維模式與研究方式，更必須藉由西方的治學成績，幫助國學有更新的研究氣象。除此之外，陳槃對方法與材料，也有著出人意表的遠見。他試圖想合顧頡剛的治學計畫與傅斯年的學術方法，為國學研究達到一新境界。他說：

> 歷史攷證的學問，到顧頡剛先生手中活潑得多了。顧氏的進步，就是

58 同註56，頁153。

59 同註56。

60 陳槃：〈書數子篇寄定生北平〉，《治學的方法與材料及其他》，頁71-72。

能運用新的材料。如他用歌謠、故事、民間傳說等來溝通印證古史；用官廳檔案、地方誌、家族志，一切社會事件之記載……雖然這些大部分還是紙上的材料，還沒有做到傅斯年（孟真）說的「上窮碧落下黃泉，動手動腳找資料」，可是，從止以「高文典冊」為研究對象的一條路上看來，能第一步做到顧先生的全個計畫，也就已經把中國史的研究帶到一條新生命的方向了。[61]

以及：

自然，我們研究還要進一步去找東西。換一句話說，我們是要由顧先生的〈購求中國圖書計畫〉到傅孟真先生的「借重考學」和掘發地底地下材料如動植物、化石、新舊石器時代的事物，甲金文字等等直接材料之重要，此不必說。外人的考古載籍好些地方都比中國的精密的。……因此，考中國的古，止在中國內部上天下地還不算，必須做到古今中外，地闊天空。[62]

陳槃合顧頡剛之計畫與傅斯年「動手動腳」說治國學，確實顯出驚人早慧的史識。而顧頡剛擴大了史料範圍，跳脫了前人的考證視角，從故事、戲曲、唱本、歌謠等非「經典」的材料中，體悟了層累的古史造成說，已可說是一種「創造證據」。在《治學的方法與材料及其他》一書中，只有陳槃注意到顧頡剛史料的科學性。

除了對古史現場認知的差異，在古史重建的方法上，胡適與傅斯年都不約而同的選擇了「實驗室」作為新研究型態。這個備受何定生抨擊的概念，不只作為取代疑古精神的科學論述，也使傳統治學方法，有了團體、集眾的改變。這個意見在傅斯年說得更為清楚。傅說：

歷史學和語言學發展到現在，已經不容易由個人作孤立的研究了，他

61 同前註，頁68-69。

62 同註60，頁71-72。

> 既靠圖書館或學會供給他材料，靠團體為他尋材料，並且須得在一個研究的環境中，才能大家互相補其所不能，互相引會，互相訂正，……這集眾的工作中有的不過是幾個人就一題目之合作，有的可就是有規模的系統研究。[63]

這種集思廣益、專業分科的研究方式，正是中國現代學術研究機構下產生之新學術系統。

四 結論

隨著西洋的事業群、研究組織與學術機構、制度成立的同時，胡適的國學科學化理論與心願逐漸落實成為體制[64]，考古接續樸學成為新科學範式與國學發展型態。胡適〈治學的方法與材料〉一文中出現的「換條路走」、跳出「故紙堆」的呼籲，並非放棄國學，或是對整理國故成績的全然失望，而是一種方法的自覺[65]——這種自覺，是因著考古學的發展與大量歷史「實證」的出土而產生的。胡適已經意識到以往紙上的考據工作已做到盡頭，是時候轉換方法、借用更科學、更新的研究方法與材料才能持續下去，才能有更大的成績顯現。

在胡適眾多備受「討論」的文章中，〈治學的方法與材料〉一文，並不是最受爭議的；但它揭引的國學研究方法意識的轉變，以及胡適本身治學觀點的變化，卻鮮有人注意。其原因即在，胡適自身的學術成就，仍在傳統考證文章。以此少有人意識到，在這樣穩當連續的科學意識中，竟然包含二種不同史觀。同時，胡適並沒有寫出像顧頡剛、傅斯年等更具「史學」意識的

---

63 傅斯年：〈歷史語言研究所工作之旨趣〉，《傅斯年全集》，冊4，頁265-266。

64 詳細可參陳以愛：《中國現代學術研究機構的興起——以北京大學研究所國學門為中心的探討（1922-1927）》（臺北市：國立政治大學歷史學系，1999年5月）、劉龍心：《學術與制度：學科體制與現代中國史學的建立》（臺北市：遠流出版公司，2002年2月）。

65 許冠三：〈胡適：注重事實服從證據〉，《新史學九十年》，頁187。

文章，其信古說亦未能發展成更為完整的論述，以此他的「我不疑古了，我要信古了」之說，只能停留於私下「個人」興趣的轉移聲音，被保留在少數人的文集、回憶錄中，成為一種「私語」，一般人也很難發現，胡適的思想曾經過如此劇烈的轉變。

《治學的方法與材料及其他》一書，因為篇題與爭論議題，在當時頗被視為是揚顧批胡的著作，甚且被有心人認為是顧頡剛要抬升自己的學術聲勢而請學生撰寫的。胡適將自己信仰、學術方向的轉變，化為尖銳的詞語，左批樸學成果，右打顧頡剛《古史辨》，使追隨、崇仰的後輩學子何定生不得不挺而捍衛當時全心照應他的業師顧頡剛。而從這本小冊子，吾人亦能窺見當時對「科學」治學之討論熱潮。

哈佛燕京學社與民國時期的學術轉型

——以洪業為中心

魏泉

華東師範大學中國語言文學系副教授

談論中國現代學術的建立，一般都聚焦於晚清民國時期。在學術轉型的背後，既有西學東漸的衝擊和影響，也有舊學新知的交鋒和融合，更與清末科舉的廢除和新教育體制的建立息息相關，且滲透著晚清與五四兩代傑出學者的心血智慧。這一切，其實早已為不少學者所論及。但是，回顧百年學術進程，無論是回到學案式的以人物為中心，還是專注於梳理觀念和思潮的激蕩變遷，都只是揭示了二十世紀現代學術之建立的某些面相。這些研究雖各有其深造自得之處，也還涵蓋不了民國時期學術轉型的複雜過程，因此，關於這一話題，在不同的視角下，還仍有繼續討論的餘地。

本文的選題，主要基於兩個方面的考慮：

第一，國人論學，常常不能分清思想與學術的畛域，而將社會影響與學術貢獻等同視之，這一點桑兵和羅志田在其關於近代學術史的研究中都有提及。桑兵認為，「一時代之學術，須經時間檢驗，才能分別一時之俊與百代之英」。[1]羅志田則在提到「有學者認為近年思想史影響學術史」這一看法時稱「恐怕『代替』大於影響……至少就近代中國而言，學術與思想演變的互動關係連基本的梳理都尚未見，遑論學界的共識。」[2]所謂「學術思想史」，

1 桑兵：〈緒論〉，《國學與漢學——近代中外學界交往錄》（杭州市：浙江人民出版社，1999年11月），頁2。

2 羅志田：《國家與學術：清季民初關於「國學」的思想論爭．自序》（北京市：三聯書店，2003年1月），頁13。

究竟哪些是學術，哪些是思想，似乎不易截然分清，但是有此自覺與努力，對於學術轉型的認識確可深入一步。以區分思想史和學術史的思路為前提，我想討論民國時期特別是二、三〇年代不以思想論爭名世而以學術積累見長的學者，聚焦於其學術背景和學術貢獻。

第二，二十世紀中國學術的轉型，是在西學東漸的大背景下展開的，因此在討論民國時期「國學」的發展演變時，納入與當時之海外漢學的交流與互動，乃為題中應有之義。這一點，在桑兵的《國學與漢學》一書中已多有闡發。而海外漢學，最初為外國傳教士所開創，中國近現代高等教育，也有很多為教會所辦。在上個世紀二、三〇年代一度非常盛行的國學研究，有很多是在燕京大學、輔仁大學這樣的教會學校中展開的。[3]學術需要師承，在二十世紀，大學的研究機構是維繫這種關係的主要方式，而在溝通和促進中西學術交流方面，教會大學又有其得天獨厚的優勢。所以，在討論學者的學術活動時，希望能把學校背景、學術機構、刊物及學術貢獻放在一起來研究。

在民國時期，尤其是二、三〇年代中國現代學術的確立過程中，哈佛燕京學社作為一個學術機構曾經起過非常重要的作用。與之相關的，是燕京大學的國學研究，燕京大學與國外著名大學如哈佛大學等的學術交流與人員交往。限於篇幅和時間，本文擬以洪業為中心，把哈佛燕京學社、燕京大學、國學研究、《燕京學報》、中外交流等放在一起加以觀照，看看是否可以呈現出民國時期學術轉型的一個方向和可能。

一　哈佛燕京學社的創立

哈佛燕京學社的建立，是中美大學在人文學科中互相合作的一個開端。學社的成立，起因於美國鋁業大王查理斯·馬丁·霍爾（Charles Martin Hall,

3　參見陶飛亞、吳梓明著：《基督教大學與國學研究》（福州市：福建教育出版社，1998年）。

1863-1914）巨額遺產所立基金。霍爾出身於一個清寒的傳教士家庭，後以發明電解法提煉鋁而致富。他終身未婚，在一九一四年去世時，遺下高達四千五百萬美金的巨額財產。在遺囑中，霍爾規定遺產的三分之一必須用於資助由美國或英國人控制下的亞洲或巴爾幹地區的教育事業。

霍爾遺囑的執行人是美國鋁業公司總裁亞瑟・大衛斯（Arther W. Davis）和公司的法律顧問、霍爾的大學同窗霍莫・詹森（Homer H. Johnson）。在一九二一至一九二二年間，燕京大學已經通過路思義（Henry Winters Luce）募到霍爾基金的五十萬美金資助，後來這筆資助又追加到一百五十萬。在第一批按照霍爾意願的捐贈分配結束後，還剩下六百四十萬美元的鉅款。哈佛大學商學院院長董納姆（Wallace Donham）注意到這筆不菲的資金，試圖申請，但因與霍爾的遺囑不符而未獲成功。一九二四年，遺囑委託人大衛斯指示司徒雷登和董納姆接觸，以制定一項既能使哈佛和燕京都受益，也符合霍爾遺囑的計畫。一九二五年十二月，哈佛和燕京達成初步的合作協定，正式成立哈佛燕京學社是在一九二八年一月四日，學社的命名是採納了洪業的建議。在學社章程中，可以看到哈佛燕京學社成立的目的：

> 進行及提供關於中國文化，以及（或者）亞洲別處，日本，以及（或者）土耳其與歐洲的巴爾幹半島的文化之研究、講習、出版活動……聘請有適當學術水準的中國人或西方人，從事相當於文理學院研究所水準的探討與教育工作，必要時為幫助學者進入此學社作適當的學術準備，資助中國別的高等學府；探討、發掘、收集、及保存文化及古代文物；或資助博物館從事此類工作。[4]

關於中國文化研究的方向，經費首先資助中國文學、藝術、歷史、語言、哲學和宗教史方面的課題。「共同的任務在於激發美國人的興趣和鼓勵利用近代批評手段的中國東方問題研究。」這個協議也許跟霍爾原本的意圖是有些

4　A Statement concerning the Harvard-Yenching Institute，哈佛燕京學社檔案。中文譯文引自陳毓賢：《洪業傳》（臺北市：聯經出版公司，1992年8月），頁145。

偏差的，霍爾希望資助日本、亞洲大陸、土耳其和歐洲巴爾幹地區提高現代科學的水準，而並非主要致力於對中國文化的研究，但對哈佛和燕京兩校而言，就研究中國文化方面抓住了一個難得的機會。從燕京大學方面說，燕京不僅可以分享從霍爾基金裡撥給哈佛燕京學社的四百五十萬美元，還負責管理另外一百八十萬美元的專款，用於資助在中國大陸的另外幾所教會大學。這使得燕京大學一躍而成為一個國際漢學中心。學社撥款讓燕京發展研究院，來培養其他大學的畢業生，也包括從哈佛來進修中國文史的學生，同時燕京的畢業生也有很多機會得到哈佛燕京學社的資助到哈佛大學深造。「燕京把握了這個機會大放光明。以後的幾十年中，由哈佛燕京學社訓練出來的學人，得該學社的資助而作研究或出版書籍刊物的學人，或因種種原因與燕京有聯繫的學人，形成漢學研究界一張很顯赫的名單」。[5]這張名單在二、三十年代包括歷史學的齊思和、翁獨健、王伊同、蒙思明、楊聯升、鄧嗣禹等，考古學的鄭德坤，日本文化與佛學的周一良，佛學與印度語言的陳觀勝等。[6]

哈佛燕京學社的最高權力機構是由九人組成的托事部。其中，哈佛大學、燕京大學、霍爾遺產各出三人。哈佛的代表由哈佛校長和教師委員會推選，燕京的代表則由其在美國的董事會推選。托事部下面有兩個委員會，一個是設在哈佛的教育委員會，由哈佛教師組成，並由一名托事擔任主席；另一個是設在北京的行政委員會，其成員由托事部決定，最早的學社北京行政委員會中除了燕京大學的司徒雷登、吳雷川、佛萊姆（Frame）、洪業、博晨光外，還有孔祥熙等五位社會名流。北京的行政委員會其職責是根據「托事部提出建議，制定在中國開支的預算，監督中國各地的事務」。後來在洪業和博晨光的建議下，精簡了學社在京機構，只在北平設立一個哈佛燕京學社的辦事處，設一個常設主任和一個幹事。另外設一個由專家組成的教育委

5　陳毓賢：《洪業傳》，頁147。

6　參見張鳳：〈哈佛燕京學社七十五年漢學經緯〉，《哈佛緣》（桂林市：廣西師大出版社，2004年），頁40。

員會進行指導和監督。[7]

二　燕京大學的國學研究

燕京大學原是一所美國教會在中國創辦的高等學府。中國近現代的高等教育，主要有三類大學構成，即公立大學、私立大學和教會大學。在中國近現代的教育體系中，教會大學起過特殊的作用，而燕京大學則是中國教會大學中的佼佼者。

燕京大學的前身是建於一八六九年的潞河書院和建於一八七〇年的匯文學校，後改為華北協和大學和北京匯文大學。二十世紀初，教會學校為了與國立和私立大學抗衡，增加更多的圖書設備，聘請更好的師資而進行調整聯合。合併後的燕京大學聘請了時在金陵神學院任教的司徒雷登任校長。燕大成立初期僅是個默默無聞的小學校，經費短缺，校舍簡陋，師資不強，司徒雷登接手這個「爛攤子」後，苦心經營，結束了校內的派系之爭，使燕大成為國內最早男女合校的大學，從國內外籌措到充足的辦學資金，在西郊建起風景如畫的嶄新校園，使燕大的名聲日漸提高。但在五四運動之後，一九二二年發生了非基督教運動，對當時的教會學校構成很大的挑戰。燕京大學在司徒雷登主持下，順應潮流，對燕大實施了一系列的改革，使燕京大學徹底中國化。而推動燕大中國化第一個重要內容，便是加強中國文化的教學與研究。若干年後，胡適在給司徒雷登的自傳寫序時，對燕京大學的國學研究推崇有加：

> 我在北京大學既與燕京大學為鄰，對它的成長一向非常關心，我相信司徒雷登領導燕大成績那麼可觀，主要有兩個原由。第一，因他與同人建立這偉大的學府一切有機會從頭做起，包括校舍的設計建築，讓這中國十三個基督教大學中規模最大的學府，享有世界上最美麗的校

7　本節材料轉引自陶飛亞：〈哈佛燕京學社考論〉，《邊緣的歷史——基督教與近代中國》（上海市：上海古籍出版社，2005年1月），頁146。

> 園。第二，因燕大成為一個中國本色的大學，哈佛燕京學社成立後，燕大的本國學術表現尤其優越，這是在基督教大學中很特別的。」[8]

胡適在一九三一至一九三七年間，出任北京大學教務長，一九四七年出任北大校長。在他任北大校長之初在上海接受記者採訪時還說：「假如國立大學不努力，在學術上沒有成就，很可能是幾個教會大學取而代之。」[9]可見在校際競爭中，北大也視燕京大學的學術研究為勁敵。

在推行中國化的同時，燕京也在推行國際化。燕大教師來自世界各地，而能平等相處，友愛互助，號稱「燕大一家」。燕大還跟國外大學特別是美國大學建立校際交流，進行留學生的互訪，使得燕大畢業生出國留學人數常居各大學之首。燕大和密蘇里新聞學院合辦新聞系，和普林斯頓大學合辦社會系，和哈佛大學合辦「哈佛燕京學社」，都是成功的範例。其中以「哈佛燕京學社」影響最大。在哈佛燕京學社在哈佛和北京的機構建立後，一九二九年，燕京創辦了國學研究所來負責學社資助下的國學教育與研究，聘請了陳垣擔任所長和學術會議主席。

說到燕大的中國學研究，洪業可以說起了舉足輕重的作用，因此胡適在為司徒雷登自傳所寫的序言中猶不忘記提到洪業的功勞：「我趁此向燕京的中國學人致敬，特別要向洪業博士致敬。他建立燕京的中文圖書館，出版《燕京學報》，而且創辦一項有用的哈佛燕京引得叢書，功勞特別大。」[10]

三　洪業與燕大及哈佛燕京學社

洪業（1893-1980），譜名正繼，字鹿岑，號煨蓮（William），出生於福建侯官，父親洪曦是個忠實的儒家信徒，曾在山東魚台、曲阜等地做知縣。洪業自幼受到很好的傳統教育。後來回到福州進入教會辦的鶴齡英華書院。

8 陳毓賢：《洪業傳》，頁138。

9 轉引自陶飛亞：《邊緣的歷史——基督教與近代中國》，頁150。

10 陳毓賢：《洪業傳》，頁138。

一九一五年在英華書院畢業後，得到書院美國董事克勞福德（Hanford Crawford）的資助赴美留學，先後獲得俄亥俄韋斯良大學（Ohio Wesleyan）文學士、哥倫比亞大學文學碩士，紐約神學院神學士。一九二二年，經劉廷芳介紹，洪業與燕大校長司徒雷登相識，一見如故，遂接受了燕京大學歷史系宗教史助理教授的聘請，並應允在美多留一年以協助燕京副校長路思義（Harry Luce）為燕京募款。一九二三年，洪業歸國後任燕大歷史系副教授。在授課之餘，洪業還致力於對燕大圖書館的改進，即多方募款為圖書館購置中文書。一九二四至一九二七年，洪業出任燕京大學文理科科長，相當於教務長，負起改造學校課程設置的重任。一九二八年擔任歷史系主任、燕大圖書館館長一年。一九二九至一九三〇年，洪業在美國任哈佛大學客座教授。一九三〇年回燕大，一直到一九四六年春。除任歷史系教授外，還擔任過哈佛燕京學社北平辦事處執行幹事、哈佛燕京引得編纂處主任、燕大研究院歷史學部主任及研究生導師等職，與同人共同創辦《燕京學報》，使之成為與北京大學《國學季刊》和《清華學報》鼎足而三的國學研究著名刊物。[11]

在洪業任教務長期間，取消預科，創辦文理科研究院，加強中文系的師資，嚴格學生成績的考核管理。在他大刀闊斧的改革下，燕大從一間默默無聞的教會學校迅速上升為全國知名學府，二、三〇年代國學研究的重鎮。

之所以有如此顯著的成效，與洪業對辦學的理念有關。在由洪業起草，與博晨光聯名提交的一九二九年四月十五日的〈哈燕社備忘錄〉中，可以看到燕京在其後的五年中，將以資料建設、學術研究、培養學生為工作重點。在資料建設方面，除了收集中國方志、叢書和雜書外，洪業主張大量收集歐洲的漢學著作，要求斥資一萬五千美元購買這類著作，「因為燕京這方面的書很少，我們希望中國研究生能知道歐洲漢學家在幹什麼。」[12]在學術研究方面，洪業提倡「純學術的研究」，要用科學方法指導學術研究，強調避免

11 參見王鍾翰：〈洪煨蓮〉條，收入燕京研究院編：《燕京大學人物志第一輯》（北京市：北京大學出版社，2001年4月），頁208；陶飛亞、吳梓明：《基督教大學與國學研究》，頁107、108；陳毓賢：《洪業傳》，頁123-138。

12 轉引自陶飛亞：《邊緣的歷史——基督教與近代中國》，頁148。

重複，避免新聞評論式的和通俗的東西。在學術出版方面，要求堅持最高標準。在對學生的培養方面，洪業請求學社採用西方的學位培養制度，培養中國文史哲的國學研究者。他設想燕京培養碩士，特別優秀的送到哈佛攻讀博士學位，也提出對美國學生來中國學習中國文化的具體要求。在中國大學裡，洪業是最早提出設立學位制度的。他的目的是要「鼓勵中國年輕人對中國文化產生興趣，並用最好的現代科學方法對之進行再研究。另一方面提高中國學研究的地位，使其在學術上獲得美國學者的尊重」。[13]

一九二八年，哈佛燕京學社成立後，劉廷芳被聘為哈佛燕京學社執行幹事。利用哈燕社的資金，劉廷芳也在燕京大學成立了國學研究所，聘請陳垣任所長，也聘請了一些舊派學者來做研究工作。而洪業卻不贊成「國學研究」的說法，他認為學問無國界，所謂國學，不應該孤芳自賞，而應按學科歸納到各院校。洪業深信，中國的學問，應該讓有現代訓練，有世界常識的人來研究。所以一九三〇年洪業歸國後，便力主解散了燕大的國學研究所。十年後，洪業在哈佛燕京學社執行幹事任上，寫給哈燕社的建議書上，又再申建立學位制度之說，且目標更進一步，欲在五年內爭取國民政府批准燕京在七個人文學科領域培養博士。他打算在五年的準備期後，「哈燕社在中國的活動將發展到足以支持燕大在中國學研究領域中有一個受人尊重的博士學位計畫」。[14]此建議後來被學社批准，使得燕大教師甚感振奮。但一九四二年太平洋戰爭的爆發，使這一計畫變為泡影。

再回到胡適對洪業的讚揚。作為一九二〇年代「整理國故」運動的首倡者，胡適推重洪業在燕京圖書館、《燕京學報》以及編纂「引得」工具書方面的成績，這些工作具體包括：

13　洪業：〈哈燕社研究計畫草案〉，轉引自陶飛亞：《邊緣的歷史——基督教與近代中國》，頁149。

14　洪業：〈給哈燕社的建議書：在燕京開展研究生教育與研究的五年計劃〉，1940年2月10日，《哈佛燕京學社檔案》。中文譯文引自陶飛亞：《邊緣的歷史——基督教與近代中國》，頁149。

（一）燕京圖書館的建設

洪業在任文理學科科長和燕京圖書館館長期間，花了很大的力氣充實燕京圖書館的收藏。他精心制定圖書管理制度，採購國內外新出版的書刊雜誌和明清史志善本圖書，並多次通過個人關係向美國朋友募捐以擴大館藏。最初燕京大學的藏書不過三、四萬冊，且西文書多於中文書，經過幾年的努力，特別是一九二八年哈佛燕京學社成立後，燕京圖書館得以補充了大量的中國古籍。到一九二九年，燕京的中文圖書已達十四萬冊。一九三三年，燕京圖書館的中西文藏書共二十二萬多冊。到一九五〇年，燕京藏書已達四十萬冊，在國內高校圖書館為首屈一指。圖書收藏是學術研究的基礎，燕大圖書館為師生從事高水準的學術研究提供了可能。

（二）編纂「引得」

洪業從自己留美和在美教書的親身體會，認為欲整理中國古典文獻，首先要有一套科學的工具書。在哈佛講學期間，洪業提出用哈佛燕京學社的經費，組織編纂一部按科學方法編排的索引，為學者研究提供便利。這項提議得到哈佛燕京學社托事部的大力支持，一九三一年成立引得編纂處，至一九五一年的二十年間，共出版了正刊四十一種，特刊二十三種共八十一冊，涵蓋了中國傳統的經史子集著作的引得。

《十三經》中，引得編纂處整理了除《尚書》外的十二經；[15]史部中整理了前四史和二十四史綜合藝文志及食貨志引得；諸子的著作，選了《莊子》、《墨子》、《荀子》三種；集部中選了《杜詩》。經史子集之外，還編纂了若干種書目引得，包括《佛藏子目引得》和《道藏子目引得》。此外，還

15 因為《尚書通檢》為顧頡剛所作，顧不喜歡用「引得」二字命名他的著作，故此書由燕大另外出版，不過編纂體例與「引得」相同。見陳毓賢：《洪業傳》，頁172。

有《世說新語》、《太平廣記》、《白虎通》、《水經注》、《太平御覽》、《碑傳集補》等。《韓非子》、《晉書》、《清史稿》以及《宋人文集篇目綜合引得》已經開始但沒有完成。據洪業晚年自述，如果有足夠的時間和資金，他還想編纂歷代職官綜合引得和綜合地名引得。[16]引得的編纂，實際上是一次對傳統典籍的大規模清理。清理的目的，不是「捉妖」，也不是「打鬼」，而是給後學提供津梁。這可見洪業對於傳統文化的態度。

洪業為其中的很多種做了序，其中〈禮記引得序〉和〈春秋經傳引得序〉及〈杜詩引得序〉允稱為其代表作，每一篇都是洋洋數萬言至十數萬言，追源溯流，條分縷析，顯示了作者深厚的文獻學和版本知識，也因此，〈禮記引得序〉還曾獲得當時國際學術最高榮譽的儒蓮獎。「引得」的編纂，得到當時任哈佛燕京學社社長的葉理綏的讚揚，稱：「燕京的出版物有很高的學術水準，對中國歷史研究有重要的貢獻。引得的編纂工作在不同學者的批評下不斷地取得進步，一冊比一冊編的好。」[17]

（三）《燕京學報》的編纂

《燕京學報》創刊於一九二七年，也是從哈佛燕京學社撥出專款而辦，其第一期的出版甚至在哈佛燕京學社正式成立之前。《燕京學報》為半年刊，從一九二七至一九五一年，共出四十期。容庚、顧頡剛、齊思和曾任主編，洪業名列第一期編委。這個刊物本擬以「發表中國學術譯著」為宗旨，但實際刊登以燕大文史哲三系的師生研究論文為主，譯著很少。據統計，在《燕京學報》上發表過論著的作者大約一百四十八人。在這些作者中，既有學界重量級的學者，也有嶄露頭角的青年學者和學生，其中也包括若干外國學者。學報所登論文，以四萬字為限，超出四萬字的論文則出專號，因此所

16 陳毓賢：《洪業傳》，頁174。

17 哈佛燕京學社一九三七年十一月八日會議記錄，《哈佛燕京學社檔案》。中文譯文引自陶飛亞、吳梓明：《基督教大學與國學研究》，頁139。

謂專號，亦即專著。另外每一期所登的單篇論文中也有些會出抽印本。下面是《燕京學報》所出的十九冊專號目錄和一部分抽印本的目錄，從中不難感受到這份刊物的學術分量，至今仍為大多數期刊無法企及：

《燕京學報》專號：

no.1　中國明器 鄭德坤

no.2　唐代長安與古域文明；向達 一九三三年

no.3　明史纂修考 李晉華 一九三三年

no.4　嘉靖禦倭江浙主客軍考 黎光明 一九三三年

no.5　遼史源流考與遼史初校 馮家升 一九三三年

no.6　明代倭寇考略 陳懋恒 一九三四年

no.7　明史佛郎機呂宋和蘭意大裡亞四傳注釋 張維華 一九三四年

no.8　三皇考 顧頡剛、楊向奎合著 一九三六年

no.9　宋元南戲百一錄 錢南揚 一九三四年

no.10 吳愙齋先生年譜 顧廷龍 一九三五年

no.11 國策勘研 鐘鳳年 一九三六年

no.12 中國參考書目解題 鄧嗣禹 一九三六年

no.13 南戲拾遺 陸侃如 馮沅君合著 一九三六年

no.14 宋詩話輯佚；郭紹虞校輯 一九三七年

no.15 中英滇緬疆界問題 張誠孫 一九三七年

no.16 元代社會階級制度 蒙思明 一九三八年

no.17 商周彝器通考 容庚 一九三九年

no.18 晚清五十年經濟思想史 趙豐田 一九三九年

no.19 續《天下郡國利病書》山東之部 侯仁之 一九四一年

no.20 古音說略 陸志韋 一九四七年

no.21 詩韻譜 陸志韋 一九四八年

no.22 清代捐納制度 許大齡 一九五〇年

no.23 中國史前考古學書目 安志敏 一九五一年

第四期抽印本 史諱舉例 陳垣 一九二八年

第七期單行本 釋巫 瞿兌之 一九三〇年
第十期單行本 整理升平署檔案記 朱希祖 一九三一年
第十三期單行本 契丹名號考釋 馮家升編著 一九三三年
第十五期抽印本 水經注版本考 鄭德坤 一九三四年
第十五期抽印本 胡惟庸黨案考 吳晗 一九三四年
第十六期 二十三年（七月至十一月）國內學術消息 容媛 一九三四年
第二十期單印本 臨安三志考 朱士嘉 一九三六年
第二十一期抽印本 禹邗王壺考釋 陳夢家 一九三七年
第二十二期 渤海國志長編長編評校 譚其驤 一九三七年
神韻與格調 郭紹虞
第二十三期 性靈說 郭紹虞
第二十四期 戰國制度考 齊思和 一九三八年
第二十四期單行本 白石道人行實考 夏承燾 一九三八年
第二十六期抽印本 不同的邏輯與文化並論中國理學 張東蓀
第二十九期抽印本 論開合口 王靜如 一九四一年
第三十期抽印本 說文解字讀若音訂 陸志韋 一九四六年
漢故穀城長蕩陰令張遷表頌集釋 容媛 一九四六年
第三十四期 論宋太祖收兵權 聶崇岐 一九四八年
第三十七期抽印本 六國紀年表考證 陳夢家 一九四九年
第三十八期抽印本 香奩集跟韓偓 閻簡弼 一九五〇年

除了研究論文以外，《燕京學報》還刊登學術消息和研究動態，所登書評也都頗有學術鋒芒，非僅揄揚之作。桑兵在談到在中國學術史上較嚴格的學術批評始於一九二〇年代，且多曲筆隱辭，而一九三〇年代以後，「燕京大學的一批後生頗有牛犢之氣，所寫中外時賢書評的好惡分明，在近代中國學術史上堪稱異例」。[18]而洪業對胡適之序的回應，尤值得分說。

18 桑兵：《國學與漢學——近代中外學界交往錄・緒論》（杭州市：浙江人民出版社，1999年11月），頁19。桑兵所指的燕大學生的書評，不僅是刊登在《燕京學報》上，也包括燕大的《史學年報》和《史學消息》等刊物。

洪業在讀到胡適此序後，曾給胡適寫信，信中稱：

> 拜讀大序，則愧感彌甚。感公惠隆，愧我功薄。圖書之收集，多由田洪都、薛瀛白、顧起潛諸君之力。學報之校訂，幾全由容希白、八媛兄妹之勞。引得之編纂則尤聶崇岐一人之功，業隨諸君之後，雖亦薄貢其微，不過欲稍滌昔年教會學校忽視國學之羞爾。[19]

於此，不僅可見洪業作為學者的嚴謹與不鶩虛名的人格風範，更可從中清晰感知到，在燕京大學洪業能夠聚合一個出色的學術團隊，來各盡所能，共襄盛舉。

四　轉型．規範．承傳

作為歷史學家，洪業的治學範圍相當廣泛。從編纂引得以及所選書目，可以看出洪業對目錄學與工具書的重視和興趣。這是一個學術史的路數。余英時先生在〈顧頡剛、洪業與中國現代史學〉一文中，從史學研究的角度比較了二者的學術成就與貢獻，提到儘管顧、洪二人的家世和文化背景不盡相同，卻在二十世紀二、三〇年代成為研究中國史學的志同道合的好友，有關崔述作品與故里的發現與考察，就是二人合作完成的。余英時先生認為：

> 洪、顧兩位先生恰好代表了「五四」以來中國史學發展的一個主流，即史料的整理工作。在這一方面，他們的業績都是非常輝煌的。以世俗的名聲而言，顧先生自然遠大於洪先生；「古史辯」三個字早已成為中國知識文化界的口頭禪了。而以實際成就而論，則洪先生決不遜于顧先生。[20]
>
> 凡是讀過洪先生論著的人都不能不敬服於他那種一絲不苟、言必有據

19 《胡適手稿》第6集，卷1，頁52。轉引自余英時：《文史傳統與文化重建》（北京市：三聯書店，2004年8月），頁408。

20 余英時：《文史傳統與文化重建》，頁402。

> 的樸實學風。他的每一個論斷都和杜甫的詩句一樣，做到了所謂『無一字無來歷』的境地。[21]

余先生的文章，是在學術史的系統裡，確證洪業與顧頡剛一樣，是為中國現代史學開闢奠基的第一代傑出學者。然而，為何洪業「世俗的名聲」卻遠不如顧頡剛與胡適之等人？我想一定程度上還是與國人對思想史與學術史的混同甚至「替代」有關。為了便於說明，在此再把洪業與胡適做一個比較。

胡適與洪業，從學術經歷上說，也有不少相近的地方。他們都有留美經歷，回國後都在著名的高校任教，二十年代在用現代科學的方法整理國故上，他們的想法殊途同歸。不同的是，身為新文化運動健將的胡適，對中國傳統文化更多抱持批判的態度，其整理國故，也聲言是為「捉妖」、「打鬼」；而洪業編纂引得，是為中外學者研究中國傳統典籍提供方便。跟洪業比，胡適算得上是思想家，在中國現代學術思想史上占著重要的一席；而洪業所擅長的是專業研究。同樣留學美國，洪業要比胡適行事更美國化些，且還多了一個基督教背景，但在對待中國傳統文化的態度上，洪業卻從未如胡適那樣激烈地反對文言，提倡白話，而是始終以能寫一手漂亮的文言文自豪，終身服膺儒家的基本觀念，由此看來，又似乎也比胡適更中國化。

他們都得到了施展各自長才的舞臺。胡適在新文化運動發源地的北大，以《新青年》集結同道，向舊文化展開思想的清算；洪業則在教會大學的燕大，得到哈佛燕京學社的有力資助，在圖書建設、古籍整理、研究生培養以及中外交流等各個方面，做了很多積累的工作。這種比附也許不太恰當，但我想說的是，如果需要辨析思想史和學術史的分野的話，胡適更屬於思想史，而洪業主要在學術史上留下自己的印跡。在二十世紀二、三〇年代，這兩類學者，合力促成了中國學術的現代轉型。

在二、三〇年代的燕大，借助哈佛燕京學社的資源，洪業及其同人在學術積累與傳承方面所作的貢獻有目共睹。在學術研究教學方面，洪業做過一篇介紹學術論文做法的〈研究論文格式舉要〉。在這篇開頭，洪業這樣詮釋

---

21 余英時：《文史傳統與文化重建》，頁403、404。

「研究」的涵義：

> 「研究」一辭，在西文有重討覆校 research 之意，所求在創獲新見之發明。「研究論文」在西語有新立一論 thesis 之意，其用在供專家之詰駁、審定，故其文與其他之編著以轉述追敘為一般學子訓勖者，輒有別。既所重在發明，故以考證為法——或取證於試驗之結果，或征實於調查之統計，或檢討於圖書之憑據——必有我所自得，足以糾舊誤、啟新知者，用立全篇精華之幹，非以眩博眩文為事也。[22]

在文中，洪業不厭其詳地解釋了學術論文中摘要、序、綱要、論文、注、譯名、標點、圖表、書目、附錄的作用和作法，尤詳於注、譯名、標點幾項。他說這是西學東漸以來，學人之從事於或試驗，或調查，以為研究論文者，多能採用西法，在文體組織上，格式漸趨一致。洪業的格式舉要，「多取法西式，間亦參酌中西文字習慣之殊，而變通之」，[23]對學生來說，這是一個非常具體而實用的指導；對學術研究而言，則是對於規範的強調。在二、三〇年代，這種學術規範的要求與訓練，正是時人所言之「科學方法」。在民國學術的轉型時期，這種對學術規範的強調，既是對學術研究之有效性的保證，也是洪業所謂使中國研究與國外學者對話，並獲得世界尊重的必要途徑。這看似很細微的地方，卻是對於研究生培養不可或缺的一環。此文當年在燕大出版，對於提升燕大的研究水準和學生論文品質，當有重要作用。三十多年後，羅香林在香港珠海書院重刊此文，序文中提到洪業對燕大學生的栽培：

> 我國很早已有以善於指導學術研究，而為國際上研究中國學術的專家所特別推崇的學者，就是洪煨蓮教授（業），洪教授很早即主持北平私立燕京大學的文學院與國學研究所，和哈佛燕京學社的引得編纂處。每遇學生趨謁，即必舉學術研究的目標和要點，詳為訓示。由

22 洪業：〈研究論文格式舉要〉，頁1，收入羅香林輯錄：《學術論文作法與讀古書作劄記法》（香港：珠海書院文史研究所學會，1976年3月）。

23 同前註。

> 於得到洪教授的鼓勵和指點，而克完成其研究的工作，終於成為著名學者的，無論國內國外，也都指不勝屈；這些學者的成就，雖說與洪教授的精神感召，不無關係，但最明顯的一點，還是在於洪教授的樂以研究的方法，啟示學子。[24]

在燕大，洪業的史學方法課，也是他訓練未來歷史學家的重要手段。這是一門很特別的課，洪業請人到市場上去買來很多廢紙，堆滿了圖書館天花板下的縫隙。每週三下午，洪業帶著學生在這些廢紙裡掘寶，看到有歷史價值的東西，洪業便鼓勵學生在《大公報史地週刊》發表。舊紙堆裡有不少有價值的東西，〈劉師培致端方書〉和崔述的《知非集》等，就是這麼發現的。[25]

洪業執教燕京大學二十多年，為燕大歷史系培養了不少一流的史學家。據他的學生劉子健回憶，洪業在培養和造就歷史研究人才方面很有計劃，主要是斷代史研究人才。「他鼓勵學生中鄭德坤研究考古，齊思和研究春秋戰國，瞿同祖研究漢代，周一良研究魏晉六朝，杜洽研究唐代，馮家升研究遼代，聶崇岐研究宋代，翁獨健研究元代，王伊同研究南北朝，房兆楹、杜聯喆夫婦和王鍾翰研究清代。此外，他還栽培了治佛教史的陳觀勝，治方志的朱士嘉，治海上交通史的張天澤，研究各種制度的鄧嗣禹，這些學生後來對重估中國文化都很有貢獻。」[26]

這批學者，的確如洪業所預想的，既有對傳統文化的瞭解，又受到現代學術方法的訓練，在國外漢學界以紮實的功底和嚴謹的研究受到歐美漢學家的推重。如四〇年代參與過美國國會圖書館主編《清代名人辭典》的編纂工作的房兆楹、杜聯喆夫婦，其身份雖為恆慕義所聘之高級助手，但所做的工作，得到費正清的推讚。費正清在自傳中說到《清代名人辭典》的編撰，有雲：「事實證明，我們這些外來者以及那些得到洛克菲勒基金會資助的受訓的特別研究生共約五十人所作的貢獻，尚遠遠遜於恒慕義博士請來的兩位高

24 羅香林：〈研究論文格式舉要序〉，《學術論文作法與讀古書作劄記法》，頁2。

25 陳毓賢：《洪業傳》，頁177。

26 陳毓賢：《洪業傳》，頁175。

級助理。」[27]一九六〇年代初，哥倫比亞大學發起編撰《明代名人大辭典》，亦聘請了當時遠在澳洲工作的房兆楹、杜聯喆夫婦協助編譯。這項工作，有一百多位學者參與，花了十年時間協作完成。而其中房兆楹夫婦所編譯的人物介紹，占全書人物的一半。為了表彰他們的傑出貢獻，一九七八年，哥倫比亞大學向他們二人同時頒授了人文學的榮譽博士學位，成為一時佳話。

由於有哈佛燕京學社的獎學金，洪業曾推薦過許多燕大優秀畢業生到哈佛深造，攻讀博士學位。這些術業有專攻的學者因其師承，基本上都是沿著洪業的學術史的路數發展，為中國現代學術的積累貢獻良多。

在三〇年代，洪業致力於學術研究最投入的時期，正是中國社會動盪不安，民不聊生的時候。燕京大學以美國教會所辦的私立學校，保證了校內風氣的自由和平靜，甚至在一九三七年北平淪陷後的幾年中，也還因是美國人的學校而得以偷安。因為有哈佛燕京學社的資金和與哈佛大學的聯繫，燕大師生即便在亂世中仍享有著很優越的研究學習條件，得以在學術上有所創獲。但是，在當時的輿論中，這種埋頭故紙堆的做法卻受到逃避現實的指責。亂世中的學問並不易做。《莊子引得》完成後，剛剛印好，燕大即被日軍佔領，所有書版全被毀掉，差點前功盡棄，幸運的是，碰巧有人把一本先帶走，才得以保存，並於一九四七年重印。[28]一九四二年太平洋戰爭爆發後，燕京大學終於也被日本人佔據，許多燕大教授被捕，他們大都經受住嚴峻的考驗，在民族大義上毫不苟且。從這一點上，又可看出洪業們的專業精神。

回顧二十世紀的學術歷程，二、三〇年代可說是民國學術史上的黃金時代。新理論、新方法、新材料的湧入，與整理國故的學術潮流，借助如哈佛燕京學社這樣一些難得的契機和高校優越的研究環境，經由一批受過西方教育，同時也深受傳統文化薰陶的學者，完成了在新教育體制下的中國學術的

---

27 《費正清自傳》，頁119-120，轉引自桑兵：《國學與漢學——近代中外學界交往錄》，頁20。

28 陳毓賢：《洪業傳》，頁172。

現代轉型。洪業這一代兼通新舊中西的學者所完成的工作，以及他們所開啟的新領域、新方法，在給後來學者奠基鋪路的同時，也設立了難以逾越的學術高度。

民國初年經學工具書「引得」、「索引」、「通檢」、「辭典」編纂與體例探究

——以洪業、聶崇岐為主的討論

程克雅

國立東華大學中國語文學系副教授

一　前言

文史工具書中的專書目錄與專書「引得」、「索引」、「逐字索引」(堪靠燈)、「通檢」、「辭典」，是強調實用查檢時基礎的工具和憑藉。中國傳統學術研究並不以「索引」編纂見長，但是學者很早就能憑藉類書體裁的工具，將文獻中的相關事類彙集以便查覽，例如：《皇覽》與《修文殿御覽》等書；[1]在功能上，近似索引的古籍查檢工具，則以《洪武正韻玉鍵》、《兩漢書姓名韻》、《歷代紀年御覽》、《史姓韻編》等，受到學者的推舉，認為是索引編纂的嚆矢。[2]明清之人所編目錄索引和語詞索引有關經籍與經學者，又如：《皇清經解敬修堂編目》、《皇清經解檢目》、《式古堂目錄》、阮元《經籍纂詁》與《說文通檢》等，[3]這些工具書在歷來學者題解及評介研究進階而

1　《皇覽》，相傳魏文帝曹丕時敕編的類書，今有輯本；《修文殿御覽》，〔北齊〕祖珽等撰，今有羅振玉所考訂敦煌殘卷與和珍本卷子，皆收入羅振玉《鳴沙石室佚書》(1913)；及此二書為類事工具，見印永清：〈中國索引發展史略〉，《圖書與情報》2007年1期。

2　見陳東輝：〈關於古籍索引工作的若干思考〉，《國家圖書館學刊》1997年第1期。

3　同前註。

言，都受到重視及肯定。

民國初年，因應學者對現代西方學術研究方法的關注與歐西、日本漢學家對中國古籍譯介編纂的需要，早已有國外漢學家撰擬索引，例如：日本安井小太郎等編《綜合春秋左氏傳索引》（1981 重版）、森本角藏《四書索引》（1921）及英國牛津《左傳引得》（1921）。民國初年學者胡適主張將圖書資料進行索引式的整理；陳垣也倡議編撰目錄索引，使學者「研究學問時間極省而效能提高」。[4]由此可見，索引在當時學界中具有編撰當務之急，是學者一致的共識。至一九三〇年九月哈佛燕京學社成立，洪業出掌引得編纂處，共編有經、史、子、集四部凡六十四種八十一冊引得；後來哈佛燕京學社一度停頓，法國政府於一九四一年九月在北京設立中法漢學研究所，由原來曾經參與引得編纂，特別是《春秋經傳引得》的史學者聶崇岐為主，繼續編纂出版的通檢計又有十五種。

在這些索引類型的工具書編成前後，屬於綜合索引性質的十三經索引與專書辭典、經學辭典也應運而生，經學辭典方面，雖說向來都會推溯至阮元《經籍纂詁》，但是，隨著詞語索引的興起，經學辭典與專經辭典則以解析相關名物詞和術語為主。

有了以上豐贍的文獻成果，傅斯年對洪業的評語卻是：「學問膚淺，他編引得，太機械，不登大雅之堂。」洪業所編纂經書引得每一篇序言中，皆有方法途徑的表明，具有重視專題的問題意識；研究方法上，透過交叉查詢的逐字索引方法，也善於利用史、子、集部的材料，進行校勘和古籍考辨。因此，洪業（1893-1980）聶崇岐（1903-1962）在經學、史學方面的造詣和成就，一方面植基於傳統學術研究中的類編采錄；另一方面更具意義的是，他們沿用了不同以往的編纂方法，在他山之石的借重中，重新歸納，開啟了「引得」、「索引」、「逐字索引」（堪靠燈）、「通檢」編纂的體例與意義，使

4　參見陳東輝：〈歐美的中國古籍索引編制概況〉，《2005年中國索引學會年會暨學術研討會論文集》「2005年中國索引學會年會暨學術研討會」（上海市：復旦大學，2005年10月1日）。

經學「辭典」，在以上幾種工具書的基礎上得以發展。本文即擬就術語解釋與文獻回顧為開端，考察經籍引得的編纂及其作用，並藉著洪業、聶崇岐在經籍引得、史子集部引得編纂延伸的經學研究及史學研究，其中對於承續乾嘉以來清儒的研究方法——洪業早已注意到，清儒經學訓詁方法中「求證據」、「求本字」、「求語根」解決文獻問題之道，及其示例，與夫「字義疏證」的傳統，實與索引類輯想要達成的歸納方法具有一致性；再就啟迪新學的一面來看，洪業，聶崇岐均以強調問題為主，運用索引通檢成果，做為論據，申述經史問題；本文最後將從經學引得論及今見經學辭典，並兼述這些工具書對後來經學工具書編輯的影響。

二　術語解釋與文獻回顧

洪業、聶崇岐二家關於經學與其他古籍編纂「引得」、「堪靠燈」（「逐字索引」）、「索引」、「通檢」、「辭典」等的術語及觀念，「引得」、「索引」、「通檢」皆譯自英語 *index*，意指檢索徵引的工具，洪業謂：「引得者，執其引以得其文也」，以提供線索，做為檢索依據，經常以一書之人名、地名、專有名詞術語和主題語詞為主，有固定的結構，有引的部份與得的部份，至於如此譯是取其音近。

「逐字索引」譯自英語 *Concordance*，是將專門書籍的語詞逐字式地編列成索引，以方便檢索書中重要語句；洪業認為，這一類的逐字索引還附有注釋典籍，排比疏解字義的作用。

「辭典」一詞不同於一般性的語文字典，而是指專門「辭書」，相應於 *lexicographical work*，目的在於解釋詞語，專為確定詞語的特定脈絡下正確含義和用法時，彙輯詞條，闡釋事物。在檢索與查檢釋讀工具書的領域中，索引的編纂始於一九二〇年代洪業、胡適、顧頡剛等的倡議；發展為專門的索引學，則在目前已形成圖書資源領域的一項專業。[5]

5　圖書索引的編纂成為專業，索引的類型和展過程，近來學者與圖書館人員方面多有研

逐字索引的編纂和運用是洪業主倡引得編纂中的一大重點，在哈佛燕京學社二十四種特刊引得附有使用原底本者，皆采逐字索引的方法一一檢索排比單字，互見並存詞、短語和詞組。這種方式不僅使洪業和聶崇岐許多文獻及史籍研究植基於上而撰成專門論文；也促成了晚近香港中文大學編纂先秦兩漢古籍文獻逐字索引叢書、三國魏晉南北朝古籍文獻逐字索引叢書。

現代辭書的編纂，一方面是民國初年，始於一九一五年策劃，一九三六年編成的《辭海》；一方面則藉著清代《經籍纂詁》的既有模式，將經籍字義逐字歸納湊集，形成十三經索引（葉紹鈞編）及十三經索引（中津濱涉、李迺揚編）到十三經辭典的過渡形態。

關於評述方面，洪業主掌的《哈佛燕京學社引得叢刊》，受到時人的肯定，雖然顧頡剛未能與於中編纂的行列，但也編纂《尚書通檢》於一九三六年由哈佛燕京學社出版；編纂引得與排檢法，檢字法在當時蔚為一股潮流，在朱積孝所撰寫一系列對哈佛燕京學社的評述中，肯定洪業與設計排檢法，中國字庋擷法等相關的引得體例和基礎；[6]另外，還有侯漢清及王雅戈重新整理，細讀洪業的《引得說》，將洪業寓逐字索引之法於引得編纂的原理一一反應在其結構的分析及操作過程。[7]

在《哈佛燕京學社引叢刊》中，因實際執行編纂最繁，工程最為細密之《春秋經傳引得》而備受到洪業稱道的聶崇岐，後來也接掌編纂《中法漢學

究及回顧，例如：侯漢清：〈我國古代索引探源〉，《圖書館理論與實踐》1986年第2期；印永清：〈中國索引發展史略〉，《圖書與情報》2007年第1期。

6 見朱積孝：〈試論哈佛燕京學社引得編纂處的著述活動與引得編纂法〉，《新世紀圖書館》1985年第4期。朱積孝：〈哈佛燕京學社所編六十四種引得評述（一）〉《圖書館學研究》1985年第6期。朱積孝：〈哈佛燕京學社所編六十四種引得評述（二）〉《圖書館學研究》1986年第1期。朱積孝：〈評哈佛燕京學社所編引得〉，《技術與市場》1985年第6期。朱積孝：〈一串打開古文獻寶庫的金鑰匙——哈佛燕京學社的著述活動與所編引得評述〉，《圖書館學刊》1985年第1期。朱積孝：〈哈佛燕京學社所編引得評介〉，《天津師範大學學報》（社會科學版）1985年第4期。

7 見侯漢清、王雅戈：〈中國近代索引研究的開山之作——《引得說》〉，《大學圖書館學報》2006年第5期。

研究所通檢叢刊》，對這些叢的編纂加以梳理評述的，有楊寶玉和葛夫平，二者皆從通檢編纂來肯定該研究所在華的學術成績。[8]

三 經籍引得的編纂及其作用

以專門的十三經索引工具書來看，其性質和探討對像是固定的，但是以相關的角度來看，歸為語文學類的《說文解字索引》和《白虎通通檢》則被視為經學索引；經學引得，經學工具書的編纂和引得類材料的經學運用本來就屬於兩個相異而又有關連的議題。

茲將哈佛燕京學社引得編纂成果與中法漢學研究所所編「漢學通檢提要文獻叢刊」依其內容及相關編項目，列為一覽表，附錄於下，並另頁製出比例圖，以見經學引得在全部各類引得中的比例及關係（圖略）：[9]

8 見楊寶玉：〈中法漢學研究所與巴黎大學漢學研究所所出通檢叢刊述評〉，《北京大學學報》（哲學社會科學版）1987年第4期。楊寶玉：〈中法漢學研究所業績〉，《國家圖書館學刊》1999年第2期。竇坤：〈中法漢學研究所與中法文化交流述略〉，《北京社會科學》2000年第4期。葛夫平：〈巴黎中國學院述略〉，《中國社會科學院近代史研究所青年學術論壇》2002年卷。葛夫平：〈北京中法漢學研究所的學術活動及其影響〉，《中國社會科學院近代史研究所青年學術論壇》2004年卷。

9 近年大學圖書館重視古籍參考書及其利用法則的指引，關於洪業掌燕京大學哈佛燕京學社引得編纂處主編哈佛燕京學社引得，以及聶崇歧主掌中法漢學研究所編纂的漢學通檢提要文獻叢刊，均有介紹（唯仍然偶有誤植，又相沿致誤，將屬於中法漢研究所通檢叢刊誤混為「漢學通檢提要文獻叢刊」），可參見東吳大學圖書館網頁：http://www.lib.scu.edu.tw/?act=cms&cid=introduce_index7&fun=catalog 與清華大學圖書館網頁：http://www.lib.nthu.edu.tw/library/department/ref/resources/ancient_Chinese_books.htm 本文所列表格以采錄原叢書相關項目為準，並參見以上網頁介紹編製，有所訂正。

附表一：哈佛燕京學社引得編纂成果一覽表

序號	編纂者	書名	刊別	出版時間
正刊				
1	引得編纂處編	說苑引得（據上海商務印書館四部叢刊）	第一號	1931年
2		白虎通引得（據上海商務印書館四部叢刊）	第二號	1931年
3	梁佩貞編	考古質疑引得（據上海商務印書館四部叢刊）	第三號	1931年
4	引得編纂處	歷代同姓名錄引得（據1866年刊海寧陳氏慎初堂藏本）	第四號	1931年
5		崔東壁遺書引得（據顧頡剛輯點亞東書局本）	第五號	1937年
6		儀禮引得坿鄭注及賈疏引書引得（據上海錦章書局石印本）	第六號	1932年
7		四庫全書總目及未收書目引得（據1962年大東書局排印本）	第七號	1932年
8		全上古三代秦漢三國六朝文作者引得（據1894年粵中刊本）	第八號	1932年
9	杜連喆編，房兆楹編；引得編纂處校訂	三十三種清代傳記綜合引得（據1959年中華書局影印重版）	第九號	1932年
10	引得編纂處編	藝文志二十種綜合引得（據1959年中華書局影印重版）	第十號	1933年

11	許地山等編	佛藏子目引得（據1960年中華書局影印重版）	第十一號	1933年
12	引得編纂處編	世說新語引得坿劉注引書引得（據上海商務印書館四部叢刊）	第十二號	1933年
13		容齋隨筆五集綜合引得（據1894年皖南洪氏重刊本）	第十三號	1933年
14	侯毅編；引得編纂處校訂	蘇氏演義引得（據〈榕園叢書〉本）	第十四號	1933年
15	鄧嗣禹編	太平廣記篇目及引書引得（據1753年黃曉峰小字刻本）	第十五號	1934年
16	周一良等編	新唐書宰相世系表引得（據監本）	第十六號	1934年
17	鄭德坤編	水經注引得（據王先謙合校本）	第十七號	1934年
18	李書春等編；引得編纂處校訂	唐詩紀事著者引得（據〈四部叢刊〉）	第十八號	1934年
19	李書春等編；引得編纂處校訂	宋詩紀事著者引得（據1746年厲氏原刻本）	第十九號	1934年
20	李書春等編；引得編纂處校訂	元詩紀事著者引得（據涵芬樓本）	第二十號	1934年
21	蔡金重編	清代書畫家字號引得（據〈清代畫家詩史〉等八種傳記編）	第二十一號	1934年
22	侯毅編；引得編纂處校訂	刊誤引得（據〈榕園叢書〉本）	第二十二號	1934年

23	引得編纂處編	太平御覽引得（據清鮑氏刻本）	第二十三號	1935年
24	田繼綜編；引得編纂處校訂	八十九種明代傳記綜合引得（據1959年中華書局影印重版）	第二十四號	1935年
25	翁獨健編；引得編纂處校訂	道藏子目引得（據涵芬樓本）	第二十五號	1935年
26	引得編纂處編	文選注引書引得（據商務印書館影宋本）	第二十六號	1935年
27		禮記引得（據1926年錦章書局本《十三經注疏》）	第二十七號	1937年
28	蔡金重編；引得編纂處校訂	藏書紀事詩引得（據葉氏自刊本，抱靈鶼閣本）	第二十八號	1937年
29	引得編纂處編	春秋經傳注疏引書引得（據1926年錦章書局本《十三經注疏》）	第二十九號	1937年
30		禮記注疏引書引得（據1926年錦章書局本《十三經注疏》）	第三十號	1937年
31		毛詩注疏引書引得（據1926年錦章書局本《十三經注疏》）	第三十一號	1937年
32		食貨志十五種綜合引得（據1960年中華書局影印重版）	第三十二號	1938年
33		三國志及裴注綜合引得（據同文本〈二十四史〉）	第三十三號	1938年
34		四十七種宋代傳記綜合引得（據1959年中華書局影印重版）	第三十四號	1939年

35		遼金元傳記三十種綜合引得（據1959年中華書局影印重版）	第三十五號	1940年
36		漢書及補注綜合引得（據1959年中華書局影印重版）	第三十六號	1940年
37		周禮引得坿注疏引書引得（據〈四部叢刊〉本）	第三十七號	1940年
38		爾雅注疏引書引得（據1926年錦章書局本《十三經注疏》）	第三十八號	1941年
39	蔡金重撰；引得編纂處校訂	全漢三國晉南北朝詩作者引得（據1916年丁福保校印本）	第三十九號	1941年
40	引得編纂處編	史記及注釋綜合引得（據同文本）	第四十號	1947年
41		後漢書及注釋綜合引得（據同文本）	第四十一號	1949年
特刊				
42	聶崇岐等編；杜聯喆校；潘慤等圖；引得編纂處編引得	讀史年表坿引得	特刊第一號	1931年
43	〔清〕杭世駿撰；趙貞信校訂並編引得	諸史然疑校訂坿引得（據〈杭氏七種〉本）	特刊第二號	1932年
44	李晉華撰；引得編纂處校訂並編引得	明代勅撰書攷坿引得	特刊第三號	1932年

45	洪業	引得說（專論引得之編纂，附引得引書的引得）	特刊第四號	1932年
46	洪業輯並按	勺園圖錄考坿引得（據米萬鐘所繪〈勺園修契圖〉本）	特刊第五號	1933年
47	于武玉編	日本期刊三十八種中東方學論文篇目坿引得	特刊第六號	1933年
48	趙貞信撰；引得編纂處編引得	封氏聞見記校證坿引得（據〈繆氏雲輪閣本〉本）	特刊第七號	1933年
49	洪業輯並編引得	清畫傳輯佚三種坿引得（據乾隆鈔本〈讀畫輯略〉等三種）	特刊第八號	1934年
50	聶崇岐等編	毛詩引得坿標校經文（據錦章書局本《十三經注疏》）	特刊第九號	1934年
51	引得編纂處編	周易引得坿標校經文（據錦章書局本《十三經注疏》）	特刊第十號	1935年
52	聶崇岐等編	春秋經傳引得坿標校經傳全文（據錦章書局本《十三經注疏》）	特刊第十一號	1937年
53	〔宋〕杜大珪撰；引得編纂處輯並編引得	琬琰集刪存三卷坿引得	特刊第十二號	1938年
54	于式玉編，劉選民編；引得編纂處校訂	一百七十五種日本期刊中東方學論文篇目坿引得	特刊第十三號	1940年
55	聶崇岐等編	杜詩引得	特刊第十四號	1940年
56	馮續昌編；鄧詩熙校	六藝之一錄目錄坿引得（據商務印書館影印《四庫全書珍本》初集版本）	特刊第十五號	1940年

57	引得編纂處編	論語引得坿標校經文（據錦章書局本《十三經注疏》）	特刊第十六號	1940年
58		孟子引得坿標校經文（據錦章書局本《十三經注疏》）	特刊第十七號	1941年
59		爾雅引得坿標校經文（據錦章書局本《十三經注疏》）	特刊第十八號	1941年
60	房兆楹編，杜聯喆編	增校清朝進士題名碑錄坿引得	特刊第十九號	1941年
61	引得編纂處編	莊子引得（據1895年刊郭慶藩《莊子集釋》本）	特刊第二十號	1947年
62		墨子引得（1910年刊孫詒讓《墨子閒詁》本）	特刊第二十一號	1948年
63		荀子引得（據1891年刊王先謙《荀子集解》本）	特刊第二十二號	1950年
64		孝經引得（據渭南嚴氏重刻唐玄宗注宋嶽氏本）	特刊第二十三號	1950年

附表二：中法漢學研究所所編「《巴黎大學北平漢學研究所通檢叢刊》」一覽表

序號	原著者	書　名	所 據 版 本	出版時間
1	王充　撰	論衡通檢	據上海商務印書館四部叢刊影明通津草堂本編輯	1943年
2	呂不韋　撰	呂氏春秋通檢		1943年
3	應劭　撰	風俗通義通檢	正文十卷，係據上海商務印書館影印四部叢刊本排印； 佚文六卷，係據全上古三代秦漢三國六朝文等增補而成。	1943年
4	董仲舒 撰	春秋繁露通檢	據抱經堂校定本編輯	1944年
5	劉安 撰	淮南子通檢	據商務印書館四部叢刊本	1944年
6	王符 撰	潛夫論通檢	據上海中華書局四部備要本編輯	1945年
7	劉向	新序通檢	據商務印書館四部叢刊本	1946年
8	荀悅	申鑒通檢	據上海中華書局四部備要本編輯	1947年
9		山海經通檢	據1881年進呈本及郝懿行《山海經箋疏》	1948年
10		戰國策通檢	據士禮居仿宋本即朱姚弘校正本	1948年
11	宇文懋昭（十三世紀人士）撰	大金國志通檢	據嘉慶掃葉山房《四朝別史》本	1949
12	〔南宋〕葉隆禮（1247年進士）撰	契丹國志通檢	據嘉慶掃葉山房《四朝別史》本	1949

13	〔元末〕陶宗儀撰	輟耕錄通檢	據1922年武進陶湘逸園覆元刊本	1950年
14	周祖謨 撰	方言校箋附通檢	據《四部叢刊》本並收錄周祖謨撰方言校箋並附通檢	1950年
15	王利器 撰	文心雕龍新書通檢	收錄王利器撰文心雕龍新書並附通檢	1950年

附表三：中法漢學研究所（後改名法蘭西學院漢學研究所）所編「漢學通檢提要文獻叢刊」一覽表

序號	原著者	書　名	所 據 版 本	出版時間
4	〔宋〕洪邁撰；張馥蕊編	夷堅志通檢	據1937年上海商務印書館叢書集成初編本及新校輯補夷堅志本	巴黎：法蘭西學院漢學研究所，1975年 臺北：臺灣學生書，1976年
5	陳慶浩編	宋遼金史書籍論文目錄通檢		巴黎：法蘭西學院漢學研究所，1978年
6	狄尼（Dieny, Jean-Pierre）編	曹植文集通檢	採丁晏纂；曹集銓評（北京：文學古籍刊行社，1957年再版本）為底本；與丁晏纂，曹集銓評同刊	Paris: Librairie Adrien Maisonneuve, 1977
7	加儂（Gagnon, Guy）編	史通與史通削繁通檢		巴黎：法蘭西學院漢學研究所，1977年
8	瓦格（Wang, Francoise）編	館藏叢書目錄		巴黎：法蘭西學院漢學研究所，1991年

四　經籍引得：史、子、集部引得編纂與經學研究

引得類工具書在底本的選擇、經籍引得的利用與經學問題、乃至子史集部引得與經學引得互見參證的作用和價值，是串連著引得編纂法，延伸出經書引得做為工具書，實有俾於研究經學文獻的相關議題。

洪業〈引得說〉一文中強調引得的編纂法，他認為中國引得性質的的嚆矢是例如：《史姓韻編》和《類書》等可以當做工具書的檢索工具。並且，洪業正視國外漢學家關於引得的編纂，並引《辭源》未集第五十二，解釋「索引」這一詞條，認為編纂索引是現代來自國外的研究方法：

> 日人譯索引一詞，古籍謂「牽引」；無「索引」一詞。[10]

在洪業論引得編纂手續綱要方面，他著重的是引得的十項重點：一，選書；二，選本；三，標點；四，抄片（卷號、章號、頁號、異文檢查號）；五，校片；六，號碼；七，稿本；八，印刷；九，印本校對；十，加序。[11]這十項內容無一不和文獻學產生密切的關聯，也可以說是嚴謹明晰史料，以為憑藉，做為研究基礎的開端。洪業的研究方法，在〈所謂修文殿御覽者〉一篇的考辨中可以看到：以引得為資據的實證方法。

對於承續乾嘉以來清儒的研究方法——洪業早已注意到，清儒經學訓詁方法中，從王念孫考求古籍，著重破讀假借；到黃季剛繼述樸學考據而主倡訓詁學的順序「求證據」、「求本字」、「求語根」解決文獻文字假借和語源問題之道；再者，阮元承自王念孫〈釋大〉，又撰有〈釋心〉〈釋門〉，秉持著「字義疏證」解析關鍵詞及觀念字義的傳統，實與索引類輯想要達成的歸納方法，具有一致性。

洪業依據敦煌出土唐人抄本類書殘卷（P.2526）所存二五九行卷子，向

10　見洪業：〈引得說〉，《洪業卷》，頁9-76。

11　同前註，頁44-45

為學人稱為〈修文殿御覽〉卷子者，校以今傳《藝文類聚》、《太平御覽》，考述關於鶴、鴻、鵠在諸經子史等書如《毛詩》、《書》、《易》、《禮》、《左傳》、《韓詩外傳》、《史記》、《漢書》、《戰國策》……等書中出現的次數比率、以及各書交叉互見徵引的情形，統計出判斷為《修文殿御覽》時比例不足的現象，評議該殘卷並非《修文殿御覽》。另一方面，洪業又透過諸經、典籍引證注疏出現的跡證，顯示與其將此一殘卷定為《修文殿御覽》，不如號之為《華林遍略》，蓋殘卷考訂透過索引的證據，洪業指「置之《修文殿御覽》之背景中則格格不合；置之《華林遍略》推測中，則油然而合」。[12] 所以引得的作用不僅是以查檢方便的語詞索引為編纂目的；而是在尋跡索源的問題意識下，透過參照互證的方法去呈現有力的證據。

在〈尚書釋文敦煌殘卷與郭忠恕之關係〉一文中，洪業駁議「胡玉縉《寫本經典釋文殘卷書後》審訂吳承仕校語」以及胡玉縉「殘卷為郭忠恕改定《釋文》乃北宋人所抄而其書則不久即無傳本也」的論述。洪業一方面藉引得檢出「胤」、「淵」、「世」、「民」、「忠」、「堅」、「廣」等字不諱的情形，一方面再加諸段玉裁《古文尚書譔異》曾引陸德明《尚書音義》穿鑿附會〈堯典〉的「鵰」、「吺」等字，已見於唐人韓愈詩作；倒推殘卷，應為陳末的抄本，這同時可以借重狩野直喜與伯希和的寫卷實證。[13]

洪業〈儀禮引得序〉(1932) 有云：

> 《儀禮引得》者，首由薛淑周（肇基）前輩老先生鈎標目注，再由引得編纂處編輯諸君校訂編纂而成。《引得》中特重《經》、《記》所舉之制名物，再以鄭注、賈疏中所引書籍附焉，《注》、《疏》所解釋之制度名物，儘可以於其所釋經本文而之目注求之，不必別為具卷葉之引得也。《經》、《注》用四部叢刊影印明嘉靖時徐氏覆宋刻本，《疏》則用近（1926）年上海錦章圖書局石印覆嘉慶二十一年（1815）南昌府學刻《十三經注疏》本；葉德輝曾列舉徐氏本之較宋嚴州本為善者

12 同註10，頁94

13 同註10，頁95-99

> 若干條，故用之。然南昌本所附之阮元《校勘記》每具各本異文，其凡與目注有關者，亦輒標校勘記卷葉附焉。《引得》既成，編輯諸君請序，因述所疑於《儀禮》之源流，及其與諸《禮》之關係者如上。[14]

洪業對禮學源流的重視和結合引得方法考述禮學傳授脈絡，禮書結集與流傳的現象，在〈禮記引得序——兩漢引得源流考〉（1936）一文中，也不斷展現他的主張和推論、考證，洪業說：

> 竊疑二戴之後，鄭玄之前，「今禮」之界限既寬，家法之畛域漸泯，而記文之鈔合漸多，不必為一手所輯，不必為一時所成，故經說之牴牾，不必整剔；文字之重疊，不曾剪芟；則其於篇幅較小之四十九篇，遂亦誤會其為小戴所傳者耳。若謂博學通儒如玄，所言必信而有徵，則試觀其於三《禮》之注，輒左右牽合，勉強穿鑿焉。如注《周禮》天官九嬪，必牽合《禮記．昏義》：「天子後立六宮，三夫人，九嬪，二十七世婦，八十一御妻」之數，且為之說曰：「凡群妃御見之法，月與後妃其象也。尊者宜前，卑者宜後，女御八十一人當九夕，世婦二十一人當三夕，九嬪九人當一名，三夫人當一夕，後當一夕，亦十五日而遍。」夫附會穿鑿如此，且不害其為通儒，則其偶沿舊誤，抑自誤會其所注之四十九篇為傳自小戴，亦何足怪。四年前業為〈儀禮引得序〉，未能詳述昔學者所為對於《禮記》之疑義，今《禮記引得》既成，因復稍輯考證漢人傳授編訂禮經記之史料，列之如上。且亦詳業所自疑於《禮記》者焉。[15]

藉著引得的參對照發現傳授和采錄的岐異；是寓學術史的意蘊於文本的考查之中，同時史傳揭載及禮說經記的篇目節文有所岐互，則彼此間尚具有一定的來或師承之異。洪業從這一引得的編撰詳考中，抉發出經學家法與師法傳授、異義、流別等不足以附會但卻為注家所牽附的現象。

---

14 洪業：〈儀禮引得序〉（1932），《洪業卷》，頁41-50

15 洪業：〈禮記引得序〉（1936），《洪業卷》，頁197-220。

再就聶崇岐所主編版本、流傳、師說、內容各方面都相當複雜的《春秋》經傳來看，洪業也試圖在引得提供考證和論據的基上企圖對比類輯其所關涉的諸多問題，包括月相朔望、日蝕、歷算推步、篇目著錄、書法義例、藉重《漢石經》異文對勘、《左傳》非全用經文、三傳四經文字岐互（亦即今傳三種而經四本）之辨。洪業甚至為今傳三種而經四本的現象繪製圖表表明其異傳授受的流程，回顧清末，學者繆荃孫對讀三傳四經，名目不統一的比勘之需。成為茲編序文的緣起。洪業〈春秋經傳引得序〉（1937）中有云：

> 《春秋經傳引得》者，為《春秋經傳全文》五百又二頁，為《引得》二千六百六十三頁。《經傳》全文依民國十五年（1926）上海錦章書局所景印嘉慶二十年（1815）南昌本之《三傳注疏》，先取經文為綱、注明三本異同；繼排比三家傳文，鱗列逐條經下，採阮元校勘記中經傳異文，具錄頁底。經傳句讀、條目次序，皆聶君筱珊所定者也。全文校印既就，乃逐句剪貼片上，一字為句者得一片，數字為句者，片如其字之數；合得二十餘萬片。既逐片細注全文，某頁、某公、某年、某節、某家經抑傳；然後依引得法排列焉；連二字以上而辭者，宜合不宜分；則合之。仍於其首字後各字具「見」片。謂字亦見某專辭中也。一人而有數名，一地而或殊稱，則彼此具「參」片。謂宜參檢，庶史實無漏失也。見、參二項之條理，為事甚煩，時亦頗費考察斟酌焉。此亦筱珊所為者也。近數年來，《春秋》及《三傳》已有依每句首字而排列之索引，法過簡略，其用不弘，聊勝於無耳。《左氏經傳》有《綜合索引》一種，而《左傳》復有《人名地名索引》一種，及逐字鈎致之引得一種。後者雖詳，而難為用，有目而無註，則翻檢之勞過甚；卷葉、行格，盡依理雅各本，而理本久已絕版。非易得也者。至於專名分合，謬誤之多，皆為三種之患，而尤以前者為甚。嚮者，筱珊常用此三種書而苦之，今自編《春秋經傳引得》，既已費煞苦心，庶可少減類似之患乎。……用應筱珊請，草此編序文，試探《春秋》經傳之源流關係，凡考證所需，史料所有，輯

> 錄其要，而前宿所疑，時賢所辨，亦撰其略。[16]

《春秋經傳引得》之繁複龐雜，誠如洪業所述，而且，洪業將編撰重任交由聶崇岐執行，也間接的促成了未來巴黎大學北平漢學研究所成立通檢編撰處，完成更多的古籍相關通檢工具書。

洪業同時也將引得的經驗用在解讀《詩經》方面，他在〈破斧〉（1956）一篇中，從傳統的詩經學考證出發，藉著引得之證據討論《詩・豳風・破斧》篇中的四項問題：一是文字校勘、二是史地考證、三是名物訓詁、四是詩意解釋。再繼續又分別從押韻例、版本著錄之異、異文問題、史傳徵驗等四方面討論校勘之下的複雜牽涉；繼而再考「七月流火」、「四國」、「哀思」及相關名物和時代的確詁，以求說詩篇旨與章旨。以求古人三家異說：鄭玄、朱熹、魏源之當否；並比較時人三家說詩：徐中舒、衛聚賢、孫次舟等「反周公旦」為〈破斧〉一詩主角的說法和立場。[17]

五　從經學引得到經學辭典

藉由經學引得，可以一窺經學辭典賴以編纂的作用與價值。在這一過渡的階段，後人所撰的十三經索引著作，則有更新於洪業等引得的項目及更顯為專門經書索引的意義。在一九八〇年北京中華書局重印葉紹鈞撰《十三經索引》一書的重訂說明中，強調補訂工作：一是加註索引下方頁數和編次，二是補入遺漏，刪除誤入的；三是改正斷句，四是訂正文字訛脫……等。李迺揚撰〈十三經注疏經文索引序〉有謂：

> 十三經凡四百一十六卷，內容龐雜，不易卒讀，為便於學者披覽考尋，乃有索引之作，坊間已刊行者，計有：一九三四年上海開明書店之葉紹鈞編《十三經索引》，另附以古注本為主，而排版之經文。一

16 洪業：〈春秋經傳引得序〉（1937），《洪業卷》，頁223-289。

17 洪業：〈破斧〉，《洪業論學集》（1946），《洪業卷》，頁350-375。

> 九三三年至一九五〇年，哈佛燕京學社又就注疏本各經文，分編引得，內容繁複，難以適從。職是之故，本索引乃使用影印之阮刻《十三經注疏附校勘記》……依《康熙字典》筆劃部首順序，混合排列，同時併檢。……特製〈十三經異文對照表〉並附〈十三經注疏經文索引諸本頁數換算表〉。[18]

由以上新訂新撰的十三經索引，可以得見，索引已經反映著逐字索引及字形索引的專業取向，異文的排比、對勘、專有名詞及詞語的釋義，則陸續有更多的辭典應運而生。全部的辭典中，保留著必要的檢字法；大部份的經學辭典，已經將索引部份納入成辭典的一部份。相關體例和編纂原理，在白玉林，何樂士，劉學林及遲鐸等身兼學者及編纂者人的評述中，皆一一可得參證其得自洪業和聶崇岐所訂下索引例重底本，重標校及索引排檢法的幾個固定的項目。[19]雖然經學辭典的出版年代都相當新近，但究其中所保留的模式，與重編索引，引用索引的既定部份，也可以看到洪業與聶崇岐對後來的影響。

茲列舉近年經學辭典及專書經書辭典出版一覽表如下：

---

18 見中津濱涉、李迺揚等編：《十三經註疏經文索引》(臺北市：大化書局，1987年)。

19 見白玉林：〈《十三經辭典》詞性標注問題〉，《辭書研究》2000年第6期。白玉林：〈從《十三經辭典》談專書辭典的編纂〉，《辭書研究》2005年第2期。何樂士：〈觀《十三經辭典》有感〉，《古漢語研究》2006年第1期，頁91-94。劉學林、遲鐸：〈關於《十三經辭典》的編纂〉，《辭書研究》1994年第4期。遲鐸：〈《十三經辭典》編寫的緣由、原則及特點〉，《辭書研究》2000年第6期。

序號	編纂者	書　　名	出　版　項
1	黃開國主編	經學辭典	成都市：四川人民出版社，1993年
2	吳楓主編	十三經大辭典	北京市：中國社會科學出版社，2000年
3	劉學林、遲鐸	十三經辭典	西安市：陝西人民出版社，2002年
4	張其成	周易大辭典	
5	蕭元主編；廖名春副主編	周易大辭典	北京市：中國工人出版社，1992年
6	伍華主編；李銘建，林建副主編；盧叔度審訂	周易大辭典	廣州市：中山大學出版社，1993年
7	金景芳	周易辭典	長春市：吉林大學出版社，1992年
8	張善文	周易辭典	北京市：中國大百科全書出版社，2005年
9	周民	尚書詞典	成都市：四川人民出版社，1993年
10	向熹編	詩經詞典（修訂本）	成都市：四川人民出版社，1997年
11	董治安主編；王世舜副主編	詩經詞典	濟南市：山東教育出版社，1989年
12	上海辭書出版社文學鑑賞辭典編纂中心編	詩經三百篇鑑賞辭典	上海市：上海辭書出版社，2007年
13	莊穆 著	詩經綜合辭典	遠方出版社，2000年
14	遲文浚 主編	詩經百科辭典	瀋陽市：遼寧人民出版社，1998年
15	金啟華、朱一清、程自信主編	詩經鑑賞辭典	合肥市：安徽文藝出版社，1990年
16	任自斌、和近健主編	詩經鑑賞辭典	北京市：河海大學出版社，1989年

17	錢玄 編著	三禮辭典	南京市：江蘇古籍出版社，1993年
18	楊伯峻, 徐提編	春秋左傳詞典	北京市：中華書局，1985年
19	陳克炯著	左傳詳解詞典	鄭州市：中州古籍出版社，2004年
20	楊德崇編	論語詞典 一卷	臺北市：藝文印書館，1966年
21	蔡希勤編著	四書解讀詞典	北京市：中華書局，2005年
22	楊伯峻撰	孟子詞典	臺北縣：漢京文化，1987年
23	王世舜主編；王世舜、韓慕君、王文清編著	論語孟子詞典	濟南市：山東教育出版社，2004年

六　結論

本文藉由民國年的學者洪業（1893-1980）、聶崇岐（1903-1962）在古籍工具書《哈佛燕京學社引得叢刊》和《中法漢學研究所通檢叢刊》等的經學工具書編纂中，論究經學如何藉由工具書查檢及編纂經驗，表現在具體的經籍和經學問題及其詮釋、討論。

大抵而言，引得、索引、逐字索引的編撰成果，有利於校勘，考實，辨證版本淵源流脈的推測。而引得等查檢工具的編纂，也不僅獨立為專門工具書；在十三經索引促成十三經辭典的編纂時，新輯十三經辭典及專書辭典也都納入了引得的體製及優點，經籍引得促成經學議題的研究和解決，同時也促成經學辭典的相繼編纂和陸續完成。

晚清迄民國前期讀經問題之探討

梁煌儀

逢甲大學中國文學系副教授

一　晚清讀經問題之產生

清仁宗嘉慶（1796-1820）中葉後，朝望式微，而清政府尚以「天朝上國」自奉。迄宣宗道光（1821-1850）二十年（1840）爆發第一次中英鴉片戰爭，弱不敵勍，道光二十二年（1842 年 8 月 29 日），屈從於英軍煙硝之脅奪，簽訂〈南京條約〉。從此大清帝國門戶頓開，美、法、葡萄牙、西班牙、比利時、普魯士、義大利、荷蘭、瑞典、丹麥等接踵而至。

〈南京條約〉為清朝不平等條約之伊始，喪權辱國，萬民蒙難，而能反思戰役敗北之原由者，屈指可數，僅林則徐、魏源等對洋人較為了然。林則徐（1785-1850）編譯《四洲志》[1]，深以清廷之軍備遠遜於列強為奇恥大辱，唯有發奮圖強，習其船堅炮利，方足以抵禦外侮，然其說為宣宗所批駁；今文經學家魏源（1794-1857）力主「師夷長技以制夷」[2]，以為既當學習西洋器物技術，亦應嫻熟其思想、觀念，然卓識並未獲國人洽悉，士大夫更普遍未能儆醒。

逮文宗咸豐（1851-1861）朝，先有咸豐元年太平天國運動，竟威劫有清之統治；後有第二次鴉片戰爭，兩次英法聯軍揮兵北京（1856-1860），佰

1　林則徐編譯：《四洲志》，〔清〕王錫祺（1855-1913）輯：《小方壺齋輿地叢鈔再補編》第12帙（光緒年上海著易堂鉛印本），原版頁1-49。

2　〔清〕魏源：《海國圖志．敘》（臺北市：成文出版社，1967年影道光二十七年古微堂板六十卷本，書初成於道光二十二年〔1842〕），頁5。

迫清政府先後與訂〈天津條約〉與〈北京條約〉，強國掠奪愈廣泛而深蝕。朝廷內憂外患頻仍，愛國志士大抵以朝政須改弦易轍，向西方學習器物技術，乃能扭轉頹勢，於是中央恭親王奕訢、軍機大臣文祥與地方督撫曾國藩、左宗棠、李鴻章（1823-1901）受朝寄，一八六一年展開「自強運動」，又稱「洋務運動」。洋務運動賡續至穆宗同治（1862-1874）以及德宗光緒（1875-1908）年間。同治六年（1867），總理各國事務衙門奕訢奏摺云：

> 夫中國之宜謀自強，至今日而已亟矣。識時務者，莫不以采西學、制洋器為自強之道。[3]

同治帝六歲即位，慈禧、慈安兩宮太后「垂簾聽政」；十二年親政，翌年即卒。光緒帝四歲登基，兩宮太后尋續垂簾；光緒十六歲時，慈禧雖謂「歸政」，實猶掌大權。

以當時知識水平，魏源、林則徐諸人未諳鴉片戰爭所體現者為中西文化之較量，誤以中國不如西方者在於器物面，西方不如中國者在於人生修為之道義面。魏源係近代中國最早「體用」論者，其後洋務派所稱「中體西用」，寔肇於此。洋務派秉持傳統「道體器用」觀，主張以中國先王之道為體，西方之器為用而興辦洋務，以圖富國強兵。其目的，一則確保封建王朝之安穩，二則延續孔孟之學。辦理洋務為手段，保國保教為目的。自鴉片戰爭至甲午戰爭（1840-1894），洋務派側重於西方器物技術之學習，故稱「言技」期，蓋近代中國現代化與文化變遷之第一期[4]。

光緒二十年（1894），歲次甲午，清朝為平定朝鮮東學黨之亂，七月一日，中、日兩國正式宣戰，清廷戰敗，簽訂〈馬關條約〉，史稱「甲午戰

3　〔清〕寶鋆等修：《籌辦夷務始末》（臺北市：文海出版社，1971年據1930年故宮用抄本影印），同治朝卷46，頁44上-44下。

4　分期依梁啟超：〈五十年中國進化概論〉，《飲冰室合集》（北京市：中華書局，1989年3月），冊5，《飲冰室文集之39》，頁43-44；有關劃分器物、制度、文化之學理，參陳明彬：《文化意識的顛覆與重構——五四新文化運動深層解讀》（成都市：四川大學文學與新聞學院文藝學博士論文，2006年），頁93-94。

爭」。甲午海戰之結局，證明注重器物面之洋務運動，未易拯拔中國之衰末。於是有志之士要求從政經制度層面，尤其政治體制走向君主立憲，進行變法維新。諸如康有為（1858-1929）著書立說，於北京發行《中外公報》主張變法，亦曾數次上疏光緒，力陳改革；光緒二十四年三月二十七日（1898 年 4 月 17 日），康有為於北京粵東會館召開保國會議演說：

> 吾中國四萬萬人，無貴無賤，當今一日在覆屋之下、漏舟之中、薪火之上，如籠中之鳥、釜底之魚、牢中之囚，為奴隸，為牛馬，為犬羊，聽人驅使，聽人割宰，此四千年中二十朝未有之奇變。加以聖教式微、種族淪亡，奇慘大痛，真有不能言者也！[5]

德音激昂，聞之者靡不動容。其學生梁啟超（1873-1929）則於上海主編《時務報》，鼓吹變法自強，枹鼓相應；光緒二十四年尚未而立之齡，目睹甲午戰後中國之民族危機，其〈水調歌頭〉上闋云：

> 拍碎雙玉斗，慷慨一何多。滿腔都是血淚，無處著悲歌。三百年來王氣，滿目山河依舊，人事竟如何？百戶尚牛酒，四塞已干戈。[6]

字字血淚，悲歌多氣，憂國憂民之情躍然紙上，令人喟慨不已。衣冠大國，文物華人，何乃淪入殖民國家之林、厝身奴隸之列乎！另孫中山先生嘗於一八九四年六月〈上李鴻章萬言書〉，提出「人能盡其才，地能盡其利，物能盡其用，貨能暢其流」之改革主張，唯李鴻章拒絕面會，其後請願書刊載於上海《萬國公報》；失望之餘，孫先生於十一月二十四日赴夏威夷檀香山歐胡島募款組織興中會，以「驅除韃虜，恢復中華，創立民國，平均地權」為

5　康有為：〈京師保國會第一集演說〉，見湯志鈞編：《康有為政論集》（北京市：中華書局，1981年），上冊，頁237。「當今一日在覆屋之下」：湯注謂《戊戌政變記》無「一」字，疑衍。案：康演說文見梁啟超於光緒二十四年撰《戊戌政變記》（北京市：中華書局，1954年），頁76。又見康有為撰、姜義華等編校：《康有為全集》（北京市：中國人民大學出版社，國家清史編纂委員會，2007年），第4集，頁57，亦無「一」字，題作〈京師保國會第一次集會演說〉。

6　梁啟超：〈水調歌頭〉，同註4，冊5，文集之45（下），頁83。

誓言，圖以排滿思想為其革命事業鋪路。

光緒二十四年（1898）四月二十三日（6 月 11 日），德宗下詔變法，委由康有為、譚嗣同（1865-1898）等人推行新政。但以慈禧太后為主導之守舊派反對變法，八月六日（9 月 21 日）發動政變，德宗被幽禁，康、梁逃亡日本。歷時僅一百零三天，史稱「百日維新」；又值戊戌年，故稱「戊戌變法」。光緒二十六年庚子（1900），義和團起事，仇殺洋人，得慈禧支持，引起英、俄、法、德、美、日、義、奧八國共組聯軍，七月十二日攻陷北京，光緒、慈禧太后逃亡西安。光緒二十七年，歲次辛丑，九月七日，於北京與各國訂定「辛丑和約」，國勢岌岌可危，朝不保夕矣！

晚清於西力衝擊下，洋務派派主張向西方學習器物技術，唯仍持續封建主義及其人生觀與倫理規範。甲午戰敗，自洋務運動提升為政經制度之變革而思想意識仍舊，故求振衰而無以起弊也。自甲午戰敗至民國六、七年（1895-1918），維新派側重於西方政治制度之採挹，故稱「言政」期，為近代中國現代化與文化發展之第二期；辛亥革命亦屬之，唯政治體制尚民主共和。洋務運動與維新變法俱聚焦教育改革，遂引發學校讀經問題。

二　晚清讀經問題之沿革

晚清為因應亙古「數千年來未有之變局」[7]，洋務派、變法派於肯定中學之前提，力主汲取西學，盼國家蒸蒸日上，冀生靈免於塗炭，望家園無崩圮之虞。渠輩綦重視教育改革，小學「讀經問題」則為論爭熱點[8]：

7　李鴻章：《奏稿．籌議海防折》（同治十三年十一月初二日），收入《李鴻章全集》（長春市：時代文藝出版社，1998年），冊2，卷24，頁1063。

8　胡曉明編：《讀經：啟蒙還是蒙昧？——來自民間的聲音》（上海市：華東師範大學出版社，2006年）。

（一）中體西用，讀經為本

晚清教育改革之歸趨有二，一為廢除八股取士制度，以致科舉之弛替：光緒二十四年四月二十八日（1898 年 6 月 16 日），光緒帝召見康有為，康力陳八股之弊；二十九日，康有為、宋伯魯又上疏請改八股為策論，康有為云：

> 蓋以功令所垂，解義只尊朱子；而有司苟簡，三場只重首場。故令諸生荒棄群經，惟讀四書；謝絕學問，惟事八股。于是二千年之文學，掃地無用，束閣不讀矣。漸乃忘為經義，惟以聲調為高歌；豈知聖言？幾類俳優之曲本。東塗西抹，自童年而咿唔摹仿；妃青儷白，迄白首而按節吟哦。[9]

五月初五日（6 月 23 日），光緒帝發布上諭：「若不因時通變，何以勵實學而拔真才？著自下科為始，鄉會試及生童歲科各試，向用四書文者，一律改試策論。……至士子為學，自當以四子六經為根柢；策論與制義，殊流同源，仍不外通經史以達時務。總期體用兼備，……。」[10]五月十二日、六月初一、七月初三又連下諭旨，令各省生童歲科試即行改為策論，具體規定考試之場次與考試內容，並罷朝考之制。

至此，維新派更替八股取士之願獲成，「海內有志之士讀詔書皆酌酒相

9　康有為：〈請廢八股試帖楷法試士改用策論折〉（1898年6月17日），見湯志鈞主編：《康有為政論集》，同註5，頁269。湯書錄自宣統三年辛亥五月印行之康有為：《戊戌奏稿》，見康有為撰，姜義華等編校：《康有為全集》，同註5，頁78。該摺乃康有為於戊戌政變後回憶所錄，是否經改竄，無法判斷，說詳朱發建：〈最早引進「科學」一詞的中國人辨析〉，《吉首大學學報》（社科版），2005年2月，頁59-61。該摺亦收入朱有瓛主編：《中國近代學制史料》（上海市：華東師範大學出版社，1985年），第1輯，下冊，頁76-77。

10　見《清德宗實錄》（北京市：中華書局，1987年），卷419，〈光緒二十四年五月丁巳〉，〈諭內閣〉。

慶，以為去千年愚民之弊，為維新第一大事也」。然此未自根柢取消科舉制度，但調整考試內容與文體。曩時八股取士，考試內容均出自《四書》、《五經》；改行策論取士後，復保留《四書》、《五經》，增益中國歷史及西方自然科學、政治、法律知識。維新派與洋務派官僚二者並無區別，故維新派衡酌數百萬八股士人之出路，不能不讓步，亦反映渠等未盡脫舊經典之桎梏。

八月六日，戊戌政變；十一日以後，慈禧陸續推翻德宗所施行新政；二十四日，恢復八股取式之制等。

光緒二十七年（1901），歷庚子事變而避居河南之慈禧太后及清朝政府，痛改前非，將戊戌變法中各項改革措施又付諸實施。該年七月十六日己卯（8 月 29 日），清廷發佈上諭：

> 科舉為掄才大典，我朝沿用前明舊制，以八股文取士，名臣碩儒，多出其中。其時學者皆潛心經史，文藻特其緒餘。乃行之二百餘年，流弊日深，士子但視為弋取科名之具，剿襲庸濫，于經史大義，無所發明。急宜講求實學，挽回積習。[11]

爰自次年鄉會試首場始試中國政治、史事論五篇，二場試各國政治、藝學策五道，三場試《四書》義二篇、《五經》義一篇。生童歲科兩考，仍先試經古一場，專考中國政治、史事及各國政治、藝學策論；正場試《四書》義、《五經》義各一篇，「以上一切考試，凡四書、五經義均不准用八股文程式，策論均應切實敷陳，不得仍前空衍剽竊」。

光緒三十一年（1905）八月二日，晚清張之洞、袁世凱、趙爾巽、周馥、岑春煊、端方六大重臣會銜上奏，要求廢止科舉，興辦現代學校；八月四日甲辰（9 月 2 日），慈禧以光緒名義傳諭：

> 著即自丙午科為始，所有鄉會試一律停止，各省歲科考試，亦即停止，其以前之舉貢生員，分別量予出路，及其餘各條，均著照所請辦

---

11 見〈光緒二十七年七月十六日諭以策論試士禁用八股文程式〉，收入璩鑫圭等編：《中國近代教育史料匯編：學制演變》（上海市：上海教育出版社，1991年），頁4。

理。總之，學堂本古學校之制，其獎勵出身，又與科舉無異。歷次定章，原以修身讀經為本；各門科學，尤皆切於實用。是在官紳申明宗旨，聞風興起，多建學堂，普及教育，國家既獲樹人之益，即地方亦與有光榮。[12]

自隋朝大業元年（605）進士科計，至光緒三十一年（1905）整整綿延一千三百周年之科舉制度正式於次年丙午黜廢。科舉既替，各地興辦學堂之數量與速度迅即臻於高峰，加快學校讀經之沒落。四書五經失去獨尊地位，並導致經學衰微，以經學為主導之傳統學術格局逐漸解體，各門學科之分化與獨立從可能變為現實。於是分支學科相繼獨立，於二十世紀初為科技文化獨立發展提供必要之條件。

二為創辦學堂，提倡西學：張之洞（1837-1909）於光緒十五至三十三年（1889-1907）任湖廣總督，得英、德支持，成為後起之洋務派首領。光緒十九年（1893），奏請清政府創辦自強學堂。光緒二十四年（1898）三月，發表《勸學篇》[13]，提出「中學為體，西學為用」[14]，以維護傳統倫理綱常。張氏云：

中學為內學，西學為外學；中學治身心，西學應世事。[15]

12 〔清〕朱壽朋編：《光緒朝東華錄》（北京市：中華書局，1958年），冊5，總頁5392-5393。

13 張之洞：《勸學篇》（臺北市：文海出版社，1967年）。

14 張氏謂「舊學為體，新學為用」，出《勸學篇・外篇・設學第三》，同註13，頁8下，雖尚未使用「中學為體，西學為用」一語，唯書中「舊學」即「中學」，「新學」即「西學」；「中學為體，西學為用」一語乃梁啟超所化用，見梁啟超：《清代學術概論》，朱維錚編校：《梁啟超論清學史二種》（上海市：復旦大學出版社，1984年），頁79。「中體西用」說誠晚清士人之共同見解，見余英時：〈中國近代思想史上的胡適〉，收入胡頌平編著：《胡適之先生年譜長編初稿》（臺北市：遠流出版公司，1986年），冊1序，頁9。清末更有「西學中源」論，參見全漢升：〈清末的西學源出中國說〉，《嶺南學報》第4卷第2期（1935年），頁57-102。

15 張之洞：《勸學篇・外篇・會通第十三》，同註13，頁47上。

所謂「中學為體」，即以傳統文化作為一切政治、文化教育之主體，尤以儒家「三綱五常」等倫理、道德作為政教之中心與依據。所謂「西學為用」，即以「西學」作為「治世變」之工具與途徑。「西學」之內容特謂「西政、西藝、西史」[16]，西政含括繪、礦、醫、聲、光、化、電等學，具體落實於學校教材，泛指西方之語文、法規及自然科學知識等。

光緒二十四年四月二十三日，光緒帝頒佈〈定國是詔〉，正式宣佈變法，詔書強調：

> 京師大學堂為各行省之倡，尤應首先舉辦，著軍機大臣，總理各國事務王大臣，會同妥速議奏。[17]

光緒帝明令優先舉辦京師大學堂，以「為各行省之倡」。

五月五日，光緒廢除八股取士詔書頒行後，康有為等維新人士又屢上奏摺，主張於全國創辦近代化學堂，易舊式書院為新式學堂，兼習中學、西學，光緒帝傾身為之。五月十五日（7 月 3 日），頒諭批准總理衙門擬奏之〈奏擬京師大學堂章程〉[18]，委派孫家鼐辦理大學堂事務，京師大學堂（辛亥革命後改名北京大學）自是正式開辦，又命梁啟超辦理譯書局事務；二十二日，諭令各省府、廳、州、縣之大小書院及民間祠廟，「一律改為兼習中學、西學之學校」，而省會改設高等學校，郡改設中學，州縣改設小學；二十三日，諭實行經濟特科考試（即考新知識）。以後又陸續頒諭，令各省籌辦礦務、海軍、農務、編譯、醫學、茶務等專門學堂；設立譯書機構，翻譯外國新書，提倡出國遊歷、遊學等。但各省督撫對光緒帝之諭令均視若無睹，延宕推遲，唯京師大學堂正式創辦，並成為戊戌變法僅存之碩果，其他

16 張之洞：《勸學篇．外篇．設學第三》，同註13，頁8下。

17 見《清德宗實錄》，卷418，同註10，光緒二十四年四月乙巳頒〈定國是詔〉，翁同龢擬；中國史學會主編：《戊戌變法》（二）（上海市：上海人民出版社，1957年）亦轉引，頁17。

18 光緒二十四年五月十四日呈〈奏擬京師大學堂章程〉，梁啟超代擬，見北京大學中國第一歷史檔案館編：《京師大學堂檔案選編》（北京市：北京大學出版社，2001年），頁26-40。

各地每遇阻撓而舉動寥梢。

〈奏擬京師大學堂章程〉為中國近代高等教育最早之學制綱要。〈章程〉將課程設置分為普通學科及專門學科兩類，以經學、理學、掌故學、諸子學與初等算學、格致學、地理學，以及文學、體操等為普通學科；以高等算學、格致學、政治學、地理學、農學、礦學、工程學、商學、兵學、衛生學為專門學科。普通學各科為全體學生所必學，專門學科由學生任選一門或兩門；而作為普通學科之體操，全體學生必修。十月初九日（11 月 22 日），地安門內馬神廟空閒府第已改建成京師大學堂，遂即進行首次正式招生；十一月十九日（12 月 31 日）正式開學。京師大學堂成為中國近代史上第一所國立綜合性大學，又係國家最高教育行政機關，統轄各省學堂。

光緒二十八年（1902），吏部尚書管學大臣張百熙依據前述章程修訂而成「欽定學堂章程」，又稱「壬寅學制」，為我國官方正式規定新學制之濫觴。自六歲開始，計蒙學堂四年，尋常小學堂三年，高等小學堂三年，中學堂四年，高等學堂三年，大學堂三年，大學院不設年限。高等學堂可分設大學預備科或高等農工商實業學堂，由各省辦設，而大學堂限於京師大學堂。京師大學堂文學科分目有經學、豫備科政科亦設經學課目；各省高等學堂政科課程與大學豫科同；中學堂、尋常小學、高等小學、蒙學堂均設讀經課程。[19]

光緒二十九年（1903），張百熙、張之洞、榮慶修改壬寅學制，十一月，會奏「奏定學堂章程」，又謂「癸卯學制」，施行至宣統三年（1911），清帝遜位為止。自蒙養院（一名幼稚園）始，七歲入初等小學堂五年，高等小學堂四年，中學堂五年，高等學堂（大學預科）三年，再入分科大學堂（京師大學堂）。而不入高等學堂者，則另入農工商實業學堂，計預科一年，本科三年，共四年。奏曰：

> 無論何等學堂，均以忠孝為本，以中國經史之學為基，俾學生心術壹

19 壬寅學制見《清史稿・選舉志八十二》（臺北市：洪氏出版社，1981年8月1日，關外二次本），冊6，卷107，頁3128-3132。

歸於純正。而後以西學瀹其智識，練其藝能，務期他日成材，各適實用。[20]

清中央政府並無專門負責教育之行政機關，而以禮部兼理全國學校與科舉，各省則以學政總攬其事。光緒二十四年（1898），京師大學堂成立後，負有統領各省學堂之職，成為邁向近代中央教育行政部門之橋樑。光緒三十一年（1905）十二月，清廷設立學部，責其董率全國教育。次年，復撤裁各省學政，改設提學使司統帥全省學務。此後另依學部侍郎嚴修之建議，於各府廳州縣設立勸學所。自中央以至地方建立起一套較為完整之新式教育行政管理體系[21]。

光緒三十一年（1905），湖廣總督張之洞改武昌經心書院為「存古學堂」，光緒三十三年八月，正式開學。此後各省督撫紛紛響應，如光緒三十四年，江蘇省即仿照設立。宣統三年，清頒佈〈存古堂章程〉，於學制另成系統。其宗旨為培養初級師範學堂、中學堂之經學、國文、中國歷史教員，及經科、文科大學之預備生，設經學、史學、詞章三門課程。分中等科（修業五年）與高級科（修業三年）。

鑒於「奏定學堂章程」所規定之科目繁冗，偏重讀經，不適合兒童教育，宣統一、二年嘗兩度變更初等小學堂章程，調整讀經教材與減低讀經時間，亦修訂高等小學讀經課程；宣統三年，則修改中學堂讀經課程。[22]

（二）反對小學讀經

清末教育改革之同時，知識份子反對讀經者，具體呈現於「中央教育會」之論辯。

---

20 有關癸卯學制見《清史稿·選舉志八十二》，同註19，頁3132。

21 張小莉：〈試析清政府「新政」時期教育政策的調整〉，《河北師範大學學報》（社科版）2003年第2期，頁54。

22 詳林麗容：《民初讀經問題初探（一九一二～一九三七）》（臺北市：臺灣師範大學歷史研究所碩士論文，1986年），頁19-28。

光緒三十二年（1906），公佈「教師會章程」。依據該項章程規定，各地方應成立「教育會」，綜理會務；再由各地方成立「教育總會」處理全省會務。[23]

宣統三年（1911）六月，學部奏准設立「中央教育會」，此為我國全國性教師組織之嚆矢。學部以之為官方組織，迺其決策之諮詢機構，與各省教育會較然有別。七月五日，中央教育會召開預備會；七月十五日，會議正式開幕，出席者有學部各司廳官員及來自全國各地教育界代表共一百五十多人，七、八月間，召開多次會議，最後議決通過之提案僅十二件。

第十二案「變更初等教育方法案」，乃宣統三年五月各省教育聯合會議決並提交學部召集中央教育會討論者，包括下列內容：1 小學列手工為必修科；2 初等小學不設讀經講經科；3 初等小學兒童年齡在十歲以內，准男女同校。[24]

近代中國於「西學東軋」之過程中，清末民初由上海商務印書館所編印之《教育雜誌》，曾扮演詳實記載當時教育史實、引進西方新式教育以及領導反對小學讀經之重要角色。該雜誌創刊於宣統元年（1909）二月十五日，民國三十七年（1948）十二月停刊，其間嘗因戰火中輟兩次，共三十三卷三百八十二期。歸納其反對讀經之意見，以為小學堂讀經，既不合乎古教育本法，亦不合於現代教育原理，一也；經書內容較深奧，不適合青年學子研讀，二也；存古學堂保存國粹之舉，難以挽救大局，亦淆亂教育體系[25]，三也。要之，晚清讀經問題主要垂注於小學讀經之存廢。

三　民國前期讀經問題之始末

民國前期指一九一二至一九四九年，國民政府播遷來臺前。其間對讀經

23 張鈿富：《我國教師專業組織之研究》（臺北市：政治大學教育研究所碩士論文，1986年）。

24 關曉虹：〈清末中央教育會述論〉，《近代史研究》2000年第4期，頁124-125。

25 林麗容：《民初讀經問題初探〈一九一二～一九三七〉》，同註22，頁33-34。

問題之論述，眾說紛紜。蓋每一立論即有悖論，苟擷取若干家為說，恐以蠡測海，失之主觀；且解釋經書之倫理道德性，抑無視於歷時性維度而導致具體含義之重大變遷者，識者知之，無庸贅述。故以編年體縷述讀經問題之歷時性，考察各方論難中各主要派別之共同前提：

（一）北洋政府、蔡元培與胡適及陳獨秀對傳統文化與讀經之立場

民國元年（1912）一月一日，辛亥革命成功，民主共和初建，孫中山先生（1866 年 11 月 12 日-1925 年 3 月 12 日）於南京成立臨時政府，擔任中華民國首任臨時大總統；三日，命蔡元培（1868-1940）為第一任教育總長；九日，教育部正式成立。蔡氏命陸費逵與蔣維喬共擬〈中華民國教育部普通教育暫行辦法〉十四條，於十九日經教育部審定公佈。主要內容為初小男女同校，小學廢止讀經，注重手工教育，中學師範改為四年及廢止舊時獎勵出身等。此外，又發文主張效法歐美及日本等資本主義國家之教育，減少課時，縮短在學年限及注重實利教育。

為謀求國家之統一，國父讓位於袁世凱（1859-1916），一九一二年二月十五日，南京臨時參議院選袁氏為第二任臨時大總統；三月十日，袁氏於北京就職，稱為北洋政府，亦命蔡為教育總長。五月，教育部頒行〈普通教育暫行辦法〉九條，列有「廢止師範中小學讀經科」。七月，蔡氏於北京召開臨時教育會議，提議「學校不應拜孔案」，「忠君與共和政體不合，尊孔與信教自由相違」，終以各學校規程內不規定祀孔而通過[26]。

袁氏為取得傳統知識分子之支持，以遂行帝制，一九一三年六月二十二日，頒布「尊孔令」，規定每年舉行祀孔典禮；八月十五日，中華民國第一

26 民國元年教育部廢止讀經，招致擁護孔教與讀經人士之反對，關於孔教之興革與討論，參陳美錦：《反孔廢經運動之興起（1894-1937）》（臺北市：臺灣大學歷史研究所碩士論文，1991年），頁102-147；韓華：《民初孔教會與國教運動研究》（北京市：北京圖書館出版社，2007年12月）。

屆國會開幕，孔教會陳煥章、梁啟超等，上書國會請於憲法明定孔教為國教；十月六日，國會選袁氏為第一任正式大總統；十月十日，袁氏正式就任。一九一四年，蔡氏指示經學分別歸入文科與史科，不另立一科。一九一四、一九一五年，袁氏推行一系列尊孔讀經法令，一九一四年一月二十九日，下令春秋祀孔。

陳獨秀（1879-1942）以國人囿於傳統，暮氣沉沉，政治上烏煙瘴氣，欲發聾振聵，力挽狂瀾，必自喚醒青年始，一九一五年九月十五日，於上海創辦《青年雜誌》。陳總結近代歐洲強盛之原因，謂人權與科學乃推動社會歷史前進之車輪，從而高舉科學與民主兩面大旗。《青年雜誌》之創刊成為新文化運動興起之標誌，〈敬告青年〉一文可謂新文化運動之宣言書[27]。

一九一六年一月，袁氏稱帝，改元「洪憲」，引起一連串護國討袁行動；三月復辟失敗；六月六日，袁氏羞憤發病而死，黎元洪繼任總統，國會補選馮國璋為副總統，黎任命段祺瑞為國務總理；七月，內閣成立，恢復民元約法，國會重開。

一九一六年九月，《青年雜誌》改名《新青年雜誌》，出版第二卷第一號。陳獨秀於《新青年》第二卷第二號至第三卷第六號（1916年10月-1917年8月）連續發表〈駁康有為致總統總理書〉、〈憲法與孔教〉、〈孔子之道與現代生活〉、〈袁世凱復活〉、〈舊思想與國體問題〉、〈尊孔與復辟〉等文；吳虞發表〈家族制度為專制主義之根源論〉，推動批孔運動。

一九一六年十二月二十六日，黎任命蔡元培為北京大學校長；一九一七年一月四日就任。蔡氏於《北京大學月刊》公佈治校三大方針：

1 大學為純粹研究學問之機構：研究不僅介紹西方文明，且須創造新文明；不僅保存「國粹」，且須以科學方法揭發國粹之真相。

2 大學生不應將大學視為舊科舉制度之代用品：大學之目標為求學問，大學生不應忽略自己所學專長以外之各種科學知識。

---

27 陳獨秀：〈敬告青年〉，《青年雜誌》第1卷第1號（1915年9月15日），收入秦維紅編：《陳獨秀學術文化隨筆》（北京市：中國青年出版社，1999年），頁24-32。

3 大學中應保有學術思想自由：如有嚴謹之學術立場，大學中均應兼容並蓄與自由發表。實際生活中容忍異己為民主之真諦，建言焉畏文字獄，立說不為稻粱謀！[28]

一九一七年一月，蔡氏聘任陳獨秀為文科學長，該雜誌自上海遷往北京出版；四月十五日，《新青年雜誌》第五卷第四號出版之前屬前期，為啟蒙運動之刊物，反孔，宣傳法式民主與科學，提倡文學革命；一九一九年五月第六卷第五號「馬克思主義研究專號」刊行以還屬後期，宣傳馬克思主義與俄式共產主義，一九二〇年九月起更成為中共上海發起組機關刊物。[29]

以胡適（1891-1962）為代表之自由主義派，則反對馬克思主義，主張以實用主義代替儒家學說[30]。一九一七年一月一日，胡適於該雜誌第二卷第五號，發表〈文學改良芻議〉提出「八事」，揭櫫文學革命；陳獨秀於二月第二卷第六號發表〈文學革命論〉，倡議三大主張聲援；五月第三卷第三號，胡氏又發表〈歷史的文學觀念論〉主張白話文運動，引起青年讀者極熱烈反響。一九一八年四月十五日第四卷第四號，胡氏再發表〈建設的文學革命論〉，以「國語的文學，文學的國語」作為新文學運動之宗旨，將文學革命與國語運動相結合。周作人發表〈人的文學〉，強調以人道主義為文學之本。北大學生傅斯年、羅家倫等人亦熱烈支持文學革新。

北大與《新青年雜誌》所傳播之新思想，宛如暮鼓晨鐘，逐漸擴展而暢發，掀起「新文化運動」之浪潮，並對日後五四愛國運動有催化作用。

一九一七年五月，因督軍叛變，遂引發張勳與康有為等擁立廢帝宣統，七月一至十二日復辟，經段祺瑞、梁啟超等馬廠（天津南）誓師，迅速敉平，黎下台，馮國璋代行總統職務；同年七月，段組成內閣，馮、段上台，即欲召集臨時參議院，修改選舉法、改造國會。國父與反對改造國會之議員南下，宣言護法；九月，建軍政府於廣州，南北分裂，北洋派陷入皖系、直

28 三大方針轉引自司馬長風：《中國現代史綱》（香港：波文書局，1975年），頁94。

29 鄭學稼：《陳獨秀傳》（臺北市：時報文化出版公司，1989年），上冊，頁144-145。

30 胡適之經學思想，參李威熊：〈胡適的經學觀〉，《逢甲人文社會學報》第4期（2002年5月），頁1-14。

系、奉系軍閥混戰。

一九一七年七月後，北洋政府歷經多次變革。一九一七年七月至一九一八年九月，為馮國璋時代。一九一七年十月十二日，教育總長范源濂正式廢止小學讀經。

一九一八年至一九二二年六月，為徐世昌時代。一九一八年十月十日，徐世昌任總統後，又倡讀經。歐戰結束，中國乃戰勝國，德國侵占山東之權益自當歸還我國，段氏與日本簽訂秘密協定，欲將此權益歸由日本接收。一九一九年五月初，巴黎和會傳來中國代即將表被迫簽讓。消息一出，國人譁然；五月四日下午，約三千學生齊集天安門，遊行示威，獲得舉國熱烈響應；六月二十八日，巴黎和會代表陸徵祥電告政府拒絕簽字，五四愛國運動終獲勝利。五四愛國運動所激發之愛國精神與政治活力，朝氣盎然，對近代中國產生巨大推動作用。

五四新文化運動為近代中國現代化與文化發展之第三期，昉自一九一五年九月十五日《青年雜誌》刊行，以一九二三年科學與玄學之爭論平息為下限，西方人稱之為「中國的文藝復興」（The Chinese Renaissance），乃對民族文化進行批判與創新之運動。五四愛國運動由五四新文化運動催生而爆發，同時擴大並深化五四新文化運動。「第三期，便是從文化根本上感覺不足。……革命成功將近十年，所希望的件件都落空，漸漸有點廢然思返，覺得社會文化是整套的，要拿舊心理運用新制度，決計不可能，漸漸要求全人格的覺悟」，[31]故本期亦稱「言教期」。

一九二四年十月至一九二六年四月，為段祺瑞時代。一九二五年，章士釗任教育總長，提「讀經救國」，並於北京創辦《甲寅週刊》以為宣傳；十月三十日，教育部議決讀經，後以章氏去職，讀經之議乃止。魯迅云：

> 一人說要讀經，嗡的一陣一群狹人也說要讀經。豈但「讀」而已矣哉，據說還可以「救國」哩。「學而時習之，不亦說乎？」那也許是

31 梁啟超：〈五十年中國進化概論〉，文寫於一九二二年四月，見《飲冰室合集》，同註4，冊5，《飲冰室文集之39》，頁44-45。

確鑿的罷，然而甲午戰敗了，——為什麼獨獨要說「甲午」呢，是因為其時還在開學校，廢讀經以前。[32]

一九二六年十二月至一九二八年六月，為張作霖時代。民國初年以來軍閥之特色，往往假藉尊孔讀經，以期淨化人心，實則圖謀其統治之穩固，如段祺瑞、吳佩孚、張作霖、張宗昌、閻錫山等[33]。

南方政府亦經多次更替。一九一七年九月至一九一八年五月，國父初任軍政府大元帥。一九二〇年十二月至一九二一年四月，國父二次出任大元帥，其後當選國民政府大總統至一九二二年八月。

一九二一年六月，中國共產黨創立；七月，中共舉行建黨大會，黨員不過五十九人，七地區代表十三人。

一九二三年二月至一九二五年三月十二日逝世止，孫中山三次任大元帥。一九二五年三月至一九二五年七月，胡漢民代大元帥。一九二五年七月至一九二六年五月，汪兆銘（筆名精衛）於廣州任國民政府主席。一九二六年二月，廣州設教育行政委員會作為中央教育行政之指導機構。一九二六年六月五日，國民政府任命蔣中正先生為國民革命軍總司令；七月一日，頒布北伐動員令；九日，正式誓師。

一九二六年十二月至一九二七年三月，徐謙任聯合會議主席；四月後，寧漢分裂，汪氏任武漢國民政府主席，胡氏任南京國民政府時期。一九二七年七月，蔡元培提議，國民政府改中央教育行政委員會為中華民國大學院，掌管全國學術及教育行政之最高行政機構。一九二七年九月至一九二八年十月，譚延闓任南京國民政府主席，蔣先生握黨權與軍權。一九二七年十月一日，中華民國大學院成立，蔡元培由國民政府教育行政委員會委員改任大學院首任院長。一九二八年二月十八日，以大學院院長名義通令停止春秋祀

32 魯迅：〈這個與那個〉之「一　讀經與讀史」，最初分三次發表於《國民新報·副刊》，1925年12月10、12、22日；後收入《魯迅全集》（北京市：人民文學出版社，1981年），卷3《華蓋集》，頁138。

33 林麗容：《民初讀經問題初探（一九一二～一九三七）》，同註22，頁73-8。

孔[34]；五月十五日，大學院於南京舉行第一次全國教育會議，確立實施三民主義之教育建設；後因反對大學院聲浪極高，經費過於龐大，事權不統一等因素，蔡氏於十月六日辭職，轉由蔣夢麟擔任；十月二十四日，大學院裁撤，所有改革制度取消，恢復教育部與舊有教育制度。

一九二八年十月十日至一九三一年十二月十五日，蔣先生於南京出任國民政府主席。一九二八年十二月，張學良通電服從南方國民政府，全國恢復統一。

一九三一年十一月二十七日，中共建立蘇維埃政府。

（二）國民政府、日本扶持偽政權對傳統文化與讀經之作為

一九二八至一九四七年為國民政府訓政時期，以黨領政。一九二九年三月十五日，中國國民黨第三次全國代表大會於南京召開，通過「確定教育宗旨及其實施方針案」；四月，經教育部通令全國各級教育機關遵行，國民政府以三民主義為中心思想之教育宗旨，從此付諸實施。三民主義以「四維八德」發展民族精神；蔣先生任主席後，亦明確以「禮義廉恥」為立國之本。一九二九年，國民政府〈教育宗旨及其實施方針〉中，指明以「忠孝仁愛信義和平」為國民道德之教育內容。一九三〇年十一月二十日，蔡元培於亞洲學會演說：

> 孫氏一方面主張恢復固有的道德與智能，一方面主張學習外國之所長，是為國粹與歐化的折中。[35]

一九三一年十二月十五日至一九四三年八月一日，林森於南京任國民政府主席，自一九三七對日抗戰進入下期。

---

34 此通令載《大學院公報》第1年第3期（1928年3月）出版，收入中國蔡元培研究會編：《蔡元培全集》（杭州市：浙江教育出版社，1997年10月），卷6，頁181。

35 蔡元培：〈中華民族與中庸之道〉，《東方雜誌》第28卷第1號（1931年1月10日），收入中國蔡元培研究會編：《蔡元培全集》，同註34，頁574-577。

一九三二年三月九日，日本於長春扶持成立「滿洲國」，以溥儀為「執政」，年號大同，鄭孝胥為國務總理。滿州國學校推行日文，又禁止三民主義教育，課程以四書五經取代，目的在於發揚儒家王道精神，假敦親睦鄰之義泯絕國人之敵我意識；並以中國文化相號召，冀堙墜國人之民族觀念。一九三四年三月帝改「滿洲國」為「滿洲帝國」，「執政」改號「皇帝」，年號康德凡十二年。

一九三四年二月至一九四九年，蔣主席推行「新生活運動」，要求將禮義廉恥落實於國人之衣食住行，對於傳統道德中重要德目均賦予新義；一九三四年八月，國民政府通令全國恢復紀念孔子誕辰，並陸續進行民族文化復興運動。

基於對抗日本、中共之需要，本時期前後倡導讀經，藉以振興民族精神之風復盛。一九三五年一月十日，薩孟武、王新命、何炳松等十教授發表〈中國本位的文化建設宣言〉[36]，提倡建設「中國本位文化」，從而形成所謂「中國本位文化派」。一九三五年初，西化派胡適批評傳統讀經派廣東軍閥陳濟堂，讀經問題又引起全國教育界之重視；三月一日，《教育雜誌》主編何炳松向全國教育界發出徵求意見函，計獲專家撰文約七十篇；五月十日，第二十五卷第五號「全國專家對於讀經問題的意見」專刊刊出。何氏為便利讀者閱讀，先將各專家之意見分析、綜合，歸納為極端贊成、極端反對及相對贊成或相對反對三類[37]。因讀經問題以中小學生應否讀經為焦點，故以中小學生應否讀經之意見作為分類之標準：

1 絕對贊成讀經：以為國民均應讀經，如唐文治、姚永樸、古直、曾運乾、陳鼎忠、方孝岳、錢基博、顧實等十餘人。

2 相對贊成或相對反對讀經：第一級：陳立夫以為可於中小學將一部分精華編為教材；鄭鶴聲、朱君毅則以為初小不宜讀，高小以上不妨選讀。第

36 見《文化建設》第1卷第4期（1935年1月10日），收入宋小慶等編：《關於中國本位文化問題的討論》（南昌市：百花洲文藝出版社，2004年），頁19-22。

37 何炳松：〈全國專家對于讀經問題的意見〉，收入龔鵬程主編：《讀經有什麼用》（上海市：上海人民出版社，2008年7月），頁10-12。

二級：以為大學中不妨作為一種專門研究，中學中不妨選讀幾篇，小學讀經則有害無益，如蔡元培、李書華、胡樸安等。第三級：以為初中以下不宜讀經，應從高中以上始讀經，如鄭西谷、黃翼、章益等。第四級：以為經書固不妨自由研究，但不宜硬性規定中學以下學生研讀，如范壽康、謝循初、陳鐘凡、傅東華等。第五級：以為經學非無研究之價值，然專家埋頭研究即可，青年人不宜於故紙堆中討生活，如杜佐周、蔣複璁、劉百閔、陳望道。以上共五級，人數居多，唯讀經起始點不盡相同，自小學、中學或大學不一；甚或凡學校青年咸不宜讀，專家研究即可。[38]

3 絕對反對讀經：如陶希聖、周予同、柳亞子等十餘人。

一九三七年七月至一九四五年八月十五日，對日抗戰。一九三九年，國民政府國防最高委員會頒行〈國民精神總動員綱領及實施辦法〉，明定「八德」為救國道德，所謂「對國家盡其至忠，對民族行其大孝」。儒家道德學說既是抗戰時期大後方各科教育之重要內容，亦抗戰後國民政府建國方針所肯定之民族精神與根本品德。

汪兆銘（1883 年 5 月 4 日－1944 年 11 月 10 日）於日本侵華戰爭期間，支持日本所宣傳和平運動而與日本合作，一九四〇年三月三十日出掌日本於南京組建之「中華民國國民政府」[39]，自任主席兼行政院長。汪政權提倡讀經，自初中一至高中一讀《孟子》、《大學》、《禮記》、《詩經》、《左傳》；高小一、二年級讀《孝經》、《論語》之類，一如滿洲國所為者。國民政府亦起而倡導讀經，以資因應。

一九四三年八月一日至一九四八年五月二十日止，蔣先生任南京國民政府主席。一九四八年五月二十日，國民政府正式行憲，改組為中華民國政府，蔣先生任首任總統。一九四九年一月二十一日，蔣總統引退，李宗仁代理總統。

一九四九年十月一日中華人民共和國成立，毛澤東任主席。

---

38 相關討論見尤小立：〈「讀經」討論的思想史研究——以一九三五年《教育雜誌》關於「讀經」問題的討論為例〉，《安徽史學》2003年第5期，頁58-61。

39 郭廷以：《近代中國史綱》（臺北市：北一出版社，1980年8月），頁698-701。

一九四九年十二月七日，國民政府宣布遷移臺灣；九日蔣先生赴臺，李宗仁先赴廣西，再往香港，最後飛往美國。一九五〇年三月一日，蔣先生復任總統，定都臺北。此後，兩岸對讀經問題又呈迴異之風貌矣！

四　民國前期讀經之基本問題

民國一九一二至一九一四年讀經問題之主要意涵有二：一為現代文化思想之歧異，表現於體用之爭；二為學校讀經問題，其他相關議題如尊孔並非讀經問題。讀經問題之所以聚訟紛紜，其關鍵在於若干基本問題[40]並未明朗：

一則經書之性質與內容：經書為一叢書，具倫理道德、政治、思想、史學、社會、文學等屬性之殊。對經書內容之理解、分析與應用、評價及理論建構，千頭萬緒。王國維於〈與友人論詩書中成語書〉稱：

> 《詩》、《書》為人人誦習之書，然於六藝中最難懂。以弟之愚闇，於《書》所不能解者殆十之五；於《詩》，亦十之一二。此非獨弟所不能解也，漢、魏以來諸大師未嘗不強為之說，然其說終不可通。以是知先儒亦不能解也。[41]

故吾人於經書性質與內容之辨析，當審慎、理性，焚膏繼晷，日就月將，務期事理明晰而邕豁，則學有緝熙於光明者。如此，方有助於吾儕對民族文化之體會，並形成國人認同民族文化之共識。

二則經書之倫理價值：經書為民族文化之珍貴遺產，具倫理屬性。傳統倫理道德產生於封建社會，其文化價值本具特殊性；然又兼遍性則無可疑，所謂「人皆可以為堯舜」。倫理道德之特殊性價值可賦予新義，國內已有諸多研究成果；而普遍性價值則待吾人建構，一九一二年二月十一日，蔡元培以儒家之「義」、「恕」、「仁」為道德之根本，並比附法國之「自由」、「平

---

40 龔鵬程：《讀經有什麼用》，同註37，頁420-428。

41 王國維：〈與友人論詩書中成語書〉，《觀堂集林》（臺北市：世界書局，1964年），卷2，頁75。

等」、「博愛」，蓋已發其端：

> 何謂公民道德？曰法蘭西之革命也，所標揭者，曰自由、平等、親愛。道德之要旨，盡於是矣。孔子曰：匹夫不可奪志。孟子曰：大丈夫者，富貴不能淫，貧賤不能移，威武不能屈。自由之謂也。古者蓋謂之義。孔子曰：己所不欲，勿施於人。子貢曰：我不欲人之加諸我也，吾亦欲毋加諸人。……平等之謂也。古者蓋謂之恕。……孟子曰：鰥寡孤獨，天下之窮民而無告者也。……孔子曰：己欲立而立人，己欲達而達人。親愛之謂也。古者蓋謂之仁。[42]

胡適於〈藏暉室劄記〉中，亦將孔子「己所不欲，勿施於人」之恕道，擬於基督教所謂「金律」，康德（Immanuel Kan, 1724-1804）所謂「無條件之命令」，斯賓賽所謂公道之律也[43]。

將心比心，推己及人即道德金律。康德但言「義」，其「實踐理性」為一絕對命令與義務，與現象世界之情感、觀念、因果、時空無涉，為超經驗之本體；尚須結合以人為目的、意志自律二律，與儒家所說異。孔子之道以仁為本，《論語．里仁》載曾子曰：「夫子之道，忠恕而已矣」，「忠恕」為仁德之具體實踐。盡己之謂忠，即己立立人，己達達人；恕即己所不欲，勿施於人。孟子〈盡心〉以居仁由義為言，惻隱與是非之心之實行也。

三則經書所具倫理價值之時代意義或對國家現代化之作用[44]：國家現代化與民族之興盛，有賴於經濟繁榮、政治清明、社會和諧。晚清以來，我國淪為次殖民地國家，救亡圖存為首務。經洋務運動、變法維新，最後確立新文化運動方為國家現代化之道路，而以民主與科學為發展方向。

---

42 蔡元培：〈對于新教育之意見〉，收入高平叔編：《蔡元培全集》（北京市：中華書局，1984年），卷2（1910-1916），頁131-132。

43 胡適：〈藏暉室劄記〉，《新青年雜誌》第3卷第5號（1917年7月1日）；胡適解「無條件之命令」為「凡作一事，須令此事之理由，可成天下人之公法」。

44 經書所具倫理價值之作用或功能，宜以人文化成說之，林麗容謂之「實用價值論」，見所著《民初讀經問題初探（一九一二～一九三七）》，同註22，頁211-214。

國家現代化過程中，已由傳統封建社會與家族倫理轉趨公民社會，以個人主義為基礎，講求遵循契約、注重人格自由與平等之公民文化，儒家仁體禮用已喪失傳統社會結構之支撐；復以傳統專制政體與規範，亦為民主政體與民主文化所取代；而現代社會之功利主義與市場經濟，更非傳統農業經濟與偏崇仁義之等。不惟經社會、政治、經濟各有其體用，三者又構成一完整有機體與辯證關係。論者當全面觀照，以免錐指管窺也；晚清以降所謂體用之爭，影響國家之現代化進程，得此可以休矣！

群體由個體組成，社會關係、政經制度與活動俱以個體為基礎。經書中倫理道德之普遍性價值與已具新義之特殊性價值，可以化解貪愎之念，消弭謀私害公之行，則有益於自我道德人格之完善與社會倫理規範之建立，並輔助群己關係與政經行為之良善。「為仁由己」，人文化成乃國家現代化之中流砥柱，豈可忽哉！

經書素與政治關係密切，自漢代以至於民國前期即然，是以本文入乎其內而以出乎其外自惕。入乎其內，故能屬詞比事，寫其真相；出乎其外，甫能概括經驗，總結其得失。吳雁南謂優秀文化遺產[45]有利於民主政治之轉化性創造，唯倫理文化有其獨立之畛域與崇高境界，設若經書之倫理價值成為政治之附庸，一如袁世凱等軍閥與滿洲國之所為，前者旨在復辟，後者甘為日人利用，其心可誅，其行可厭，倫理價值蕩然無存矣！《荀子．解蔽》：「故以貪鄙、背叛、爭權而不危辱滅亡者，自古及今，未嘗有之也。」

五　結論

儒家經典之倫理價值既明，當經由教育陶鑄莘莘學子，務期於知識學習之外，奠立其道德自主與人格完整，人生發展可望趨於正軌。教育成效之所以能斐然可觀者，重點在於經書教材之整理是否得當、教法有無良策耳！

---

45 吳雁南：〈儒學與維新——近代史研究札記之一〉，《貴州師範大學學報》（社會科學版）1988年第2期，頁1-6；〈經學與清末政治風雲：再論儒學與維新〉，《貴州大學學報》（社會科學版）1988年第4期，頁31-36。

關於讀經教材，或建議自小學起，凡學生均應於十三經中選定一部或一部以上原文作為讀本。蔡元培以小學生不宜讀經、中學生不宜讀整部經書，可選讀若干經傳原文、大學生選讀一部或多部經書中若干有價值之原文，如中文系選讀若干詩經；歷史系選讀若干書經經與春秋；哲學系選讀若干論、孟、易傳、禮記[46]。

吾輩主張可選擇若干適合小學生之經傳，加以改寫，於語文教育中，傳達中國文學與文化之義蘊。中學讀經教材與蔡氏同，現行中學國文課程已行之多年。大學中文系不應如蔡氏所云，僅選讀若干詩經原文；而今中文系讀經，又往往缺乏完整規劃。宜縝密擘劃專門課程，銓擇十三經之佳者，使之涵泳沈潛，漸行漸進，漸潛漸游；及其漸漬汪洋，睹智慧之浪濤搏擊，則發奮而不能自已。非中文系咸宜選讀若干與該系相關經書之精華；而歷史、哲學系等與傳統文化有關之科系，理當加重經書教材之份量。曩昔大一國文固符合此一構想，惜流於僵化；而今大一國文教材與教學宗旨或有隨波逐流者，面目全非，不意廢經之說竟於小學與大學獲得實現也。甚或倡議大學廢讀國文、研究所或國家重要考試廢考作文，誠匪夷所思也。揆情度理，大學生須通過國家語文能力鑑定，方得畢業。

自小學、中學以及大學之讀經課程，宜持現代觀點統整適合各級學生程度與興趣之教材，中、小學分別按不同年級而大學依學院或科系別選讀不同內容，以主題呈現而非呆讀經文。同時，應如蔡氏所說，避免選入不符現代事實、觀念，與艱澀費解之文獻。

若乃經書教法，自須講解得旨、傳譯精秀、分析近裡，學習者乃得考稽文理，通諸條貫；輔以多媒體，演示富有深義之情節或具體事件，相映成趣，學習效果自然顯著。果爾，中華文化或得以薪火相傳。《文心雕龍．原道》：「至夫子繼聖，獨秀前哲，鎔鈞六經，必金聲而玉振；雕琢情性，組織辭令，木鐸起而千里應，席珍流而萬世響，寫天地之輝光，曉生民之耳目

46 蔡元培：〈關于讀經問題〉，《教育雜誌》第25卷第5號（1935年5月），收入中國蔡元培研究會編：《蔡元培全集》，卷8，同註34，頁56-57。

矣。」[47]凡我中文教師、國學專家、各研究機構暨教育部，宜三致意焉。

47 〔梁〕劉勰：〈原道〉，收入詹鍈：《文心雕龍義證》（上海市：上海古籍出版社，1989年8月），上冊，頁22。

民國經學家對漢代經今古文學之爭的研究成果辨析

諸葛俊元
輔仁大學全人教育中心兼任助理教授

一　前言

從經學史的角度來看，漢代經學雖未必然是中國經學的開始，然始於武帝朝的「表章六經」國策，與設立博士弟子員廣開經生入仕大門之舉措，卻是六藝經典成為中國學術思想主流之一的關鍵。這個時期，經學名家輩出，經學與經生的政治影響力亦頗為巨大，對後世經學研究者而言，實屬不可忽略的一個重要時期。

歷來學者講論經學發展之歷史時，無論是經學總論還是專經研究，非但不能對漢代經學避而不談，甚至還需依據自身立說之需要給予興衰是非的評價。其目的，雖在於呈現個人研究之心得，然就後人看來，更是立說者所處時代之特有精神的顯現。可想得見，民國時期的經學研究自然也不例外，必然具有某種異於前代的時代精神貫串於其中，然此一時代精神的實質為何，卻不盡然能輕易為後人知悉。本文撰寫之目的，乃意圖透過民國經學家[1]於漢代經今古文學之爭的研究成果進行考察，既是呈現此一時期經學家於學術研究的共同成就，亦期待此一考察成果可做為進一步瞭解民國經學所透顯之

1　本文所稱「民國經學家」乃指民國時期（西元一九一二年至一九四九年，採用林慶彰先生主編《民國時期經學叢書》之定義）研究經學且曾出版著作之專家學者。

時代精神的開始。

經今古文學之爭的開端，始於西漢哀帝時劉歆議立古文經於學官。劉歆此議雖得到哀帝一定程度的支持，卻在執政大臣與諸博士的阻擾下，以劉歆遁出權力核心，出任河內太守，無疾而終。然劉歆此一倡議雖未能成功於哀帝朝，卻在王莽主政的平帝朝時漸次獲得實現，直至王莽敗亡、東漢建立，古文經方又摒除於學官之外。這段不算複雜的學術史，卻因為王莽的存在而變得糾結。身為東漢時人的班固，在《漢書》中對王莽一生的記錄，難免存有後朝對前朝應有的偏見與扭曲，而王莽立古文經於學官的舉動，自然也難逃後人陰謀論的解讀。於此同時，即便《漢書》對劉歆的記載並不若〈王莽傳〉般偏頗，然劉歆對古文經的推崇仍不免在王莽封劉歆為國師並立古文經於學官的雙重現實之下，開啟後人透過對劉歆人品的質疑進而判讀古文經真偽的研究脈絡。

從今人黃彰健之整理結果可知，劉歆偽作古文經之說，並非出於一時一人，康有為（1858-1927）於其作《新學偽經考》中認定《費氏易》、古文《論語》、古文《孝經》、《爾雅》、《左傳》、《周官》、《毛詩》及《逸禮》等八部經傳俱出自劉歆偽作，以及《史記》中提及「古文」處亦為劉歆所偽竄，可說是集合了晚清百年學術研究的成果[2]。從劉逢祿（1776-1829）至康有為，清代部份學者之所以認定劉歆偽造古文經傳，自然有其學理上的分析及依據，但這些推論的根本原因還是在於劉歆〈移讓太常博士書〉乃經今古文學之爭的導火線，以及王莽對劉歆的重視及對古文經學的利用。若單純就學術史的角度來看，劉歆對古文經的推崇，未必能與古文經傳的真偽產生邏輯上的因果關係，更遑論缺少堅實的證據證明劉歆曾經偽造、竄改古文經傳。然而，當學術與政治之間出現難以釐清的糾葛時，劉歆在王莽篡漢過程

2 在黃氏整理成果中，在康有為之前直指劉歆偽造古文經傳者，唯有劉逢祿於《左氏春秋考證》言《左傳》書法及「君子曰」為劉歆所偽，《尚書今古文集解》言壁中本逸《書》十六篇為劉歆所偽。其他如龔自珍《說中古文》、魏源《詩古微》、《書古微》及邵懿辰《禮經通論》諸書雖直指古文經傳有偽，卻未與劉歆牽合。詳見黃彰健：〈經今古學問題新論（上）〉，《大陸雜誌》第58卷第2期（1979年2月），頁1-39。

中所產生的作用，便足以令後人在其心可誅的前提下，以其行必可議的態度檢視其一切言行，並進而加以質疑乃至於否定。

誅心論的存在，完美地為清代學者對古文經傳真偽的質疑提供了答案，康有為《新學偽經考》將劉歆的可誅之心與古文經傳的作偽相牽合後，其目的卻不全然是為了追求學術史之真相，而是將此一論述視作一種手段，為其「託古改制」的政治企圖尋求理論上的依據。然而，光緒朝百日維新的失敗、清帝國的覆滅，乃至於傳統士人對中國文化信心的淪喪，都已讓劉歆遍偽諸經、改篡《史記》的說法失去了存在的價值，民國經學家對此一問題的看法，必然需有所更張。誠如周予同（1898-1981）於〈經今古文學〉中指出，經今古文學與古代學術思想、古代史、史學、文字學等學門具有較顯明之關聯性[3]。古文經傳的真偽問題，絕非只是經學史的問題，但由於漢代今文經師之著作大多亡佚，除了清代學者輯佚而成的一鱗半爪外，唯有西漢伏生《尚書大傳》、董仲舒《春秋繁露》、韓嬰《韓詩外傳》及東漢何休《公羊解詁》還算保存完整，真正代表漢代今文經學之十四博士經說卻是難知詳情。因而民國經學家處理此一問題時，無論其目的是為了研究古代學術思想抑或是古代歷史，在缺乏具體經說足以為今古文之爭進行思想層次比評的現實基礎下，只能將之視為學術史之一環，力求客觀敘述其始末，並從中取得一定的成果。然周予同也指出，對古代學術思想、古代史、史學等學門進行考辨時，除了經說內容具有絕對意義外，經典的真偽可信度同樣會對研究成果產生影響[4]。於是便有部份學者因自身學思立場的不同，在無經說可徵的情況下退而求其次，從古文經之真偽問題入手，意圖於辨析經籍真偽的過程中重行建構更貼近歷史現實的學術思想史。於是辨偽之學便成為民國經學家研究經今古文之爭的重要工具，而經籍本身思想內涵的高下比評反而淪為輔助手段而已。

3　周予同：〈經今古文學〉，收錄於朱維錚編：《周予同經學史論著選集》（上海市：上海人民出版社，1996年），頁1-39。

4　同前註。

二　清代今文家立場的延續

蔣伯潛與熊十力（1885-1968），俱是民國初年主張今文學較為鮮明者，然二人雖承襲了清代今文學的遺緒，但在「孔子託古改制」此一清代今文學最令後人印象深刻的主張卻是頗有保留。此外，由於二人對經學的時代意義並不一致，故而對漢代經今古文學之評價亦有所差異。

蔣伯潛對於今古文經的評斷，乃力主今文經為孔子刪定古籍之後的全本，呈現了聖人的政治思想。非但否定了今文經為秦火燒殘之餘的說法，更對古文經之來歷提出諸多質疑，從而認為今文經遠較古文經來得可信[5]。經典可信度的高低，的確在某種程度上可作為評價今古文經學的依據，只是如此一來，便會將討論焦點全然集中於經典本身是否為偽的問題上。蔣氏於《十三經概論》[6]中便曾進行詳細論證，申明十三經當中今傳《尚書》中除今文《尚書》二十九篇外，餘皆為三國王肅所偽（頁97）；《周禮》有言出自武帝時，有言為河間獻王所蒐羅，其來歷與面世時間均頗堪質疑（頁252-253），言下之意，《周禮》實亦為漢代才出現的偽書；《左傳》為劉歆任中校秘書時所發現，且劉歆亦首倡《左傳》為為左丘明所撰，且以傳解經亦始於劉歆，故《左傳》亦為劉歆所偽造（頁437），即便非劉歆所偽，亦為古史一種，與《春秋》無涉（頁439）。而在《經與經學》一書當中雖無更新更多的證據，卻是直指《周禮》與《左傳》應皆為劉歆所偽造[7]，較《十三經概論》之說法更為激烈。換言之，倘若今文經為真而古文經為偽（尤其是被多數經學家視為古文經學代表之《周禮》一書），則二者於學術史、思想史乃

5　蔣伯潛：《經學纂要》（臺北市：正中書局，1946年），頁187-188。收入林慶彰主編：《民國時期經學叢書》（臺中市：文听閣圖書公司，2007），第一輯，冊3。

6　蔣伯潛：《十三經概論》（臺北市：世界書局，1944年），收入林慶彰主編：《民國時期經學叢書》，第一輯，冊2。

7　蔣伯潛：《經與經學》（臺北市：世界書局，1941年），收入林慶彰主編：《民國時期經學叢書》，第一輯，冊3。

至於思想內涵所代表的意義自不可等同論之。

蔣伯潛之說法，或許是受到康有為等清代今文家中較激進者的啟發，不過，他也僅止於接受了康氏所言劉歆偽作經典此一觀點。誠如對康有為《新學偽經考》一書極為推崇的錢玄同（1887-1939）所言：「站在今文家的立場來斥古文經為偽書，是可信的，是公允的。至於把古文經打倒以後，再來審查今文經，則其篇章之來源殊甚複雜，它的真偽又是極應考辨的。[8]」此意雖有把古籍真偽問題視為學派理念延伸的跡象，而忽略了客觀事實的一面，但蔣氏在某種程度上的確是做到了對今文經的考辨，既否定了孔子創制六經的說法，也部份接納了古文家所謂「孔子刪《詩》《書》、定禮樂、贊《周易》、作《春秋》」此一傳統觀點。但在另一方面，蔣氏雖否定了託古改制之說，卻又以極正面的態度肯定了清代今文學致力於通經致用、勇於面對世務之挑戰的積極性格[9]。對蔣伯潛而言，民國時期的經學研究成果乃是為了替面臨絕大亂局的中國再創新業打下基石[10]，劉歆偽造經典一說，不過是用於肯定並延續今文學積極性格的第一步，至於是否能真正解決經今古文學之爭此一學術史難題，便不全然為其考量的核心問題了。

相較於蔣伯潛將焦點置於古文經的真偽問題，進而論斷今古文經之優劣，此一方式並不為熊十力所取。熊十力對於經學，講究的是「書不盡言，言不盡意，……學者求聖人之意，要當於文言之外，自下困功。……必真積力久，庶幾於道有悟，而遙契聖心。[11]」旨在經典背後微言大義的發掘與體悟。故而熊氏雖在思想上頗似清末民初今文學者力主六經為孔子微言大義之創發，並非歷史之記錄，卻也不認同將漢代經今古文之爭等同於經義之爭的看法。他認為，漢代今古文之爭之所以發生，先是由於今文家得立學官，並抵拒古文家立學官，由此結下私仇，而雙方經說當中度制不一致之處，便成

8 錢玄同：〈重論經今古文學問題〉，收入《古史辨》（臺北市：藍燈文化公司，1987年），冊5，頁22-101。

9 蔣伯潛：《經學纂要》，頁188-189。

10 蔣伯潛：《經學纂要》，頁176。

11 熊十力：《經學示要》（臺北市：明文書局，1984年），頁14-15。

為相互傾軋的鬥爭工具。總而言之，雙方之爭「乃考據方面枝節問題，罕有關於大義，並無根本歧異處也。[12]」因而今古文經何為真？何為偽？六經是否為秦火所燒殘？這些問題都不為熊十力所在意。此一態度表現至極致，便是熊氏竟將幾乎為今文學者視為古文不如今文之確證的劉歆偽造《左傳》、《周禮》一說，亦一併推翻。在他看來，《左傳》雖然不傳《春秋》，卻非劉歆所能偽造，而是與孔子同時的魯國君子左丘明為保存古史而作《左氏春秋》之後，流傳至西漢末年時，才因劉歆之纂刪而成了《春秋左氏傳》[13]，這個看法雖仍延續著今文學中將劉歆視為陰謀家的傳統，卻已較劉逢祿以來清代今文家持劉歆造偽經典、纂亂《史記》之說法保守許多，也較易為後學者所接受。至於《周禮》，熊氏則頗有延襲廖平（1852-1932）早年於《今古學考》當中認為《周禮》為孔子壯年之說的論點，直接斷言「此經決是孔子之政治思想，七十子承受口義，轉相傳授，不知何時始著竹帛。[14]」不僅推翻劉歆偽作之說，並於《論六經》一書中以大半篇幅詳述《周禮》之思想內涵，直指《周禮》與《易》、《春秋》為孔子思想的核心經典[15]。雖然孔子作《周禮》此一說法與歷來今古文家之觀點出入皆頗大，但在熊氏秉持就經論經的原則下，仍不失為一種見解。

熊氏《讀經示要》一書乃民國三十三年之授課內容，《論六經》一文應更在此之後。在他之前，章炳麟（1869-1936）便曾指出《周禮》「非一時一人之作，蓋如歷代會典，屢有增損。[16]」錢穆（1895-1990）亦分別於民國十八年與民國二十年發表〈劉向歆父子年譜〉與〈《周官》著作時代考〉，得出劉歆不偽《周禮》且《周禮》乃戰國時人所著之結論。而熊十力對《周禮》著作過程的解釋，雖然並無確實的證據可供參酌，但在其「遙契聖心」

12 同前註，頁552。

13 同註11，頁753-757。

14 同註11，頁934-935。

15 熊十力：《論六經》（臺北市：明文書局，1997年），頁94。同樣說法也曾出現於《讀經示要》一書，只是所論未如《論六經》，詳細見頁934。

16 章炳麟：〈經學略說〉，收入《章太炎講國學》（長春市：吉林人民出版社，2007年），頁93-142。

的心法下，很明顯可看出屬於新舊說法的調合。一方面他依然以今文家的立場肯定孔子一代聖人的地位，二方面卻也吸納了章、錢二人的看法，把思想之根源與文本的寫定年代區分開來。最重要的是，熊氏之所以為劉歆偽作《周禮》翻案，並非是因為掌握了何種足以一鎚定音的新證據，而是由於熊氏認為經學乃中國吸納西方文明以創新業的基礎[17]，而《周禮》又有許多與西方主要思想有共通之處（說詳《論六經》），這才寧可以臆測之辭來推翻歷代今古文學家提出的諸多證據，只為了完成他身為知識份子的自我期許。

三　傳統古文家觀點的延續

民國時期持今文家立場以說經今古文優劣者，雖是延續著大興於清代的今文學風潮，然而古文經學畢竟於漢末以來一直是六藝之學的主體，今文家說一時之盛，終不能完全動搖學者之信念。清代的今文家說已引起不少傳統學者的不安與反擊，時至民國，經學家雖已不若清代視經籍為聖典，但對今文家動輒指稱古文經皆為偽書之說法，仍是難以接受。例如清末民初學者甘鵬雲（1861-1940）於其作《經學源流考》當中雖僅只述及今古文經之源流，而未對清末今文家之言有所反駁。然其書正可作為此一時期持傳統說法者之代表，將孔子之前的六藝視為官學，至孔子方才傳布於民間[18]。換言之，就甘氏看來，經今古文學雖彼此有扞格之處，卻只能說是同源之下的流派不同，並不能因此而遽分其高下。至於基於維護傳統觀點且又對今文家說有所反擊者，則莫過於與甘氏約略同時的知名學者章炳麟。

章炳麟早在清末時，便曾一力排擊皮錫瑞（1850-1908）、康有為等持今文家說以非議古文經學之諸種說法，並由是而知名。時至民國，亦不改其初衷。章氏曾自言：「余治經專尚古文，……經即古文，孔子即史家宗主。[19]」

17 熊十力：《讀經示要》，頁122-123。

18 甘鵬雲：《經學源流考》（臺北市：廣文書局，1996年），頁1。

19 章炳麟：〈自述學術次第〉，《章太炎學術史論集》（北京市：中國社會科學出版社，1997年），頁391-403。

又言「經於史本不應分[20]」。由於章氏的根本主張在六經皆史，對經今古文學的理解必需符合客觀史實，如此方足以對二者經說之優劣進行考辨。故而章氏在面對今文家對古文經學之質疑時，便常從歷史考辨方式入手，企圖以史實撥除爭議。於是在古文經真偽問題部份，他一方面強調古文經源流明白，非如今文家所言來歷可疑，另方面他也指出今文家之說常是以己意妄加揣測，卻缺乏堅實根據以資佐證。不過，由於史料的缺乏，章氏與今文家對古文經傳真偽的爭論，至多只能陷於此一是非彼一是非的兩造之詞，並無法得到更好的釐清，反而是章氏對今文經傳內容的考察與批判，對二者優劣之判斷更有學術上的意義。西漢今文十四博士之經說內容雖已亡佚，難以深入探究，即便如此，章氏僅就今世殘存之今文經傳內容加以分析，便已提出諸多不可解之處，突顯出今文經所呈現的學理不僅使人難以信服，縱然同為今文家言，亦常因所據經典之不同而相互矛盾。例如章氏於〈駁皮錫瑞三書〉中，便從諸多傳世文獻入手，證明孔子作《易》、制禮等說法皆屬今文家一家之言，實於史無徵；又對〈王制〉之內容進行分析，指出〈王制〉一文在官職、疆域等設計不僅不合乎實情，且其中蘊涵之政治原理也與《公羊傳》、《今文尚書》相衝突[21]。

對於今文家歷來攻擊最力的《周禮》、《左傳》兩部古文經，章炳麟在堅持古文家說的同時，仍採相同之模式為之辯護。章氏認為，《周禮》一書「非一時一人之作，蓋如歷代會典，屢有增損。創始之功，首推周公。增損之筆，終於穆王耳。」且於《管子》、《史記》及《漢書·韓安國傳》記王恢之言均曾見《周禮》痕跡，只因「漢初經師之說與《周禮》不同，故排棄之耳。[22]」；對於《左傳》，章氏一方面認為《左傳》所記為史實，「孔子之修《春秋》，其意在保存史書，……使孔子不修《春秋》，丘明不述《左傳》，則今日之視春秋猶是洪荒之世已。[23]」但在另一方面也認為《春秋》、《左

20 章炳麟：〈經學略說〉，《章太炎講國學》，頁93-142。

21 章炳麟：〈駁皮錫瑞三書〉，《太炎文錄初編》（上海市：上海書店，1992年）。

22 章炳麟：〈經學略說〉，《章太炎講國學》，頁93-142。

23 同前註。

傳》之目的雖在保存史料，但孔子修《春秋》畢竟有其史家標準存在，是以「《左氏》以事托義，故說經之處，鮮下己意，而多借他處之義以釋之。……《左氏》非剿襲國史，其筆削去取之功勤矣。……《左氏》之文，非國史原文可知，要非於國史之外自撰事實也。[24]」《左傳》既是對《春秋》的延襲，自然便非純然記史之書的性質，這也依然符合章氏歷來經史合一的主張。

章炳麟以六經皆史為立說之根本，雖有刻意忽略漢代經學實為當時政治原理的一面，然其以歷史考據為主體的論述方式，在民國時期經學研究成果中卻頗為常見。例如馬宗霍（1897-1976）所撰寫的《中國經學史》[25]，其書中內容雖近似於甘鵬雲《經學源流考》，以經學流變發展史為主要陳述對象，然於「秦火以後經學」一節，卻是指斥「晚世學者，竟有持諸經皆全之說，疑秦火燒殘為劉歆輩所妄託者，以不妄為妄，斯妄也已。[26]」對今文家以秦火未殘經典，以古文經來歷可疑之說法頗表不滿。而其他不願於經今古文問題多所著墨的經學研究者，則連近乎馬氏指斥之語者皆頗為少見，只用一種客觀歷史記錄的方式陳述漢代與清代二次經今古學爭論的過程，至於何者為主流、何者為異端，則取決於讀者的認知。

四　以史學觀點調合經今古文之爭

以古文經為偽書，且質疑出自劉歆之手者，歷代皆有之，然以此成一家之言，並博得學術界高度支持者，莫過於康有為《新學偽經考》。錢玄同曾贊譽《新學偽經考》最重大的發明分別為「秦焚六經未嘗亡缺」與「河間獻王及魯共王無得古文經之事」[27]。既然六經不缺、古文經來歷又有疑，則古文經自然是偽造成份居多。故而周予同在為《新學偽經考》對古文經之攻擊焦點作歸納時，其所列六大項中，便有三項是直指古文經乃出自劉歆的偽

---

24 章炳麟：〈今古文辨義〉，《章太炎學術史論集》，頁379-384。

25 馬宗霍：《中國經學史》（臺北市：臺灣商務印書館，1966年）。

26 同前註，頁29。

27 錢玄同：〈重論經今古文學問題〉，收入《古史辨》，冊5，頁22-101。

造[28]。由此可見，於清末今文學與古文學的激辯當中，古文經的真偽問題幾可說是關鍵。

時至民國，清代今古文家之爭論失去了現實的意義，於是便有學者意圖從純學術的角度為今古文之爭作公允的評斷。周予同於〈經今古文學〉一文中，已明確指出康有為託古改制說的錯誤，屬於學術應用上出現的謬誤[29]，但他終究還是較偏向今文家的立場，雖對康有為的諸多行逕頗表不滿，但對其辨偽之成就仍多加肯定。童書業（1908-1968）則在評論周予同〈經今古文學〉時，列表評斷今古文二家說法之優劣異同[30]，其中不少斷語已超越二家之說，但終究為表格之篇幅所限，僅能說其大概而已，實缺少得以使人信服的推論。而真正能在清末以降諸經皆偽聲浪中純就歷史考論而作出公允論斷，並因此頗受時人關注者，則首推錢穆。

錢氏先於民國十八年發表的〈劉向歆父子年譜〉，針對《新學偽經考》之內容提出二十八項疑點，並提出三十項證據證明劉歆並未偽造《左傳》與《周禮》[31]。又於民國二十年時，發表〈周官著作時代考〉，以正面表列方式證明《周禮》一書出自戰國末年，而非劉歆所能偽造，並詳細考察書中記載各種制度的來龍去脈[32]。值得注意的是，錢氏所採取的方式雖與章炳麟頗為接近，皆是欲藉由歷史考據之成果破除清末民初今文學派以古文經皆偽的舊說，但他並不全然是站在古文學派的立場反對今文家之說法，更不會預設周公與經典之間的關係，而是「從史學來看經學[33]」，意圖破除經今古文學

28 周予同：〈經今古文學〉，收入《古史辨》，冊2，頁302-319。

29 同前註。

30 童書業：〈周予同《經今古文學》提要〉，《浙江省立圖書館館刊》第3卷第5期（1933年），頁4-12，收入《近代著名圖書館館刊薈萃：三編》（北京市：北京圖書館出版社，2006），頁109-117。

31 錢穆：〈劉向歆父子年譜〉，《兩漢經學今古文平議》（臺北市：東大圖書公司，1989年），頁1-163。據錢氏於〈年譜〉自序所言，本文於1929年發表於《燕京學報》第七期後，轉載於顧頡剛編著《古史辨》第五冊時曾略有增訂，而後於1937年又曾校讀。本文所據，則為校讀後之版本。

32 錢穆：〈周官著作時代考〉，《兩漢經學今古文平議》，頁285-434。

33 錢穆：《經學大要》（臺北市：素書樓文教基金會，2000年），頁118。此書由錢氏於民

之門戶壁壘，另闢經學研究之途徑[34]。錢氏認為，漢代其實並沒有真正的今古文之分，「大抵東漢儒生，多尚兼通，其專治一經章句者頗少，而尤多兼治今古文者。此亦據晚清分今古言之，當時本不嚴格分別也。[35]」既然漢代儒者並無嚴格的今古文經之別，而古文經為偽書之說，又皆為清代今文家為自尊其說而創造出來的說法，則經今古文真偽問題實非漢代經學研究的必要課題。不過，後來雖有學者譽美錢氏〈年譜〉一文平息了始於清代中葉而以清末康有為、章炳麟論爭尤烈的今古文優劣真偽爭議[36]。但實際上在錢氏〈年譜〉發表不久後，便有學者質疑「錢氏此文似未能離開古文家之立足點而批評康氏[37]」，由此亦可見錢氏雖有依據客觀史實以研究與評價漢代經學的意圖，然終究無法擺脫時空的侷限，自脫於今古文派之外。至於其研究成果是否能真正釐清漢代經今古文學所帶來的諸種爭議，則可能需從爾後臺灣與中國的經學研究成果中加以考察，在此一時期尚未能輕易論斷。

同樣欲以以史學觀點調合異說者，尚有呂思勉（1884-1957）。與錢穆受時人質疑以古文家之立場反駁古文經皆偽所不同者，呂思勉在今古文經問題上明確地支持今文家立場，卻又不全然盲從於今古文學二方的說法，反有調合今古文家爭議之企圖。在他看來，後人多認為今古文之爭啟自劉歆，其實並不正確。西漢今文家重師法、重章句，為求字字句句皆有來歷，便流於「務博聞而不廣攷異書，馮億（憑臆）為說。」一經說至百餘萬言。而劉歆於〈移讓太常博士書〉文中所言「往者綴學之士，分文析字，煩言碎辭，學者罷老且不能究其一藝。」不過是指出西漢末年今文經師之共同流弊，並造就古文經師重傳記而廣徵異書之學風。總之，今古文學爭端之發生並非來自於劉歆，而是漢代今文經師錯誤的學風才造成此一千古難解之爭議，完全可

國六十三年於文化大學開授「經學大要」課程內容輯錄而成

34 錢穆：《兩漢經學今古文平議．自序》，頁4。

35 錢穆：〈東漢經學略論〉，《中國學術思想論叢（三）》（臺北市：東大圖書公司，1993年），頁44-52。

36 裴普賢：《經學概述》（臺北市：三民書局，2006年），頁226。

37 青松：〈評劉向歆父子年譜〉，收入《古史辨》，冊5，頁249-251。

說是咎由自取[38]。經今古文的另一個爭議，則是今古文經的真偽問題。呂氏認為，不論今文經還是古文經，就歷史的真相來看，其實都是用以「託古改制」的偽書。「孔子與劉歆、王莽雖同為改制託古之人，然孔子早於劉歆、王莽數百年，其思想與古代較接近，由之以推求古代之真事實校（較）容易。[39]」於是同就史學角度看經學，錢穆所專注者，實為《史記》、《漢書》、《後漢書》等史冊當中關於經學發展源流的記錄，而呂思勉卻是把近似於章太炎所持經史不分的概念移置於今文學當中，「視凡古書悉為史材則通，謂六經皆史則非。[40]」就史料的可信度問題看待六經之價值。也正由於呂氏認為讀經之目的在於「視經為國故，加以整理者。[41]」故而六經的真偽在他看來其實並不重要，重要的還是六經對古史研究的史料價值。既是如此，今古文學之爭本就啟始於今文經師之錯誤學風，而今古文學所宗之典籍又皆為偽書，何來的爭議可言！只不過，當呂思勉以偏向今文家的立場採取從根本上取消問題的方式欲為經今古文之爭強作調合之論，其立意雖佳，然若想據此為經今古文作公允之優劣評判，似乎亦難為後來學者所信服。

五　以區域觀點調合經今古文之爭

由先前之敘述可知，不論是蔣伯潛主張古文經皆偽，錢穆力證古文經之不偽，還是呂思勉有意將今古文經皆視作偽書，民國時期之經學家似將經籍的辨偽視為研究漢代經今古文學的必要手段，至於經說內容的比評則顯得相形失色，少有人觸及。不過，一種特定現象的形成，背後必然有其特殊的因素存在。民國經學家之所以多半持辨偽方式作為今古文學優劣比評的手段，實因今文經說已然亡佚泰半，保留下來的今文經說又皆非西漢十四今文博士之經說，後世對於漢代今文經說根本難窺全豹，又如何能就經說層次論辨其

38 呂思勉：《呂思勉讀史札記》（臺北市：木鐸出版社，1983年），頁654-655。

39 同前註，頁659。

40 呂思勉：《經子解題》（高雄市：復文圖書出版社，1993年），頁13。

41 同前註，頁11。

是非？故而錢穆晚年於授課時便直言：「兩漢為『經學極盛時期』，而十四博士章句下面一字無存了，所以我要諸位讀《漢書》、《後漢書》，根據史學來講經學；下面的經學乃始是到今尚存的，可以不憑史學來講經學了。[42]」以歷史考據乃至於辨偽的方式來談經學，並非是民國經學家刻意為之（至少先前所舉熊十力便不採取這種方式，章炳麟亦曾對今文經傳的內容進行考察），而是在經說不足徵的情況，不得不然的結果。

不過，同樣是為了調合經今古文爭議，蒙文通（1894-1968）與熊十力的態度頗為近似，俱不願以辨偽作為研究經學的手段。但與熊氏不同的是，蒙氏雖不欲從辨偽入手，在經說不足徵的窘況下，卻是通過對學術流變史的考察以探討漢代今文經學與古文經學所指究竟為何。在他看來，漢代的今古文經學，其實就是戰國以降齊、魯、晉三地之學的遺風。今文經說按西漢宣帝朝十二博士可分齊、魯二派，齊學有《公羊》、《歐陽書》、《施氏易》、《孟氏易》、《齊詩》、《韓詩》等六家；魯學有《穀梁》、《大小夏侯書》、《梁丘易》、《魯詩》、《后氏禮》等六家。而古文經《毛詩》、《左傳》、《孝經》、《周官》諸書，就其來歷而言俱不脫戰國三晉之地，故可統而稱之為晉學。其中，魯學為儒學正宗，齊學則雜入百家言，晉學則頗雜入古史，三派雖皆為孔子之學之延續，亦頗尊崇孔子，卻因地域不同而別有各自的特色[43]。既然今古文學之差別在於區域而非典籍的成書、面世時代，那麼，今古文學之間所爭者，自然不再是真偽問題，而是經說的內容取向問題。於是在蒙氏看來，後世今文家直指劉歆偽造古文經傳固然言之有誤，但後世古文家以孔子刪削之餘的古文傳記（也就是雜入古史之晉學）來質疑通行於漢世以漢隸寫定的六經，「拿古史的雜說來疑六經的師說[44]」，也只是徒然引發爭議的不必要之舉。也許是蒙氏自認為不偏向今文家或古文家，因而在漢代經今古文學的分判上逕自定義為「跟著皇帝的一派就叫做今文，皇帝不愛的一派便叫古

---

42 錢穆：《經學大要》，頁204。

43 蒙文通：〈經學導言〉，收入《經學抉原》（上海市：上海人民出版社，2006年），頁12-41。

44 同前註。

文。[45]」不僅與多數經學家所盛稱漢代經學通經致用的精神頗有出入，對於直接將經學的角色定位為政治權力的依附者，亦令人著實有過於激烈之感。

又，漢代經學有齊、魯之分，歷代學者頗有言之，然蒙氏所言古文經學出自「晉學」一說，卻讓人感到新奇而難以理解。齊、魯之學的分野，按照錢穆的說法，「齊學恢奇駁雜，……治魯學者，皆純謹篤守師說，不能馳騁見奇。[46]」齊學經師擅長結合五行災異與經說而成奇詭之言，而魯學經師則恪守經說不願緣飾附會以求利祿。馬宗霍亦言「齊學尚恢奇，魯學多迂謹；齊學喜言天人之理，魯學頗守典章之遺。[47]」總之，齊、魯之學的分判，乃透過學說內容成份與經師論學態度以茲區別。便誠如蒙氏自言「齊、魯治學，態度各殊，……在漢傳之者非特齊魯之士，蓋以合於齊人旨趣者謂之齊學，合於魯人旨趣者謂之魯學，固不限於漢師之屬齊、魯也。[48]」唯獨說到古文經時，只因為《毛詩》傳自趙國毛公、《左傳》傳自趙國貫公、《孝經》為河間顏芝所藏、《周官》則為河間獻王向民間所求而來，諸古文經傳於傳承、面世皆在西漢諸候國河間國（即戰國時趙國舊地），便統稱為三晉之學，而後再簡稱為晉學。如此說法既與歷來通行之說法不合，亦明顯與蒙氏自身說法有所衝突，實另人感到疑惑不解。故而蒙文通以區域之學調合今古文學爭議之作法，雖可說是獨出機杼，卻未必能為學界所普遍接受，然其意欲擺脫清代經學遺緒，樹立新時代經學研究方向的企圖，則應得到應有的肯定。

六　餘論：民國經學家研究漢代經今古文學之爭的價值

本文雖旨在考察民國經學家對漢代經今古文學之爭的研究成果，然此一成果的背後，卻已隱約顯現此一時期特有的學術面貌。與清代相較，立說者

45 同前註。

46 錢穆：《秦漢史》（臺北市：東大圖書公司，1992年），頁207。

47 馬宗霍：《中國經學史》，頁46。

48 蒙文通：〈經學抉原〉，《經學抉原》，頁54-93。

無論自持於今文家、古文家乃至於史學家的立場，立論之時非但未若清代經學家般因堅持某種信念而顯得針鋒相對，反而因對自身立場時常保持著反省姿態，不但能吸納雙方立論之優者，更力求於學術與信念之間取得一定的平衡。以上所舉諸位學者之說法，乃民國時期研究此一學術史問題時立場較為鮮明者，其說法大略可分為三大類型：一是延續今文家之立場者，蔣伯潛、熊十力屬之；一是延續古文家之立場者，章炳麟、馬宗霍屬之；一是意圖為今古文學之爭作調合者，錢穆、呂思勉、蒙文通屬之。然不論持何立場，實則皆無法與時空因素割裂而以純粹學術研究看待之。

自從清末今文家皮錫瑞於《經學歷史》中以「昌明」與「極盛」二詞評價漢代經學之後[49]，民國經學家雖對其說法不盡然能全盤接受，然在一定程度上仍延續其看法，認定漢代為中國經學發展之興盛時期，只是未如皮氏如此標舉鮮明而已。在皮錫瑞看來，「經學至漢武始昌明[50]」，其理由有二：一是武帝時初置五經博士，以政治力倡導經學之發展；二是設立博士弟子員，以利祿之途誘導才學之士投入經學[51]。而視元、成之後為漢代經學之極盛期，其理由亦有二：一是宰相、公卿等重臣多以經術進者，經學儼然成為入仕之坦途；一是博士弟子員日益增多，學校也隨之林立，經學傳授之盛況莫比於此[52]。對知識階層而言，漢代經學正代表著以《春秋》決獄、以〈禹貢〉治水、以《詩經》為諫書的一個通經致用的年代，也是傳統儒者與政治事務之互動最為密切的年代，更可說是經生儒士於政治場域最為輝煌的年代。皮錫瑞生逢清末國家危亡之際，正是今文學大興，康有為等意圖以從今文學中尋得富國強兵之法的年代，康有為《新學偽經考》與皮錫瑞《經學歷史》，表面上看來是學術研究的成果，其中卻是寄託著對儒生與經學藉由通

49 皮錫瑞：《增註經學歷史》（臺北縣：藝文印書館，1996年）一書中，將西漢初年稱為「經學昌明時期」，而將漢元帝之後以迄東漢稱為「經學極盛時期」，二時期正將整個漢代經學包括在內，故本文統而稱為漢代經學。

50 皮錫瑞《增註經學歷史》頁62。

51 同前註，頁65-66。

52 同註50，頁98-99。

經致用以救亡圖存的一份期許。

民國經學發展雖對清代今文學風潮有所延續，然清末經今文學者於政治改革的失敗，清帝國的滅亡與西學的東漸，卻對民國學人產生極大的衝擊，也促使對經學的態度出現極大的分歧。民國二十四年五月由商務印書館所發行的《教育雜誌（讀經問題專號）》（第二十五卷第五號）中，便有近百位學者為正規教育是否該列入讀經科目而各抒已見。持絕對反對立場者便有數十人，持保留立場者亦復不少。由一隅可窺全豹，民國時期的經學研究對經學的定位問題，在此時已初見端倪。故而從延續今文學、古文學之立場，至以史學、區域學術等第三方角度以調合爭議的發展趨向，看似學術發展史之必然，並不侷限於經學研究一隅，然若就當時的時空環境看來，則此一發展仍有其時代之積極性。

本文考察內容雖僅止於民國經學家於漢代經今古文學之爭的部份研究成果，然漢代經今古文之爭的本質卻不是純粹學術義理之爭，而是在通經致用的思想前提下的政治思想與政治權力之爭。民國經學家雖去漢世已遠，在處理如此具有高度政治氛圍的議題時，其目標或許是為了釐清經學的歷史價值，卻常於不經意當中流露出對經學於現今時空的定位。於是有如蔣伯潛、熊十力者，於自持今文家立場以考訂今古文經真偽的同時，強調的是今文經學勇於面對世務的積極態度；如章炳麟者，則是在自居於古文家迎擊以今文家之說的同時，流露出一種對傳統學術的堅持。而如同錢穆、呂思勉、蒙文通等人，雖在學術流派上各有所偏頗，亦對經今古文學之爭議採取調合的立場，將漢代經學視為純學術研究的對象。然而當他們視經學為傳統國故可資學術研究的同時，亦表露出欲擺脫舊思維，建立經學研究新路徑的大器。民國經學家的學術研究成果，自然值得後輩學人深入瞭解，但若能結合其人其學其時代一併觀之，也許更能掌握民國經學的整體趨勢，也能夠作為進一步研究臺灣經學發展脈絡的基石。

《續修四庫全書總目提要》與民國時期經學

王亮
復旦大學圖書館副研究員

《續修四庫全書總目提要》（又稱《續四庫提要》、《續修四庫提要》、《續修四庫全書總目》、《續修四庫全書總目》，以下簡稱《續修提要》）是上世紀二十至四〇年代間由日本主導下的東方文化事業總委員會[1]組織中國學者編纂的一部大型古籍提要目錄（包括若干近現代著作），著錄《四庫全書總目》未收及《四庫全書》編纂成書後問世的書籍超過三萬四千種，為現存規模最大的古代文獻解題目錄。《續修提要》與《四庫全書總目》合觀，可以認為基本反映了我國存世古籍的概貌[2]。

《續修提要》經過初步整理的油印稿分藏中日數家研究機構，並有部分零本流散民間。一九七二年，臺灣商務印書館據日本京都大學人文科學研究所藏《續修提要》油印稿出版排印本，篇目約一萬一千篇。一九九三年七月，中國科學院圖書以該館所藏稿本為底本的《續修四庫全書總目提要・經部》整理本由中華書局出版，篇目計四千五百七十三篇。一九九六年十二月，中國科學院圖書館據館藏原稿《續修四庫全書總目提要（稿本）》交山東齊魯書社影印出版，分裝三十七冊，另附索引一冊。由於稿本存在撰人筆誤和抄胥謄錄的乖誤，而油印稿篇目不全，在打字校錄時也有新增的訛失，學界需要一個經過認真校理可以引用的全本。目前，友人李士彪教授繼二〇

1　時人多簡稱為東方文化會或東方文化學會、文化學會。

2　據王紹曾先生估算，存世中國古籍總量在十二萬種以上。

○四年完成《續修四庫全書總目提要經部辨正稿》（未刊）之後，重新標點的《續修提要》經部整理本已底於成，即將由北京國家圖書館出版社出版。

《續修提要》的相關研究論著，侯美珍女士曾作過相當完備的輯集[3]。本文的撰作，主要是介紹近年新發現的若干中外《續修提要》纂修史料，進而對《續修提要》經部的編纂歷史、文本內容、撰人群體、學術趨向作考述及闡發。本文引用《續修提要》文本，在不加特別說明的情況下，均以影印稿本為準，並標注在一九九六年齊魯書社影印本中的冊次、頁數。由於涉及的編集、執筆、整理人士為數眾多，一般不再加註生平事跡。

一　《續修提要》經部的文本狀況和內容構成

（一）篇數與類目

一度實際主持《續修提要》纂修事務的橋川時雄，晚年回憶《續修提要》成稿約有五萬篇之多，這個數字不盡準確[4]。比照臺灣商務排印本、中華書局本和齊魯書社影印稿本《續修提要》的經部篇目，可知三本互有闕遺，綜而統之，約在三萬四千種以上。此外可能還有其他留存篇目。如本人在北京國家圖書館發現倫明分纂稿兩冊，其中三十二篇為今影印稿本所無。據李士彪兄提供的標點整理稿（未刊），經部篇目為五千一百四篇（影印稿本計四千八百八十六篇）。其各類目篇數如下：

1　易類七百二十三篇（其中十二篇據排印本增入，為影印稿本所無。影印本七百一十一篇中，有七十六篇為中華排印本所無）。

3　侯美珍：《四庫學相關書目續編》，《書目季刊》第33卷第2期（1999年），頁121-126。後此成書的重要資料，有阿部洋：《對支文化事業の研究——戰前期日中教育文化の交流と挫折》（東京都：汲古書院，2004年）、山根幸夫：《東方文化事業の歷史》（東京都：汲古書院，2005年），今村與志雄編：《橋川時雄の詩文と追憶》（東京都：汲古書院，2006年），是日本國立公文書館近年在網頁上公佈了原外務省外交史料館「對支文化事業關係文書」的大宗文件。

4　阿部洋等筆錄：〈橋川時雄回想錄〉，《橋川時雄の詩文と追憶》（東京都：汲古書院，2006年），頁347。

2 書類三百五十二篇（其中五十四篇據排印本增入，為影印稿本所無）

3 詩類七百四十九篇（其中四十二篇據排印本增入，為影印稿本所無）

4 禮類四百六十篇（其中十篇據排印本增入，為影印稿本所無）

5 樂類八十二篇（其中九篇據排印本增入，為影印稿本所無）

6 春秋類四百四十二篇

7 孝經類一百五十九篇

8 四書類六百九篇（其中六十篇據排印本增入，為影印稿本所無）

9 小學類一千四十一篇（其中二十篇據排印本增入，為影印稿本所無）

10 石經類七十八篇

11 群經總義類三百三十九篇（其中三篇據排印本增入，為影印稿本所無）

此外，叢書部分有經叢類六十種。子部雜家類、集部別集類關涉經義的內容也是相當可觀的。需要說明的是，大多數《續修提要》原稿並未標明所屬部類，也未發現可與現存全稿對應的總合目錄。現有分類係整理者據四庫部類重編。如中國科學院圖書館郭永芳、羅琳先生的類目，係參考東方文化事業總委員會北平人文科學研究所圖書館藏書目錄的分類，略有調整。一九四〇年〈續修提要編纂事業完成期計劃書〉中列入子部雜纂類的一千餘篇，現影印稿本析出別立叢書一部，併自地理類中析出方志別立一部。本文的相關統計大致依據羅氏類目。

《續修提要》影印稿本共有收錄經部四千八百八十六種，史部九千四百八十一種，子部六千九百二十三種，集部八千四百二十三種，叢書一千三十三種，方志三千三百四十三種。與《四庫提要》經史子集大致均衡相比，史部部數多出經部一倍，叢書、方志由附庸蔚為大國，足以見出二百多年間學術之升降及其重心之轉移。

（二）著錄底本

版本問題的重要性在早期的提要目錄中往往沒有得到充分地認識。《四庫全書》和《四庫提要》為人詬病的缺陷之一，就是僅記某書由某地采進，而不註明版刻，底本交代不清，甚或提要所言，與著錄之本不相應。《續修提要》版本著錄有長足進步，各書下均註明版本，甚者還不止著錄一個版本，不過也有僅著錄「家刻本」、「元刻本」者，甚者仿《四庫提要》前例以來源替代版本說明，故而仍有如著錄「吉川幸次郎藏本」者。撰人中如倫明以精鑒版本著稱，但他名下的個別篇目如《皇侃論語義疏參訂》未著錄版本。

《續修提要》所依據的底本，頗多稀見刻本及稿鈔本，今原本有存佚不可知者，《續修提要》對其內容的揭示，因此彌足珍貴。如叢書部經叢類著錄清鈔本《詒經堂續經解》一千四百三十六卷（30/305），即毀於一九三一年日寇轟炸東方圖書館之役者。謝國楨撰提要說「自經滬上數次事變，涵芬樓藏書付諸一炬，未悉是書仍存天壤間否」。按北京國家圖書館今存詒經堂抄本清吳廷華《三禮疑義》一百六十六卷，當為商務劫餘之書。胡玉縉撰經部禮類著錄《周禮疑義》十九卷（7/174）、《儀禮疑義》四十八卷（7/177）、《禮記疑義》七十二卷（7/237），版本項均為「本會迻錄詒經堂續經解寫本」，應係據商務藏本移錄。

由於撰修過程中派稿、收稿存在疏失，稿本影印時未將若干已註明「重複不用」的提要稿剔除淨盡，不少書籍有二人以上同撰提要，內容不免參差轇轕。如清沈青崖撰《毛詩明辨錄》十卷，著錄乾隆庚午原刻本（1/186），又著錄乾隆戊辰刻本（1/759），均出江瀚手，提要文字頗多差異。再如影印本中先後著錄《西域瑣談》四卷（2/798）（馮承鈞撰）、《外藩紀略》八卷（31/768）（謝興堯撰）、《西域聞見錄》八卷（24/277）（吳燕紹撰），係同書重名。

（三）大、小序

《四庫全書總目》書前有〈凡例〉，於四部之首冠總序一篇，通論源流正變，以挈綱領。四十三類之首，又各冠以小序，詳述分併進退，以析條目。如遇義有未盡，便在子目的末尾，或本條之首，附著按語，補充說明。現存《續修提要》稿本及油印本無凡例、大小序，學者如梁容若等指為闕憾，甚而說「裏邊不少瞻見洽聞的版本目錄學者，但並無高瞻遠矚，可以辨章學術，綜攬全局，如劉向、紀昀一流人物。所以編了多少年，總序、分類小序卻沒有多少敢下筆，連一篇像樣的凡例都沒有」[5]。不過從各種存世材料看，當時確曾有凡例、大小序之撰製，而名目謂不一：

1 向達〈六朝佛教史料提要凡例〉存影印稿本中（22/046）；

2 東北師範大學圖書館藏橋川時雄遺稿中〈續修四庫全書提要義例　詞曲○義例〉和〈續修四庫全書義例第□條（叢書部）〉打印稿。均署橋川時雄名，但可能只是經他修訂，此批橋川遺稿中還有傅惜華〈擬《續修四庫全書總目》集部詞曲類南北曲提要體例書〉打字稿，為此前《續修提要》的研究者所未注意[6]。復旦大學圖書館有此東北師大圖書館存稿的復印件。因篇幅較長，此不具錄。

3 筆者於二〇〇三年十一月在北京圖書館北海分館查閱資料時，從該館藏馮汝玠《續修四庫全書總目分纂稿》手稿中發現了〈續修四庫全書總目金石類提要敘目〉一篇。馮汝玠（1873-？）是《續修提要》的撰人之一，撰有石經、小學、金石類提要六百九十一篇[7]。〈敘目〉原文完整，足以見其體例。

4 一九九七年後，《四庫系列叢書》之一的《四庫未收書輯刊》由北京出版社分輯次第出版，據主持者羅琳先生〈前言〉，其選目依據東方文化事業總委員會聚合學界名流擬定的《四庫未收書分類目錄》二萬餘種書目，撰目時間在上世紀二十年代後期。《輯刊》「剔除了與《四庫全書存目叢書》、《四庫禁毀書叢刊》、《續修四庫全書》重複部分，酌收叢書顧問、編委擬添之書」，類目設置一仍《四庫未收書分類目錄》之舊。〈前言〉中還附錄了

5　梁容若：〈評《續修四庫全書提要》〉，《中日文化交流史論》（北京市：商務印書館，1985年），頁376。

6　〈東北師範大學所藏橋川時雄遺稿〉，《汲古》第37期（2002年6月），頁71-77。

7　北京國家圖書館藏馮氏稿本《環璽齋自訂年譜》。馮汝玠民國二十四年，年六十一，文化學會聘為編纂小學書目。

《四庫未收書分類目錄》的六篇小序，指稱均出「國學大師」手，「為各類書撰寫了『序言』及『按語』」。〈輯刊〉印數不多，流傳不廣，茲將〈前言〉所引與經部相關者四則於本文附錄部分。

按《四庫未收書輯刊》索引卷書前列〈四庫未收書分類目錄・擬目者〉（經部）如次：柯劭忞、江瀚、尚秉和、胡玉縉、徐審義、姜忠奎、王照、楊策。上引敘錄文字應出諸此數人之手。不過此名單可能不完全。據日藏「對支文化事業」文檔，分擔選定經部著錄書籍的研究員為江瀚、胡玉縉、徐審義、何振岱、劉培極、姜忠奎、王照、楊策、狩照直喜、安井小太郎[8]。另外，若干學者參與了《續修提要》的前期工作，如王樹枏民國十四年（1925）起為中方委員，據自撰〈陶廬老人隨年錄〉，曾於次年航海赴日本「商議纂修提要條例」，至民國十八年（1929）「不能兼顧，力辭出會」[9]，既曾親與「發凡起例」，也可能對經部擬目工作有所獻替。從以上節引的內容看，大小序體製追摹《四庫全書總目》，著意於「觀其會通」，明析流變，其學術價值不容低估。

5 北京國家圖書館藏倫明《續修四庫全書總目提要分纂稿》稿本中有〈史部傳記類敘〉。

6 日本金澤大學李慶先生曾贈閱前東方文化事業總委員會總務委員（署理）橋川時雄自書〈履歷書〉複製件一份三紙，內「未刊著述」中有〈新修四庫全書總目提要大系解題（華文一冊　邦文一冊）云云。按：此「大系解題」或即《四庫未收書分類目錄》中的「序」、「整理筆記」、「按語」。橋川雖有相當的漢學素養，似無以一人之力著成一部包蘊四部的敘錄之可能[10]。

---

8 阿部洋：《對支文化事業の研究——戰前期日中教育文化交流の展開と挫折》（東京都：汲古書院，2004年），頁312。

9 王樹枏：〈陶廬老人隨年錄〉，《陶廬老人隨年錄、南屋述聞》（北京市：中華書局，2007年），頁83、90。按同書頁102尚秉和《故新疆布政使王公行狀》謂「（民國）十五年赴日本文化會」，有一年之差。

10 據柯愈春先生轉述《續修提要》撰人之一謝興堯先生的回憶，當時橋川時雄是提要稿件的主要審核人。筆者在中國科學院圖書館查閱《續修提要》原稿時，也在第四十函第一冊尚秉和經部易類稿前，發現有鉛筆「橋川閱」字樣，但並未發現改動稿件內容。

據羅琳先生告知，原存北京中國科學院圖書館的《四庫未收書分類目錄》在交付出版社後遺失，收錄的他種序錄或已無從訪求，這是究心中國古代文獻和民國學術史者不能不為痛惜的[11]。

二　《續修提要》經部擬目者與撰人群體

日本「東方文化事業」發軔之始，狩野直喜擔任「對支文化事業調查會」委員，按照學科分類開列了擬聘專家的名單。此名單為張寶三先生〈狩野直喜與續修四庫全書提要之關係〉[12]一文所未及，茲據桑兵〈民國學界的老輩〉所述轉引如下[13]：

經學

　漢學

　　古文學派　　王國維　江瀚　曹元弼　章門

　　今文學派　　廖平

　　不分古今文派

　宋學

　　程朱學派　　陳寶琛

　　陸王學派

---

11 本人近年參與復旦大學吳格教授主持的《續修提要》點校整理研究項目，為調查《續修提要》原稿面貌，曾三度訪問中國科學院圖書館。原東方文化事業委員會的大宗檔案資料，因館址搬遷後迄未開放，無緣得見。該館舊藏海內外學者致橋川時雄書札近年陸繼流出，部分入藏北京國家圖書館；《〈續修四庫全書總目提要〉收稿記錄》88冊則於數年於北京由日本東洋文庫購得。參見業師吳格先生：〈日本東洋文庫藏續修四庫全書總目提要編纂資料〉，《域外漢籍研究集刊》（北京市：中華書局，2007年），第三輯，頁371-403。

12 載《唐代經學及日本近代京都學派中國學研究論集》（臺北市：里仁書局，1998年），頁83-134。

13 載《歷史研究》2005年第6期，頁4。此亦小島佑馬「對支文化事業關係文書」之一，原揭載於京都大學人文科學研究所《人文》第46號（1999年11月18日），頁43-45。

小學	羅振玉　王國維
諸子學	
儒家	（孫德謙）汪榮寶
道家	章炳麟門派
墨家	胡適
名法家	同
雜家	葉德輝門派

按諸子學縮行列經學下，疑排版有誤。這個名單與後來實際羅致的撰人相去甚遠。先曾祖王國維先生於古文家之列，與以古文嫡傳自命的黃侃的見解不同，而前此數年羅、王則對世日本漢學家一度評價不高[14]。其間反映狩野直喜對民國十二年前後中國學術流派的體認，在學術史上自有其價值。

筆者查閱東北地區圖書館聯合目錄時，發現了遼寧圖書館藏有內藤湖南氏的一份《續修提要》擬目，係墨筆抄本，首頁題「續修四庫全書總目　一昭和四年五月（1929）　內藤虎次郎編」。鈐「七略庵」印，是橋川時雄舊藏。後錄研究所〈暫行細則〉：「關於續修《四庫全書》，先就二層進行，一搜集乾隆〈四庫全書〉內失載各書，一採集乾隆以後至宣統末年名人著作，竊謂更有一層，乾隆《四庫全書》所載書，若再有善本新書，須要改訂是也。今擬錄各書，分為三層，第一層補，第二層續，第三層訂」[15]云云。此

14 黃侃一九二八年六月十八日日記：「國維少不好讀注疏，中年乃治經，倉皇立說，挾其辯給，以眩耀後生，非獨一事之誤而已」、「要之經史正文忽略不講，而希冀發現新知以掩前古儒先」。《黃侃日記》（南京市：江蘇教育出版社，2001年），頁302、392；羅振玉先生一九一六年五月十日致王國維先生函：「當今海內外相距數千里，而每月通書數十次，以商量舊學，舍公與弟外，恐亦無第三人也。東人之學，所謂研究學術者，直芻狗糞土耳」。載王慶祥、蕭立文校注：《羅振玉王國維往來書信》（北京市：東方出版社，2000年），頁82。

15 狩野直喜〈與東方文化事業總委員會中國委員〉別有分層之說：「編纂《續修四庫全書》分為二層，第一層先須定箸錄書目，誠以書目已定，編纂之事可得而言者也。……著錄已畢，原有豫備員以外，更增中日學者十名，名曰編纂員，事業乃有頭緒，是第二層也」。載《君山文》，卷9，頁4-5（昭和己亥（一九五九）十月刊本）。收入張寶三：〈狩野直喜與續修四庫全書提要之關係〉，《唐代經學及日本近代京都學

目未刊入內藤湖南集中，茲將經部部分移錄於下：

補　禮記子本疏義　一　　梁皇侃疏義　早大藏古鈔本
　　　　　　　　（卷五九）　陳鄭灼補義　羅氏石印本
訂　論語義疏　　一〇　　梁皇侃　　大正十二年懷德堂排印本
　　附校勘記　　一　　　武內義雄
　根伯志本妄改原本體勢四庫本據之不如此本存古本面目校勘亦精
續　論語集解攷異　一〇　吉田漢宧　寬政三年排印本
續　南宗論語考異　一　　仙石政和　文化八年附刻覆南宗等本卷末
　　　　　　　　　　　　　　　　　大正五年排印本
續　正平本論語集解札記　市野光彥　文化十年附刻正平本卷末
補　御注孝經讚　　　　　　　　　　敦煌本藏巴里圖書館 內藤氏有照本
樂 補　問襄錄　　一　　并河良弼　鈔本　刊行會本
　補　樂學軌範　　九　　朝鮮成俔等 萬曆三十八年重刻本
　　　　　弘治六年
小　玉篇（原本）　原三〇　梁顧野王　神宮文庫藏古鈔本
　　　　　　存零卷六卷　　　　高山寺藏古鈔本
　　　　　　　　　　　　　　　石山寺藏古鈔本
　　　　　　　　　　　　　　　大福光寺藏古鈔本
　　　　　　　　　　　　　　　早大藏古鈔本
　　　　　　　　　　　　　　　藤田男藏古鈔本

內藤此目所著錄者多為日本漢籍及日人著述，體例近於《四庫簡明目錄》，而羅列版本頗詳盡，間下按語，如入「訂」的皇侃《論語義疏》，《四庫全書》已收錄，底本經根伯志改竄，這裡以更精善的版本「訂」之。檢《續修提要》，上引懷德堂本未著錄，相關著作中著錄的是清人吳騫的《皇侃論語義疏參訂》十卷。同時服部宇之吉也有《佚存書目》，刊載於《圖書館學季刊》一九三四年六月第八（二）期，兩份書目之間關係，尚待研究。

派中國學研究論集》（臺北市：里仁書局，1998年），頁104。

由於歷史的原因，《續修提要》並未最後完成，長期未能公諸於世，當然也無法為學術界所利用，產生應有的學術影響。不過，其中個別作者的部分經部篇目也曾先後發表或出版：

尚秉和《易說評議》，北京市：光明日報出版社，二〇〇六年版。

吳承仕《檢齋讀書提要》，張善文整理，列入《吳檢齋遺書》，北京師範大學出版社，一九八六年六月。

黃壽祺《易學群書平議》，張善文點校，北京師範大學出版社，一九八八年六月。

趙萬里《靜安先生遺著選跋》，冀淑英整理，《王國維學術研究論集》（一），上海：華東師大出版社一九八三年版，頁二八九－三二八。

羅繼祖《後書鈔閣讀書記》，上海市：《中華文史論叢》一九七九－一九八二年各期。屬經部者二十篇。

柯紹忞〈續〈四庫提要〉之一《易緯略義》提要〉，《遠東》第一期，頁五三，一九四七年十一月。

王重民《巴黎敦煌殘卷敘錄》　北平圖書館　民國三十年（1941）鉛印本，隸經部者十餘篇。

胡玉縉《續修四庫全書總目提要・禮類》，《續四庫提要三種》，吳格整理，上海書店出版社，二〇〇二年。

以上著述，或經作者筆者取自藏稿本改易名目，或由後人從《續修提要》中輯出，篇幅與提要全部相較只是堂奧一隅而已。其中一些篇目較諸《續修提要》（稿本）所收入的有改訂。

一九四〇年署理東方文化事業總委員會總務委員橋川時雄提交的〈續修提要編纂事業完成期計劃書〉載錄了「續修提要」編集、執筆、整理從事人計八十六人：[16]

---

16 今村與志雄撰：《〈續修四庫全書提要〉與影印本〈文字同盟〉第三卷「解題」補遺》，《汲古》第23號（東京都：汲古書院，1993年7月），頁71。一九三七年日本軍隊占領北平後，當地文化界的況狀有很大變化，日方對總委員會及研究所進行重行改組，於一九三八年三月十日提出了「東方文化事業總委員會改組實施案」，提出的中

1 董康、2 尚秉和、3 鹿煇世、4 倫明、5 孫人和、6 高潤生、7 夏孫桐、8 吳承仕、9 奉寬、10 孫楷第、11 王重民、12 劉啟瑞、13 趙萬里、14 馮承鈞、15 向達、16 吳廷燮、17 謝國楨、18 楊樹達、19 孫雄、20 劉節、21 余紹宋、22 周叔迦、23 張伯英、24 馮汝玠、25 傅增湘、26 譚其驤、27 張壽林、28 吳燕紹、29 傅振倫、30 夏仁虎、31 蕭璋、32 邢端、33 馮家昇、34 張海若、35 謝興堯、36 班書閣、37 瞿兌之、38 陸會因、39 趙錄綽、40 高觀如、41 孫海波、42 劉澤民、43 羅繼祖、44 茅乃文、45 陳鍌、46 王孝魚、47 黃壽祺、48 羅振玉、49 韓承鐸、50 傅惜華、51 柯昌泗、52 孫作雲、53 鐵錚、54 商鴻達、55 許道齡、56 柯劭忞、57 江瀚、58 胡玉縉、59 劉思生、60 沈兆奎、61 何澄一、62 何小葛、63 瞿漢、64 孫光圻、65 余寶齡、66 徐鴻寶、67 李盛鐸、68 姜忠奎、69 王式通、70 吳豐培、71 孫曜、72 邵瑞彭、73 楊鍾羲

名單中還開列了「續修提要」編纂準備段階的「協力者」十三人：

湯中、王照、賈恩紱、江庸、胡敦復、鄭貞文、梁鴻志、楊策、王樹枏、戴錫章、劉培極、何振岱、章華

經部提要的執筆者如次（加*為主纂者、加○為兼任整理人）：

易類　*○柯劭忞、*○吳承仕、高潤生、葉啟勳、*○尚秉和、班書閣、傅振倫、劉汝霖、*○黃壽祺、羅繼祖、奉寬、孫海波、劉詩孫

書類　*○江瀚、*○倫明、趙萬里、王重民、葉啟勳、班書閣、羅繼祖、張壽林、劉詩孫

方人選為：偽臨時政府教育部總長湯爾和、前教育總長傅增湘、偽司法委員會委員長董康、輔仁大學校長陳垣、燕京大學教授鄧文如（之誠）、前北京大學教授周作人、北平師範大學校長徐祖正、新民學院講師錢稻孫、北平圖書館代理館長張允亮。參見阿部洋：《對支文化事業の研究——戰前期日中教育文化交流の展開と挫折》（東京都：汲古書院，2004年），頁312。實際上，這份名單只是橋川的一己私願而已，上述留京學者多數未參與委員會的實務，其中也無經學的專門研究者。

詩類　*○江瀚、孫人和、倫明、王重民、*○張壽林、葉啟勳、奉寬、傅振倫、劉詩孫

禮類　*胡玉縉、*吳承仕、葉啟勳、趙萬里、奉寬、王重民、班書閣、*吳廷燮、劉汝霖、羅繼祖、*○黃壽祺、余寶齡、劉詩孫、張壽林、孫海波、謝興堯

春秋類　*楊鍾羲、馮承鈞、王重民、葉啟勳、奉寬、張壽林、傅振倫、劉汝霖、余寶齡、劉詩孫、謝興堯、（倫明）、（姜忠奎）

群經總義類　*江翰、*倫明、趙萬里、沈兆奎、葉啟勳、楊鍾羲、馮汝玠、劉汝霖、羅繼祖、*○孫海波

四書類　江瀚、*倫明、孫人和、葉啟勳、奉寬、○劉汝霖、傅振倫、張壽林、羅繼祖、謝興堯、余寶齡、劉詩孫、孫海波

樂類　*江瀚、奉寬、劉汝霖、劉啟瑞、*○商鴻逵、張壽林

小學類　楊鍾羲、柯劭忞、*孫人和、葉啟勳、趙萬里、倫明、楊樹達、奉寬、馮承鈞、馮汝玠、沈兆奎、王重民、班書閣、劉啟瑞、陸會因、孫海波、傅振倫、吳燕紹、羅繼祖、余寶齡、劉詩孫

石經類　江瀚、馮汝玠、*劉節、*○孫海波

附錄・緯書類　○劉汝霖、孫人和、*倫明[17]

經部提要早期撰人多來自清史館。《清史稿》於一九一四年開始編纂，一九二七年秋大致完稿，前後歷時十四年。所聘編纂人員若總纂柯劭忞、吳廷燮，纂修兼總纂楊鍾羲、王式通，協修後來添聘者若王樹枏、夏孫桐、戴錫章，校勘兼協修徐鴻寶後來參與《續修提要》的相關事務[18]。夏孫桐、王式通、傅增湘則於二、三〇年代間襄助了徐世昌主持的《清儒學案》纂輯[19]。

---

17 同前註，頁72。

18 《續修提要》有吳廷燮撰《清史稿》五百三十六卷提要（23/116-119），記述修史原委。

19 《清儒學案》纂輯始末暨學術評價，參見謝國楨所撰提要（29/482）。

後來加入的新派學者，趙萬里、王重民、劉節、蕭璋、向達、謝國楨、譚其驤、趙錄綽諸人均來自北平圖書館。他如張壽林、黃壽祺、劉白村、班書閣則來北平女子師範大學、中國大學、燕京大學等北平教育機構。年輕撰人中，不少有新舊教育的雙重背景。如劉詩孫出身北大國學研究所，又是寶應劉氏後人；柯昌泗出身北大中文系，是柯劭忞子；黃壽祺時任中國大學講師，又為尚秉和弟子。撰人既各有淵源，各有本職，多無往復問難切磋之誼。如羅繼祖當時未在北平居住，與他撰人不相聞問，後來自述「我前文於老宿執筆者，但推柯紹忞、胡玉縉，今乃知尚有江（瀚）及楊鍾羲、傅增湘」[20]。

新派學者的知識構成，多受時代風潮激盪，著意拓殖新的學術領域。相對而言，有更宏通的學術史眼光。若王重民、謝國楨、謝興堯在經學提要而外，都有關於太平天國文獻的提要。《詩經》研究者孫作雲、張壽林，則致力於民俗學、婦女文學。這些學者的學術生涯多數延續到一九四九年以後，由於學術生態的劇烈變化，除黃壽祺等個例，均未再從事經學的專門研究。

對撰稿數的初步統計，倫明撰作提要一千九百四篇，其中經部一千一百一十九篇；謝國楨撰提要二千一百五十七篇，其中叢書經叢類六十篇；張壽林撰提要一千六百五十八篇，其中經部三百二十四篇；楊鍾羲撰提要六百一十四篇，其中經部四百八篇；江翰撰提要七百四十二篇，其中經部四百一十二篇；孫人和撰提要九百九十二篇，其中經部五十九篇；馮汝玠撰提要六百九十篇，其中經部二百篇；黃壽祺撰提要三百四十，全部屬經部；尚秉和撰提要三百七篇，全部屬經部；葉啟勳撰提要三百五十九篇，其中經部一百十篇，楊樹達撰提要一百九十五篇，其中經部小學文法類五篇；胡玉縉撰提要八十五篇，其中經部八十四篇。趙萬里撰提要三百四十九篇，其中經部七篇；柯劭忞撰提要一百八十三篇，其中經部一百二十九篇。

據北圖藏馮汝玠分纂稿中文檔，《續修提要》撰寫的原則為：《四庫提要》已有不錄；《存目》已有但卷數不同者存錄；生存人不錄；民國二十年

20 羅繼祖：〈日本人《續修四庫總目提要》問世〉，《社會科學戰線》1998年第4期。

以後故去者不錄，如馮汝玠所撰提要稿中，王樹枏著《郭注爾雅訂經》、馬敘倫著《石鼓文疏記》、羅振玉著《松窗近稿》等提要均退還不用，末一種上有「此篇撰者係生存人，不錄」的批注。不收錄生存人著作，在乾隆年《四庫全書》纂修時即已奉為准則[21]。從《續修提要》存稿情況看，這一原則並未嚴格執行，如曾出任東方文化事業總委員會委員長的柯劭忞，卒于民國二十二年（1933），顯然應在不著錄之列，《續修提要》中收錄了柯著《春秋穀梁傳注》十五卷（4/028）、《柯鳳孫遺著三種》七十九卷（29/348）等六種著作（末一種為叢書）。他若江翰《長汀江先生著書五種》十八卷（30/245）也收錄叢書中。楊樹達所撰小學類提要中，有劉復（半農）《中國文法講話》（3/683），劉復誤引楊樹達的說法為已說佐證，而楊樹達為此書作提要（標為「擬存目」），有謂「此自復之誤比，非樹達之誤也」這樣的話語。提要撰寫者直接駁斥原書作者與自己相關的言論，這也是以往的目錄著作中不可能見到的。劉復卒於民國二十三年（1934），距楊氏撰此提要僅一二年之隔，本來也應不屬著錄範圍。《續修提要》撰人孫雄有《師鄭堂經說》三卷，光緒辛卯活字印本（35/709），又有《師鄭堂讀經札記》一卷原稿本（35/710），而《經說》提要稱「他篇平平少闡發，知其經學所得未深也」，未嘗因同仁共事而有所寬假[22]。

《續修提要》經部撰人今已全部不在人世[23]。由於對日抗戰期間及其後若干年劇烈的社會變動，多位撰人著述傳世無多或多有散佚，甚或成為學術史上的失蹤者，如撰寫讖諱類提要、當時有盛名的劉白村（劉汝霖），筆者多方調查，僅知上世紀六十年代仍供職北京圖書館參考組，而卒年無法確知。張壽林、鐵錚、劉思生（詩孫），葉啟勳抗戰結束後的生平不可考。這

21 後漢趙岐撰：《三輔決錄》，始定「其人既亡，行乃可述」之例，後世修史者多循此例。《四庫》既於每一書提要皆述作者生平，亦奉此「生不立傳」之義，不錄生存人，僅有少數特例。

22 按錢基博《現代中國文學史》稱「雄幼承家學，十歲即能詩，弱寃以後，從德清俞樾、定海黃以周游，始知服膺東漢大儒鄭康成之學，而治三禮、毛詩尤邃」云云。（上海市：上海書店出版社，2004年），頁121。

23 據柯玉春先生告知，謝興堯先生於二〇〇六年七月於北京去世，為撰人中得年最久。

部分經學提要，遂為今人了解其學術見解、貢獻的第一手文獻。[24]。

據張善文先生見告，吳承仕《檢齋讀書提要》、黃壽祺《易學群書平議》均以家藏稿為底本，前者且因私人交誼，經余嘉錫、黃壽祺先生審讀。

據《鄧之誠日記》，鄧嗣禹為方志提要代筆人之一。據譚其驤先生晚年回憶，他名下的若干方志提要由謝興堯代撰。

一部分近代名流學者的著述提要，由其弟子、家人撰作，如沈家本著作，多由沈兆奎撰寫提要；王國維著述，多由趙萬里撰作提要；葉德輝著作，多由葉啟勛撰作提要；此種刻意安排，取其聞見親切，足見日方主持者對師承、家學特殊的重視。試舉一例：

《重輯蒼頡篇》二卷（25/32）　王國維輯　廣倉學宭排印本

> 此編下卷，不采陸法言《切韻》、孫愐《唐韻》、王仁昫《刊謬補缺切韻》、陳彭年《廣韻》、丁度《集韻》及島田翰《古文舊書攷》所引《五行大義》背記，誠有遺珠之憾。而於慧琳、希麟之書，亦只據近印活字本入錄，不及見海印寺高麗大藏印本，則有待於後人為之訂補矣。（趙萬里撰）

趙為觀堂先生晚年助手，飫聞緒論，述業師舊著利病得失，每能切中肯綮。

然而親親顯尊，不免有揄揚過甚者：

《經學通詁》五卷（4/445）　葉德輝撰　手稿本

> 同光以來，今文公羊之學大倡，其意正欲導人不讀書，以易行其邪說，怪誕虛誣，流為風俗人心之害。是書誼主匡救，力挽狂瀾，又不僅經學入門所必讀也。（葉啟勳撰）[25]

---

24 撰人事跡，多見載於橋川時雄編：《中國文化界人物總鑑》（北平市：中華法令編印館，1940年）。

25 張采田稱：「葉氏為守舊腐儒，於六藝諸子之大義微言及今古文之界限全未究心，不過激於意氣，詈人得詈」。《新學商兌》卷末，清宣統間《多伽羅香館叢書》第五種活字本，清孫德謙辨正，張采田申義。

無庸諱言，由於《續修提要》顯著的日本背景，許多第一流學人拒絕參加或在早期即已退出，使整體水準大受影響。期間中日關係每趨緊張之際，參與其事者都會承受相當的輿論壓力。如一九三七年初報紙有「北平圖書館二、三館員為東方文化會編纂續修四庫全書提要，並偷抄攝影館中珍本書籍，且有盜售等事」的流言。北圖館長袁同禮和北大文學院院長胡適都公開發表談話予以澄清，胡適稱「北大從不干涉教員之學術工作，更不問其學術文字在何處發表。從前雖有一講師曾為東方文化會編纂某項專門書目提要若干篇，不過等於在日本雜志上發表文章，本不足怪，且近日已不繼續」云云[26]。動蕩的時代背景下，各位撰人難言乎用志不紛，專力撰作。夏承燾《天風閣學詞日記》一九四〇年一月九日載「聞日人所為東方文化學會，亦延攬我國人士修補四庫提要，真為盡心者甚少。胡翁（玉縉）之稿，往年亦有一部分被購去」。[27]「學術工程」中習見的抄撮稗販，在方志、集部最為特出。而至編纂中止仍闕漏未補的要籍，也不在少數。

學者如楊家駱、莊芳榮二先生對續修提要撰人就政治立場作負面的評論，甚而言「抗戰前我國與日本商洽退還庚子賠款，結果中日協定，設立東方文化事業委員會於北平，以應用該款。該會表面工作為『續修四庫全書提要』，事實則以稿費收買漢奸」。[28]然而曾與其役者若姜忠奎、吳承仕二先生，皆以身殉國難，忠魂碧血，尚留芳痕。「七七事變」前後，劉節、楊樹達、倫明等大批學者因形勢惡化而南下，部分留居北平人士也不再撰稿。

三　《續修提要》在經學上的趨向與評價

對於民國學派，錢基博先生曾有如下的評述：「竺古同，而所以竺古之具則異，羅振玉、王國維之於章炳麟是也。稽古同，而所以稽古之情則異，

26 〈北平圖書館鈔善本案真相〉，載《大公報》，1937年5月19日。

27 《夏承燾集》（杭州市：浙江古籍出版社、浙江教育出版社，1997年），冊6，頁165。

28 莊芳榮：〈叢書總目續編代序〉，《叢書總目續編》（臺北市：德浩書局，1974年）。

胡適輩之於章炳麟是也。斯又可以覘別流也。然而，是必求以實事，論切忌於鑿空，斯則三家者之所不同而同者也。」[29]錢先生所舉三種類型，在前代乾嘉漢學家中可各尋得其端緒。李兆洛為毛際盛《說文解字述誼》作序，謂：

> 錢少詹辛楣、江處士艮庭、段大令懋堂皆集於吳郡（治《說文》），……少詹主引伸其意，處士墨守，大令則攻其所失。師（盧文弨）以少詹為長，謂許氏書有奪有賸亦有訛，後人可以疏通而不可逕改，則守先待後之義云爾。[30]

流衍迄今，則有「信古」、「疑古」、「釋古」三種類型劃分。可見學術生態演進固然因應時勢，變化萬千，其主脈伏流升降分合仍有其「內在理路」。

《四庫總目》貫注了提倡樸學的精神。述及經學，竭力推尊漢注唐疏，輕蔑宋元經義，對於明代學風之空疏，攻擊尤厲，經部提要中這一類的見解屢見不鮮。《續修提要》缺少一位紀昀式的人物從事統稿總纂的工作，更沒有一位乾隆皇帝「每進一編，必經親覽，宏綱巨目，悉稟天裁」。撰人群體中既有遺老遺少，也有曾行役海外的新派學人，見解眼光，迥然不同，經部提要中，思想、內容往往前後牴牾，留存了多元化的時代痕跡。較諸《四庫總目》，無牽掣避忌情狀，對於所謂「異端非聖」之作，並不摒棄。以今人的眼光看來，《四庫提要》「道一風從，八簋同味」的「欽定」範式，轉不如《續修提要》「魚龍變化，萬卉萌動」（梁容若語）。《橋川時雄回想錄》提及昭和十年後少壯學者及教授漸次增加，滿州事變後中國人士餘憤未盡，攻擊（續修提要）編纂員為「東廠學派」或「東廠派」[31]，此種稱謂，出於敏感

---

29 錢基博：〈茹經堂文集二編序〉，收入唐文治《茹經堂文集二編》，一九二八年刊本。卷前頁2。「竺古之具」，指喻研究取用材料範圍；「稽古之情」，指喻對既有文化傳統的認同程度。

30 《聚學軒叢書》第五集，民國劉世珩輯，清光緒中貴池劉氏刊本。

31 阿部洋等筆錄：〈橋川時雄回想錄〉，《橋川時雄の詩文と追憶》（東京都：汲古書院，2006年），頁341。

時期的政治評議，並不表明整個編纂者團體內有所謂的「學統」形成。不過，《續修提要》傳承清代樸學，貫徹實證方法，取傳統經學的框架範圍討論問題，數萬種著述提要鉤玄，芟其繁蕪，擷其精義，補其漏略，不為高論，不事鋪張，足徵「實事求是」、「守先待後」之學術精神。其間卓傑者若胡玉縉先生，立願宏偉，綜攝四部，補、訂並舉，研究視野、領域、方法較諸清人更形廣博精密，王欣夫先生稱述《許廎經籍題跋》，有如下評語[32]：

> 綏之先生兩渡東瀛，曾窺其對我文化侵掠之隱，先於光緒戊申，建言續修《四庫提要》，徵書不用即退，而著述於原書之闕漏，則徵書以補正之，於阮氏《四庫未收書目提要》亦如之。而更取海外傳播，中土既佚者，後儒采輯，校勘精審者，及當時各省漏未進呈，遺稿刊版在後者，更續阮氏之書而倍蓰之。惟旨在增修原書，悉遵成案，不錄生存人著述。實則其時學者輩出，群經則別為義疏，諸史則各有補苴，其他各類咸日新無已，不有薈萃闡發，寧非遺憾。於是凡乾隆修書後之著述，別編為《許廎經籍題跋》，實即提要之續。然其事有倍難者，有清一代經學、史學、文學、雜學，門類不同，成書繁富，各有專精。每撰一篇，必於全書熟復數過，挈其菁華，博采眾言，辨其是非，然後能發抒己見，折衷至當，而免鈔胥之誚。觀於每下條議，斷制謹嚴，雖若易易，而孰知其用心至苦。故若段玉裁《說文解字注》，先生研誦將六十年，而手稿僅存一目，其文仍闕。則其慎重不苟可知已。

另一方面，同為老輩學者如吳廷燮，對於時代風會之轉移，經學傳統與現實之分途異轍，也在提要稿中有所因應：

《喪禮或問》一卷　《抗希堂集》本　清方苞撰（22/286）

> 胡氏《正義》採莘氏學泉說，人之親其父，常不如親其母，同母于父

32 王欣夫：《蛾術軒篋存善本書錄》（上海市：上海古籍出版社，2002年），甲辰稿卷2，頁1250。

者，人情之私，宜乎武氏之制，迄千百年莫之能正，又从而加甚。胡氏《正義》謂今有聖人作，於此必有所不安。然今五洲大同，夫妻齊等，竟不可易，則母喪同父，將為萬世定制。

《續修提要》的經學趨向，約而言之，曰兼容漢宋，曰並取今古文，曰史子證經，曰中學為本，調融中外[33]。

柯劭忞出任東方文化事業總委員長之前，任《清史稿》總纂，其主撰《儒林傳》[34]，統列理學、經學，實兼漢儒傳經、宋儒闡道之旨。續修經部提要，一仍此方針，對清代及民初經學的各個方面，作出總結。以下試依類舉若干例：

（一）兼容漢宋

《國朝漢學師承記》八卷《國朝經師經義》一卷《國朝宋學淵源記》二卷附記一卷

（4/168）　《粵雅堂叢書》本

藩宗漢學，復撰此書，漢學、宋學皆求通之資。漢儒言訓詁，宋儒言義理，原不可偏廢。論者謂古人於此二者多合，今人多分，亦學不逮古之徵也。（楊鍾羲撰）

《漢學商兌》三卷（15/104）　道光辛卯刊本

綜觀所論，不無當者。蓋其時治漢學者志傲氣驕，輕於發言，原不免授人以口實，而吹求周內，詎能無隙？強詞臆斷，亦所不免。謂諸人多憎忌程朱，堅欲與之立異，不思己亦憎忌漢學，堅欲與之立異也。戴震謂宋以來儒者，以己之見，硬坐為古聖賢立言之意，此說本不謬。古今之義理何窮，因時救弊立言者，何妨補六經所未及，乃硬以

33　〈北平人文科學研究所細則〉丁則：「凡所著錄，從平允為主，不可有門戶之見」。

34　《清史稿》編纂分工暨成書始末，參見夏孫桐：〈與張孟劬書〉，《觀所尚齋文存》卷6（中華書局鉛印本，1939年）。

宋儒所言之義理即是孔子之義理，且私造心傳道統諸說，又舉朱子以壓倒群儒，恐不足以取勝，則援朝廷功令相脅制，見何陋也。（倫明撰）

（二）並取今古文

《用我法齋經說》一卷（14/500）　《國粹學報》印本

清江慎中撰。是書論古今文，頗能破門戶之見而持其平。謂《書》、《禮》古文，同出孔壁。《禮經》十七篇，今古文之異，今盡見於鄭註中，不過字句小殊，無關大義。《禮》之古文如是，《書》之古文可知。學者不察，視古文與今文判若鴻溝。其始起於《尚書》，其後徧及諸經，或震於古文而慕其名，或力詆古文而抵其隙，彼此詬爭，皆可已而不已。學者今日但考家法，勿問古今，庶乎經學可得而治。（倫明撰）

倫明信古文經學，但對今文學派不一味抹殺。

（三）經史、經子互證

《王志》二卷（4/671）　**光緒丁未刻本**

清陳兆奎撰，輯其師王闓運應答門人之作，謂之《王志》，本《鄭志》例也。……惟其言曰：為學但當治經，讀子史者，失學之人也。又曰經典博奧，子史簡淺，又曰子史可不必讀云云，皆放言高論，不自知其言之陋。司馬遷受經于孔安國，為言漢學者所推崇，《史記》一書，〈五帝本紀〉、〈殷本紀〉、〈周本紀〉可以證《尚書》。春秋列國世家，可以證《尚書》，亦可證《左傳》。〈孔子世家〉、〈仲尼弟子列傳〉，可以證《論語》，荀、孟列傳，可以證《孟子》。其餘前漢諸人，其列傳中引用經文，多與經本殊異，不獨於經師遺說可以互證其異同，即經師之授受源流，亦可以互資考索。至諸子雖皆六藝之支

> 流，然其學多出於七十子，故其書之遺言，清儒往往摭以發明經義，如京氏《易傳》為孟喜《易》義，焦贛《易林》為京房《易》義，《韓詩外傳》為《韓詩》義，班固《列女傳》為《魯詩》義，《韓非子》、《淮南子》為《春秋左氏》義，《白虎通德論》為《春秋》、《禮》義，《荀子》、蔡邕《獨斷》為《禮》義，此其彰明較著者。至《墨子》有古《尚書》，有百國《春秋》，《管子》有《周禮》遺法，《淮南子》有九師《易》義，是又在讀者之善為鈎通。（葉啟勳撰）

葉啟勛對湖湘前輩王闓運的批評，代表了近代經學的主流觀念。

（四）調融中外

《續修提要》著錄日本經學著述二十種。包括岡元鳳《毛詩品物圖攷》、竹添光鴻《左氏會箋》、釋空海《梵字悉曇字母並釋義》等名著。

《續修提要》著錄朝鮮人經學著述四十八種，「三禮總義」類著錄了李彥迪撰《奉先雜儀》二卷（12/258）以下十四種。朝鮮經學著述的提要，多出於孫海波之手。一九四一年，橋川時雄率《續修提要》撰人赴朝鮮奎章閣調查中國古籍，有詩紀行，見載於北京國家圖書館藏稿本《略庵詩稿》。詩題作〈將〔有〕與任甫、曉三、剛主、海波諸君訪書朝鮮京師有作五首，此行為就朝鮮人著述編成提要也〉[35]。

《續修提要》著錄當時西人論撰，有高本漢著、陸侃如譯《左傳真偽考》（2/621），新月書店本初版於一九二七年。此書以現代語言學方法考證左傳撰成時代，提要出諸以翻譯漢學書名家的馮承鈞手。

撰人中若江瀚，雖為舊派學者，亦具備相當程度的西學素養。如謂「朱陸異同猶之近世泰西哲學家良心之學說，有天賦論、經驗論之爭，蓋各有所

---

35 赴朝鮮訪書事在一九四一年。任甫爲張壽林，曉三爲班書閣、剛主爲謝國楨、海波爲孫海波。

當，未可偏議而互誚也」。[36]謝興堯作康有為《諸天講》提要，並拈出其中與愛因斯坦學說的關聯（32/232）。

《續修提要》扼於時艱，其學術價值因政治因素長期沉埋不彰。從其規模與內容兩方面評估，纂修提要仍屬總結性、建設性的文化工程，其豐富蘊涵尚有待於抉發。同時代人金毓黻評述：「主撰者為江瀚、胡玉縉、楊鍾羲、倫明諸老輩，皆在北平撰稿，經其事為橋川時雄（子雍），詢之岩村，謂成已過半，並將經部提要付之油印，出以示余。此為偉大之事業，中土老儒倡議多年，卒鮮成功，而今則有觀成之望，誠無意中之佳觀也」[37]。即就今人經學史著作來看，劉起釪《尚書學史》增訂本有「補訂說明」，一再徵引《續修提要》，於舊著大有補苴之功；而大致同時成書的沈玉成、劉寧《春秋左傳學史稿》，著者在〈後記〉中自承因近人的研究成果比較分散，不免挂漏，與主撰人在世時未及見到《續修提要》這部重要的參考工具書不無關係[38]。

對於《續修提要》的後續研究，本人有一不成熟的想法：撰作於大致同一時期的《清史稿》、《清儒學案》、《續修提要》（也許還可以加上《晚晴簃詩匯》），在時代背景、纂修進程、撰人群體、學術理念諸方面均有同條共貫之處。倘能將三部巨製作綜合研究，參合比照，繹紬異同，相信可以舉一反三，對其內涵與特質有更深入的體認，其意義將不限於推動對清代和民國時期的經學研究而已。

---

36 江瀚：《宗孔篇》，（北京市：京華印書局，1909年），下卷，頁23。

37 金毓黻：《靜晤室日記》（瀋陽市：遼沈書社，1993年），冊5，頁3511。

38 劉起釪：《尚書學史》（訂補本）（北京市：中華書局，1996年），頁533-547；沈玉成、劉寧：《春秋左傳學史稿》（南京市：江蘇古籍出版社，1992年），頁415-416。

現代中國大學中的經學課程

車行健
國立政治大學中國文學系教授

一　一九三〇年：大學經學課程終結的年代？

錢穆（1895-1990）晚年在《師友雜憶》一書中曾提到過一件關係現代大學中的經學教育至鉅的事情，其云：

> 余撰〈劉向歆父子年譜〉，及去燕大，知故都各大學本都開設「經學史」及「經學通論」諸課，都主康南海今文家言。余文出，各校經學課遂多在秋後停開。[1]

據錢先生此書自序，他起稿這本帶有回憶錄性質的書係始於一九七七年冬，直至一九八二年的雙十節全書方竣成，前後一共歷時五年，完成時他年已八十四歲了。[2]有鑑於此書係錢先生垂暮之年所作，故《錢賓四先生全集》編輯委員會在為該書所撰之〈出版說明〉中便提醒讀者，錢先生在撰寫此書時，一方面因其「雙目已失明不見字，凡所載錄，全憑老年記憶所及」，另一方面又受限於當時海峽兩岸的客觀情勢，「通訊不便，遇有疑慮，無從查訊。」因而書中「所記若干細節，或與事實不免稍有出入。」編委會做的補救措施便是：「遇有先生誤憶之處，則另加附注說明。」[3]不過在《全集》版

1　錢穆：《師友雜憶》，收入《錢賓四先生全集》（臺北市：聯經出版公司，1998年），冊51，《八十憶雙親師友雜憶合刊》，頁163。

2　錢穆：《師友雜憶》，《八十憶雙親師友雜憶合刊》，頁34。

3　錢賓四先生全集編輯委員會：〈出版說明〉，《八十憶雙親師友雜憶合刊》，頁2。

中的《師友雜憶》並沒有為這則回憶加附注補充說明，或許編委會並不認為這則敘述與事實有所出入。

其實，錢先生對此事件的印象是極強烈且深刻的，他不但書之於筆墨，在《師友雜憶》中敘及此事；甚至口宣於講堂，在一九七四年九月至翌年暑假的學年中，他在為當時仍為中國文化學院（今已改制為中國文化大學）的研究生所開之「經學大要」課堂中，便曾屢致其意，如在〈第一講〉中，他說道：

> ……那時北大、清華、燕大、輔仁、師大等各大學，都有經學課程，都照康有為的講法，說今文經是真的，古文經是假的。待我這篇〈劉向歆父子年譜〉刊出，從此北京各大學的經學課程一律停開了。[4]

又曰：

> 民國初年，雖有新文化運動，各大學沒有不開經學課程的，而這些課程便和新文化運動相呼應，盡是疑古辨偽，一筆抹撥。但從民國十九年以後，經學不能再照康有為那麼講，從此沒人開這些課。直到今天，也就很少人學經學了。[5]

在〈第八講〉中他又說道：

> 我一到燕大，別人便告訴我，北平各大學的經學課程都停開了。他們讀了我這篇文章，知道從前學的一套都不能成立，因此不願再這樣教課了。[6]

案：目前收錄在《錢賓四先生全集》中的《經學大要》一書係根據當時上課錄音整理而成，在該書的〈出版說明〉中不但交代了錢先生開設此課的經

---

4 錢穆口述，胡美琦、何澤恆、張蓓蓓整理：《經學大要》，收入《錢賓四先生全集》，冊52，《講堂遺錄》，頁267。

5 錢穆口述，胡美琦、何澤恆、張蓓蓓整理：《經學大要》，頁267。

6 錢穆口述，胡美琦、何澤恆、張蓓蓓整理：《經學大要》，頁413。

過，而且還詳述錢先生對開設此類課程的心境：

> 先生當年開設此一課程，乃為了卻其數十年之心願。蓋民國十九年，先生撰〈劉向歆父子年譜〉一文，在《燕京學報》發表。其前北平各大學本皆開設「經學史」及「經學通論」諸課，並主康有為今文家言，是文一出，今文家言不能成立，此等課程遂多在是年秋後停開。此本為一時現象，假以時日，學術界自可有一適當調整。不料時局動盪，繼以日本大舉侵華，國家存亡未卜，人心惶惶，再無人有心及此專門學術探討。經學一課停開，竟因循數十年未能恢復，先生引為內疚，曾言其撰文主旨，本為看重經學，故特指出講經學不能專據今文家言，未料結果竟正相反。為此耿耿在懷，屢思有所匡正，而皆不果。[7]

由此可知，錢先生晚年對此事的認知仍是相當一貫且堅定的，絕無因年老而誤憶的可能。但須注意的是。錢先生所強調的經學課程是特指以經學為整體且以經學為名所開設的課程，如「經學通論」、「經學概論」、「經學大要」、「經學史」等，並不包括個別的經書課程，如《尚書》、《詩經》、《三禮》等。

錢先生這個說法在學術界的影響不小，如廖伯源在評價錢先生〈劉向歆父子年譜〉的貢獻時便是如此說的：

> ……此文有許多考證、辨偽，把事實系統地排列，理路很清楚，明顯證明劉歆不可能假造這麼多東西。所以此文一出震動當時的文史學界，北京各大學的經學課遂多在秋後停開。[8]

羅義俊也對此文的影響做了如此的評述：

> 廓清摧陷，盡掃所謂劉歆遍造群經說，為經學撤藩籬而破壁壘，破門戶而顯真是，解決了清道咸以來經學家今古文爭議，在經學史上另闢

7　錢賓四先生全集編輯委員會：〈出版說明〉，《經學大要》，頁2-3。

8　廖伯源：〈讀劉向歆父子年譜〉，《錢穆先生紀念館館刊》第5期（1997年），頁97。

> 了以史治經的嶄新路徑，對中國經學史的研究，有劃時代的貢獻。故此文一出，北方學界大震撼，令人歎為「學術界上大快事」(《大公報・文學副刊》一三七期)。北平各大學「經學史」及「經學通論」課，原俱主康說，亦即在秋後停開，開大學教學史之先例。[9]

而錢先生的夫人錢胡美琦女士（1929-2012）在〈錢賓四先生年譜・上篇〉中亦將錢先生對此事的說法採入其中。[10]杜正勝在〈錢穆與二十世紀中國古代史學〉與華定謨在〈自學成才的錢賓四先生〉文中皆亦沿襲此說，杜氏認為「此文發揮了相當大的作用」[11]，而華氏則形容〈劉向歆父子年譜〉一文的刊出「引起學術界的震動」。[12]此外，顧潮在撰寫其父顧頡剛（1893-1980）的傳記時，在敘及顧頡剛將錢穆從蘇州一中學教師引薦至北平燕京大學，而使其在當時中國學術中心逐漸嶄露頭角的這段經歷時，也援用了錢先生在《師友雜憶》中的這段回憶。[13]

因為一篇〈劉向歆父子年譜〉而導致現代中國大學中的經學相關課程（經學通論、經學史）的終結，錢先生晚年在回憶此事時，透過上述〈出版

---

9 羅義俊：〈錢賓四先生傳略〉，收入中國人民政治協商會議江蘇省無錫縣委員會編：《錢穆紀念文集》(上海市：上海人民出版社，1992年)，頁277-278。

10 錢胡美琦：〈錢賓四先生年譜・上篇〉，《錢穆先生紀念館館刊》第3期（1995年），頁161。

11 杜正勝：〈錢賓四與二十世紀中國的古代史學〉，《新史學之路》(臺北市：三民書局，2004年)，頁218。

12 華定謨：〈自學成才的錢賓四先生〉，《錢穆紀念文集》，頁99。

13 顧潮：《歷劫終教志不灰——我的父親顧頡剛》(上海市：華東師範大學出版社，1997年)，頁139-140。案：也有的學者在述及此事時，態度較為矜慎，如單周堯、許子濱合撰之〈錢賓四先生劉向歆父子年譜與左傳真偽問題研究〉(《紀念錢穆先生逝世十週年國際學術研討會論文集》，臺北市：國立臺灣大學中國文學系編印，2001年)，在敘述到此事時，用了「據說」二字。(頁85)。此外，錢穆的學生嚴耕望（1916-1996）所撰述的〈錢穆賓四先生行誼述略〉文中敘及到錢穆寫作〈劉向歆父子年譜〉的這段過程時，卻對所謂導致北平各大學經學課停開之事隻字未提。嚴文見氏撰：《錢穆賓四先生與我》(臺北市：臺灣商務印書館，1992年)，頁3-37；又收入《錢穆紀念文集》，頁105-122。

說明〉的輔助解說，不難讓人察知表露在錢先生口語文詞上的自得之意中，還是難掩其深沈的自責歎惋之情。有趣的是，錢先生這種反應與西方當代科學哲學鉅擘卡爾·巴柏（Karl Popper, 1902-1994）自承他必須為二十世紀三十年代至五十年代盛極一時的邏輯實證論（Logical positivism）的消亡「負責」，如出一轍。其云：

> 如今，每個人都知道邏輯實證論已逝。可是好像沒有人曾想到過此中可以問一個問題：亦即「誰該負責？」的問題，或是乾脆問「誰幹的？」……恐怕我該認罪。[14]

對卡爾·巴柏來說，幹掉邏輯實證論非其本意，因為他只不過是想要指出一些在他看來很根本的錯誤。[15]而對錢先生來說，他的初衷也是因為想反駁康有為（1858-1927）及今文學家的謬說，其目的亦非想要終結大學講堂中的經學課程。從這二位中西人文學術大師的現身說法中，一方面不禁令人對中西學術發展中的某些雷同之處感到驚奇，另一方面也使人對這二位大師展現在學術上的坦率真誠與執著嚴肅的態度，為之動容。

然而問題是，事實的真相是否真是如此？大學中的經學課程是否真的在一九三〇年被錢先生的一篇文章給終結掉了？將來的教科書或學術史在記載到民國時期的經學活動時，是否能這樣書寫著：從清末民初以來，一直有在北京各大學課堂中講授的「經學通論」與「經學史」等經學課程，因為錢穆先生於一九三〇年六月發表於《燕京學報》第七期的〈劉向歆父子年譜〉的鉅作而紛紛停開，影響所及，最終導致了經學課程在中國大學中的全面終結？

---

14 以上引文見卡爾·巴柏的自傳《無盡的探索》（*Unended Quest: An Intellectual Autobiography*, London: Routledge, 1992）。該書目前有二種中文譯本，一是劉久清所譯，題為《封閉社會的敵人：巴柏》（臺北市：北辰文化公司，1988年）；另一則是邱仁宗所譯，題為《無盡的探索：卡爾·波普爾自傳》（南京市：江蘇人民出版社，2000年）。經比對原著後，發現劉久清譯本較邱仁宗所譯流暢準確，因此正文所引相關文句係以劉久清譯本為主。中譯本引文見頁132-133；英文原著見頁88。

15 參卡爾·巴柏：《無盡的探索》，中譯本頁133，英文原著頁88。

二　一九三〇年後尚未自中國大學講堂絕跡的經學課程

雖然錢穆始終深信自己在民國十九年（1930）六月刊登於《燕京學報》第七期的〈劉向歆父子年譜〉一文導致了經學課程的終結，不過仔細檢視錢先生的相關言論，卻發現他對此事件的敘述也存在著若干令人疑惑的地方。首先，錢先生所強調的重點究竟是當時北平各大學大多停開經學課程，或是全部都停開？其次，經學課程的停開，其影響的範圍是只侷限於故都北平，或遍及於全中國的大學？第三，經學課程的停開是一時的現象，抑或持續的狀況？整體來說，雖然錢先生在《師友雜憶》中說的是北平「各校經學課遂多在秋後停開」，但在《經學大要》中卻用極為肯定的語氣強調「一律都停開」、「都停開了」。二者看似稍有不同，不過對照著《經學大要》的〈出版說明〉對錢先生晚年心境的披露，還是可以察知在錢先生的認知中，中國現代大學中的經學課程自一九三〇年秋天後，不但在空間上從故都北平的各大學中消失了，同時也遍及於全中國的大學，甚至還涵蓋了錢先生待過的香港及晚年定居的臺灣之高等學府，而且在時間上也一直延續到錢先生晚年來臺定居的一九七〇、一九八〇年代。

不過，錢先生這些對現代中國大學中的經學課程置廢狀況的描述基本上仍是屬於個人回憶的性質，並沒有客觀的史料為之佐證，因而其可信度與真實性仍是需要被檢驗的。

在錢先生的回憶中，一九三〇年秋的北平是很關鍵的時空背景，因此，檢視錢先生說法可靠與否最主要的方法就是去察考一九三〇年以後，北平各大學開設經學課程的概況。在筆者目前所掌握的史料中，與錢先生所述一九三〇年秋最接近的課程資料是民國二十年（1931）北京大學中國文學系的〈課程指導書摘要〉。這份包含了全系的課程大綱的課程指導書是適用於民國二十年九月至二十一年（1932）六月的學年而設計的，恰巧是錢先生所敘及的民國十九年秋的下一學年。這份北大中文系的課程指導書將該系課程分為 A、B、C 三類，A 類的課程以中國語言文字學為主，B類的課程是以中國文學為主，C 類則是以文獻、考證的課程為主。[16]在 C 類的課程中赫然就列有「經學史」的科目，所表列的教員為時任北大中文系系主任的馬裕藻（幼漁，1878-1945）。[17]馬裕藻開設此課並非偶一為之，在民國二十四學年度的北大文學院中國文學系的「課程一覽」中，依然可見馬氏開設此課，且在此「課程一覽」中更可以清楚的看到，此課是上下學期二學分的課程。[18]有趣的是，馬氏講授經學史的課綱依然可以在民國二十四年度的《國立北京大學一覽》中看到，其云：

> 先述孔子作經之始末，次就兩漢博士之師傳，劉歆古文之偽跡，以及

---

16 據該〈課程指導書摘要〉云：「本系科目內容，實包含中國語言文字學，中國文學兩系之全部及攷古學之一部。」（《北京大學日刊》〔北京市：人民出版社，1981年影印〕，1930年9月14日第5版。）案：據一九二二年考上北大國文系預科的著名語文學家陸宗達（1905-1988）的回憶，當時北大的課分成三個專業，即文學專業、語言專業與文獻專業。參見陸宗達：〈我的學、教與研究工作生涯〉，《陸宗達語言學論文集》（北京市：北京師範大學出版社，1996年），頁665。與該〈課程指導書摘要〉所分的三類課程若合符節。當時所謂之攷古學之一部，即陸宗達所認為的文獻專業，包含目錄學、校勘學、古籍校讀法、經史、國學要籍解題實習、考證方法論、三禮名物、古聲律學、古曆學、古地理學、古器物學等。看來，考據學的色彩還是很濃厚的。

17 《北京大學日刊》民國二十年九月十四日第五版。案：馬裕藻自一九一七年至一九三五年間長北大中文系，直至一九三五年方因校內風潮卸下主任的職位。參馬泰：〈永遠的北大人—記述先父馬裕藻教授〉，收入錢理群、嚴瑞芳主編：《我的父輩與北京大學》（北京市：北京大學出版社，2006年），頁68。

18 王學珍、郭建榮主編：《北京大學史料》（北京市：北京大學出版社，2000年），卷2，中冊，頁1163。案：日本著名漢學家吉川幸次郎（1904-1980）在一九二八年來中國留學時，就曾聽過馬裕藻開設的經學史課程，當時他在北京大學文學院擔任旁聽生，從他保存完好的民國十七年度的北大旁聽證上可以清楚的看到他旁聽的科目。除了二學分的「經學史」外，還有馬裕藻的「中國文字聲韻概要」（三學分）及朱逖先（希祖，1879-1944）的「中國文學史」（三學分）與「中國史學史」（二學分）。參吉川幸次郎撰，錢婉約譯：《我的留學記》（北京市：光明日報出版社，1999年），頁48-49。又北平《新晨報》於一九三〇年六月出版的《北平各大學的狀況》一書中，亦載有北京大學中國文學系的課程開設情況，其中「經學史」一科仍由馬裕藻開設。（參新晨報叢書室編輯：《北平各大學的狀況》〔北平市：新晨報，1930年6月增訂再版〕，頁22。）

> 鄭玄以降雜糅今古文諸端，分別敘列。至宋儒疑古之精神，清儒考訂之特色，凡關於經學者亦略具於篇，而以劉逢祿、龔自珍、魏源、邵懿辰、康有為、崔適諸家之說終焉。[19]

純是今文家的口吻[20]，似乎錢先生的大作對他絲毫不曾發生影響。

同樣被錢先生所提到的北平輔仁大學，其中國語言文學系在一九三〇年代的經學課程的傳統其實也未曾中斷過。據《北京輔仁大學校史》所載的「中國語言文學系課程設置一覽表」中，可以清楚的看到列有「經學通論」的課程，任課的教員一共有二位，一是長期擔任系主任的余嘉錫（1884-1955），另一位則是劉盼遂（1896-1966）。余先生授課的時間是從一九二七年至一九三七年，正好涵括錢先生所說的一九三〇年秋天的學年，劉盼遂則是在一九四三年開設此課。[21]

---

19 國立北京大學編：《國立北京大學一覽（民國二十四年度）》（北平市：國立北京大學，1935年），頁172。

20 馬裕藻雖為章門弟子，但據黎錦熙（1889-1978）謂：馬氏是與錢玄同（1887-1939）談今文經學的朋友之一，陳以愛據此判斷馬氏似為章太炎門生中態度較為傾向今文經學者。黎說參氏撰，沈永寶編：〈錢玄同先生傳〉，《錢玄同印象》（上海市：學林出版社，1997年），頁77；陳說參氏撰：《中國現代學術研究機構的興起——以北京大學研究所國學門為中心的探討（1922-1927）》（臺北市：國立政治大學歷史學系，1999年），頁248。又據吉川幸次郎對馬裕藻的近距離觀察，他認為馬裕藻和錢玄同「都是從老師的古文派轉向今文派的人」，而轉向的原因則是因為讀了皮錫瑞（1850-1908）的《經學歷史》，對皮書十分贊賞、佩服。因而在課堂上，他們二人都不說《左氏傳》，而說《偽左氏傳》。馬裕藻在講到劉歆的〈移讓太常博士書〉時，還說劉歆是個偽造者，《左傳》及其他古文經典都是他偽造的。甚至在一次宴會的場合，馬裕藻還跟同為章門弟子的吳承仕（1884-1939）為了該不該信守鄭玄經說的問題而起了激烈的爭論，馬裕藻認為鄭玄的經學都是牽強附會的，而吳承仕則反對馬氏這種說法。以上俱見氏撰：《我的留學記》，頁57-58、60、66-67。

21 以上俱見北京輔仁大學校友會編：《北京輔仁大學校史（1925-1952）》（北京市：中國社會出版社，2005年），頁122。案：據周祖謨、余淑宜所撰之〈余嘉錫先生傳略〉所記，余嘉錫一九二八年方自湖南北上至北平定居，一九三一年任輔仁大學教授兼國文系系主任，主任一職一直持續到一九四九年，且在其任教期間開設的課程中確有「經學通論」。參見《余嘉錫文史論集》（長沙市：嶽麓書社，1997年），頁665-666。又此外，北平師範大學在一九三三年八月所重新修訂的〈學則〉中也清楚地規定了國文系的開設課程，其中在二年級的必修課目中就有「經學史略」[22]，當時授此課者應是錢玄同[23]，此時距錢先生〈劉向歆父子年譜〉的刊布時間，不過二年左右。如此看來，北平大學中的經學課程似乎一時之間並未消歇。

經學課程不但未曾在一九三〇年代的北平高等學府消聲匿跡，在北平之外的中國大學中也有開設經學課程的紀錄，例如在廣州的國立中山大學中國語言文學系一九三三年度的授課科目中就有「經學通論」的課程[24]，而一九三五年度的授課科目中更列有「經學通論」與「經學歷史」，前者還被列在一年級的必修課目中，而後者則被列在選修課目中。直到一九三七年度，雖然「經學史」已從該校中文系的課表中消失，但「經學通論」仍然還是大一

《余嘉錫著作集》之〈出版說明〉所述亦大致相同。參見《世說新語箋疏》（北京市：中華書局，2007年2版），上冊，頁1。不過，《北京輔仁大學校史（1925-1952）》卻記載余氏係一九二七年來北京，一九三二年後方任國文系系主任。（頁109、111）孫邦華編著之《會友貝勒府——輔仁大學》（石家莊市：河北教育出版社，2004年）一書亦謂余氏一九二七年出任輔大國文系教授（頁41），與周祖謨、余淑宜所記不同。雖然如此，綜合這幾種記載還是可以證實余氏於一九三〇年至一九三七年間確實曾在輔仁大學開設過「經學通論」的課程。

22 北京師範大學校史編寫組：《北京師範大學校史（1902-1980）》（北京市：北京師範大學出版社，1982年），頁98。

23 據黎錦熙〈錢玄同先生傳〉謂錢玄同在一九二八年擔任北平師範大學系主任時，兼授「說文研究」、「經學史略」、「周至唐及清代思想概要」、「先秦古書真偽略說」諸科目。又說當時北師大國文系的科目有「經學史略」一門，他每年總要自己擔任，因為怕「人家把它教得烏煙瘴氣的」。他在北師大的教職一直維持到抗戰之前。（以上俱參《錢玄同印象》，頁42、77）由此可知，一九三〇年後，他應該都還有在北師大教授「經學史略」。曹述敬的《錢玄同年譜》（濟南市：齊魯書社，1986年）、吳奔星的〈錢玄同年譜〉（收入氏撰：《錢玄同研究》，南京市：江蘇古籍出版社，1990年）及李可亭的〈錢玄同年譜簡編〉（收入氏撰：《錢玄同傳》，開封市：河南大學出版社，2002年）三者記載皆同，當是同出於黎錦熙的〈錢玄同先生傳〉。曹書見頁102、吳書見頁140、李書見頁256。

24 國立中山大學文學院編輯：《國立中山大學文學院概覽》（廣州市：國立中山大學出版部，1933年），頁26。

的必修課。[25]值得一提的是，該系在一九三五年度的大三和大四的必修課目中共設有《毛詩》、《左傳》、《禮記》、《尚書》與《周易》等五門專經研究的課。[26]而一九三三年度必修科目中的「基本國文」，從一年級至四年級共有七種，分別講授《孝經》、《論》、《孟》（基本國文一）、《毛詩》（基本國文二）、《禮記》（基本國文三）、《左傳》（基本國文四）、《周禮》（基本國文五）、《尚書》（基本國文六）、《周易》（基本國文七）。[27]由此可見，當時廣州中山大學中文系對經學課程的重視恐怕是無與倫比的。[28]

又如在武昌的國立武漢大學，在其中國文學系一九三五與一九三六年度的課程指導書中同樣可看到「經學概論」的課目，此課被安排在二年級的必修課程中，授課者是劉異（豢龍）。在該年度文學院的學程內容中，還載有他的課程綱要，可以約略看出他對這門課的構想：

> 本學程以論為經，以表為緯。先綜論經之名義，體性，源流，次第，傳授，師法，今古文，傳注，漢宋，經緯經子，經史，經文，治經，致用，俾得一總括之概念，及知經與群書之關係。次分述經，傳，內容特殊之點，使略知個別之要義。再緯之以經數，篇目，義數，字數，傳授，經文異同，今古文異同，石經，及他各概表。以期學者於經學得一整個之常識，以為進究專經之基礎。[29]

---

25 國立中山大學編：《國立中山大學現狀》（廣州市：國立中山大學出版部，1937年），頁75、77-79。

26 國立中山大學編：《國立中山大學現狀》（廣州市：國立中山大學出版部，1935年），原書頁86-89。

27 國立中山大學文學院編輯：《國立中山大學文學院概覽》，頁22-24。

28 案：此應與當時廣東當局與中山大學校方積極推行之讀經運動有關。關於前者，胡適（1891-1962）在一九三五年所撰寫之《南遊雜憶》即曾對此運動加以批判。參見《胡適作品集》（臺北市：遠流出版公司，1986年），冊16，《神會和尚傳》，頁206-218。而至於後者，則參劉小雲：〈二十世紀三〇年代中山大學讀經考察〉，《中山大學學報》（社會科學版），2008年第4期（總48卷），頁69-80。

29 以上俱見：《國立武漢大學一覽（民國二十四年）》（臺北市：傳記文學出版社，1971年影印），原書頁19、39；國立武漢大學編：《國立武漢大學一覽（民國二十五年）》

此外，在顧潮所編的《顧頡剛年譜》中亦可看到顧頡剛於抗戰期間避難西南時，曾於昆明的雲南大學文史系開設過「經學史」的課程。他開設此課的時間是從一九三八年十二月初至一九三九年七月，這門課程也是他短暫任職雲大期間所開設的兩門課程中的其中一門。[30]不止於此，在他於一九三九年九月轉任至內遷於成都的齊魯大學國學研究所的次年，他便在所裏開設「經學」的課程。[31]有趣的是，據錢穆自述，他當年寫作〈劉向歆父子年譜〉一文主要針對的其實就是顧頡剛[32]，但顯然顧頡剛並沒有因為這篇力破今文家言的文章而放棄開設經學課程，從《顧頡剛年譜》的記載更可以知道，顧頡剛在一九三八年十二月至一九三九年七月於雲大開設經學史之前，他並沒有開設相關課程的紀錄。[33]由此可知，顧頡剛在雲南大學及齊魯大學

（武昌市：國立武漢大學，1936年），頁21、43。

30 另外一門課是他拿手的「中國上古史」。以上俱參顧潮編著：《顧頡剛年譜（增訂本）》（北京市：中華書局，2011年），頁329、331。

31 參顧潮編著：《顧頡剛年譜》，頁345。

32 錢穆《師友雜憶》云顧頡剛曾告訴他說：「彼在中山大學任課，以講述康有為『今文經學』為中心。」（《八十憶雙親師友雜憶合刊》，頁149）又云顧頡剛邀他為《燕京學報》撰文，但因其之前在后宅任教時，「即讀康有為《新學偽經考》，而心疑。又因頡剛方主講康有為，乃特草〈劉向歆父子年譜〉一文與之。然此文不啻特與頡剛諍議。」（《八十憶雙親師友雜憶合刊》，頁154）

33 顧頡剛從一九二六年下半年辭掉北大研究所國學門助教一職，南下廈門大學擔任國學系教授及研究所導師後，方才正式展開其教職生涯。從一九二六年至一九三八年間，他曾分別在廈門大學、中山大學、燕京大學及北京大學任教過，其所開設的課計有：「經學專書研究」〔以《尚書》為主〕（廈大，一九二六年，《顧頡剛年譜》〔以下簡稱《顧譜》〕，頁145）、「中國上古史」、「《書經》研究」、「書目指南」、「文史導課」〔《詩經》、三百年思想史〕（中大，一九二七年秋至一九二八年暑假，《顧譜》，頁162、164）、「古代地理研究」、「春秋研究」、「孔子研究」、「中國上古史實習」、「三百年來思想史」（中大，一九二八年秋至一九二九年寒假，《顧譜》，頁180、188），「中國上古史研究」（燕大，一九二九年秋、一九三〇秋一九三一年上半年，《顧譜》，頁197、211、214）、「《史記》研究」（北大，一九二九秋，《顧譜》，頁198）、「《尚書》研究」（燕大、北大，一九三一年秋至一九三二年暑假，《顧譜》，頁214、218、223）、「中國古代地理沿革史」（燕大、北大，一九三二年秋至一九三三年暑假、一九三三年秋至一九三四年暑假，《顧譜》，頁227、231、237、240、245）、「中國通史」（北大，一九三二年秋，《顧譜》，頁228）、「秦漢史」（燕大，一九三三年上半年，《顧譜》，頁

國學研究所開設經學的課程正好與錢穆所述及的現象背道而馳，顧頡剛當時為何要開設這方面的課？其動機頗耐人尋味。

在中國內地的大學中，經學課程的傳統直至中共建政後的一九六〇年代也都還未絕跡，據周予同（1898-1981）自述，一九五六年時，當時的中國十二年科學遠景規劃中就有「中國經學史」一項專題，而自一九五九年起，上海復旦大學歷史系「中國古代史專門化」復又開始設立「中國經學史」的課程。[34]據周予同的弟子朱維錚（1936-2012）的記述，周予同是在一九五九年至一九六六年的七年間開設這門課的。雖然其時中國的大學已開始按照蘇聯綜合大學的模式分成「專門化」，但中國古代史專門化中的一門主修課程卻是「中國經學史」。當時的課程設計是規定修讀一學年，每週四學時，朱維錚回憶說：「這是當時全國大學文科中獨一無二的一門課程」。[35]不過朱維錚的回憶若只針對「中國經學史」的課程或許是有可能的，但若從整體經學課程的角度來看，則就不是那麼獨一無二了。因為無獨有偶的，顧頡剛也曾在一九六四年應北大中文系古典文獻專業之約，為四、五年級講「經學通論」。這個為期僅有五週的課程，雖因顧頡剛僅上了三週便因病而不了了之[36]，但無論如何，這也證明了在文化大革命之前，經學的課程在中國大陸南北的重要大學中都未真正的絕跡。而且令人感到有意思的是，有意識開設此課者都是立場較傾向於今文經學者，此中又透露出什麼訊息？[37]

207）、「春秋戰國史」（燕大、北大，一九三四年上半年，《顧譜》，頁240）、「春秋史」（北大，一九三五年秋至一九三六年暑假，《顧譜》，頁267、279；燕大、北大，一九三六年秋至一九三七年暑假，《顧譜》，頁290、300）、「古跡古物調查實習」（燕大，一九三六年秋至一九三七年暑假，《顧譜》，頁290、300）。

34 周予同：〈「經」、「經學」、經學史——中國經學史論之一〉，收入朱維錚編：《周予同經學史論著選集》（上海市：上海人民出版社，1996年第2版），頁649。

35 以上俱見朱維錚：〈周予同經學史論著選集增訂版前言〉，《周予同經學史論著選集》，頁5-7；朱維錚：〈中國經學史研究五十年——周予同經學史論著選集後記〉，《周予同經學史論著選集》，頁980。相關敘述又見許道勛、徐洪興：《中國經學史》（上海市：上海人民出版社，2006年），頁425-426。

36 參顧潮：《歷劫終教志不灰——我的父親顧頡剛》，頁294。

37 就顧頡剛而言，其深受今文經說影響，此乃不待多言之事實。然其主要成就在古史，與一九四九年後的中國大陸之蕭條景像形成鮮明對比的是，經學課程在此時臺灣的高等教育卻呈現出一片花團錦簇的榮景，誠如林慶彰先生所說的：「播遷來的學者成了宣揚經學的新種子，使臺灣成為發揚經學的唯一聖地。」[38]就筆者粗淺印象所及，曾在北部大學中講授經學相關課程的著名學者就計有程發軔（1895-1975，曾於臺灣師範大學國文研究所講授「群經大義」）、戴君仁（1901-1978，曾於臺灣大學中文系所講授「經學史」）[39]、屈萬里（1907-1979，曾於臺灣大學中文系講授「經學專題討論」及東吳大學中文所講授「經學史」）[40]、胡自逢（1917-2004，曾在中央大學中文所講授「經學史」、東吳大學中文所講授「群經大義」）、程元敏（曾長期在臺大中文系所教授「經學史」）、蔡信發（曾在中央大學中文所講授「經學史」）、李威熊（曾在政治大學中文所及中央大學中文所教授「經學史」）、董金裕（曾在政治大學中文所教授「經學史」）、夏長樸（曾於空中大學人文學系開設「經學通論」）、林慶彰（曾於中央大學中文所及東吳大學中文所等校教授「經學史」）、汪惠敏（曾於輔仁大學中文系教授「經學通論」）、葉國良（曾於空中大學人文學系開設「經學通論」）、何澤恆（目前仍持續在臺大中文系

故其對經學的態度就頗值得玩味。他曾在日記中紀錄下他對這門學問的觀感：「現在研究經學人士寥寥可數，只沈鳳笙、張西堂數君，予苟不為，則康、崔之緒即斷。故此後研究工作，必傾向經學，庶清代業績有一碩果也。」參見顧頡剛：《顧頡剛日記．一九四九年一月五日記》（臺北市：聯經出版公司，2007年），卷6，頁401。由此可知，難怪他會願意接受北大「經學通論」課程的邀約，因為他所抱持的態度就是：「甚欲延此緒之業」。（顧潮撰：《歷劫終教志不灰——我的父親顧頡剛》，頁294。）再就周予同來說，其亦自承在立場上較傾向今文經學者，見氏撰：《經今古文學》，《周予同經學史論著選集》，頁24。

38 林慶彰：〈序〉，收入林慶彰主編：《五十年來的經學研究》（臺北市：臺灣學生書局，2003年），頁Ⅲ-Ⅳ。

39 戴君仁於臺大中文系所開設「經學史」係始於民國四十八年（1959）九月，直至民國五十九年（1970），參阮廷瑜：《戴君仁靜山先生年譜及學術思想之流變》（臺北市：國立編譯館，2008年），頁156、336。

40 屈萬里任臺大中文系「經學專題討論課」事見李偉泰撰：〈屈萬里先生傳〉，收入國立臺灣大學中國文學系編撰：《國立臺灣大學中國文學系系史稿》（臺北市：臺灣大學中國文學系，2002年），頁245。

所教授「經學史」)、李隆獻(亦曾於空中大學人文學系開設「經學通論」,與葉國良、夏長樸二教授合開)。[41]從這極不完整的授課概況中即可看出,大學中的經學課程的傳統顯然在一九五〇年代後的臺灣是未曾中斷過的,僅從這點來說,臺灣即已不負「經學王國」的美譽。[42]

由以上的敘述可以知道,錢先生的回憶顯然是與事實不相吻合,甚至有段不小的落差,何以致此?其中最主要的原因恐怕是他在《經學通論.第八講》中所說的:「我一到燕大,別人便告訴我,北平各大學的經學課程都停開了。他們讀了我這篇文章,知道從前學的一套都不能成立,因此不願再這樣教課了。」由此線索或許可以做如此推想,植根於錢先生腦海長達半世紀的這個「心理真實」(Psychological truth)應是來自於旁人對他的〈劉向歆父子年譜〉的推崇贊美之語。[43]對於一九三〇年秋天甫從南方來到北平的錢先生而言,他對故都各大學中的生態其實是陌生的,加上他初任教的燕京大學在當時又地處市郊,而他平常又「絕少外出」。[44]因此從常理來判斷,他應該是無法自行得出「余文出,各校經學課遂多在秋後停開」這樣一個明顯不合乎事實的判斷。因而,錢先生很可能是在接受了旁人帶有恭維性質的閒談話語所造成的先入之見後,遂因此形成了如此一個牢不可破的「心理真實」。

在民國二十年九月十四日刊載於《北京大學日刊》的〈文學院各學系課程大綱〉中,除了在第五版和第六版中列有〈中國文學系課程指導書摘要〉

41 其中部分資訊係筆者向明道大學中文系開悟講座教授胡楚生先生及中央研究院中國文哲研究所蔣秋華與楊晉龍二位研究員詢查,蒙三位教授不吝告知,在此特致謝忱。附帶一提的是,據胡教授告知,他亦曾於一九六六年至一九六八年左右在新加坡南洋大學中國語言文學系開授過經學史的課程,在他之前任此課者是黃六平(向夏)。此外,又據陳萬雄所撰之〈由一封信說起——追憶牟師潤孫先生〉所敘,牟潤孫(1908-1988)曾於一九六〇、七〇年代在香港中文大學新亞書院歷史系講授過「中國經學史」的課程。參牟潤孫撰:《海遺叢稿二編》(北京市:中華書局,2009年),頁341。

42 「經學王國」的封號見林慶彰:〈序〉,《五十年來的經學研究》,頁V。

43 關於「心理真實」的相關討論請參余英時:《論戴震與章學誠》(香港:龍門書店,1976年),頁59。

44 錢穆:《師友雜憶》,收入《八十憶雙親師友雜憶合刊》,頁161。

外，在第八版和第九版中亦同時刊載了〈史學系課程一覽〉。其中就列有錢先生自己在北大史學系所開設的「中國上古史」、「漢魏史」和「中國近三百年學術史」，但有趣的是，馬裕藻的「經學史」就出現在第五版的中文系C組的課程中。當時剛從燕京大學轉入北京大學的錢先生是否看到過這份發行於北大校園內帶有公報性質的刊物？他是否有從該《日刊》中或校內其他的訊息管道留意到中文系的課程？抑或看到之後，但最後也隨著日子的流逝而逐漸淡忘了？……這些問題都是無法再去證實的，但有一點似乎是比較肯定的，意即，錢先生在形成他的「心理真實」的過程中，他對大學中的經學課程的消亡與否有時並不是抱持那麼絕決而肯定的態度，例如，他在一九六九年三月為劉百閔（1898-1968）的《經學通論》寫序時便曾表達過如下的意思：

> 輓近中國大學設經學科者已不多……竊謂經學既為中國文化淵源所自，於大學文學院設科講授，自屬必要。……如今在大學文學院設「經學通論」一科，以一年之課程，每週兩小時，全年不到一百小時，亦可使學者稍知經學之大體大意，揭示其大義要旨而有餘矣。劉君此書，若繩之以清儒之榘矱，誠若寡薄，未進於專門之奧窔，然庶有當於大學設教之所期嚮。[45]

劉百閔長期任教於香港大學中文系，錢先生曾與其共事過。[46]《經學通論》一書係劉氏的遺稿，錢先生認為此書「似為其在港大之講義」。[47]對照錢先生這些話，不禁令人有如下的猜想，亦即：劉百閔在港大中文系教授經學相關的課程，而《經學通論》一書當為其上課講義。[48]亦曾在港大中文系任教

45 錢穆：〈劉百閔經學通論序〉，《素書樓餘瀋》，收入《錢賓四先生全集》，冊53，頁41-43。

46 錢穆：〈故友劉百閔兄悼辭〉，《八十憶雙親師友雜憶合刊》，頁419-424；又參錢穆撰：《師友雜憶》，《八十憶雙親師友雜憶合刊》，頁304-305。

47 錢穆：〈劉百閔經學通論序〉，《素書樓餘瀋》，頁41。

48 單周堯主編之《香港大學中文學院歷史圖錄》（香港：香港大學中文學院，2007年）所收錄的香港大學一九五三至五四年度校曆複印圖版所載之文科中文課程（頁73-75），

過的錢先生[49]，或許在寫〈序〉的當時，腦海中還存有劉百閔在港大講授經學的印象，所以才有如上「於大學文學院設科講授，自屬必要」、「如今在大學文學院設『經學通論』一科，以一年之課程，每週兩小時……亦可使學者稍知經學之大體大意」等帶有欣勉嘉許意味的話語。尤其直謂劉氏此書「庶有當於大學設教之所期嚮」，更可明白看出錢先生此時應該不會有前引《經學大要》之〈出版說明〉所謂之「經學一課停開，竟因循數十年未能恢復」之絕決認知。

但畢竟先入為主的成見往往是牢不可破的，錢先生有時雖似有察覺實際情形的言論表現，但隨著他年歲的增加，以及晚年視力的衰退，盤桓在他腦海長達數十年的印象終究還是構成了他對此事的主要認知，而此認知不但形成了他的「心理真實」，而且還透過了錢先生的巨大學術影響力，主導了許多學者對這段攸關現代大學中之經學教育的歷史認知，而且更可能從而形塑或構造出了這段歷史。如果一旦正式進入學術史家的歷史書寫中，這個印象就很可能變成二十世紀經學史的組成部分與其中內容。

三　從大學課表中逐漸被擦掉的經學課程

雖然錢先生上述的回憶與事實不合，自一九三〇年秋天之後，經學課程並未完全從大學課表中消失，但即使經學的講授在若干大學講堂中仍然弦歌不輟，然而這卻猶如殘陽落日的光暉，畢竟掩蓋不了經學在現代高等教育體

以及羅香林（1906-1978）在〈香港大學中文系之發展〉文中根據香港大學一九五七年至一九六〇年各年度之校曆整理出香港大學中文系這五年來各年級之課程內容，其中一年級中國文學的課程中皆有「經學導論」(Introduction to the Chinese Classics）這門課。羅文同時又提到劉百閔於一九五二年被港大中文系聘為專任講師，一九五六年升任為高級講師，而系中中國文學方面的課程由劉百閔與饒宗頤二先生講授。由此可以證實劉百閔確曾有在港大中文系開設過「經學導論」的課程。羅香林此文收入氏撰：《香港與中西文化之交流》(香港：中國學社，1961年初版)，引據相關段落參頁231-232。

49 參錢穆：《師友雜憶》，《八十憶雙親師友雜憶合刊》，頁304-305。

系中全面潰退的命運。從這個角度來說，錢先生的回憶雖在某些細節上與史實不合，但卻也敏銳地洞悉了這個趨勢。

最具關鍵意義的事件是國民政府教育部所主導的大學院系課程之整理修訂工作，從其中很可以窺見經學課程在現代大學教育體系中的地位之升降。一九二九年，教育部組織成立了大學課程及設備標準起草委員會，正式展開了對大學課程之整理工作。到了一九三八年，教育部決定先從文、理、法三學院的課程開始整理，並隨之頒布了「文、理、法、農、工、商之分院共同必修科目表」（於一九三八年度實施）。一九三九年時，教育部又制定了「師範學院分系必修及選修科目表與各學院分系必修選修科目表」（於該年度第二年級學生開始施行），以作為抗戰初期統一各校標準，提高學生程度而修正大學課程之依據。[50]此後每隔四、五年即再加以修訂，直至一九八一年，一共進行了七次的課程修訂，其中與文學院與師範學院課程有關的修訂共有六次。[51]在教育部於一九三八年九月二十日所頒布的「文學院共同必修科目表」，以及一九三九年八月十二日頒布的「大學文理法農工商各學院分系必修及選修科目表」與一九三九年十二月發頒的「師範學院分系必修及選修科目表」中，其中無論在「文學院共同必修科目表」中，還是在「中國文學系必修科目表」、「中國文學系選修科目表」、「中國文學系語言文字組必修科目表」、「中國文學系語言文字組選修科目表」，以及師範學院中的「國文學系必修科目表」、「國文學系選修科目表」中都完全不見經學的課程。而在歷史學系的必、選修科目表和師範學院中的史地學系必、選修科目表中，情況亦皆然。[52]這些科目表到了一九四四年又做了第一次的修訂，於該年九月二十

50 參中華民國史教育志編纂委員會：《中華民國史教育志（初稿）》（臺北市：國史館，1990年），頁164。

51 參中華民國史教育志編纂委員會：《中華民國史教育志（初稿）》，頁166-167；另參教育部高等教育司編印：《修訂大學課程報告書》（臺北市：教育部高等教育司，1973年），頁3-4、6-7、9-11。

52 參教育部編：《大學科目表》（重慶市：正中書局，1940年），頁23-24、35-40、48-51、108-111、123-127。

七日公佈，情況依然沒有改變。[53]一九四八年十二月二十日教育部所頒發的〈大學文理法醫農工商師範八學院共同必修科目表及分系必修科目表〉是第二次的課程修訂，在文學院的共同必修科目，以及中文系、歷史系、師範學院國文系與史地系等必修科目中也都找不到一門經學的課。[54]雖然據《北京大學校史》的記載，當時學校當局對於全校共同必修課目基本上是按照部訂的課程來實施的，但各系的必修和選修科目在實際確定課程時是多有變通的，並沒有完全按照教育部制定的一套執行。[55]但從全國最高教育主管機關對大學統一課程的制定過程中所展露出對經學課程的態度，以及統一課程實施後所發揮的實際影響，還是可以很具體的評估經學課程在大學教育體系中所受到的衝擊，以及其地位陵夷的趨勢。以燕京大學和北京大學為例，這兩校中文系分別在一九四一年和一九四八年的課程中，就如同教育部所頒布的統一課程，都沒有任何一門經學的課。[56]

國民政府遷臺之後，情況是否有好轉？詳查一九五八年十二月三十日教育部頒布的第三次課程修訂的結果：「修訂文學院共同必修科各學系必修科科目表」，其中還是沒看到經學的課程。[57]一九六五年九月二十一日公布的「修訂文學院共同各學系必修科目表」，這是第四次對文學院課程的修訂，但情況依然沒什麼改變。[58]直到一九七二年與一九七五年，教育部又分別對

53 參教育部高等教育司編訂：《修訂大學科目表》，頁74-84、90-93、146-150、152-156。

54 參教育部高等教育司編訂：《修訂大學科目表》（臺北市：教育部高等教育司，1955年重印），頁4-6、8-9、65-66、69-70。

55 參蕭超然等編著：《北京大學校史（1898-1949）》（北京市：北京大學出版社，1998年），頁382-383。

56 燕京大學中文系的課程參燕京大學編：《燕京大學課程一覽》（北平市：燕京大學，1941年），頁28-37。北京大學中的課程參蕭超然等編著：《北京大學校史（1898-1949）》，頁466。

57 參教育部高等教育司編著：《大學科目表彙編》（臺北市：正中書局，1961年臺初版），頁8-11、14-15、158-159、162-163。

58 參教育部高等教育司編印：《修訂大學科目表》（臺北市：教育部高等教育司，1965年初版、1970年再版），頁2-5、13-14、20-21、24-25。

當時的大學課程進行第五與第六次的修訂，在這兩次修訂所頒布的「大學必修科目表」中，無論是文學院中的中國文學系（含文藝組）、歷史學系，或師範學院中的國文學系與歷史學系亦均未見經學課程的蹤影。[59]

必須聲明的是，這些部頒的大學科目表所規範的都是大學及學院中的課程，並未包括研究所，而且自一九四八年第二次課程修訂後幾次所頒佈的大學科目表，其所規範的也是必修科目，未包括選修科目，因此也許不能完全反映現代大學，尤其是一九四九年後的臺灣地區大學中的經學教育的真實情況。應該這麼說，臺灣經學教育的重心其實是擺放在研究所階段，而非大學部。以臺灣師範大學一九五九年和一九七〇的課程為例，這兩個年度的大學部的國文學系都沒有一門經學的課，但一九五九學年度的國文研究所卻同時開設了「群經大義」和「經學史」兩門課，一九七〇學年度的國文研究所也依然有「群經大義」這門課，而且還是必修課。[60]與此類似的是，在國立政治大學一九六二年中文系的課表中也沒有一門經學的課。[61]但若翻查教育部高等教育司於一九七八年編印的《大學暨獨立學院各研究所碩博士班現行科目表》，其中設有中文或國文研究所的大專院校計有臺灣大學、政治大學、臺灣師範大學、臺灣省立高雄師範學院、東海大學、輔仁大學、東吳大學與中國文化學院等八校，除了臺灣大學和東吳大學之外，其餘六校的中文所或國文所在一九七七學年度報給教育部的課程中皆有經學的課程。[62]臺灣的中文研究所教育重視經學的課程，這也反映在從一九五〇至一九八〇年代，中

59 參教育部高等教育司編印：《修訂大學課程報告書》，頁33-35、53-54、494-496、499-500。

60 參臺灣省立師範大學編印：《臺灣省立師範大學課程綱要》（臺北市：臺灣省立師範大學，1959年），頁16-17、32；國立臺灣師範大學編印：《師大要覽》（臺北市：國立臺灣師範大學，1970年），頁60、67、90-93。

61 參國立政治大學編印：《國立政治大學課程說明概覽》（臺北市：國立政治大學，1962年），頁2b-3b。

62 政大中文所碩士班開有「經學史」、臺師大碩博士班、高雄師範學院碩士班、東海大學碩士班和文化學院碩士班皆有開「群經大義」、輔仁大學則是開「經學專題研究」。以上參教育部高等教育司編印：《大學暨獨立學院各研究所碩博士班現行科目表》（臺北市：教育部高等教育司，1978年），頁159、301、311、480、482、504、602。

文研究所碩、博士班充斥著大量以經學為研究主題的學位論文，以及不少學校博士班入學考試還保有中國經學史這個學科。[63]嚴格來說，臺灣所擁有的「經學王國」的光環應該是在那個年代才是最閃亮耀眼的，特別是對照著中國大陸自一九六六年爆發文化大革命後，不但經學學科從各級學校的課目中消失，而且圖書館的圖書分類更見不到經學的類目的悲慘狀況[64]，這個光環顯著更加的光彩奪目。

但隨著時代環境的變遷，光環畢竟也有生鏽的時候，誠如林慶彰先生所說的：

> 民國八、九十年代以來，臺灣本土化的呼聲越來越強烈，所謂本土化，就是要強調臺灣的主體性。什麼可以反映臺灣的主體性，在學校課程方面，就是要增加臺灣文學的課程，甚至設立臺灣文學系、臺灣文學研究所。現在設有臺灣文學系、所的學校還不多，但在中國文學系、所中挪出部分中國文學的課程，改開臺灣文學課程，也是必然的事。哪些課程應該被取代，最先受影響的是小學、經學的課程，也就是本土化壓縮了小學和經學的空間。由於臺灣文學的課程越開越多，許多研究生選擇以臺灣文學作為學位論文也加倍的成長，這又奪走了部分想研究經學的學生。[65]

就筆者的理解，小學、經學的課程的被擠壓，不能完全歸咎於本土化教育的抬頭，而是整體古典課程（包含古典文學、義理、經學、小學及圖書文獻學）被現代課程（現代文學、用白話文書寫的臺灣文學及文學創作與傳播）

63 以臺大中文系為例，其在民國六十三年（1974）二月九日的系務會議中曾規定，非中文研究所碩士班之畢業生報考該系博士班者應舉行筆試，而在六科筆試科目中的「中國學術史」一科就包含了「文學史」、「經學史」與「哲學史」。此外，在民國六十四年（1975）一月二十九日討論刪減研究所入學考試專科選考種類的五人小組會議中亦做出決議，將「經學史」一科列入刪減後的二十四種選考科目之一。（以上俱參國立臺灣大學中國文學系編：《國立臺灣大學中國文學系系史稿》，頁54、59。）

64 以上俱參林慶彰撰：〈序〉，《五十年來的經學研究》，頁V。

65 林慶彰：〈序〉，《五十年來的經學研究》，頁V-VI。

侵蝕的結果。但雖同樣受到現代課程的侵逼，古典課程中的古典文學、義理及小學的課程，或因其本身仍有一定的學科競爭力，或因其有必修及研究所考試的保障，因而基本上還能維持一定的局面於不墜。但既未受到必修保障，又未受到研究所考試青睞的經學及圖書文獻學，其在現階段臺灣的大學教育中的前景似乎就不那麼樂觀了。誠如林慶彰先生所觀察的，臺灣的經學因為還保有數十年深厚的傳統（筆者案：也就是還有一定的學科競爭力），至少還能維持小康的局面。但如果局面再持續惡化下去，恐怕「三十年後反而要再向大陸取經」。[66]

從清末民初到戰亂頻傳的三、四〇年代，直到一九四九年後兩岸分治後的情勢，以迄今日，可以看到，大學中的經學課程的逐漸沒落消失似乎是一個整體的大的趨勢，但為何如此？其原因何在？這當然與經學在現代學術體系中的地位的衰微有直接的關係。陳以愛在《中國現代學術研究機構的興起——以北京大學研究所國學門為中心的探討（1922-1927）》一書中是這樣分析經學在近代的式微的：

> 扼要的說，從思想的層面看，諸子思想的再發現，清末的今古文之爭，西學的傳入，以及經學面對世變的束手無策，都造成經學地位的動搖。從制度上看，科舉制度的廢除，使經學頓失其社會基礎。清政權的結束，更切斷了長期以來經學與政治的緊密聯繫。一九一二年，蔡元培任民國首任教育總長時，宣佈廢止大學經科，經學的研究項目併入文科各學門，更加速了經學沒落的腳步。[67]

上述所羅列的種種因素，有外在的原因，如政治、制度的改變，也有學術本身內部的原因，如諸子學興起、今古文之爭、西學的衝擊等。不過這些恐怕都不是最主要、最關鍵的因素。因為向來被視做經學附庸的小學，何以沒有因此隨著經學一起沒落，反而在現代學術體系中獲得新生，站穩了其在中文

---

66 林慶彰：〈序〉，《五十年來的經學研究》，頁VI。

67 陳以愛：《中國現代學術研究機構的興起——以北京大學研究所國學門為中心的探討（1922-1927）》，頁265-266。

學門中的地位？筆者揣測最重要的原因應該是經學未能在這場由古到今、由舊到新、由中到西、由傳統到現代的學術轉型中，找到其適切相應的位置。在這個新舊、中西學術轉型運動中，凡是能順利轉換軌道的，大概都能在現代學科體系與教育系統中獲得安身立命的機會，如傳統的辭章之學轉換為「中國文學（史）」的研究與教學，傳統的義理之學及子學、理學等可以轉換為「中國哲學（史）」或「中國思想史」，小學則有西方的語言學（linguistic）及語文學（philology）以資銜接，傳統的史學亦可銜結上西方的歷史學。但經學呢？經學是面臨根本的「無軌可轉」的窘境[68]，甚至連保有「經學」之名的正當性亦倍受挑戰，如朱希祖就曾在一九一九年強烈的呼籲：「經學之名，亦須捐除」。[69]正是在這樣一個從傳統「四部之學」轉換到現代學術體系的過程中，無軌可轉的經學其存在之正當性不但飽受質疑，且其學科本身之整體性、獨立性與主體性也隨之消融殆盡，因而其在現代大學教育中的結局就是被支解分裂成個別經書典籍，蒙文通（1894-1968）對此深有所感，其云：

> 自清末改制以來，昔學校之經學一科遂分裂而入於數科，以《易》入哲學，《詩》入文學，《尚書》、《春秋》、《禮》入史學，原本獨特宏偉之經學遂至若存若亡。[70]

左玉河亦持類似的觀點：

68 關於學術體系轉換的討論可參陳以愛：《中國現代學術研究機構的興起——以北京大學研究所國學門為中心的探討（1922-1927）》，頁410-419：及左玉河：《從四部之學到七科之學——學術分科與近代中國知識系統之創建》（上海市：上海書店出版社，2004年），頁423-432。

69 朱希祖：〈整理中國最古書籍之方法論〉，收入周文玖選編：《朱希祖文存》（上海市：上海古籍出版社，2006年），頁94。

70 蒙文通：《經史抉原》，《蒙文通文集》（成都市：巴蜀書社，1995年），卷3，頁150。蒙先生對這樣的發展態勢自然是難予以苟同的，他將原因歸咎於「殆妄以西方學術分類衡量中國學術，而不顧經學在民族文化中之巨大力量、巨大成就之故也。」因為在他眼中，「經學即是經學，本為一整體，自有其對象，非史、非哲、非文，集古代文化之大成，為後來文化之先導者也。」（同上）

> 一九一二年民國成立後，經學科正式從分科大學中取消，經學及其所屬之典籍，被分解歸併到文、史、哲等近代學科體系中，經學因失去其必要的生存空間而漸趨衰亡。[71]

民國二十七年參與教育部課程整理的朱自清（1898-1948）正是抱持這樣的想法[72]，如他在〈部頒大學中國文學系科目表商榷〉一文中就是如此說的：

> 按從前的情形，本來就只有經學，史子集都是附庸；後來史子由附庸而蔚為大國，但集部還只有箋注之學，一直在附庸的地位。民國以來，康、梁以後，時代變了，背景換了，經學已然不成其為學；經學的問題有些變成無意義，有些分別歸入哲學、史學、文學。諸子學也分別劃歸這三者。集部大致歸到史學、文學；從前有附庸和大國之分，現在一律平等，集部是升了格了。[73]

既然經學已然不成其為學，因此在大學中文系的課程中，沒有經學的課也是理所當然的。

經學雖然不成其為學，但不表示構成經學的主體──經書──是沒有價值的，在朱自清參與修訂的民國二十七年的大學科目表中，中國文學系的必修科目表就列有「中國文學專書選讀（一）」的課，其內容則是「群經諸子」。[74]這就是典型的將經學支解為經典的做法，一個龐大的經學體系（包含經學學理、意識型態及世界觀等）就如同被拆碎下來的七寶樓臺，僅成個別存在的「經典」、「經書」或「古籍」而已，此所以朱自清特別強調經典訓練的重要。他在民國二十三年（1934）擔任清華大學中國文學系系主任時，

---

71 左玉河：《從四部之學到七科之學——學術分科與近代中國知識系統之創建》，頁247。

72 朱自清不但參與民國二十七年的課程修訂，而且還是中國文學系的科目表草案的起草人員，參教育部編：《大學科目表》，頁11。

73 朱自清：〈部頒大學中國文學系科目表商榷〉，《朱自清先生全集》（南京市：江蘇教育出版社，1993年），卷2，頁10。

74 教育部編：《大學科目表》，頁35。

曾為入學新生撰寫過一篇介紹清華中文系概況的文章，他將系裡的必修課程分為基本科目及足資比較研究之科目。而所謂基本科目又兼指工具科目與國學基礎的科目。在他的心目中，「中國文字學概要」、「中國音韻學概要」及「英文」是屬於工具科目，而「中國哲學史」、「中國文學史」與「國學要籍」則是屬於國學基礎科目。他認為「國學要籍」一科，「用意在讓同學實實在在讀些基本的書，培養自家的判斷力；不拾人牙慧，不鑿空取巧。」當時清華中文系所定的要籍共有《論語》、《孟子》、《莊子》、《荀子》、《韓非子》、《史記》、《詩經》、《楚辭》、《文選》與《杜詩》，等。[75]由此又可看出，他雖然重視經典，但經典卻早已超出經學的範圍，而包括史、子、集三部的書了。這個態度與他在一九四二年寫成於昆明西南聯大的《經典常談》是一致的，他在這本書的序言中力陳傳統的讀經教育之「偏枯失調」，使學生食而不化，也批評了民國以來的讀經運動之不當。他認為初、高中的國文教材，從經典中選錄的也不少，「可見讀經的廢止並不就是經典訓練的廢止」。他更進一步強調，經典訓練不但沒有廢止，而且是擴大了範圍。不但不以經為限，而且又按著學生程度選材，可以免掉他們囫圇吞棗的弊病，他直承「這實在是一種進步」。[76]

將經學取消，使傳統的經學教育化整為零，成為經典的教育，再將經典的範圍擴大，涵蓋史、子、集的典籍，這樣的課程觀念也貫徹在朱自清曾主持過的西南聯大中國文學系。[77]自一九三七年至一九四六年的九年中，聯大

75 以上俱見朱自清：〈中國文學系概況〉，《朱自清先生全集》，卷8，頁413-414。

76 朱自清：《經典常談・序》，《朱自清先生全集》，卷6，頁3。

77 朱自清在一九三七年抗戰初期，北京大學、清華大學與南開大學初遷至長沙組織成立長沙臨時大學時，即已擔任中文系教授會主席，實際主掌系務，此時他仍繼續擔任清華大學中文系主任。至一九三八年臨大遷至昆明，改稱西南聯合大學，一九三九年六月，教授會主席改稱系主任，同年十一月，朱自清因病休養，主任由羅常培（1899-1958）暫代。一九四〇年六月，朱自清辭去聯大及清大中文系主任職務，分別由羅常培、聞一多（1899-1946）接任。以上參西南聯合大學北京校友會編：《國立西南聯合大學校史——一九三七至一九四六年的北大、清華、南開（修訂版）》（北京市：北京大學出版社，2006年2版），頁89、95。

中文系一共開出了一〇七門專業課，其中文學課程約占百分之六十五，語言文字課程約占百分之三十五，沒有一門經學的課。經書被置放在「中國文學專書選讀」這門必修課中。這門課一共開了二十五種專書，與經學有關的經典計有《詩經》、《尚書》、《周易》、《左傳》、《論語》、《孟子》等六種。[78]

將經學支解為經書，使經學的課程在大學文學院（中文系、歷史系與哲學系）的講堂中「經書化」、「經典化」、「專書化」、「古籍化」，甚至「史料化」，這恐怕是經學最終在大學教育中的宿命。朝樂觀方向來看，在大學講堂中講授經書，這代表經學的傳承還沒有真正的斷絕。但部分的總合畢竟不等於整體，更何況在現實的情況下，這些個別經書的課程往往也並沒有什麼機制將其從整體經學的角度整合在一起，甚至教授者也非採取「經學本位」的立場來講授，而是從文學、語言文字學、史學或哲學等其他學科的立場來看待這些經書。因而從悲觀的方向來看，現代大學中的經學教育的命運或許就像全球暖化效應下的北極冰山，隨著外在大環境的不斷惡化，正一步步朝向冰融山崩的結局。

四　結論

對現代大學中的經學教育的研究不但有助於釐清一些學術史上的疑問，而且也可使吾人能更加深入地掌握該學科在由傳統走向現代學術體系的建構過程中，其所面臨的種種挑戰，以及可能開發出的種種新的關注面向與研究議題。

就前者而言，本文檢討了錢穆在《師友雜憶》及《經學大要》中對現代大學中的經學課程終結的回憶之真實內容及所反映的實質情景。錢先生回憶的關鍵就在於他的那篇深具影響力的〈劉向歆父子年譜〉一文。照錢先生的

78 參西南聯合大學北京校友會編：《國立西南聯合大學校史——一九三七至一九四六年的北大、清華、南開》，頁91-95。又蕭超然等編著的《北京大學校史（1898-1949）》亦載有聯大中文系一九四四至一九四五年度的課程表，以及該課的實施方式，參該書頁387-389、393。

敘述脈胳來看，他寫作此文的主要目的是要破除當時盛行於學界的以康有為為代表的今文經說，而康說的主旨就在於劉歆遍偽群經。康說既破，自然就消弭了晚清以來紛擾於學界的今古文之爭，這是錢先生此文所發揮的第一個效應。此外，從錢先生的角度來看，康有為的說法又佔據當時北平各大學經學課程的講堂，因此當今古文之爭消弭平息下來之後，教授經學的教師們無法再照從前的方式教下去，便紛紛停開此課，終於導致了經學課程從大學講堂中「下市」、「下架」的命運，這是錢文所發揮的第二個效應。[79]因此可知，錢文這兩個效應是前後連動的，而最主要的關鍵也就在於錢文能否平息今古文之爭，或至少能說服立場傾向今文經學的學者，使其放棄劉歆造偽說的看法。對於錢文究竟能否達到這樣的效果，不但錢先生本人對此是堅信不疑的，而且也獲致許多學者的支持，如李木妙便直言：

> 自此書出，而晚清以來一百年的經學今古文爭論，遂得定讞；而乾嘉漢宋之爭，亦可由此推斷其無當。[80]

汪學群也如此認為：

> 〈劉向歆父子年譜〉不僅結束了清代經學上的今古文之爭，平息了經學家的門戶之見，同時也洗清了劉歆偽造經書不白之冤。[81]

錢先生著名的弟子余英時對此亦是深具信心，其云：

> 錢先生民國十八年在《燕京學報》上發表了〈劉向歆父子年譜〉，根據《漢書》中的史實，系統地駁斥了康有為的《新學偽經考》。這是

79 王汎森在〈錢穆與民國學風〉一文中就直云：「此文一出，各校以今文經學為主的經學史課為之停開。」見氏撰：《近代中國的史家與史學》（香港：三聯書店，2008年），頁228。

80 李木妙：《國史大師錢穆教授傳略》（臺北市：八方文化公司、揚智文化公司聯合出版，1995年），頁89。

81 汪學群：〈錢穆經學思想初探〉，《錢賓四先生百齡紀念會學術論文集》（香港：中文大學新亞書院，2003年），頁317。

> 當時轟動了學術界的一篇大文字，使晚清以來有關經今古的爭論告一結束。[82]

而錢先生另一位弟子何佑森（1931-2008）更以為此文：

> 不但結束了清代的今古文之爭，平息了經學家的門戶之見，同時也洗清了劉歆偽造經書的不白之冤。自從〈向歆年譜〉問世以後，近四十年來，凡是講經學的，都能兼通今古，治今文經的兼治古文，治古文經的兼治今文，讀書人已不再固執今文古文孰是孰非的觀念……。[83]

實情是否真如錢先生及其支持者所評估的那樣樂觀？這的確是個令人好奇的問題。然而從馬裕藻在一九三五年北大中文系的經學史課綱仍較傾向今文學說立場、顧頡剛本人在一九三〇年一至六月編寫的《中國上古史研究講義》、同年二月二十七日至六月二日撰寫的〈五德終始說下的政治和歷史〉及一九三三年二至六月撰寫的《漢代史講義》（即一九三五年上海亞細亞書局刊行的《漢代學術史略》）等論著中皆並未放棄劉歆作偽說[84]，以及收錄在一九三五年出版的《古史辨》第五冊中的多篇文章（尤其是錢玄同的〈左氏春秋考證書後〉、〈重論經今古文學問題〉）皆嗅不出錢文的影響等反應來看，所謂平息今古文之爭的評斷似還留有不少再評估的空間。[85]

---

82 余英時：《猶記風吹水上鱗——錢穆與現代中國學術》（臺北市：三民書局，1991年），頁138。

83 何佑森：〈錢賓四先生的學術〉，《何佑森先生學術論文集》（臺北市：臺大出版中心，2009年），下冊，《清代學術思潮》，頁471。

84 參顧潮編著：《顧頡剛年譜》，頁200-201、205、232-233。案：顧頡剛在撰寫這三部論著時皆已讀到錢穆此文，甚至在撰寫《中國上古史研究講義》與〈五德終始說下的政治和歷史〉時，他還同時在校對錢文以編入《燕京學報》。（參顧潮編著：《顧頡剛年譜》，頁208）更有甚者，在〈五德終始說下的政治和歷史〉的長文中，他也坦承在起草此文時，錢文所尋出的「許多替新代學術開先路的漢代材料」，使他「得到很多的方便」。參見顧頡剛編：《古史辨》（臺北市：藍燈文化公司，1987年翻印），冊5下編，頁483。

85 相關討論參劉巍：〈劉向歆父子年譜的學術背景與初始反響——兼論錢穆與疑古學派

就後者來說，從學科建構史的角度來省視經學學科在現代學術體系及高等教育系統中的地位及命運，無疑也是具有相當意義的工作。正如陳平原對中國文學史的反省，以及劉龍心對現代中國史學建立的探討[86]，均是足資借鑑的重要參考對象。有著兩千多年的中國經學這門學問，當其試圖轉型至現代學術的場域中時，同樣值得人們對其重新建構的種種過程，施以更多的關注。這種建構的過程涉及了學術體系與教育系統這兩個面向，本文所探討的現代大學中的經學教育議題就屬於後者。筆者認為，就經學學科在高等教育系統中所涉及的相關議題，除了課程的設置規畫與課綱內容所可能呈現出的學風流派外，教材與教科書也頗能顯現其時經學教育的相關內容。如京師大

的關係以及民國史學與晚清經今古文學之爭的關係〉，《紀念錢穆先生逝世十週年國際學術研討會論文集》，頁101-144。案：所謂平息今古文之爭的問題可以從兩個面向來思考，史實事件之探究與評斷是一回事；史實事件所產生之影響與效應又是一回事。就前者而言，錢文是否最終地解決了此問題，限於學識，吾人不敢論定。但就後者而言，無論就當時及往後的學術發展情況來看，皆似乎是超出錢穆的估計的。正文所引證的材料反映的是一九三〇年代學界的情況，但即使是到了一九七〇、八〇年代，今文經學的陰魂也始終沒有完全消散掉，如徐復觀（1903-1982）在一九八〇年所出版的《周官成立之時代及其思想性格》（臺北市：臺灣學生局，1980年）一書中便持「《周官》乃王莽劉歆們用官制以表達他們政治理想之書」的觀點（〈自序〉，頁1。）余英時就直指其「又回到廖（平）、康（有為）的立場」（見氏撰：《猶記風吹水上鱗》，頁144）又徐仁甫（行）（1901-1988）於一九八〇年撰成《左傳疏證》（成都市：四川人民出版社，1981年）一書亦仍持《左傳》劉歆偽作之說。由此看來，錢先生的這場驅除今文經學陰魂的工作還未能說已竟其功。又案：顧頡剛在一九三七年四月二十一日所寫的一段話或許可為思考此問題提供一具有啟發性的線索，其云：「近來學者厭倦於經今古文學的爭論，相率閉口不談這個問題，但古史問題又是非談不可，於是牽纏於漢人的雜說，永遠弄不清楚。」（見顧潮編著：《顧頡剛年譜》，頁307）因此究竟是今古文的爭論被「平息」、獲得「定讞」或「告一結束」了，還是這問題因經學在現代學術體系中的地位的消褪而根本被人們所遺棄了？頗令人玩味。

86 陳平原輯有《早期北大文學史講義三種》（北京市：北京大學出版社，2005年），其相關意見可參他為該書所撰寫的〈序〉，以及〈新教育與新文學〉，收入《中國大學十講》（上海市：復旦大學出版社，2002年）等文。劉龍心的相關論述則見於其所撰之《學術與制度——學科體制與現代中國史學的建立》（北京市：新星出版社，2007年）一書。

學堂時期的經學科教習王舟瑤（1858-1925）就曾編撰過《經學講義》。這部年代早於劉師培（1884-1920）《經學教科書》的講義很可能是中國現代最早的經學史專著[87]，長期無人重視，但其在內容上卻反映了當時的時代氛圍[88]，仍是有一定的價值。[89]又如香港大學中文學院區大典（1877-1937）所編撰的《香港大學中文學院經學講義》[90]，際遇亦一如王舟瑤的書，罕人聞問。這些書的客觀學術價值姑且不論，但做為現代大學中的經學教育的重要一環，其本身的存在亦足夠反映現代經學教育中的相關面貌，在學術史上當然具有一定程度的重要性，不容忽視。

---

87 一般都認為劉師培的《經學教科書》第一冊是中國最早的經學史著作。參見林慶彰：〈經學史研究的基本認識〉，《中國經學史論文選集》（臺北市：文史哲出版社，1992年），上冊，頁1；陳恆嵩：〈經學史研究〉，《五十年來的經學研究》，頁253。但劉師培的《經學教科書》約成書於光緒三十一年（1905），參陳居淵撰：〈前言〉，《經學教科書》（上海市：上海古籍出版社，2006年），頁6。而王舟瑤的《經學講義》卻成書於光緒二十九年（1903），刊行於光緒三十年（1904）。其書共有二編，第一編主要論述經學家法，歷述孔門教育、易家、尚書家、詩家、禮家、春秋家、孝經家、論語家、孟子家、爾雅家與小學家，粗具經學史的規模。（參《經學講義》〔北京：光緒甲辰官書局刊本〕，第一編，〈目錄〉）若該書經學史論述的性質可以確立的話，則王舟瑤的《經學講義》第一編就應是中國最早的經學史著作。

88 此可從《經學講義》第二編的〈目錄〉即可略窺一二，如〈通變篇〉、〈自強篇〉、〈進化篇〉、〈新民篇〉、〈大同篇〉、〈君民篇〉及〈復讎篇〉等。

89 張舜徽（1911-1992）對其《經學講義》評價頗不低，其謂：「余早歲讀其所編京師大學堂《經學講義》，內分《經學家法述》、《群經大義述》二編，考鏡源流，辨章同異，鈎稽博取，融會貫通。非群經爛熟於胸，實亦無由著筆。」參見氏撰：《清人文集別錄》（武漢市：華中師範大學出版社，2004年），頁552。又對《經學講義》相關的評介，請另參莊吉發：《京師大學堂》（臺北市：國立臺灣大學文史叢刊，1970年），頁70-71。

90 《香港大學中文學院經學講義》原署名「遺史」輯，約刊行於一九三〇年左右。梁紹傑判斷此書係該系創系主任賴際熙（1865-1937）所撰，然據許振興考證，認為該書的作者係當時在港大中文系負責講授經學的區大典，而非賴際熙。梁說見單周堯編：《香港大學中文學院歷史圖錄》，頁19；許說見氏撰：〈民國時期香港的經學：1912-1941年間的發展〉，「變動時代的經學和經學家〔1912-1949〕第一次學術研討會」（臺北市：中央研究院中國文哲研究所，2007年7月12-13日），頁19。

《臺灣文藝叢誌》第壹期徵文〈孔教論〉之「孔教」觀探究[1]

王淑蕙

南臺科技大學通識教育中心副教授

一　前言

自孔子編著六經，「儒學」成為中國主流學派以來，儒學因應不同社會變遷、時代思潮的挑戰而展現不同特質。其中因異族統治而使文人被迫抽離於原本的仕途者，亦代有可數。但多數是異族入主中原後，自然日久與中華文化經由再建構、再詮釋融為一元，形成中華文化的新資糧。然而，儒學在日治時期的臺灣，與過去中國歷史上北朝、元期、清朝相比顯然具有相當的特殊性。

改隸以來臺灣傳統文人千絲萬縷的艱難心境，有：過去清治下的百年儒學與漢族思維、乙未割臺時面臨身處邊緣文化的現實、日本殖民主以大正時期的日本新儒學，挾以作為進軍儒學文化圈之亞洲國家的精神武器，因此當時臺灣傳統文人至少面臨三股勢力交雜而來，正所謂內外交迫。若以前述觀點為基礎，則當時掌握發言權的日本學術界，其關鍵詞約有：「漢學」、「儒教」、「孔子教」、「支那學」[2]等差異，每一類背後均有許多複雜成因。限於

1　本文有關日文中譯的部分，感謝南臺科技大學應日系陳瑜霞教授協助。

2　陳瑋芬：〈第二章「漢學」、「儒教」、「孔子教」與「支那學」——由「儒學」的表述論近代日本漢學之內涵與特徵〉，《近代日本漢學的「關鍵詞」研究：儒學及相關概念的嬗變》（臺北市：國立臺灣大學出版中心，2005年），頁41。

篇幅，無意析論前述各關鍵詞與「孔教觀」定義的問題。本文主旨在分析：臺灣第一份漢文期刊《臺灣文藝叢誌》徵文中之〈孔教論〉，以釐清日治時期臺灣傳統文人之「孔教觀」，為了行文的便利，本文將統一以「孔教」作為廣義的關鍵詞。

本文所探討的時空點，是日治時期臺灣大正八年（1919年1月1日）發行的《臺灣文藝叢誌》首期全臺〈孔教論〉徵文。由於臺灣當時為日本殖民地，因此受異族統治下的傳統文人如何看待：過去科舉考試的主要核心概念「孔教」？而此「孔教觀」在殖民地的特殊時空下又展現出何種特殊性？為本文主旨。

二　文獻說明

一般日治時期研究，依王詩琅（1908-1984）的說法分為三階段，第一階段為驚魂未定的綏撫時期（1895-1919）；第二階段為文官治理的內地延長主義時期（1919-1937），第三時期是決戰下的皇民化時期（1937-1945）。當時臺灣兩大文社：崇文社創立於一九一七年、文社創立於一九一八（文社前身為櫟社，櫟社作為當時臺灣三大詩社，創立於 1902 年），均設於即將進入「內地延長主義時期」前夕。《臺灣文藝叢誌》同人如：林獻堂（1881-1956）、林幼春（1879-1939）、蔡惠如（1881-1929）等人，均為當時臺灣民族運動中重要的決策性人物，因此《臺灣文藝叢誌》之重要性不言可喻。相對於崇文社已有學位論文的研究成果，文社所發行的《臺灣文藝叢誌》較遲為學界所關注[3]。

3　本文首次發表於二〇〇七年中央研究院中國文哲研究所《變動時代的經學和經學家（1912-1949）第二次學術研討會。二〇〇七年之後，有關《臺灣文藝叢誌》的學位論文研究，有：吳宗曄，《《臺灣文藝叢誌》（1912-1924）傳統與現代的過渡》（臺北市：臺灣師範大學臺灣文化及語言文學研究所碩士論文，2009年）。其中第三章〈《臺灣文藝叢誌》古為今用的徵文內容探究〉、第三節〈傳統價值的辯護——以孔教論為主軸〉，與本文所論述之主題相似，均以「孔教論為主軸」進行論述。

一般以為《臺灣文藝叢誌》之所以刊行，與臺灣當時抗日運動由武力抗日轉向文化抗日有極大的關連性，因此往往作為新知轉介給臺民之重要漢文刊物。根據廖振富的研究，文社前身「櫟社成員雖多出自舊學背景，但一九〇六年組織化之始，在成員相互激勵之下，就帶動吸收新學知識的風氣。」[4]然而吸收新學知識的風氣或許限於社內，啟發文社（櫟社）成員傳播新知的時代責任者為梁啟超（1873-1929）。梁氏對臺灣日治時期著名仕紳林獻堂的影響[5]，其一是「梁啟超對林獻堂的影響代表著臺灣抗日運動的歷史發展」[6]：光緒三十三年（1907）林獻堂在奈良巧遇梁啟超，梁啟超針對臺灣情勢，告之曰『中國在今後三十年，斷無能力幫助臺人爭取自由。故臺灣同胞，切勿輕舉妄動，而供無謂之犧牲。……』」[7]；其二是宣統三年（1911）遊臺時，梁啟超「到霧峰的第二天，他對灌老和幼春先生勸告，叫他們不可『以文人終身』，須要努力研究政治、經濟以及社會思想等學問，並即席舉筆……開列計達一百七十餘種，都是東西的名著」[8]。前者的影響是對林獻堂個人，後者則影響臺灣知識分子從四書五經的範疇，跨越至新學問與新思想。[9]因此由櫟社同仁所組成的文社，文社所發行的《臺灣文藝叢誌》，成為日治時期第一份大量介紹、譯介現代性新思潮的漢文雜誌，也足見梁啟超對日治時

4　廖振富：〈〈傅錫祺日記〉的發現及其研究價值：以文學與文化議題為討論範圍〉，《臺灣史研究》第18卷第4期（2011年12月），頁232。

5　「獻堂受梁任公的影響，甚至亦間接決定了臺胞在日據時代的政治運動採取溫和的路線。」鍾美芳：〈日據時代櫟社之研究（下）〉，《臺北文獻》第79期（1987年3月），頁50。

6　邱白麗：〈梁啟超在臺灣〉，收入林慶彰等主編：《近代中國知識分子在臺灣》（臺北市：萬卷樓圖書公司，2002年），頁79。

7　葉榮鐘編：《林獻堂先生紀念集》（臺北市：林獻堂先生紀念集編纂委員會，1960年），卷1，頁15。

8　凡夫：〈梁任公與臺灣〉，《臺灣文藝》第1卷第1期（1964年4月），頁26。

9　凡夫：〈梁任公與臺灣〉「他在短短十數日間，不但使全臺的父老們五體投地，景仰禮讚，一般青年智識份子，也頗受到他的影響。所以自是以後，『理想』、『現實』、『目地』、『計劃』，一類的新名詞，就漸漸地被青年人襲用」，頁27。

期臺灣由武裝抗日轉由啟發民智、文化抗日具有某種程度的啟發[10]，《臺灣文藝叢誌》或為其成果之一。

《臺灣文藝叢誌》正式發行於一九一九年一月一日。當一九一九年十月舉辦「臺灣文社正式成立大會」，當時社員人數已達四百八十人，並選出各地理事[11]，換言之，臺灣文社藉著雜誌的發行舉辦各項文化活動，企圖形成長期性的全臺鄉紳、文人集團，同時透過全臺的「理事」，更進一步形成相當有規模而且有效率的全臺鄉紳、文人組織。[12]又《臺灣文藝叢誌》成立之時間點，為日本殖民政府對傳授漢文書房採取漸禁政策之時，從一九〇三年上課時數五小時且以日語解釋漢文，至一九一八年每周上課時數剩下二小時。[13]又從一九一〇年代中期開始，書房教師被迫與「國語普及」運動結合[14]，因此書房已非「傳播民族精神的重要處所」[15]，在種種現實交逼之下，一九一九年由林獻堂所資援發行的《臺灣文藝叢誌》[16]，陳滄玉（1875-1992）[17]於發刊序云：「經史者，文學之源泉也。……探求經史之精奧，發為文學之光華，不特維持漢學於不墜，抑且發揚而光大之，豈非吾輩之責任乎？願與全

10 莊永明：〈非武裝抗日啟蒙人〉，《臺灣記事——臺灣歷史上的今天（上）》（臺北市：時報文化出版公司，1989年初版）。一九一一年三月二十八日：「臺灣民族運動健將洪元煌（1883年8月28日-1958年1月19日）曾對當年弱冠的史學家王詩琅說：『你們這一代受著胡適、陳獨秀的影響，我們這一輩則受梁啟超的影響最大』。」

11 〈臺灣文社正式成立大會記〉，《臺灣文藝叢誌》第11號（1919年11月）。

12 川路祥代：《殖民地臺灣文化統合與臺灣傳統儒學社會（1895-1919）》（臺南市：國立成功大學中國文學研究所博士論文，2002年），頁203。

13 吳文星：〈日據時代臺灣書房之研究〉，《思與言》第16卷第3期（1978年9月），頁75-79。

14 吳文星：〈日據時期臺灣書房教育之再檢討〉，《思與言》第26卷第1期（1988年5月），頁104。按：當時的國語指的是日語。

15 同前註，頁108。

16 《臺灣文藝叢誌》〈臺灣文社設立之旨趣〉中「臺灣文社規則」中：「理事及其擔任事務」一項，林獻堂擔任「財務」一職。

17 櫟社（詩社）同人設立文社，文社同人發行《臺灣文藝叢誌》，陳滄玉曾於櫟社創立初期擔任理事。

島有志之士，共致力於斯焉！」[18]透露承接傳統儒學的強大企圖心；同時「全島有志之士」，代表每期徵文均是擴及全臺，而《臺灣文藝叢誌》第壹期徵文，以〈孔教論〉[19]為題，必有其嚴肅的意義。[20]故此本文以「《臺灣文藝叢誌》第壹期徵文〈孔教論〉之「孔教」觀探究」為題，執「《臺灣文藝叢誌》第壹期徵文〈孔教論〉經典徵引探究」、「孔教的時代意義與對其他宗教的回應」、「殖民地色彩的『孔教觀』」三端論述之。

三　《臺灣文藝叢誌》第壹期徵文〈孔教論〉經典徵引探究

由第壹期《臺灣文藝叢誌》發刊序言：「探求經史之精奧……維持漢學於不墜」，可見其漢學立場根植於「經史之精奧」的嚴正角度，因此應當檢視〈孔教論〉二十篇徵文之內容，是否符合經史之精奧。茲將〈孔教論〉二十篇徵文內容拾掇其經典，並一一循其出處、整理，排列如下：

> 《論語》六六例、《禮記‧中庸》三六例、《孟子》二一例、《禮記‧大學》十六例、《書經》八例、朱熹《中庸章句》七例、《史記‧孔子世家》五例、《易經》五例、《春秋》三例、《詩經》三例、《禮記》二例、〈正氣歌〉二例、《春秋‧左氏傳》一例、《儀禮》一例、《老子》一例、《孝經》一例、《孔子家語》一例、蘇軾〈潮州韓文公廟碑〉一

---

18 詳參陳滄玉：〈文藝叢誌發刊序〉，《臺灣文藝叢誌》第1號（大正8年1月1日）。

19 目前以《臺灣文藝叢誌》第1期徵文〈孔教論〉為主題的有：川路祥代：〈一九一九年日本殖民地臺灣之〈孔教論〉〉，《成大宗教與文化學報》第1期（2001年12月），頁1-32。唯川路祥代以「日據時期殖民地政權與臺灣傳統知識份子之互動關係」的視角，與本文以「孔教」之研究主旨不同。

20 同時期的崇文社亦是全臺徵文，然本文僅以《臺灣文藝叢誌》〈孔教論〉徵文為研究範疇，其因有二：前述崇文社已有學位論文，蘇秀鈴：《日治時期崇文社研究》（彰化市：國立彰化師範大學中國文學教育研究所碩士論文，2001年）；另根據蘇秀鈴：《日治時期崇文社研究》的研究：「在文宗詞宗的聘選與參與徵文的投稿者上，崇文社與臺灣文社其實有相當高的重疊性」（頁21）此其二。

例、柳宗元〈答韋中立論師道書〉一例、《三字經》一例、《楞嚴經》一例。[21]

由以上量化的結果，可以看出〈孔教論〉作者羣所徵引的經史範圍與十三經的關係。

首先、引文屬十三經範圍的是：《詩經》、《書經》、《易經》、《儀禮》、《禮記》、《春秋．左氏傳》、《論語》、《孝經》、《孟子》共九經。也就是說：《周禮》、《公羊》、《穀梁》、《爾雅》等四經未被援引。十三經引用了九經一百六十四例，佔總數一百八十三例的九成。同時論述六經者，如：第三名洪少陵「本之詩以求其恆，本之書以求其質，本之易以求其動，本之禮以求其宜，本之春秋以求其斷。」（頁 5）；第四名黃茂笙「溫柔敦厚，詩教也；疏通知遠，書教也；廣博易良，樂教也；潔靜精微，易教也；恭儉莊敬，禮教也；屬辭比事，春秋教也。」（頁 6）；第十五名黃孜業「溫柔敦厚而不愚，理性情之詩教也。……廣博易良而不奢，滌邪穢之樂也。……絜靜精微而不賊，知進退之易教也。……恭儉莊敬而不煩，謹節文之禮教也。」（頁 16）；另黃茂笙及洪少陵均援引《禮記．經解》篇、柳宗元〈答韋中立論師道書〉原文；黃孜業不僅援引《禮記．經解》，更論述其內容。

其次，引文非十三經範圍的有：朱熹《中庸章句》、《史記．孔子世家》、〈正氣歌〉、《孔子家語》、蘇軾〈潮州韓文公廟碑〉、柳宗元〈答韋中立論師道書〉、《三字經》、《楞嚴經》。其中與詮釋儒家經典有關的是：朱熹《中庸章句》、柳宗元〈答韋中立論師道書〉共八例，與聖人（孔子）相關的有《史記．孔子世家》、《孔子家語》、蘇軾〈潮州韓文公廟碑〉共七例，除《孔子家語》有偽書的問題外，其餘也算是廣義的經典援引。加上十三經的一百六十二例，則共有一百七十七例。餘四例為標舉民族氣節的〈正氣

---

21 請參看本文附錄。〈孔教論〉二十篇徵文拾掇自經典之總數是一八三，較附錄總欄多，原因如：〈孔教論〉第十六名：澎湖．黃德臣「宮牆數仞，仰之彌高。」，兩分句分引自《論語．子張》子貢曰：「夫子之牆數仞，不得其門而入……」及《論語．子罕》顏淵喟然歎曰：「仰之彌高，鑽之彌堅……。」雖有兩引文，但因文氣一貫，因此合為一欄。

歌〉二例，與「人之初，性本善」性善說的《三字經》一例，與闢佛所引的《楞嚴經》一例。由此援引儒學經典的比例，及作者於全臺的分佈（臺北一人、桃園一人、新竹一人、南投一人、臺中五人、彰化二人、臺南六人、澎湖二人、屏東一人）。均可看出「全島有志之士」們[22]對於陳滄玉《臺灣文藝叢誌》的發刊序：「經史者，文學之源泉也。……探求經史之精奧」，頗為呼應。

四　孔教的時代意義與對其他宗教的回應

前述《臺灣文藝叢誌》正式成立之時間點，為日本殖民政府對傳授漢文書房採取漸禁政策之時，《臺灣文藝叢誌》第壹號之序言，有接續傳統文化與民族精神氣節之意，因此二十篇徵文均呈現大力肯定「孔教」意義的內容[23]。然而身為殖民地臺灣的傳統文人，如何證明「孔教」的時代意義？孔

22 本次十九篇，作者分佈全台，分別是，擬作（彰化）吳德功、前題（彰化）吳陞、第一名（桃園）曾國金、第二名（桃園）曾國金、第三名（臺南）洪少陵、第四名（臺南）黃茂笙、第五名（南投）黃利用、第六名（臺中）王錫舟、第七名（阿緱）尤欽量、第八名（臺中）竹園生、第九名（臺南）許子文、第十名（澎湖）陳梅峰、第十一名（臺中）吳逸雲、第十二名（臺北）何雲儒、第十三名（臺中）吳筱西、第十四名（臺南）老樗、第十五名（臺中）黃孜業、第十六名（澎湖）黃德臣、第十七名（臺南）歐兆福、第十八名（臺南）王臥蕉、第十九名（新竹）曾寬裕。按：「阿猴」舊名屏東。

23 吳德功擬作〈孔教論〉「弟子雖有高堅前後之嘆，不過博文約禮之規」；第一名曾國金「孟子曰……孔子聖之時者也。是孔子集群聖之大成。（頁3）」；第二名曾國金「大哉孔教，海闊從魚躍，天空任鳥飛」、「宮牆之美」（頁4）；第三名洪少陵「匹夫而為萬世師，一言而為天下法（頁5）」、第五名黃利用「顏子之賢，猶發高堅之歎」（頁7）、「望宮牆之高峻，而不得其門。美美富之廟堂，而難窺其室（頁7）」、「孔子以天縱之聖，兼好古之學……故能集群聖之大成」（頁8）」；第七名尤欽量「謂孔教乃盡美盡善也。（頁11）」第六名王錫舟「雖賢如顏閔，亦莫窺其涯際。（頁9）」、「孟子所謂聖之時，生民以來所未有，集群聖之大成者也。（頁9）」；第七名尤欽量「謂孔教乃盡美盡善也。」（頁11）」；第八名（臺中）竹園生「五百年後，孔教必遍於地球。」（頁11）第九名許子文「聖人之所以為聖人……即天垂象以顯道。」（頁12）；第十名陳梅峰

教如何回應外來宗教的挑戰？經爬梳徵文內容，以下執「孔教的時代意義」、「孔教對其他宗教的回應」兩端論述之。

（一）孔教的時代意義

晚清積弱不振，甲午戰敗、乙未割臺，臺灣傳統文人遭逢國破家亡，頓感天地崩裂，數年間恍若隔世。大正八年（1919 年 1 月 1 日）《臺灣文藝叢誌》〈孔教論〉徵文，日本統治臺灣已有二十餘年，二十年足以使稚子長成棟樑，我們由一九一九年〈孔教論〉全臺徵文之內含，可知改隸二十餘年之傳統文人，重新省思孔教的時代意義。

1 回應時代

由於孔子生逢春秋亂世，戰火蠭起，周遊列國期間，喪家之犬的心情，與臺灣傳統文人身受異族統治的心境相應，因此相關典故，自然不被徵文者所忽略。[24]又《臺灣文藝叢誌》正式發行於日本殖民政府對傳授漢文書房採取漸禁政策之時，因此發刊序的內容，展現傳統文人對維護孔教的危機意識，展現在「聖道愈微，人心愈危」的憂慮。因此本次徵文亦有肯定孔子教學內容與方法，說明孔子教學內容與方法有極大的成效，值得後世效法，[25]

「卓哉！孔教！生民未有。」（頁13）；第十五名黃孜業「孔子……集群聖之大成」（頁16）；第十六名黃德臣「宮牆數仞，仰之彌高」（頁18）；第十八名王臥蕉「淺言之，即夫婦之愚，亦可與知。大哉！孔子！」、「大成之集，孟子名言，蓋道至孔子大備」（頁19）。

24 如第十八名王臥蕉「木鐸一官，封人特識。」（頁19）；第十名陳梅峰「天下有道丘不與易」（頁12）。

25 有關於孔子教化的肯定，約可分為：1. 教化之功：吳德功擬作〈孔教論〉「衛民之庶，既富又加以教。（頁1）」；第十一名吳逸雲「聖道愈微，人心愈危」（頁13）。2. 教學內容：第九名許子文「德行、政事、言語、文學、諸科……」（頁12）；第十五名黃孜業「為德行、為言語、為政事、為文學」（頁16）。3. 教學方法：第十一名吳逸雲「不憤不啟，不悱不發」、「多聞擇其善者而從之，多見而識之」（頁13）；第十五名黃孜業「而孔教之法，亦盡美盡善。」（頁16）。

藉此悍衛孔教的同時，或許隱含有對殖民主漸禁漢書房傳授漢文政策的不滿。

2 殖民地儒者的自處之道

《論語》中談及王道安民的諸多理想，其實是孔教能被歷代君王肯定的主要原因之一，同時也是傳統知識分子為宦施政的理想，因此失去科舉目標的傳統文人將如何在殖民地安身立命？如何化用過去所累積的學識而在殖民地臺灣實現自我價值？本次徵文出現不少以孔教為終極理想的理念[26]，如本期徵文的評議員[27]吳德功（立軒，1850-1924），根據施懿琳的研究，吳德功生平重要的兩大貢獻：第一，推展社會慈善、福利工作。第二，延續漢文，推展社會教育。[28]前者是建設儒家大同世界的實踐；後者「延續漢文，推展社會教育」，即是擔任〈孔教論〉徵文之評議員。可見部分傳統文人於改隸後仍積極參與社會活動，實踐孔教的淑世理想，這其實是很不容易的。

在吳德功擬作〈孔教論〉中，論述批評者提出孔教著重私德、「公德希有」的問題（頁 1）、另外本次徵文第一名的曾國金文章中，同樣也引述「孔教私德多，公德少」[29]（頁 3）。如此負面評論肇因於：若孔教是完美

26 如：吳德功擬作〈孔教論〉「老安少懷」、「博施濟眾」、「立人達人」、「成己成物」、「與時偕行」（頁1）；第一名曾國金「老安少懷」、「立人達人」、「不爭不黨」（頁3）。由吳德功的引文，從《論語．公冶長》、《論語．雍也》、《禮記．中庸》、《周易．乾卦》的人文化成的貫通，可以看出吳德功籍儒學經典建構理想世界：其一，弱勢族群的關懷：「老安少懷」、「博施濟眾」。其二，人格涵養的完成：「立人達人」。其三，對外在環境的關注：「成己成物」。其四，人文化成的終極目標：「與時偕行」。

27 評議員即評審者，每期的評議員均不同，一般而言所推舉的評議員，其才學、人品、社會地位在當時多受人仰望。

28 施懿琳：〈由反抗到傾斜——日治時期彰化文人吳德功身份認同之分析〉，《中國學術年刊》第18期（1997年3月），頁341-342。

29 此一提問，明顯針對一九〇二年梁啟超在日本橫濱出版的《新民叢報》，梁以「中國之新民」為筆名，長篇連載《新民說》。在〈第五節論公德〉梁啟超指出，「試觀《論語》、《孟子》諸書，吾國民之木鐸，而道德所從出者也。其中所教：私德居十之九，而公德不及其一焉。《論語》所謂溫良恭儉讓，所謂克己復禮，所謂忠信篤敬，所謂

的，為何面對強敵環伺下國家變得一蹶不振？可見孔教之教化內容多重視私德，以至於養成人民缺乏公德心。針對此點質疑，吳氏的回應是「苟有利於國家者，必與時偕行。非所謂萬物並育而不相害，道並行而不相悖耶，何嘗無公德心也。」（頁 1）援引《周易．乾卦》與《禮記．中庸》的原文，從儒者對報國淑世一向責無旁貸的角度，說明順應時勢，並不偏害一方。雖然吳氏所論述的內容並不具體，但也展現出傳統文人對於經典的自信與嫻熟度，面對負面的評論不採取迴避的態度。另外吳德功一生致力於推展社會慈善、福利工作與延續漢文，推展社會教育等，亦呈現了吳氏在「孔教觀」公德面以身示道的省思與調整。

3 對孔教的省思與對科學的焦慮

本次徵文第一名的曾國金在文中提及「或者曰：『孔教通於古，而不通於今。』」（頁 3）表示隨著二十世紀的到來，孔教不符合時宜的批評已經出現。其他投稿者面對如此責難，大多援引經典以論證孔教的治國能力：如自「格物」以至「天下平」，極力維護孔教具階段性與實踐性等觀點。又如第五名黃利用舉七十二弟子為例[30]，說明孔子弟子之才能顯著，而且文治武備兼具，必能治理好國家。[31]

除了孔教能否與時俱進的問題受到質疑之外，臺灣受日本統治之下所帶

寡尤寡悔，所謂剛毅木訥，所謂反身強恕，凡此之類，關於私德者，發揮幾無餘蘊。……而國民益不復知公德為何物」。頁13。他認為，君臣、父子、兄弟、夫婦、朋友，都是「一私人對于一私人之事」，這只是一種個人道德。要救中國，必須建立公德，這種公德是中國道統文化中完全沒有的東西，因此必須向西方文化學習。在〈第十一節論進步〉梁啟超指出，「凡一國之進步，必以學術思想為之母，……試讀吾中國秦漢以後之歷史，其視歐洲中世史何如？吾不敢怨孔教，而不得不深惡痛絕：夫緣飾孔教、利用孔教、誣罔孔教者之自賊而賊國民也」梁啟超：《新民說》（臺北市：臺灣中華書局，1959年），頁60。

30 「此七十二人皆身通六藝（頁8）」。

31 如：吳德功擬作〈孔教論〉「道千乘之國」、「夫子與子貢論用兵」、「與子路行三軍，則成在乎謀。」、「因飢饉加以師旅，三年可使有勇（頁1）」；第十二名何雲儒「孔子宰中都，一年而四方。」、「孔子曰：『有文事者必有武備』」（頁14）。

來的殖民現代性，使當時的臺灣在邁向現代化的過程中，許多傳統文化受到衝擊，孔教亦在其中之列。第十七名歐兆福以「不實踐孔教之真理，以致國運不振、異族欺迫，又見各國出有飛行機，製有潛航艇，創有無線電。……以為孔教徒有仁、義、禮、智之學，而不能為此希奇之物，以與列國爭雄，而疑孔教之非。不知飛行機、潛航艇、無線電豈孔教之深奧耶？孔教之初步耳。」（頁 18）孔教與科學，一為形而上、一為形而下，本不宜類比，作者強行並論二者，並且認為飛機、潛艇、通訊等科學不如孔教之深奧，表明西方現代科技只能是孔教之基礎，也就是說物質文化無論多麼先進與精緻，也只能是精神文明的基礎云云。如此論述，在廿世紀初期的殖民地臺灣，恐怕是基於擔憂「科學愈強而孔教愈弱」所提出的一種焦慮心態。

（二）孔教對其他宗教的回應

隨著孔教是否合於時宜的質疑出現，流傳於中國的其他宗教亦必挑戰孔教，以突顯自己的教義。

1 孔教非宗教

二十世紀初期的臺灣，面對科學現代性的同時，也面對了外來宗教的挑戰，此時孔教既有「教」字，則其性質是否等同於宗教？孔教與其他宗教相比又是如何？等等疑惑是擁護孔教者無法規避的問題。前述〈孔教論〉之眾投稿者多擁護孔教，因此文中談及孔教的性質時，有以「明德新民所謂齊家治國」（頁 3），說明孔教內則孝悌忠信，外則事君致身，由內而外層次謹嚴，因此孔教乃是「大中至正之道……大中至正之教」（頁 20），豈是一般宗教可以比擬？如：

> 第四名黃茂笙「孔教則非宗教比也」（頁 6）；
> 第五名黃利用「初無傳教之成心」（頁 7）；
> 第六名王錫舟「孔教非宗教也」、「惟孔教非宗教」、「故其異於他宗教

者明甚」（頁 9）、「孔教為聖教，非宗教可比」；

第七名尤欽量「豈他教之虛無寂滅，穿鑿未離者，所可並駕而齊驅哉！」（頁 18）

值得注意的是，《臺灣文藝叢誌》正式發行於一九一九年一月一日，徵文期間正逢中國轟轟烈烈展開以康有為為主的「孔教運動」，當時面對列強侵略，康有為「孔教運動」的號召正是「保國」、「保種」、「保教」的愛國主義內容。「孔教運動本質上雖不是一場宗教運動，但康有為確曾不厭其煩地論證孔教是宗教」[32]所以同是「孔教」之名，同是一九一九年左右的時空，但內容顯然不同。臺灣「孔教」之教，在本次〈孔教論〉徵文中，可以看出投稿者的觀點頗為一致：即是「教化」之意。既是教化，其「人文化成」之力量，豈是人力（武力、戰爭）所為？第十六名黃德臣說「孔夫子之教，國教也。豈僅一國之教哉？東亞一洲之教也。」（頁 17）中國並無一統東亞的事實，但是孔教確是普傳東亞各國，因此是人文化成的教化無疑。但何以致此？主因是「孔教」符合人性，「聲名洋溢乎中國，施及蠻貊，舟車所至，人力所通，凡有血氣者，莫不尊親。」（頁 11）此則援引自《禮記・中庸》的原文，在本次徵文中共出現四次，除了說明孔教符合人性之外，並說明「蠻貊」之邦亦服膺孔教，以及孔教普傳東亞各國之事實。

2 闢釋、道、耶教

本次〈孔教論〉徵文所引述之經典原文列舉，以量而言：明顯集中在「讚頌孔子」類，其次是「闢釋、道、耶教」類[33]。面對其他學派的質疑與

---

32 房德鄰：〈第三章　從聖學會到孔教會——儒學宗教化的努力〉，《儒學的危機與嬗變——康有為與近代儒學》（臺北市：文津出版社，1992年），頁159-205。

33 吳德功擬作〈孔教論〉「夫子言性與天道，不得而問」、「怪力與亂神則皆不語（頁1）」吳陞第作〈前題〉「子路問鬼神，答以『未能事人，焉能事鬼』」、「子疾病子路請禱，答以『獲罪於天，無所禱也』（頁2）」、第四名黃茂笙「未知生，焉知死」、「獲罪於天，無所禱也」（頁6）；第五名黃利用「子貢之智，始聞性道之言」、「子路問：事鬼神與問死。孔子告以：未能事人，焉能事鬼。未知生，焉知死。」（頁7-8）子貢

挑戰，不但是初次失去科舉舞臺的傳統文人困境，也是歷代儒者的困境。先秦孔子面對道家隱者的冷嘲熱諷；漢初黃老與儒術之爭；漢魏六朝的名學與清談之論；唐及宋明儒佛（禪）之辯……直至近代國運艱難、各教風起，對孔教的質疑與挑戰可謂達至頂點。

論證「孔教」優於「釋、道、耶教」的議題是本期徵文中的熱門話題，如：前題吳陞、第二名曾國金、第四名黃茂笙、第五名黃利用、第六名王錫舟、第七名尤欽量、第九名許子文、第十名陳梅峰、第十六名黃德臣、第十七名歐兆福、第十九名曾寬裕等共十一篇文章。並且分別援引下列經典：《論語》中〈公冶長〉一例、〈述而〉一例、〈先進〉三例、〈八佾〉二例、《孔子家語》一例，以論述孔教優於其他宗教的觀點。大概的論述主軸是孔教能包含各教之優點，如：佛教的慈悲、耶教的平等、近代歐美之哲理等，而沒有其他宗教的缺點。以第四名黃茂笙之論述為例：

（1）宗教有命令之權威，有禮拜之儀式，若孔教則無。

（2）佛之涅槃、耶之天國皆為未來之生活計。而孔氏則曰未知生，焉知死。

（3）佛教……耶教……信二教者，雖有滔天罪孽，神能拯救。故有懺悔祈禱。若孔氏則曰：「獲罪於天，無所禱也」。

（4）耶教曰：凡人皆有先天罪業，孔教則曰：人之初，性本善。

（5）佛教之寺院，多懸之於深山絕壁間。……耶教肖影，鮮血淋漓，使人見之，而生死懼之心。……孔教則不然，不山不市，大成之殿，巍然獨存。……而人之敬畏之，崇拜之、信仰之。（頁六）

黃氏從孔教的生活化、無禮拜的儀式起論，進一步論述佛教的涅槃境界、耶教的天國之說等，都是死後不可知的未來，孔教則是教人活在當下，以綱常倫理圓滿現實生活。尤其耶教主張「信主可以赦免滔天罪孽」，顯然不符合

問：「死者有知無知。」孔子告以欲言有知，恐孝子慈孫有妨生以送死。欲言無知恐不孝之子，棄其親而不葬。」（頁8）；第十六名黃德臣「怪力亂神、吉凶禍福，猶為夫子所不語」（頁17）

民眾對於犯罪者必罰的正義期待，孔教沒有這類走捷徑的理論。耶教以人皆有原罪，孔教則崇尚性善說。佛寺遠離紅塵、耶教有「耶穌受難」等血淋淋的外象使人望而生懼，孔教雖無使人生懼的外相，然而人們自然敬畏、崇拜、信仰。黃茂笙闢佛、耶二教，頗能簡易比對孔教與佛耶二教的優缺點，旨在論證孔教符合普羅大眾的觀點。

總之〈孔教論〉徵文的投稿者，評論各教時均援引經典立足於孔教立場發言，因此對於佛耶二教並無相應的理解，如所論述耶教的缺失，但卻沒有援引該教的經文，只有印象式的批評；佛教之經文，僅有黃茂笙「考諸《楞嚴經》有：一切眾生，實本清淨，因彼妄見，有妄習生。」（頁 6）之句。相對於徵引孔教經典洋洋灑灑、暢所欲言相比，可見論證的過程未必平等，但所幸並未出現情緒性用語，流於意氣之爭。

五　殖民地色彩的「孔教觀」

（一）「孔教與勅語暗合」－吳逸雲的文章列舉

日治時期〈教育勅語〉可謂為殖民政權教育政策的主流，尤其「教育勅語の一部分は儒教の内容とほとんど同じであり」[34]（譯：教育勅語有些部分幾乎與儒教內容相同），因此日本儒學對日治時期臺灣文人的影響，是無法規避的課題。本次入選的二十篇〈孔教論〉中僅有第十一名的吳逸雲引「教育勅語」論述孔教觀，吳氏之文以孔教暗合勅語為主旨的論述觀點，表現方式為：分別條列「教育勅語」[35]與儒學經典，主評議吳德功認為吳文

---

34 駒込武：《植民地帝國日本の文化統合》（東京都：岩波書店，2004年），頁51。

35 「教育勅語」漢譯文：

朕惟我 皇祖 皇宗肇國宏遠樹德深厚我臣民克忠克孝億兆一心世濟厥美此我國體之精華而教之淵源亦實存乎此爾臣民孝于父母友于兄弟夫婦相和朋友相信恭儉持己博愛及眾修學習業以啟發智能成就德器進廣公益開世務重國憲遵國法一旦緩急則義勇奉公可以扶翼天壤無窮之運祚矣果能如此則非獨為朕忠良之臣民亦足彰爾先之遺風斯道也實

「叙述孔教與勅語暗合滔滔不竭」（頁 14），僅將吳氏所列〈教育勅語〉與孔教經典暗合的原文條列如下：

組別	勅　　語	孔 教 經 典	頁數
1	我臣民克忠克孝是也。	子曰：「事父母能竭其力，事君能致其身者」《論語．學而》	13
2	孝于父母、友于兄弟。	子曰：「弟子入則孝，出則悌」《論語．學而》	13
3	夫婦相和。	《易》之乾道成男，坤道成女。《周易．繫辭上》 《論語》之夫婦相敬如大賓。 〈關雎〉樂而不淫，哀而不傷者。《論語．八佾》	13
4	朋友相信。	與朋友信之……溫良恭儉讓。《論語．公冶長》、《論語．學而》。	13
5	博愛及眾。	汎愛眾而親仁。《論語．學而》	13
6	修學習業。	學而時習之，默而識之。《論語．學而》、《論語．述而》	13
7	啟發智能，成就德器。	不憤不啟，不悱不發。多聞擇其善者而從之，多見而識之。《論語．述而》	13
8	攝於道，懷於德。	德之不修，聞義不能徙，不善不能改。《論語．述而》	13
9	進廣公益，開世務者。	《易》之開物成務以通天下之志。《周易．繫辭傳上》	13

我 皇祖 皇宗之遺訓子孫臣民所俱遵守焉通諸古今而不謬施諸中外而不悖朕與爾臣民偕拳拳服膺庶幾咸一其德矣

按：本譯文並無新式標點。

杜武志：《日治時期的殖民教育》（臺北縣：臺北縣立文化中心，1997年），頁37

		道之以德，齊之以禮，有恥且格。《論 語・為政》	
10	一旦緩急，義勇奉公者。	志士仁人，無求生以害仁，有殺身以成仁。《論語・衛靈公》	13
11	大和魂	浩然正氣。〈正氣歌〉	14

經過條列、比較「教育勅語」與吳逸雲文章中「孔教與勅語暗合」的內容，表中第八組「攝於道，懷於德」、第十一組「大和魂」，並非現今所見〈教育勅語〉的內文，為何會出現這種差異？應非吳氏所援引的資料與現今所見之「教育勅語」不同，若細讀第八組「攝於道，懷於德」的內容，應是第一組至第七組的小結，而第十一組「大和魂」則是全文的總結。

吳逸雲〈孔教論〉所列舉「孔教」經典部分計有《論語》十三例、《易經》三例、〈正氣歌〉一例。吳氏所援引者，仍以《論語》為主，而引述《論語》理解孔教觀，幾乎是本次徵文入選者一致的引文習慣。值得注意的是，吳逸雲在本期徵文中將「明治天皇」、「皇恩」、「聖慮」書於文中。其實除了吳逸雲外，尚有許子文在〈維持漢學策〉中有「我天皇陛下」句[36]、吳德功亦同[37]。而這也是許多學者大力批評傳統文人，在「日本殖民統治之後，傳統知識份子既未從『統治階級』的位置被拉下來，當他們仍從統治階級、教化者的位置俯視其他臺灣人……」[38]。也就是說將傳統文人定位在「漢學的文化霸權」、封建社會「家國同構」中的「父權」。

傳統文人是否在「家國同構」中的「父權」，享盡「漢學的文化霸權」的好處，或者是個複雜、糾葛、多層次的問題，然而川路祥代提出觀點值得

36 許氏在《臺灣文藝叢誌》第一期徵文（孔教論）中名列第九。而此處引文見：許子文：〈維持漢學策〉，收入黃臥松編：《崇文社文集》，卷1，頁32。

37 參見施懿琳：〈由反抗到傾斜——日治時期彰化文人吳德功身份認同之分析〉，頁333。

38 參見游勝冠：《殖民進步主義與日據時代臺灣文學的文化抗爭》（新竹市：國立清華大學中國文學系博士論文，2000年），頁74。

參考，她認為：

> 吳逸雲強調「孔教」與〈敕語〉是「一毫勿差」，是完全一致的。其實〈教育敕語〉本來就是基於儒學道德而作的，甚至於日本政府是為了發揚「天皇意識形態」之正當性，鼓勵研究儒學思想。臺灣總督府亦企圖培養「忠良的臣民」而透過「公學校」教育來強力推廣天皇意識形態，但憂慮「孔教」價值之肯定會引起中華文明之肯定，所以〈教育敕語〉的解釋上是由於刻意排斥儒學成分而全面宣揚「萬世一系」之皇國史觀來企圖顯出「國體」之優越性。因此吳逸雲特撰一篇〈孔教論〉來論證「孔教」與〈敕語〉之同一性，企圖顯出被殖民政府刻意忽視的「孔教」價值而重新提高「孔教」地位。[39]

因此當日治時期臺灣傳統文人口呼筆書「明治天皇」、「皇恩」、「聖慮」、「我天皇陛下」時，恐怕不宜以「漢學的文化霸權」，認為傳統文人從統治階級的位置俯視其他臺灣人民。傳統文人高舉著「反對儒學就是反對天皇」之護身符，藉著「明治天皇」來維護傳統文化與漢學思維，這難道不是「以彼之道還諸彼身」的方法？因此川路祥代認為傳統文人藉「教育勅語」，來維護「孔教」或者提高「孔教」地位，值得深思。

（二）臺灣的、中國的、日本的——孔教

日治時期傳統文人，由原本第一階段驚魂未定的綏撫時期（1895-1919）的抵抗，進入文官治理的第二階段（1919-1937）內地延長主義時期，顯然隨著外在局勢的隱定，帶給文人們身心舒緩的書寫空間。但是在殖民地臺灣所書寫的文字，自然難以回到清朝統治下所書寫的文字，後世學者若將當時特殊時空下所書寫的文字，以「將漢學與日本國粹主義勾連起來，

---

39 川路祥代：〈一九一九年日本殖民地臺灣之〈孔教論〉〉，《成大宗教與文化學報》第1期（2001年12月），頁18-9。

除了針對西方帝國主義文化的入侵，對內，其實也在對抗新知識份子及其啟蒙主義對漢學的霸權地位的威脅」[40]並進而認為「漢學既被視為進步的日本性之一」等[41]，這樣的批判其實有將日治時期的臺灣孔教與日本儒學混為一談的疑慮。日本儒學早自六世紀中葉，自朝鮮半島傳入，到八世紀中葉「漢文」已是官方的書寫語言。「在此文化環境中，儒教以支配層為中心而浸透到日本社會的各個階層」[42]但「『儒教』與『佛教』並稱，是從近世（江戶時代）後期到現代在日本所使用的名稱」[43]。子安宣邦進一步指出，「儒教」的用詞，在日本十八世紀後期開始在思想文獻上頻出，至近代才一般化。「儒學」與「儒教」至於現在仍然混用，但包含其教學體系時就使用「儒教」。[44]至於中國的「孔教」說，開始於康有為的提倡。康有為第一次提倡「孔教」是在光緒年間（1898），第二次是在辛亥革命之後的一九一二年，各地紛設孔教組織，其中以康有為為會長的孔教會影響最大。康有為所提倡的孔教之教是指宗教、孔子是教主，以愛國主義為出發點達到「保國」、「保種」、「保教」的最終極目的，與一九一九年臺灣傳統文人普遍之「教化」認知不同。同時期臺灣「孔教」之教在於「教化」、中國「孔教」之教在於「宗教」，顯見二者孔教觀不同，提倡的目的也不同。

既然同時期臺灣「孔教」之教在於「教化」、中國「孔教」之教在於「宗教」，二者孔教觀不同，那麼與日本的「儒教」[45]相比又如何？日本總

40 參見游勝冠：《殖民進步主義與日據時代臺灣文學的文化抗爭》，頁70。

41 同前註，頁72。

42 佐久間正：〈近世日本社會與儒教〉，《臺灣儒學與現代生活國際學術研討會論文集》（臺北市：淡江大學中國文學系，2000年），頁215。

43 子安宣邦：〈從當今日本質問「儒教」〉，《第一屆臺灣儒學研究國際學術研討會論文集（上冊）》（臺南市：國立成功大學中國文學系，1997年），頁393。

44 同前註，頁401。

45 「日本的『儒教』」可有複雜、糾葛、多層次的問題，本文既以一九一九年發行的《臺灣文藝叢誌》，第一期徵文〈孔教論〉為探討中心，故文中「日本的『儒教』」意指，日本總督府施行於殖民地臺灣種種相關的儒教政策為主。至於民初中國的孔教國教論及其「康有為的孔教國教論是對於近代國家日本的回應，則服部的孔子教論就是近代天皇制國家日本對於中國孔教論的再回應」等論題，不在本文的論述範疇之內。

督大正八年（1919）頒佈的〈臺灣教育令〉，當中規定的「教育乃是基於和教育有關的敕語（教育敕語）之旨趣，以育成忠良國民為本義」明治二十三年（1890）天皇命井上毅、元田永孚完成的〈教育敕語〉，除去極少部分的神道性色彩，其餘幾乎皆為儒家思想。[46]然而「儒家思想」中除了忠良國民的成份之外，仍有易姓革命、減輕賦稅等民本思想，這一類的觀點對於當時準備進軍亞洲的日本帝國主義，是極為不利的。如：

> 『孟子』については、「万世一系の天子ならずとも、誰でも王道を行ひさへすれば、王たることを得る」という思想を問題視して、公学校のテキストからはずすこととした。近世以来、『孟子』の民本主義的な思想は、日本の儒教思想で異端視されてきた。ことに問題とされたのは、周の武王が、暴虐な殷の紂王を「天命」＝民衆の支持を失ったとして放伐した「易姓革命」を肯定する思想であった。それは、「万世一系」の王統の継続性に天皇支配の正統性を求める国体論と対立するものであった。[47]
>
> （譯文：由於認為《孟子》中所謂：「無論何人，縱使其並非萬世一系之天子，設若其能施行王道，則此人便可為王」這一思想有其問題，故此一思想被摒除於公學校教科書之外。近世以還，《孟子》的民本主義思想，在日本儒教思想中，一向被視為異端。其中特別引起爭議的是：《孟子》肯定周武王基於所謂暴虐的紂王因為喪失「天命」，亦即民眾的支持，故可以放伐之的「易姓革命」思想。而《孟子》的此種「易姓革命」思想，恰好與試圖於「萬世一系」這一王統之持續性中，尋求天皇支配之正統性的日本國體論相對立。）

按：「」內引文詳見：子安宣邦著，陳瑋芬譯：《東亞儒學批判與方法》（臺北市：國立臺灣大學出版中心，2004年6月），頁180。

46 金培懿：〈日據時代臺灣儒學研究之類型〉，《第一屆臺灣儒學研究國際學術研討會論文集（下冊）》（臺南市：國立成功大學中國文學系，1997年），頁285。

47 駒込武：《植民地帝国日本の文化統合》，頁55。

總督府警務局（1939）所做的抗日運動調查報告書《台湾社会運動史》認為：臺灣社會運動根植於特殊的民族情結，此情結受「易姓革命」思想之影響，[48]公學校的教育內容因之排除了《孟子》[49]。此種儒學觀已是日本式裹著軍國思想式的「儒學」，去除孟子民本主義、「易姓革命」等思想的儒學，赤裸地呈現：明治天皇倡導「與日本國體相當契合的孔子教」，也只是為了遂行其帝國主義天皇「萬世一系」的便利工具而已。挾著「孔子教本以君主政體為骨子」的說法，自稱「仁義之師」一統東亞各國，這才是日本軍國主義思想的真髓吧！與本次參與徵文的臺灣傳統知識分子在「孔教」的理解有著絕對的差異。如此，怎能因殖民主支持儒學，而粗暴的「將漢學與日本國粹主義勾連起來」？

（三）〈孔教論〉徵文中《孟子》徵引的意義

日治時期傳統文人，從初期武裝抗日之後，有人從此閉門著書，堅拒殖民政府的懷柔招撫；有人選擇妥協，與殖民政府維持良好關係。一般前者稱之為「抗日文人」，後者稱之為「御用文人」。二元對立的分法，忽略了日治時期複雜、多重、糾葛的心靈層次。以林獻堂為例，表面上是以臺灣「阿罩霧」的身份結交日官顯要，其實背地裡藉以牽制臺灣總督府，以左右日本政治，如果僅從林獻堂與日官顯要唱酬之作而論，林獻堂豈非要背上「御用文人」之名？當然綜觀林氏在「推翻六三法案」、「成立新民會」、「推動臺灣議會設置請願運動」等等的努力，方能見其全貌。

因此由「徵引《孟子》」之視角，綜觀〈孔教論〉二十篇徵文，可見傳統文人對日本殖民主幽微的「抵抗」精神，首先「近世以來、『孟子』の民

---

48 原文作「台灣社會運動の根底に流るる民族的特殊傾向として易姓革命思想の浸潤」（譯：易姓革命思想的滲透是為臺灣社會運動底流的民族特殊傾向）駒込武：《植民地帝国日本の文化統合》，頁55。

49 同前註，頁55。

本主義的な思想は、日本の儒教思想で異端視されてきた。」[50]主因為「周の武王が、暴虐な殷の紂王を『天命』＝民衆の支持を失ったとして放伐した『易姓革命』を肯定する思想であった。」[51]挑戰了「万世一系の王統の継続性に天皇支配の正統性を求める国体論」[52]，因此公學校偏重可將臺民教化成忠良國民的〈教育敕語〉，而去除不利殖民統治的《孟子》。然而本次徵文，卻出現了二十一例的《孟子》引文，孟子著名的「性善論與人禽之辨」、「知言養氣與義利之辨」、「仁政王道與王霸之辨」三辨的「予豈好辨哉？予不得已也！」，展現在論述上的清暢流利、波瀾壯闊、辭鋒犀利、氣勢縱橫、尤以氣勝的特點，孟子正可為日治時期臺灣文人不敢妄批時政的最佳代言人。檢視二十一例的《孟子》引文，其中有非常可注意之處：如

> 吳德功引《孟子・滕文公下》對「什一之征，國富宜藏於民」的討論、(公孫丑上)「善養吾浩然之氣」；曾國金《孟子・萬章下》引《書・泰誓》曰：「天視自我民視，天聽自我民聽』之句；竹園生引《孟子・公孫丑下》「……五百年必有王者興……」；陳梅峰引《孟子・滕文公下》「楊朱為我，是無君也，墨翟兼愛，是無父也，無父無君是禽獸也。」吳逸雲引〈正氣歌〉：「天地有正氣，雜然賦流形：……於人曰浩然，沛乎塞蒼冥。」之「浩然正氣」句[53]、及衍義《孟子・萬章下》：「伯夷，聖之清者也」為「伯夷不降志，不辱身，聖之清者也。」

---

50 譯文：近世以還，《孟子》的民本主義思想，在日本儒教思想中，一向被視為異端。

51 譯文：《孟子》肯定周武王基於所謂暴虐的紂王因為喪失「天命」，亦即民眾的支持，故可以放伐之的「易姓革命」思想。

52 譯文：而《孟子》的此種「易姓革命」思想，恰好與試圖於「萬世一系」這一王統之持續性中，尋求天皇支配之正統性的日本國體論相對立。

53 尤其〈正氣歌〉第二則引文說明異族元人威逼之下，此浩然正氣是「當其貫日月，生死安足論。地維賴以立，天柱賴以尊。」但此則引文為吳逸雲所援引論述者，認為此內容正是與「大和魂」相表裡，有學者或者據之以「媚日」，但由於吳逸雲生平不詳，目前的文獻資料，恐尚不足以論斷。

雖然《臺灣文藝叢誌》之選文規則有「此叢誌所揭登之文字概不越文學之範圍。凡是涉及政治時事者一切不錄」[54]。然而，當我們檢視本次〈孔教論〉徵文引自《孟子》者，有論及：賦稅制度、民本思想、闢楊墨說、求仁得仁、養氣使命……等，莫不切合當時異族統治下的敏感議題。《孟子》的「善養吾浩然之氣」，加上伯夷義不食周粟，餓死首陽山的「求仁得仁」都是一種隱微的抵抗風骨，似乎是專為綏撫時期（1895-1919）人民武力反抗殖民統治的隱微書寫。

《孟子》在宋代受朱子重視，從子部入列為經部，與清代戴震（1723-1777）一生著力的《孟子字義疏證》，除了《孟子》代表了先秦儒學發展最為成熟的學說之外，孟子「批楊拒墨」的援引「楊朱為我，是無君也，墨翟兼愛，是無父也，無父無君是禽獸也。」所表現出的辭直氣壯、正氣凜然的形象，成為歷代辯破異說儒者的典範。孟子生逢亂世，不得不辯的無奈，暗合當時受異族統治下：「孔教」遭逢釋、道、耶等教的挑戰；軍國主義式的日本儒學如大軍壓境而來，日治時期臺灣傳統文人期待願如辯破異說的儒者典範孟子，亦能昂然於殖民地臺灣，因此〈孔教論〉徵文多次引述《孟子》原文，其意如何？昭然若揭。僅將投稿者如何引述《孟子》原文以暗諷殖民統治之政策列舉於下：

首先「什一之征，國富宜藏於民」的援引，表達出對當時賦稅制度的不滿。如個人方面，有日臺薪資差等的歧視[55]；群體方面，有「日據時期租稅制度偏重土地稅、消費稅，而輕所得稅，導致資產階級之日人賦稅較輕，而

54 〈臺灣文社規則〉第5條，《臺灣文藝叢誌》第1期。

55 賴和自傳性小說〈阿四〉：「他的俸給使他吃驚地小，不及同時拜命的日本人一半……宿舍因內地人醫員增員，你們沒處可住了，你自己去租，宿舍料規定本十五圓，因為是台灣人，六割，九圓；獨身又再七割，六圓三角，可在這範圍內，自己去尋一間。因為是台灣人就可住較便宜的家屋，這有什麼理由？」（〈阿四〉，頁266-267）說明賴和從醫學校畢業在臺北醫院實習一年後，被推荐任職於嘉義醫院，薪水不及同時任職日本人一半且沒有配給宿舍等事。賴和：《賴和全集．小說卷》（臺北市：前衛出版社，2001年），頁266-267。

農民占絕大多數之臺人賦稅輕重之不公平現象」[56]。另曾國金引《孟子・萬章下》「天視自我民視，天聽自我民聽」之民本思想，與當時林獻堂等人的政治運動有關。如：

1「推翻六三法案」：日本對臺統治經濟上是實行榨取政策、教育上是以差別教育、社會上嚴格取締集會結社，工商業欲成立公司組統，亦必須有日人參予，這一切來自六三法案。

2「推動臺灣議會設置請願運動」：「推翻六三法案」失敗後，林獻堂調整，採取較溫和的「推動臺灣議會設置請願運動」。其根本思想與民族自決、民主主義有關，可惜前後十五次的請願，其間歷經壓迫、取締、迫害、拘留，最後仍以審議未了決而擱置，請願運動被迫停止。[57]

前述《孟子》引文觸及賦稅制度、民本思想、闢楊墨說、求仁得仁、養氣使命……等，莫不切合當時異族統治下的敏感議題。可知日治時期臺灣文人畏於苛政而不敢妄批時政的心情，借孟子之口而得以宣洩其憤懣之情。

六　結論

自儒學成為中國主流學派以來，在不同時代均因不同社會變遷或時代思潮的挑戰，展現出不同特質。日本統治臺灣二十餘年，大正八年（1919 年 1 月 1 日）《臺灣文藝叢誌》第壹期發刊詞以「探求經史之精奧，……不特維持漢學於不墜，抑且發揚而光大之」為精神，配合徵文題目〈孔教論〉，號召「全島有志之士」投稿，當有特殊意義。本文嘗試以入選的二十篇〈孔教論〉，研究當時臺灣傳統文人的孔教觀。而得下述觀點：

---

56 黃靜嘉：《春帆樓下晚濤急——日本對臺灣殖民統治及其影響》（臺北市：臺灣商務印書館，2002年），頁273。

57 邱白麗：〈梁啟超在臺灣〉，收入林慶彰、陳仕華主編：《近代中國知識份子在臺灣2》臺北市：萬卷樓圖書公司，2002年10月），頁79-83。

（一）對中國傳統經學的繼承面

1 十三經與四子書的繼承

從「《臺灣文藝叢誌》第壹期徵文〈孔教論〉經典徵引探究」的分析可知，〈孔教論〉徵文之時代為一九一九年，距乙未之年已有二十四年之遙，但逐一檢視所條列的一百八十三例，其中一百六十四例援引自十三經，可見自宋代以來形成十三經的傳統，至日治中期傳統文人尚能繼承。又援引自《論》、《孟》、《學》、《庸》四子書者又多達一百三十七例，佔全部援引一百八十三例的近八成，可見四子書為當時傳統文人詮釋「孔教」觀的核心經典，也代表了清代臺灣儒學以朱學為主流的影響。朱子自康熙朝立為儒學學統的典範、乾隆朝更進一步將朱子學融入教育內容，而使朱子學更為廣泛流衍。尤其當康熙五十一年（1712）朝廷以升配祭祀的宗教行為表彰朱子時，當時任臺廈兵備道兼理學政的陳璸，更在臺灣府儒學宮設立朱文公祠，以宗教情懷與宗教儀式對待朱熹[58]，可見在清廷治臺期間之影響深遠。

2 藉孟子善辯以申不平

殖民主施行孔子教化，自稱仁義之師，卻又除去《孟子》以軍國主義式的「儒學」，制定經濟、教育、結社種種不平等的政策榨取臺民。在高壓的氛圍下《臺灣文藝叢誌》之選文規則，以「此叢誌所揭登之文字概不越文學之範圍。凡是涉及政治時事者一切不錄。」以自保，但從本次徵文可以看出：傳統文人並不理會公學校去除《孟子》的政策，反而在全臺性的徵文中，藉公開發行的漢文雜誌，援引《孟子》達二十一例。援引的內容論及：賦稅制度、民本思想、闢楊墨說、求仁得仁、養氣使命……等，以極隱微的方式藉孟子之口，暗諷當時異族統治下的敏感議題。援引《孟子》的意義無

---

58 曾守正：〈沐浴涵濡，海東鄒魯——清代臺灣教育與朱熹〉，《臺灣儒學與現代生活國際學術研討會論文集》（臺北縣：淡江大學中國文學系，2000年），頁455-473。

論是為了伸張「浩然正氣」、民本主義；或是借「批楊拒墨」以辯耶、佛二教。總之，《孟子》在戰國時期所代表的清暢流利、波瀾壯闊、辭鋒犀利、氣勢縱橫、尤以氣勝的特點，中流柢柱的儒者形象，正為有難言之隱的文人們最佳師法的典範。

（二）從〈教育敕語〉論述「孔教論」的特殊性

臺灣受異族統治與過去北朝、元期、清朝相比，顯然相對特殊。主因是殖民主戴上「孔教」的假面，而欲取代中國儒學在整個亞洲的影響力。殖民主的軍國主義式儒學，是傳統文人難以面對的挑戰。然而，難以面對的挑戰並不代表無法回應。本次徵文第十一名吳逸雲的〈孔教論〉，文中出現「明治天皇」、「皇恩」、「聖慮」、「我天皇陛下」等文字，表面看來確實容易給予後世學者：殖民主與傳統文人互蒙其利的掛勾聯想，但是殖民地文人要能挑戰殖民主巨人，若不論述〈教育敕語〉與孔教暗合的方式，連結反對孔教就是反對天皇的聯想，將難以突顯孔教的價值與地位。僅管後世看來吳逸雲的〈孔教論〉有些怪異與媚日，但實際上卻代表著臺灣文人如何在艱困的環境中試圖回應殖民主，吳逸雲的〈孔教論〉或可視為：臺灣日治時期「孔教」觀的特殊性。

（三）〈孔教論〉非「宗教」說而是「教化」說

參與徵文的投稿者均一致認同：〈孔教論〉之「教」，非「宗教」說而是「教化」說。因此日治時期臺灣「孔教」觀與同時期中國以康有為為主的「孔教運動」並不同。至於〈孔教論〉之「教」，為「教化」說，以教化為主流，原因可能是：「清代臺灣書院學規與朱子〈白鹿洞書院揭示〉比較，更強調士子要：為民表率、教化百姓，化導頑梗，以造就一個民風淳樸仁厚的社會，在現實的意義上，其所透露的是官方設教化民的統治心態，而這一點是朱子學規中所沒有的。[59]」清代臺灣書院學規強調：為民表率、教化百姓，化導頑梗，造就一個民風淳樸仁厚的社會等精神宣揚孔教。再加上日治時期臺灣漢書房政策漸禁的氣氛下，以殖民主可接受的「孔教」為掩護，成為傳統文人生存於殖民地縫隙的重要方式之一，以本次徵文的主評吳德功為例，其生平重要的兩個貢獻：第一、推展社會慈善、福利工作；第二、延續漢文，推展社會教育，即是在失去科舉目標後的傳統文人仍能在殖民地臺灣施展教化育民理想的例子，同時吳氏的例子也能回應孔教「公德希有」的批評聲浪。

吾人從《臺灣文藝叢誌》第壹期〈孔教論〉入選的二十篇徵文，得出「孔教」在日治時期臺灣許多特殊的面向，代表著殖民地臺灣特殊的「孔教」觀。

---

59 林孟輝：〈清代臺灣書院教育的儒學教化〉，《第二屆臺灣儒學國際學術研討會論文集》（臺南市：國立成功大學中國文學系，1999年），頁704-705。

七　附錄

吳立軒擬作第壹期徵文〈孔教論〉

原文	援引經典	援引經典版本
春秋筆則筆，削則削[60]	《史記．卷四十七．孔子世家第十七》：「至於為春秋，筆則筆，削則削。」	《新校史記三家注》，〔漢〕司馬遷撰，〔宋〕裴駰等注，臺北市：鼎文書局，1987年11月，頁1944。
許止不先嘗父藥，譏其不子（頁1）	《春秋》（昭公）經十有九年……夏五月戊辰許世子止弒其君買。 《左傳》：夏，許悼公瘧，五月戊辰，飲大子止之藥卒。大子奔晉，書曰弒其君。君子曰：盡心力以事君，舍藥物可也。	《宋本左傳注疏》，〔晉〕杜預注，〔唐〕孔穎達等正義，《十三經注疏本》，臺北縣：藝文印書館，1989年1月，頁844。
趙盾出奔不越境，書其弒君（頁1）	《春秋》（宣公）經二年，秋九月乙丑晉趙盾弒其君夷皐。 《左傳》：大史書曰：趙盾弒其君，以示於朝。宣子曰：不然。對曰：子為正卿，亡不越竟，反不討賊；非子而誰？	同前，頁362、頁365。
詩賡渭陽之叶（頁1）	《詩經．國風．秦風》〈渭陽〉 我送舅氏，曰至渭陽。何以贈之？路車乘黃。 我送舅氏，悠悠我思。何以贈之？瓊瑰玉珮。	《毛詩注疏》，〔漢〕毛亨傳，鄭元箋，〔唐〕孔穎達等正義，《十三經注疏本》，臺北縣：藝文印書館，1989年1月，頁246。
重親迎之儀（頁1）	《禮記．郊特牲》夫昏禮……。男子親迎，男先於女，剛柔之義也。	《禮記注疏》，〔漢〕鄭元注，〔唐〕孔穎達疏，《十三經注疏本》，臺北縣：藝

60 吳立軒：〈孔教論〉，《臺灣文藝叢誌》第1號第1號（大正8年1月1日），頁1。按：為避免重複徵引的繁瑣，凡是〈孔教論〉徵文之內容，均標示頁數。

		文印書館，1989年1月，頁505-506。
能行如賓之禮（頁1）	《儀禮注疏》主人升席自北方。設折俎祭，如賓禮，不告旨。……賓降立於階西，當序東面。主人以介揖讓升，拜如賓禮。	《儀禮注疏》，〔漢〕鄭元注，〔唐〕賈公彥疏，《十三經注疏本》，臺北縣：藝文印書館，1989年1月，頁88-89。 按：有關「如賓禮」在《儀禮》的〈公食大夫禮〉、〈士婚禮〉、〈燕禮〉、〈鄉射禮〉、〈聘禮〉等均有提及。此不一一臚列。
姤卦之辭（頁1）	《姤》：女壯，勿用取女。	《周易注疏》，〔魏〕王弼、韓康伯注，〔唐〕孔穎達等正義，《十三經注疏本》，臺北縣：藝文印書館，1989年1月，頁104。
君子之道，造端乎夫婦（頁1）	《禮記・中庸》君子之道，造端乎夫婦。	《禮記注疏》，頁882。
鑽穴相窺，踰墻相從者。（頁1）	《孟子・滕文公下》鑽穴隙相窺，踰牆相從。	《孟子注疏》，〔漢〕趙岐注，〔宋〕孫奭疏，《十三經注疏本》，臺北縣：藝文印書館，1989年1月，頁109。
道千乘之國（頁1）	《論語・學而》子曰:「道千乘之國；敬事而信，節用而愛人，使民以時。」	《論語注疏》，〔魏〕何晏注，〔宋〕刑昺疏，《十三經注疏本》，臺北縣：藝文印書館，1989年1月，頁6。
衛民之庶，既	《論語・子路》子適衛，冉有僕。子	同前，頁116。

富又加以教（頁1）	曰：「庶矣哉！」冉有曰：「既庶矣，又何加焉？」曰：「富之。」曰：「既富矣，又何加焉？」曰：「教之。」	
論什一之征，國富宜藏於民（頁1）	《孟子．滕文公下》戴盈之曰：「什一，去關市之征，今茲未能。請輕之，以待來年，然後已，何如？」	《孟子注疏》，頁116。
悖入悖出（頁1）	《禮記．大學》是故言悖而出者，亦悖而入；貨悖而入者，亦悖而出。	《禮記注疏》，頁987。
喻利忘義者（頁1）	《孟子．梁惠王上》王何必曰利？亦有仁義而已矣!	《孟子注疏》，頁9。
〈中庸〉達德有三：勇與仁智並稱。（頁1）	《禮記．中庸》知、仁、勇，三者，天下之達德也。	《禮記注疏》，頁888。
〈洪範〉言凶有六：弱與貧病同列。（頁1）	《尚書．洪範》六極：一曰凶短折，二曰疾，三曰憂，四曰貧，五曰惡，六曰弱。	《尚書注疏》，〔漢〕孔安國，〔唐〕孔穎達疏，《十三經注疏本》，臺北縣：藝文印書館，1989年1月，頁178-9。
思剛者之未見，曾譏諷夫申棖（頁1）	《論語．學而》子曰：「吾未見剛者。」或對曰：「申棖。」子曰：「棖也慾，焉得剛？」	《論語注疏》，頁43。
答成人之全體，嘗節取夫卞莊（頁1）	《論語．憲問》子路問成人。子曰：「若臧武仲之知，公綽之不欲，卞莊子之勇，冉求之藝，文之以禮樂，亦可以為成人矣。」曰：「今之成人者何必然？見利思義，見危授命，久要不忘平生之言，亦可以為成人矣。」	《論語注疏》，頁125。
此乃養其浩然之氣（頁1）	《孟子．公孫丑上》：「我知言，我善養吾浩然之氣。」	《孟子注疏》，頁54。

暴虎馮河（頁1）	《論語・述而》子曰：「暴虎馮河，死而不悔者，吾不與也。……」	《論語注疏》，頁61。
夫子與子貢論用兵（頁1）	《論語・顏淵》子貢問政。子曰：「足食，足兵，民信之矣。」子貢曰：「必不得已而去，於斯三者何先？」曰：「去兵。」子貢曰：「必不得已而去，於斯二者何先？」曰：「去食。自古皆有死，民無信不立。」	同前，頁107。
與子路行三軍，則成在乎謀。（頁1）	《論語・述而》子路曰：「子行三軍，則誰與？」子曰：「暴虎馮河，死而不悔者，吾不與也。必也臨事而懼，好謀而成者也。」	同前，頁61。
因飢饉加以師旅，三年可使有勇（頁1）	《論語・先進》子路率爾而對曰：「千乘之國，攝乎大國之間，加之以師旅，因之以饑饉，由也為之，比及三年，可使有勇，且知方也。」	同前，頁100。
夫婦之愚（頁1）	《禮記・中庸》夫婦之愚，可以與知焉。	《禮記注疏》，頁882。
夫子言性與天道，不得而問（頁1）	《論語・公冶長》子貢曰：「夫子之文章，可得而聞也；夫子之言性與天道，不可得而聞也。」	《論語注疏》，頁43。
怪力與亂神則皆不語（頁1）	《論語・述而》子不語：怪、力、亂、神。	同前，頁63。
弟子雖有高堅前後之嘆，不過博文約禮之規（頁1）	《論語・子罕》顏淵喟然歎曰：「仰之彌高，鑽之彌堅。瞻之在前，忽焉在後。夫子循循然善誘人，博我以文，約我以禮，欲罷不能。既竭吾才，如有所立，卓爾，雖欲從之，末由也已。」	同前，頁79。
老安少懷	《論語・公冶長》子曰：「老者安之，朋	同前，頁46。

（頁1）	友信之，少者懷之。」	
博施濟眾（頁1）	《論語・雍也》子貢曰：「如有博施於民而能濟眾，何如？可謂仁乎？」	同前，頁55。
立人達人（頁1）	《論語・雍也》：「夫仁者，己欲立而立人，己欲達而達人。能近取譬，可謂仁之方也已。」	同前，頁55。
成己成物（頁1）	《禮記・中庸》成己，仁也；成物，知也。	《禮記注疏》，頁896。
與時偕行（頁1）	乾卦：終日乾乾，與時偕行。	《周易注疏》，頁16。
萬物並育而不相害，道並行而不相悖（頁1）	《禮記・中庸》萬物並育而不相害，道並行而不相悖。	《禮記注疏》，頁899。

吳陞第作〈前題〉（按：作者係吳立軒孫，本文經立軒先生潤色之）

原　文	援　引　經　典	援 引 經 典 版 本
精一危微之心傳（頁2）	《尚書・大禹謨》人心惟危，道心惟微。惟精惟一，允執厥中。	《尚書注疏》，頁 55。
教以仁義禮知之德（頁2）	《孟子・盡心上》君子所性：仁、義、禮、智根於心。	《孟子注疏》，頁 233。
孝弟忠信之經（頁2）	《孟子・盡心上》孟子曰：「君子居是國也，其君用之，則安富尊榮；其子弟從之，則孝弟忠信。……」	《孟子注疏》，頁 240。
庸言庸行，不偏不倚（頁2）	《禮記・中庸》庸德之行，庸言之謹。	《禮記注疏》，頁 883。
	子程子曰：「不偏之謂中，不易之謂庸。中者天下之正道；庸者天下之定理。」	《朱子全書・中庸章句》上海古籍出版社，安徽教育出版社，2002 年，頁 32。

務正本其修身俟命（頁 2）	《禮記．大學》欲脩其身者，先正其心。	《禮記注疏》，頁 983。
	《禮記．中庸》君子居易以俟命。	同前，頁 883。
天道無親（頁 2）	《老子道德經》：第 七十九 章 天道無親，常與善人。	余培林註譯，《新譯老子讀本》，三民書局，1989 年，頁 116。
惟德是依（頁 2）	《春秋》（僖公）五年……冬，晉人執虞公。 《左傳》對曰：「臣聞之，鬼神非人實親，惟德是依。……」	《宋本左傳注疏》，頁 2054。
作惡降殃，作善降福（頁 2）	坤卦文言：積善之家必有餘慶；積不善之家必有餘殃。	《周易注疏》，頁 20。
子路問鬼神，答以「未能事人，焉能事鬼」（頁 2）	《論語．先進》季路問事鬼神。子曰：「未能事人，焉能事鬼？」	《論語注疏》，頁 97。
子疾病子路請禱，答以「獲罪於天，無所禱也」（頁 2）	《論語．述而》子疾病，子路請禱。子曰：「有諸？」子路對曰：「有之。《誄》曰：『禱爾於上下神祇。』」子曰：「丘之禱久矣。」	同前，頁 65。
	《論語．八佾》王孫賈問曰：「與其媚於奧，寧媚於灶，何謂也？」子曰：「不然。獲罪於天，無所禱也。」	同前，頁 28。

第一名（桃園）曾國金

原　文	援　引　經　典	援 引 經 典 版 本
孟子曰……孔子聖之時者也。是孔子集群聖之大成。（頁3）	《孟子・萬章下》孔子聖之時者也，孔子之謂集大成。集大成也者，金聲而玉振之也。	《孟子注疏》，頁176。
愛眾親仁（頁3）	《論語・學而》子曰：「弟子入則孝，出則弟，謹而信，泛愛眾，而親仁。……」	《論語注疏》，頁7。
老安少懷（頁3）	《論語・公治長》子曰：「老者安之，朋友信之，少者懷之。」	同前，頁46。
立人達人（頁3）	《論語・雍也》「夫仁者，己欲立而立人，己欲達而達人。能近取譬，可謂仁之方也已。」	同前，頁55。
忠恕之道（頁3）	《論語・里仁》子曰：「參乎！吾道一以貫之。」曾子曰：「唯。」子出。門人問曰：「何謂也？」曾子曰：「夫子之道，忠恕而已矣。」	同前，頁37。
不爭不黨（頁3）	《論語・衛靈公》子曰：「君子矜而不爭，羣而不黨。」	同前，頁140。
學道愛人（頁3）	《論語・陽貨》：子之武城……子游對曰：「昔者偃也聞諸夫子曰：『君子學道則愛人；小人學道則易使也。』」	同前，頁154。
大學所謂明德新民所謂齊家治國（頁3）	《禮記・大學》大學之道：在明明德，在親民，在止於至善。……古之欲明明德於天下者，先治其國；欲治其國者，先齊其家……。	《禮記注疏》，頁983。
盡人盡物（頁3）	《禮記・中庸》唯天下至誠，為能盡其性。則能盡人之性，能盡人之性，則能盡物之性。	同前，頁895。

不害不悖（頁3）	《禮記・中庸》萬物並育而不相害，道並行而不相悖。	《禮記注疏》，頁 899。
	朱熹《中庸章句集注》所以不害不悖者，小德之川流；所以并育并行者，大德之敦化。	《朱子全書・中庸章句》，頁 56。

第二名（桃園）曾國金

原　文	援　引　經　典	援引經典版本
大哉孔教，海濶從魚躍，天空任鳥飛（頁4）	《禮記・中庸》詩云：「鳶飛戾天，魚躍于淵」。	《禮記注疏》，頁 882。
宮牆之美（頁4）	《論語・子張》篇……子貢曰：「夫子之牆數仞，不得其門而入，不見宗廟之美……」	《論語注疏》，頁 173。
辟如天地之無不持載，無不覆幬；辟如四時之錯行，如日月之代明（頁5）	《禮記・中庸》辟如天地之無不持載，無不覆幬；辟如四時之錯行，如日月之代明。	《禮記注疏》，頁 899。
《泰誓》曰：『天視自我民視，天聽自我民聽』（頁5）	《孟子・萬章下》《泰誓》曰：『天視自我民視，天聽自我民聽』，此之謂也。	《孟子注疏》，頁 168。

第三名（臺南）洪少陵

原　文	援　引　經　典	援引經典版本
匹夫而為萬世師，一言而為天下法（頁5）	蘇軾〈潮州韓文公廟碑〉：匹夫而為百世師，一言而為天下法。	《唐宋八大家全集・蘇軾集》余冠英等主編，北京國際文化出版，1997年，頁3571。
道費而隱（頁5）	《禮記・中庸》君子之道，費而隱。	《禮記注疏》，頁882。
本之詩以求其恆，本之書以求其質，本之易以求其動，本之禮以求其宜，本之春秋以求其斷。（頁5）	柳宗元〈答韋中立論師道書〉：本之書以求其質，本之詩以求其恆，本之禮以求其宜，本之春秋以求其斷，本之易以求其動。	《欽定全唐文・柳宗原》卷五百七十五，匯文書局，1961年，頁7383。
歌鳳（頁5）	《論語・微子》楚狂接輿，歌而過孔子，曰：「鳳兮！何德之衰？往者不可諫，來者猶可追。已而！已而！今之從政者殆而！」	《論語注疏》，頁165。
獲麟（頁5）	《春秋》魯哀公十月四年 春，西狩獲麟。	《春秋》經。
匪風（頁5）	《詩經・檜風》「匪風　」：匪風發兮，匪車偈兮。顧瞻周道，中心怛兮。	《毛詩注疏》，頁265。
下泉（頁5）	《詩經・曹風》「下泉」：洌彼下泉，浸彼苞稂。愾我寤歎，念彼周京。	同前，頁272。

第四名（臺南）黃茂笙

原文	援引經典	援引經典版本
未知生，焉知死（頁6）	《論語·先進》季路問事鬼神。子曰：「未能事人，焉能事鬼？」敢問死。曰：「未知生，焉知死？」	《論語注疏》，頁97。
獲罪於天，無所禱也（頁6）	《論語·八佾》王孫賈問曰：「與其媚於奧，寧媚於灶，何謂也？」子曰：「不然。獲罪於天，無所禱也。」	同前，頁28。
人之初，性本善（頁6）	人之初，性本善	《三字經》。
考諸《楞嚴經》有：一切眾生，實本清淨，因彼妄見，有妄習生。（頁6）	《楞嚴經·卷一》：一切眾生從無始來，生死相續，皆由不知常住真心，性淨明體，用諸妄想。	《楞嚴經》李富釋譯，星雲大師總監修，佛光出版社，1996年，頁30。 按：黃茂笙引《楞嚴經》原文時，僅取其大意，而非錄原文。
心正而後身脩，身脩而後家齊……平。（頁6）	《禮記·大學》大學之道：在明明德，在親民，在止於至善。……古之欲明明德於天下者，先治其國；欲治其國者，先齊其家……。	《禮記注疏》，頁983。
溫柔敦厚，詩教也；疏通知遠，書教也；廣博易良，樂教也；潔靜精微，易教也；恭儉莊敬，禮教也；屬辭比事，春秋教也。（頁6）	《禮記·經解》溫柔敦厚，詩教也；疏通知遠，書教也；廣博易良，樂教也；潔靜精微，易教也；恭儉莊敬，禮教也；屬辭比事，春秋教也。	同前，頁845。

溥博如天，淵泉如淵。見而民莫不敬，言而民莫不信，行而民莫不說。	《禮記・中庸》溥博如天，淵泉如淵。見而民莫不敬，言而民莫不信，行而民莫不說。	《禮記注疏》，頁 900。

第五名（南投）黃利用

原　文	援　引　經　典	援引經典版本
望宮牆之高峻，而不得其門。羨美富之廟堂，而難窺其室（頁 7）	《論語・子張》……子貢曰：「夫子之牆數仞，不得其門而入，不見宗廟之美，百官之富。得其門者或寡矣！	《論語注疏》，頁 137。
顏子之賢，猶發高堅之歎（頁 7）	《論語・子罕》顏淵喟然歎曰：「仰之彌高，鑽之彌堅，瞻之在前，忽焉在後！夫子循循然善誘人，……。」	同前，頁 79。
子貢之智，始聞性道之言（頁 7）	《論語・公冶長》子貢曰：「夫子之文章，可得而聞也；夫子之言性與天道，不可得而聞也。」	同前，頁 43。
所謂舟車所至，人力所通，天之所覆，地之所載，日月所照，霜露所隊；凡有血氣者，莫不尊親（頁 7）	《禮記・中庸》舟車所至，人力所通，天之所覆，地之所載，日月所照，霜露所隊；凡有血氣者，莫不尊親。	《禮記注疏》，頁 900。
子以四教：文、行、忠、信。（頁 7）	《論語・述而》子以四教：文、行、忠、信。	《論語注疏》，頁 63。

子路問：事鬼神與問死。孔子告以：未能事人，焉能事鬼。未知生，焉知死。（頁 7-8）	《論語・先進》季路問事鬼神。子曰：「未能事人，焉能事鬼？」敢問死。曰：「未知生，焉知死？」	同前，頁 97。
子貢問：「死者有知無知。」孔子告以欲言有知，恐孝子慈孫有妨生以送死。欲言無知恐不孝之子，棄其親而不葬。（頁 8）	《孔子家語・卷第二・致思第八》子貢問於孔子曰：「死者有知乎？將無知乎？」子曰：「無欲言死之有知，將恐孝子順孫妨生以送死；無欲言死之無知，將恐不孝之子棄其親而不葬。」	《孔子家語》，《四部備要・史部》，中華書局據汲古閣本校刊，頁 5。
問人他邦，再拜致慇懃之意。（頁 8）	《論語・鄉黨》問人於他邦，再拜而送之。	《論語注疏》，頁 90。
朋友之饋遺，不重其車馬，惟拜其祭肉。（頁 8）	《論語・鄉黨》朋友之饋，雖車馬，非祭肉，不拜。	同前，頁 91。
此七十二人皆身通六藝（頁 8）	《史記・孔子世家》身通六藝者，七十有二人。	《新校史記三家注》，頁 1938。
孔子以天縱之聖，兼好古之學……故能集群聖之大成（頁 8）	《論語・述而》子曰：「我非生而知之者，好古，敏以求之者也。」	《論語注疏》，頁 63。
	《孟子・萬章下》孔子聖之時者也，孔子之謂集大成。集大成也者，金聲而玉振之也。	《孟子注疏》，頁 176。

施仁佈德，薄斂省刑，（頁8）	《孟子・梁惠王上》王如施仁政於民，省刑罰，薄稅斂；	《孟子注疏》，頁14。

第六名（臺中）王錫舟

原　文	援　引　經　典	援引經典版本
雖賢如顏閔，亦莫窺其涯際。（頁9）	《論語・子罕》顏淵喟然歎曰：「仰之彌高，鑽之彌堅，瞻之在前，忽焉在後！夫子循循然善誘人，……。」	《論語注疏》，頁79。
庸德庸行（頁9）	《禮記・中庸》庸德之行，庸言之謹。	《禮記注疏》，頁883。
孟子所謂聖之時，生民以來所未有，集群聖之大成者也。（頁9）	《孟子・萬章下》孔子聖之時者也，孔子之謂集大成。集大成也者，金聲而玉振之也。	《孟子注疏》，頁176。
凡有血氣，莫不尊親。（頁9）	《禮記・中庸》凡有血氣者，莫不尊親，	《禮記注疏》，頁900。
程子所云：放之則彌六合也。（頁9）	子程子曰：「放之則彌六合，卷之則退藏於密。」	《朱子全書・中庸章句》，頁32。

第七名（阿緱）尤欽量

原　文	援　引　經　典	援引經典版本
惟不偏為中，不易為庸（頁10）	《中庸章句》子程子曰：「不偏之謂中，不易之謂庸。中者天下之正道；庸者天下之定理。」	《朱子全書・中庸章句》，頁32。
心傳遙接，由	《尚書・大禹謨》人心惟危，道心惟微。	《尚書注疏》，頁55。

來已久，允執厥中十六字。（頁10）	惟精惟一，允執厥中。	
《大學》之書旨在：格致誠正，修齊治平。(頁10)	《禮記·大學》大學之道：在明明德，在親民，在止於至善。……致知在格物，物格而后知至，知至而后身脩，身脩而后家齊，家齊而后國治……。	《禮記注疏》，頁983。
《中庸》之書旨在：率性行道，修德至誠。(頁10)	《禮記·中庸》天命之謂性，率性之謂道，修道之謂教。	同前，頁879。
	《禮記·中庸》故君子不可以不脩身，	同前，頁887。
	《禮記·中庸》唯天下至誠為能盡其性。頁895	同前，頁895。
一理中散為萬事。(頁10)	《中庸章句》其書始言一理，中散為萬事。	《朱子全書·中庸章句》，頁32。
格致者何？即格物以致知也。(頁10)	《禮記·大學》……物格而后知致……。	《禮記注疏》，頁983。
《中庸》所謂舜好問好察，成為大智之謂也。(頁10)	《禮記·中庸》子曰：「舜其大知也與！舜好問而好察邇言，……」	同前，頁880。
誠正者何？則誠意而正心也。(頁10)	《禮記·大學》……意誠而后心正……。	同前，頁983。
克己以復禮（頁10）	《論語·顏淵》顏淵問仁。子曰：「克己復禮為仁……。」	《論語注疏》，頁106。
道不可離，戒慎恐懼之意也（頁10）	《禮記·中庸》道也者，不可須臾離也；……君子戒慎乎所不睹，死恐懼乎其所不聞。	《禮記注疏》，頁106。

修齊者何？即修身而齊家也。（頁 10）	《禮記・大學》……身脩而後家齊……。	同前，頁 983。
即中庸所謂至誠盡性，庸德勉行之意。（頁 10）	《禮記・中庸》唯天下至誠，為能盡其性。	同前，頁 895。
	《禮記・中庸》庸德之行，庸言之謹。	同前，頁 883。
地維賴以立，天柱賴以尊。（頁 10）	〈正氣歌〉:「地維賴以立，天柱賴以尊」	《文天祥詩文》，鄧碧清譯注，錦繡文化，1993 年，頁 202。
平治者何？即治國平天下也。（頁 10）	《禮記・大學》……國治而後天下平……。	《禮記注疏》，頁 983。
中庸政在方策，人存政舉之意也。（頁 10）	《禮記・中庸》哀公問政。子曰：「文武之政，布在方策。其人存，則其政舉；其人亡，則其政息。」	同前，頁 887。
放之則彌六合，卷之則退藏於密（頁 10）	《朱子全書・中庸章句》子程子曰：「放之則彌六合，卷之則退藏於密。」	《朱子全書・中庸章句》，頁 32。
聲名洋溢乎中國，施及蠻貊，舟車所至，人力所通，凡有血氣者，莫不尊親。（頁 11）	《禮記・中庸》：是以聲名洋溢乎中國，施及蠻貊，舟車所至，人力所通，……凡有血氣者，莫不尊親。	《禮記注疏》，頁 900。
謂孔教乃盡美盡善也。（頁 11）	《論語・八佾》子謂韶，「盡美矣，又盡善也。」	《論語注疏》，頁 32。

第八名（臺中）竹園生

原　文	援　引　經　典	援引經典版本
《大學》一書，格、致、誠、正、修、齊、治、平……（頁 11）	《禮記・大學》大學之道：……致知在格物，物格而后知至，知至而后意誠，意誠而后心正，心正而后身脩，身脩而后家齊，家齊而后國治，國治而后天下平……。	《禮記注疏》，頁 983
五百年後，孔教必遍於地球。（頁 11）	《孟子・公孫丑下》「……五百年必有王者興……」	《孟子注疏》，頁 85。

第九名（臺南）許子文

原　文	援　引　經　典	援引經典版本
玩物所以喪志。（頁 11）	《尚書・旅獒》：「玩人喪德，玩物喪志。」	《尚書注疏》，頁 184。
格物所以致知。（頁 11）	《禮記・大學》……致知在格物……。	《禮記注疏》，頁 983。
文行忠信（頁 12）	《論語・述而》子以四教：文、行、忠、信。	《論語注疏》，頁 63。
道心日微，人心日危。（頁 12）	《尚書・大禹謨》人心惟危，道心惟微。惟精惟一，允執厥中。	《尚書注疏》，頁 55。
德行、政事、言語、文學、諸科……（頁 12）	《論語・先進》德行：顏淵、閔子騫、冉伯牛、仲弓；言語：宰我、子貢；政事：冉有、季路；文學：子游、子夏。	《論語注疏》，頁 96。
聖人之所以為聖人……即天垂象以顯道。（頁 12）	《禮記・郊等牲》龍章而設日月，以象天也。天垂象，聖人則之。	《禮記注疏》，頁 499。

第十名（澎湖）陳梅峰

原　文	援　引　經　典	援引經典版本
天下有道丘不與易（頁 12）	《論語・微子》夫子憮然曰：「天下有道，丘不與易也」	《論語注疏》，頁 165。
苟志於仁無惡（頁 12）	《論語・里仁》子曰：「苟志於仁矣，無惡也。」	同前，頁 36。
庸言庸行，而申之曰：「有所不足，不敢不勉」（頁 12）	《禮記・中庸》庸德之行，庸言之謹；有所不足，不敢不勉。	《禮記注疏》，頁 883。
君子素位而言（頁 12）	《禮記・中庸》君子素其位而行，不願乎其外。	同前，頁 883。
三達德（頁 12）	《禮記・中庸》天下之達道也三：知、仁、勵，三者天下之達德也。	同前，頁 887-8。
萬物並育而不相害，道並行而不相悖（頁 12）	《禮記・中庸》萬物並育而不相害，道並行而不相悖。	同前，頁 899。
君子之道淡而不厭，簡而文，溫而理（頁 12）	《禮記・中庸》君子之道，淡而不厭、簡而文、溫而理。	同前，頁 900。
修、齊、治、平（頁 12）	《禮記・大學》大學之道：身脩而后家齊，家齊而后國治，國治而后天下平……。	同前，頁 983。
晨門、沮溺之潔身厭世（頁 12）	《論語・憲問》子路宿於石門。晨門曰：「奚自？」子路曰：「自孔氏。」曰：「是知其不可而為之者與？」	《論語注疏》，頁 130。

	《論語．微子》長沮、桀溺耦而耕。……滔滔者，天下皆是也；而誰以易之？且而與其從辟人之士也，豈若從辟世之士哉？	同前，頁 165。
楊朱、墨翟之兼愛為我（頁 12）	《孟子．滕文公下》楊朱為我，是無君也，墨翟兼愛，是無父也，無父無君是禽獸也。	《孟子注疏》，頁 117。
卓哉！孔教！生民未有。（頁 13）	《孟子．公孫丑上》自有生民以來，未有孔子也。	同前，頁 56。

第十一名（臺中）吳逸雲

原　文	援　引　經　典	援　引　經　典　版　本
孔子曰：「道不可須更離，可離非道」（頁 13）	《禮記．中庸》道也者，不可須臾離也。	《禮記注疏》，頁 879。
參天地，贊化育（頁 13）	《禮記．中庸》能盡人之性，則能盡物之性。則可以贊天地之化育，可以贊天地之化育，則可以與天地參矣！	同前，頁 895。
聖道愈微，人心愈危（頁 13）	《尚書．大禹謨》人心惟危，道心惟微。惟精惟一，允執厥中。	《尚書注疏》，頁 55。
子曰：「事父母能竭其力，事君能致其身者」（頁 13）	《論語．學而》子夏曰：「事父母能竭其力，事君能致其身者」	《論語注疏》，頁 7。
子曰：「弟子入則孝，出則悌」（頁 13）	《論語．學而》子曰：「弟子入則孝，出則悌……」	同前，頁 7。
《易》之乾道	《周易．繫辭上》「乾道成男，坤道成	《周易注疏》，頁 144。

成男，坤道成女（頁 13）	女」	
《論語》之夫婦相敬如大賓（頁 13）	按：經查《論語》中並無相關字句，不知是否為作者誤記為《中庸》相關經句：「君子之道，造端乎夫婦」？	《禮記注疏》，頁 882。
〈關雎〉樂而不淫，哀而不傷者（頁 13）	《論語・八佾》子曰：「關雎樂而不淫，哀而不傷。」	《論語注疏》，頁 30。
與朋友信之……溫良恭儉讓（頁 13）	《論語・公冶長》子曰：「老者安之，朋友信之，少者懷之」頁 46《論語・學而》子貢曰：「夫子溫、良、恭、儉，讓以得之。」	同前，頁 7。
汎愛眾而親仁（頁 13）	《論語・學而》子曰：「弟子入則孝，出則悌……汎愛眾，而親仁……」	同前，頁 7。
學而時習之，默而識之（頁 13）	《論語・學而》子曰：「學而時習之……」頁 5《論語・述而》：「默而識之、學而不厭、誨人不倦……」	同前，頁 60。
不憤不啟，不悱不發（頁 13）	《論語・述而》子曰：「不憤不啟，不悱不發。舉一隅不以三隅反，則不復也。」	同前，頁 61。
多聞擇其善者而從之，多見而識之。（頁 13）	《論語・述而》子曰：「多聞擇其善者而從之。多見而識之。」	同前，頁 64。
德之不修，聞義不能徙，不善不能改（頁 13）	《論語・述而》子曰：「德之不脩，學之不講，聞義不能徙，不善不能改，是吾憂也。」	同前，頁 60。
《易》之開物成務以通天下	《周易・繫辭傳上》：「子曰，夫《易》何為者也，夫《易》開物成務，……是故聖	《周易注疏》，頁 155。

之志（頁 13）	人以通天下之志……」	
道之以德，齊之以禮，有恥且格（頁 13）	《論語・為政》子曰：道之以政，齊之以刑，民免而無恥；道之以德，齊之以禮，有恥且格。	《論語注疏》，頁 16。
志士仁人，無求生以害人，有殺身以成仁（頁 13）	《論語・衛靈公》子曰：「志士仁人，無求生以害仁，有殺身以成仁。」	同前，頁 138。
浩然正氣。（頁 14）	〈正氣歌〉：「天地有正氣，雜然賦流形：……於人曰浩然，沛乎塞蒼冥。」	《文天祥詩文》，頁 201。
伯夷不降志，不辱身，聖之清者也。（頁 14）	《孟子・萬章下》：「伯夷，聖之清者也」	《孟子注疏》，頁 176。
柳下惠行中倫，言中慮，聖之和者也。（頁 14）	《孟子・萬章下》：「柳下惠，聖之和者也」	同前，頁 176。
天未喪斯文（頁 14）	《論語・子罕》……天之未喪斯文也，匡人其如予何？	《論語注疏》，頁 77。

第十二名（臺北）何雲儒

原　文	援　引　經　典	援引經典版本
告朔餼羊之感（頁 14）	《論語・八佾》子貢欲去告朔之餼羊。子曰：「賜也，爾愛其羊，我愛其禮。」	《論語注疏》，頁 29。
孔子宰中都，一年而四方。（頁 14）	《史記・孔子世家》其後定公以孔子為中都宰，一年，四方皆則之。	《新校史記三家注》，頁 1915。

孔子曰：「有文事者必有武備」（頁 14）	《史記・孔子世家》孔子攝相事。曰：「臣聞有文事者必有武備，有武事者必有文備。」	同前，頁 1915。

第十四名（臺南）老樗

原　文	援　引　經　典	援 引 經 典 版 本
中則不偏，庸則不易。中者天下之正道，庸者天下之定理，即所謂傳授心法也。（頁 15）	《中庸章句》子程子曰：「不偏之謂中，不易之謂庸。中者天下之正道；庸者天下之定理。」	《朱子全書・中庸章句》，頁 32。
不可須臾或離（頁 15）	《禮記・中庸》道也者，不可須臾離也。	《禮記注疏》，頁 879。
惟精惟一，允執厥中（頁 15）	《尚書・大禹謨》人心惟危，道心惟微。惟精惟一，允執厥中。	《尚書注疏》，頁 55。

第十五名（臺中）黃孜業

原　文	援　引　經　典	援 引 經 典 版 本
自書契：精一執中之教傳，而道統備。（頁 16）	《尚書・大禹謨》人心惟危，道心惟微。惟精惟一，允執厥中。	《尚書注疏》，頁 55。
孔子……集群聖之大成（頁 16）	《孟子・萬章下》孔子聖之時者也，孔子之謂集大成。集大成也者，金聲而玉振之也。	《孟子注疏》，頁 176。
而孔教之法，	《論語・八佾》子謂韶，「盡美矣，又盡	《論語注疏》，頁 32。

亦盡美盡善。（頁 16）	善也。」。	
父子有親，君臣有義，夫婦有別，長幼有序，朋友有信（頁 16）	《孟子・滕文公上》父子有親，君臣有義，夫婦有別，長幼有序，朋友有信。」	《孟子注疏》，頁 98。
為德行、為言語、為政事、為文學（頁 16）	《論語・先進》德行：顏淵、閔子騫、冉伯牛、仲弓；言語：宰我、子貢；政事：冉有、季路；文學：子游、子夏。	《論語注疏》，頁 96。
事親事君，孝之始也。立身揚名，孝之終也。（頁 16）	《孝經》身體髮膚受之父母，不敢毀傷，孝之始也。立身行道，揚名於後世，以顯父母，孝之終也。	《孝經注疏》，（唐）宗明皇帝御注，（宋）邢昺疏，《十三經注疏本》，臺北：藝文印書館，民國 78 年 1 月，頁 11。
明德、新民、格物、致知、誠意、正心……修身、齊家、治國、平天下。（頁 16）	《禮記・大學》大學之道：……致知在格物，物格而后知至，知至而后身脩，身脩而后家齊，家齊而后國治，國治而后天下平……。	《禮記注疏》，頁 983。
溫柔敦厚而不愚，理性情之詩教也。（頁 16）	《禮記・經解》溫柔敦厚，詩教也；……	同前，頁 845。
廣博易良而不奢，滌邪穢之樂也。（頁 16）	《禮記・經解》廣博易良，樂教也……	同前，頁 845。按：「滌邪穢之樂也」疑缺一「教字」，應作「滌邪穢之樂教也」。

絜靜精微而不賊，知進退之易教也。（頁16）	《禮記・經解》潔靜精微，易教也……	同前，頁845。
恭儉莊敬而不煩，謹節文之禮教也。（頁16）	《禮記・經解》恭儉莊敬，禮教也……	同前，頁845。
範圍天地，曲成萬物。可以參天地，贊化育。（頁16-17）	《禮記・中庸》能盡人之性，則能盡物之性。則可以贊天地之化育，可以贊天地之化育，則可以與天地參矣！	《禮記注疏》，頁895。

第十六名　澎湖　黃德臣

原　文	援　引　經　典	援引經典版本
孔子之道，尤為倫常日用之最切，不可須臾離也。（頁17）	《禮記・中庸》道也者，不可須臾離也。	《禮記注疏》，頁879。
父子主恩……君臣主敬……夫婦有別……長幼有序……朋友有信……（頁17）	《孟子・公孫丑下》景子曰：「內則父子，外則君臣，人之大倫也。父子主恩，君臣主敬」	《孟子注疏》，頁73。
	《孟子・滕文公上》聖人有憂之，使契為司徒教以人倫：「父子有親、君臣有義、夫婦有別、長幼有序、朋友有信」	同前，頁73。
仁義禮智為立身之本。文行忠信為經世之	《論語・述而》子以四教：文、行、忠、信。	《論語注疏》，頁63。

原。（頁 17）		
怪力亂神、吉凶禍福，猶為夫子所不語。（頁 17）	《論語・先進》季路問事鬼神。子曰：「未能事人，焉能事鬼？」敢問死。曰：「未知生，焉知死？」	同前，頁 97。
故其作《春秋》也，筆則筆，削則削。……賊子亂臣，誰不驚心，而喪膽若然。（頁 17）	《史記・卷四十七・孔子世家第十七》：「至於為春秋，筆則筆，削則削。」	《新校史記三家注》，頁 1944。
	《孟子》孔子成《春秋》，而亂臣賊子懼。	《孟子注疏》，頁 118。
宮牆數仞，仰之彌高。（頁 18）	《論語・子張》……子貢曰：「夫子之牆數仞，不得其門而入……」	《論語注疏》，頁 137。
	《論語・子罕》顏淵喟然歎曰：「仰之彌高，鑽之彌堅……。」	同前，頁 79。
匪特洋溢中國，施及蠻貊，行見舟車所至，人力所通。（頁 18）	《禮記・中庸》：是以聲名洋溢乎中國，施及蠻貊，舟車所至，人力所通，……凡有血氣者，莫不尊親。	《禮記注疏》，頁 900。
曾子曰：「夫子之道，忠恕而已」。（頁 18）	《論語・里仁》子曰：「參乎！吾道一以貫之。」曾子曰：「唯。」子出。門人問曰：「何謂也？」 曾子曰：「夫子之道，忠恕而已矣。」	《論語注疏》，頁 137。

第十七名（臺南）歐兆福

原 文	援 引 經 典	援引經典版本
《中庸》之道也。「不偏不	《中庸章句》子程子曰：「不偏之謂中，不易之謂庸。中者天下之正道；庸者天下	《朱子全書・中庸章句》，頁 32。

易」（頁 18）	之定理。」	
心正、身修、家齊、國治、天下天。（頁 18）	《禮記．大學》大學之道：……致知在格物，物格而后知至，知至而后意誠，意誠而后心正，心正而后身脩，身脩而后家齊，家齊而后國治……。	《禮記注疏》，頁 983。
其教博而該、其教費而隱。（頁 18）	《禮記．中庸》君子之道，費而隱。	同前，頁 882。
格物者，窮物之理也。（頁 18）	《禮記．大學》物格而后知至……。	同前，頁 983。
明德、新民、止至善之道。誠意、正心、修身、齊家、治國之要。（頁 18）	《禮記．大學》大學之道：在明明德，在親民，在止於至善。……致知在格物，物格而后知至，知至而后意誠，意誠而后心正，心正而后身脩，身脩而后家齊，家齊而后國治……。	同前，頁 983。

第十八名（臺南）王臥蕉

原　文	援　引　經　典	援 引 經 典 版 本
淺言之，即夫婦之愚，亦可與知。大哉！孔子！（頁 19）	《禮記．中庸》夫婦之愚，可以與知焉。	《禮記注疏》，頁 882。
木鐸一官，封人特識。（頁 19）	《論語．八佾》儀封人請見，曰：「君子之至於斯也，吾未嘗不得見也。」從者見之。出曰：「二三子何患於喪乎？天下之無道也久矣，天將以夫子為木鐸。」	《論語注疏》，頁 31。
大成之集，孟	《孟子．萬章下》孔子聖之時者也，孔子	《孟子注疏》，頁 176。

子名言，蓋道至孔子大備。（頁 19）	之謂集大成。集大成也者，金聲而玉振之也。	

由清代考據學到民初經學專業知識化的發展

張政偉
慈濟大學東方語文學系副教授

一　前言

漢武帝（156-87 B.C.）確立獨尊儒術的國策之後，儒家獲得官方強力支持。儒者利用政治資源，積極地傳播儒家經典，使之成為學術與政治的價值依據。儒家經典的神聖性與權威性在官方與學者共同的努力下，逐漸地成型與深化。漫長的歷史進程中，經學屢屢遭遇到艱困的挑戰，然而多能順利調適，維持其在政教活動與學術文化上的優勢地位。

清朝中葉以後，接踵而來的對外戰爭均以失利收場，對中國人的思想與情感上造成很大的衝擊。官民士紳對西方文化、學術與政法制度的欽羨與日俱增，回過頭來質疑與儒家思想相依相成的傳統政治、教育、社會制度。在不斷修正、變革舊有制度的過程中，儒家逐漸失去主導地位。[1]由清代中葉至民國初年，經學在一次又一次的變法、革新中，失去了神聖性，也不再是價值的唯一根源。在各個領域中，經學的權威性逐漸瓦解。最後，經學被歸類於學術領域，走向專業化、知識化，成為在教育體制中運作的學習對象。

1　干春松從儒家觀念體系的危機、科舉的衰落廢止與清末民初現代政治、教育制度的建立等層面，考察儒家秩序崩潰的過程，以為傳統制度設置的逐漸衰落和瓦解，是儒家失去對中國社會控制力的根本原因。參閱干春松：《制度化儒家及其解體》（北京市：中國人民大學出版社，2003年）。

造成經學專業知識化的外在原因有很多，顯而易見的是清末廢除科舉制度，讓經學失去有力而直接的現實支撐。[2]更遠的內在原因或許是自鴉片戰爭（1840-1842）之後，中國面臨急速由傳統農業走向工業社會的壓力。值此動盪之際，政治制度與學術文化無可避免地在一波波變革更易的思潮中，產生劇烈的變化。在激烈而頻繁的衝擊之下，於傳統農業社會成型、發展的儒學，尚不能迅速調整、更新，於是許多因儒學而形成的傳統或表徵，成為如博物館中的展示品，成為歷史感懷的依藉。[3]經學不再是學者的重點研究對象，政府對經學的推展興致缺缺，民間對經學只剩遙遠的印象。民國初年，經學研究被打入冷宮，成為學院門牆裡的學問。對多數人來說，經學只是一種學術專業，一種遙遠而冰冷的知識。

二　考據學的建立與破壞

「疑經」是宋代經學研究的潮流，不過大多數的宋代學者採取「義理審核」的方式進行論說，在文獻證據方面用力較少。因此宋代經學義理方面高度發展，但是對於經典文本的檢證方面，並沒有取得足夠的成績。[4]明代中

2 楊齊福：「由於科舉的廢除使四書、五經失去獨尊地位並導致經學衰微，這使以經學為主導的傳統學術格局逐漸解體。」〈清末廢科舉的社會效應〉，劉海峰主編：《科舉制的終結與科舉學的興起》（武漢市：華中師範大學出版社，2006年），頁376。

3 美國學者 Joseph R. Levenson 觀察近代中國儒學的發展之後，認為儒學自鴉片戰爭以後，因為農業價值導向的破壞，以及家族式、權威專制的政治制度被潮流衝垮，加上文化使用的思考方式乃至於語文、文法的改變，讓儒學失去的生存的基礎，因此，儒學乃至於中國傳統的文化、價值等，在現在已被「博物館化」(Museumization)，成為一種偶爾能在心靈感知到的回憶，但是已經和社會與生活脫節。參閱 Joseph Richmond Levenson, *Confucian China and Its Modern Fate* (Berkeley: University of California Press, 1965)。政偉案：本書中譯名為：「儒學的中國及其現代命運」，共有三冊。關於此課題論述主要見：*The problem of historical significance* (vol.3)。

4 楊新勛：「疑經自身出現文獻佐證與義理審核兩種方法衝突或者矛盾時往往影響了疑經者的學術視野，阻礙了疑經者進一步深入的探討，直接以『義理懸斷』、『臆斷』或『折之以理之是非』，表現的是主觀隨意性的滲入和學術探研的止步。……宋代疑經

葉後，因為學界對義理的闡發呈現紛雜甚至抵觸的情形，必須迴向經典本身尋求支持。此時徵實學風漸起，為清代考據學的發展奠定基礎。[5]

學界多將清代考據學開山大師的榮耀歸於顧炎武（1613-1682），由方法論的構建與實踐來看，當之無愧。顧炎武提出明確而有效的考據學基本觀點，[6]並有《日知錄》與《音學五書》證明其研究方法在操作層次上，可獲致傑出的成績。[7]《音學五書》是考據學上的里程碑，在前人的古音學研究的基礎上，考察分析先秦的文獻材料，判斷古音的大致狀況。顧炎武對古音

一些結論可能在文獻學上存在不足，其義理審核的方法影響、制約了宋儒對文獻佐證的運用，影響了他們對文獻的進一步深入認識。」《宋代疑經研究》（北京市：中華書局，2007年），頁328。

5 林慶彰先生指出明代中葉考據學風漸次興起的原因為：理學的內部要求、廢學之反動、復古運動的影響、楊慎之特起與刻書業之興盛。並以為「明代考據學之意義，在於其為清學開創諸多路徑，使得清人得以由此一水平繼續深究。」《明代考據學研究》（臺北市：臺灣學生書局，1986年），頁22-28、590。余英時：「明代晚期以來儒學發展中早已萌芽的一種新動向而已。事實上，遠在十六世紀時羅欽順已主張義理是非必須『取證於經學』了，而與亭林同時的方以智晚年也深以理學之流入『虛掠高玄』為病，並明白地提出了『藏理學於經學』的口號。……清代考證學與宋、明理學之間在，有其內在的發展線索，觀此不亦可信乎。」《論戴震與章學誠——清代中期學術思想史研究》（臺北市：東大圖書公司，1996年），頁16-17。

6 張舜徽（1911-1992）：「大抵清代樸學家們治學的規模次第，莫不奉顧炎武為大師。這可從三方面說明問題：一、顧氏宗仰朱熹。……樸學諸儒，不獨惠（棟）、江（永）等人推尊程、朱，連戴震平日對宋儒之書，也並不全盤否定，這明明和顧炎武的見解是一致的。二、顧氏平日強調『讀經自考文始，考文自知音始』，後來乾嘉學們無一不是從文字音韻入手，戴氏更提倡最力。三、顧氏在〈答施愚山書〉中說過『古之所謂理學，經學也』，意思是說：古人所謂理學，是從經學裏面提煉出來的。應該從群經中尋找義理的舊解。」《清代揚州學記》（揚州市：廣陵書社，2004年），頁7。

7 余英時：「亭林之所以特別為群流所共仰，這不僅是因為他有理論、有口號，更重要的是他有示範性的著作，足為後人所取法。《日知錄》中關於經學的幾卷以及《音學五書》都是這樣的著作。學術史上一當發生革命性的變化時，總會出現新的『典範』。……亭林的考證並不是前無所承，但經學考證發展到他那樣的規棋和結構才發生革命性的轉變，那也是無可否認的。」〈清代思想史的一個新解釋〉，《歷史與思想》（臺北市：聯經出版公司，1976年），頁145

學的研究方法，成為清代聲韻學研究的基礎。[8]後來追隨者高度尊敬顧炎武的學行，與驚人的研究成果。[9]顧炎武給考據學家的啟示是：利用嚴謹縝密的考據方法，整理考察原始文獻，就算消失兩千年的上古音韻，也能夠略知梗概。

清初另一個利用考據方法取得偉大成就的是閻若璩（1636-1704），其《古文尚書疏證》以多角度的考察，附上有力的證據，論述《古文尚書》的真偽問題。宋代學者開始懷疑《古文尚書》的真偽，[10]但是欠缺論證。明代的梅鷟最先使用文獻考證的方法，檢驗《古文尚書》真偽。不過梅鷟的論述有不少瑕疵，雖有論證，然不足令人信服。[11]直至閻若璩《古文尚書疏證》

8　王國維（1877-1937）：「古韻之學，自崑山顧氏而婺源江氏，而休寧戴氏，而金壇段氏，而曲阜孔氏，而高郵王氏，而歙線江氏，作者不過七人。然古音二十二部之目，遂令後世無可增損。故故訓、名物、文字之學，有待于將來者甚多。至古韻之學，謂前無古人，後無來者可也。」〈周代金石文韻讀序〉，《觀堂集林》（石家莊市：河北教育出版社，2001年），卷8，頁251。張民權：「顧炎武古音研究之方法論，歸納起來大致有三：一曰經韻合一；……二曰『古者同文，聲與形應』；……三曰考證三代古音須以唐韻為參照。……此三點結合，便構成了古音研究的基本原則和方法，從而奠了清代古音學的理論基礎。而乾嘉時期古音研究，學者如江永、段玉裁、王念孫、江有誥等，走的都是這條路子。這是顧炎武『開山』之處，也是清代古音學之所以能夠興盛的原因。」《清代前期古音學研究》（北京市：北京廣播學院出版社，2002年），上冊，頁154。

9　段玉裁（1735-1815）初閱《音學五書》，感想是「驚怖其考據之博」。見段玉裁：〈寄戴東原先生書〉（乙未十月）附見《六書音均表》之首。收入段玉裁著，魯實先（1913-1977）正補：《說文解字注》（臺北市：黎明文化公司，1992年），頁812。錢大昕（1728-1804）：「顧亭林論古音分部最有倫理……撰《音學五書》，而古音粲然明白矣。」〈答嚴久能書〉《潛研堂文集》，卷36，收入陳文和主編：《嘉定錢大昕全集》（南京市：江蘇古籍出版社，1997年），冊9，頁615。

10　第一個懷疑《古文尚書》真偽問題是吳棫，然《書稗傳》十二卷今已亡佚。《四庫全書總目》：「唐以來雖疑經惑古，如劉知幾之流，亦以《尚書》一家列之《史通》，未言《古文》之偽。自吳棫始有異議。」（北京市：中華書局，1995年），經部，卷12，「《書纂言》」條，頁96。

11　林慶彰先生整理《尚書考異》的缺失有五：（一）引書年代偶有失誤。（二）以漢初之〈泰誓〉為張霸偽作。（三）以孔壁古文十六篇為張霸偽作。（四）以東晉偽古文為皇甫謐所作。（五）以伏生《尚書》之文句為晉人所改。見《明代考據學研究》，頁163-

問世，以精密的推論與堅實的證據，讓東晉所出現的《古文尚書》二十五篇是偽作的觀點為學界多數人接受。閻若璩《古文尚書疏證》在學術史上的意義至為重大，因為長期以來具有神聖意義的經典能以精密的考據推翻，完全否定其存在的優位性，這是經學研究的突破性成就。[12]

越來越多學者繼承考據學大師所開啟的方法、理論，逐漸形成對學科知識具有共同認識的學術群體，更藉著師友關係與著作傳佈，發揮影響力。其中惠棟（1697-1758）在漢學風氣的形成上，堪稱為指標性人物。[13]

惠棟主張經典的意義留存於古人的訓解，瞭解經義必須透過「古訓」。所以學者應該先理解古訓，對經典意義才能有較好的掌握。由歷史發展來看，漢代經學家的師承有源，又離先秦最近，漢代經師的說解有很高的參考價值。基於此點，惠棟言：「古訓不可改」。[14]戴震（1723-1777）對惠棟學術概念觀察是：訓詁的目的是為了發揮聖人的義理，但是需要先由訓詁瞭解漢代經師對經典的說解，進而探求典章制度創設的意義，如此可得聖人的義理。[15]

169。

12 江藩（1761-1831）《漢學師承記》將閻若璩列為第一人，並稱《古文尚書疏證》「其論可謂信而有徵矣」。錢鍾書（1910-1998）主編：《漢學師承記（外二種）》（北京市：三聯書店，1998年），頁9-12。梁啟超（1873-1929）：「百詩的《古文尚書疏證》，不能不認為近三百年學術解放之第一功臣」《中國近三百年學術史》（臺北市：里仁書局，1995年），頁103。

13 陳黃中：「晚歲雖益蹇，名益高。四方士大夫過吳門者，咸以不識君為恥。」〈惠徵君棟墓誌銘〉。王昶（1725-1806）：「流風所煽，海內人士無不重通經，通經無不知信古。」〈惠先生墓誌銘〉。以上兩文收入錢儀吉（1783-1850）編：《碑傳集》（北京市：中華書局，1992年），卷133，頁1659。錢大昕：「今士大夫多尊崇漢學，實出先生緒論。」〈古文尚書考序〉，「漢學之絕者千有五百餘年，至是而燦然復章矣。」〈惠先生棟傳〉，《潛研堂文集》，收入陳文和主編：《嘉定錢大昕全集》，冊9，卷24、39，頁368-369、662。

14 惠棟：〈九經古義序首述〉，《松崖文鈔》，收入嚴一萍輯：《百部叢書集成續編》（臺北縣：藝文印書館，1970年），第5函，卷1，頁1。

15 戴震：「詁訓明則古經明，古經明則賢人聖人之義理明；而我心之所同然者，乃因之而明。義理非他，存乎典章制度者是也。彼歧故訓義理而二之，是故訓非以明義理，漢學家對於古訓的尊重有其論理上的依據：凡是距離經典形成時代越近的解說越有可能符合經典的本義。秦火之後，大量的文獻材料亡佚散失，漢代經師的訓詁解說，成為最早的解釋。在時間的距離上，有先天的優勢。另一方面來看，漢代的經師大多出於齊、魯之地，這是古代學術薈萃之地，地緣關係更增加經典解釋的可信度。所以，無論在年代與地域上來說，漢代經說更有可能接近經典的原意。清代考據學家重視漢代經學解釋，大多基於上述考量。[16]

與惠棟齊名的考據學大師戴震，認同漢代經師解釋的重要性。但是他修正「古訓不可改」的觀點，重視證據的推求，而不拘守古訓。[17]戴震以為考據目的是做「譯言」者：將義理藉由等量真實譯言「傳導」給今世之人。[18]若無精確的「譯言」，則對經典義理的發揮，將是無根的揣測。如此，則「譯言」的對象首在經典文本，「譯」經的程序則由文字聲韻考察，深入理解經典文本，進而通曉聖人的心智。[19]經典由文字呈現，那麼瞭解經典道理的依據就在文字。由於時空的差距，「譯言」者應該用考據方式深掘文字所

而故訓何為？……古聖賢之義理非他，存乎典章制度者也。……松崖先生之為經也，欲學者從事於漢經師之故訓，以博稽三代典章制度。」〈題惠定宇先生受經圖〉，收入張岱年主編：《戴震全書》（合肥市：黃山書社，1995年），冊6，頁505。

16 阮元（1764-1849）：「聖賢之道，存于經。經非詁不明。漢人之詁，去聖賢尤近。譬之越人之語言，吳人能辨之，楚人則否；高曾之形體，祖父及見之，云仍則否。蓋遠者見聞，終不若近者之實也。」〈西湖詁經精舍記〉《揅經室二集》卷7，收入《揅經室集》（臺北市：世界書局，1982年），中冊，頁506。

17 戴震：「六《經》廢棄，經學荒謬，二千年以至今。足下思奮乎二千年之後，好古，洞其原，諒不僅市古為也。僕情僻識狹，以謂信古而愚，愈於不知而作，但宜推求，勿為株守。」〈與王內翰鳳喈書〉，《東原文集》，收入《戴震全書》，冊6，頁278。

18 戴震：「聖哲往矣，其心志與天地之心協，而為斯民道義之心，是之謂道。士生千載後，求道於典章制度，而遺文垂絕。今古懸隔，時之相去殆無異地之相遠。僅僅賴夫經師故訓乃通，無異譯言以為之傳導也者。」〈古經解鉤沉序〉，《東原文集》，收入《戴震全書》，冊6，卷10，頁377。

19 戴震：「經之至者道也，所以明道者其詞也，所以成詞者未有能外小學、文字者也。由文字以通乎語言，由語言以通乎古聖賢之心志。譬之適堂壇之必循其階而不可以躐等。」〈古經解鉤沉序〉，《東原文集》，收入《戴震全書》，冊6，卷10，頁378。

蘊藏的意義，讓經典的解釋具備客觀的有效性。

在實際理解經典的活動中，僅考據文字、語言的意義並不足夠。戴震指出經典本身承載創制時的典章制度與知識系統，如果不瞭解其所負載的整個系統，便無法達到對經典的通貫理解，自然無法知曉聖人制作經典之義。[20]

顧炎武提出一個有名的學術概念：「讀九經自考文始，考文自知音始」。[21]宣揚考文知音的訓詁方式為理解經典義理的起點，這幾乎是清代考據學家的共識。[22]考據學的最終目的是追求義理，但是他們很難回答訓詁的程度要到何種境地才可以獲得完整真實的義理。這似乎只有達到最後的理境，才能達到最高的目標。因此，「訓詁明而後義理明」的觀點，在操作程序上，將會導向偏重「訓詁」的完全獲致。因此戴震宣稱考據學要求尋找「十分之見」，[23]這也是考據學的重要精神。

戴震的意見很能代表清代考據學的程序與目標：由局部考據入手，理解全體意義。文字訓詁只是經典研究的起點，更遠大的理想是經由嚴謹的文獻考察，還原經典創制時的知識系統，尋得「十分之見」。當經典形成時的原

---

20 戴震：「誦〈堯典〉數行，至「乃命羲和」，不知恒星七政所以運行，則掩卷不能卒業；誦〈周南〉、〈召南〉自「關雎」而往不知古音，徒強以協韻，則齟齬失讀；誦古《禮經》先「士冠禮」，不知古者宮室、衣服等制，則迷於其方、莫辨其用；不知古今地名沿革，則〈禹貢〉、〈職方〉失其處所；不知少廣旁要，則〈考工〉之器不能因文而推其制；不知鳥獸蟲魚草木之狀類名號，則比興之意乖。」〈與是仲明論學書〉《東原文集》，收入《戴震全書》，冊6，卷9，頁371。

21 顧炎武：〈答李子德書〉，《亭林詩文集》（臺北市：漢京文化公司，1984年），卷4，頁73。

22 王念孫（1744-1832）：「訓詁聲音明而小學明，小學明而經學明。」〈段若膺說文解字讀序〉，《王石臞先生遺文》，卷2，頁7b。收入《續修四庫全書》集部，別集類，第1466冊，頁41。錢大昕：「《經》者聖人之言，因其言以求其義，則必自訓詁始。」〈臧玉琳經義雜識序〉，《潛研堂文集》，收入《嘉定錢大昕全集》，冊9，卷24，頁375。

23 戴震：「凡僕所以尋求遺經，懼聖人之緒言闇汶於後世也。然尋求而獲，有十分之見，有未至十分之見。所謂十分之見，必徵之古而靡不條貫，合諸道而不留餘議，鉅細必究，本末兼察。」〈與姚孝廉姬傳書〉，《東原文集》，收入《戴震全書》，冊6，卷9，頁372。

初世界能真實地全體顯明，則自然可見聖人之意與先王施政設教的用心。

清初某些學者開始旗幟鮮明地反對明末理學治學路數，轉以客觀的方式，向經典本身尋求真理。[24]這種對智識的追求有很大的動力是來自「懷疑」——懷疑前人的說解，甚至懷疑經典本身。以顧炎武來說，研究古音學的目的是為了恢復聖學舊觀，以明道經世。[25]不過，促使顧炎武深入研究古音學的最現實理由就是：宋代以降對古音的解說多有不合理之處。因此他進行大規模的文獻考辨，解決學術問題。閻若璩針對前人對《古文尚書》的質疑，進行辨偽，推翻了經典來源的舊說，由根本否定經典的價值。這不僅是對前人解說的質疑，[26]也反映考據學對經典研究來說，不一定是證成聖說，有可能是尖銳的攻擊。信任經典的價值卻又質疑經典，其中存在著緊張與衝突的關係。[27]考據學只能尋求「真實」為目標，來平衡這種矛盾的關係。[28]這種「真實」的客觀而有效的特性，足以在學術上提供具有普遍性的權威依據。[29]但是考據學從解決問題的開始到提供答案，所處理的是客觀知識層

24 根據余英時的看法，清代考證學是儒學向「智識主義的轉化」，企圖通過文字訓詁以闡明古聖先賢在六經中所蘊藏的「道」。參見〈清代思想史的一個新解釋〉，《歷史與思想》（臺北市：聯經出版公司，1976年），頁142。

25 顧炎武：「君子之為學，以明道也，以救世也。徒以詩文而已，所謂『雕蟲篆刻』，亦何益哉！某自五十以後，篤志經史。其於音學，深有所得。今為《五書》，以續《三百篇》以來久絕之傳。」〈與人書二十五〉，《亭林詩文集》，卷4，頁98。

26 吳通福：「由閻若璩、毛奇齡等眾多學者的考訂辨偽工作可以看出，清初經典考辨的義理關懷，……其意義更在於證明理學之經典詮釋之錯謬。」《晚出古文尚書公案與清代學術》（上海市：上海古籍出版社，2007年），頁209。

27 鄭吉雄：「儒家流傳下來的幾種經書，其實在年代、著者、思想、性質等各方面，本來就不一致；而清儒又不斷透過種種嚴密的方法，考證辨偽。他們一方面深信經典，但一方面又不斷質疑經典。這就造成了清儒治經歷程中的種種衝突和緊張。」〈從乾嘉學者經典詮釋論清代儒學的屬性〉，收入彭林主編：《清代經學與文化》（北京市：北京大學出版社，2005年），頁263。

28 閻若璩：「何經何史何傳，亦為其真者而已。經真而史傳偽，則據經以正史傳可也。史傳真而經偽，猶不可據史傳已正經乎？」《尚書古文疏證》（上海市：上海古籍出版社，1987年），卷2，頁2b。

29 淩廷堪（1755-1809）：「夫實事在前，吾所謂是者，人不能強辭而非之也；吾所謂

次，所作的就是知識考古的工作，因此這樣的「真實」大多只能在學術上產生效力，嚴重地與現實脫節。此外，儒家經典能夠長期成為中國主流學術，詮釋的開放性是不可忽視的重點。然而考據學提供精確的研究成果，在某種程度是限制了詮釋的空間。於是考據學加諸於經典研究的真實，往往抑制了經學研究中主觀思維的探索與多元詮釋的部分。

在理論上，考據學可以修補經典因時空變遷造成的差距。但是實際上這種修補有很大的侷限：經典散失與缺漏不是用紙上考據可以彌補。批評者很敏銳地指出考據學並不能盡復經典舊觀，這不是方法論上的問題，而是歷史發展的客觀事實。[30]對考據學者來說，這種經典的時空差距，正是考據學存在的價值所在。他們宣稱經典的時間隔閡最主要在語言文字的變動，並非義理上的隔閡。[31]考據的目的正在於釐清經典創製時的語言文字所承載的意義，藉此探取聖人之意。但是在實際操作層次上，考據學面對鉅大的時代距離與材料限制，勢必影響考據學的面貌。戴震在談論考據時宣稱要追求「十分之見」，但是他也承認有「未至十分之見」的困境存在。由根本上來說，文獻材料的缺陷，在先天上就決定了考據學只能操作局部問題，無法進行整體而有系統的考察。[32]

非，人不能強辭而是之也。如六書、九數及典章制度之學是也。虛理在前，吾所謂是者，人既可別持一說以為非；吾所謂非者，人亦可別持一說以為是。如義理之學是也。」〈戴東原先生事略狀〉，王文錦點校：《校禮堂文集》（北京市：中華書局，1998年），卷35，頁317。

30 許宗彥（1768-1818）：「來教謂學莫大乎經術文章，宗彥以為經誼之大者十數事，前人聚訟數千年未了，今日豈能了之？就今自謂能了，亦萬不能見信當時，取必後世。如僅僅校勘文字同異偽脫，或依傍小學，辨析訓詁形聲，又或綴拾零殘經說，所得蓋小，私心誠不為之。……三代去今遠，書籍散亡，典章制度，誠有不可考實者，自西漢之儒，已不免望文為說，況又二千載下乎？」〈寄答陳恭甫同年書〉，《鑑止水齋集》，收入《續修四庫全書》（上海市：上海古籍出版社，1995年），冊1492，卷10，頁399-400。

31 戴震：「蓋士生三古後，時之相去千百年之久，視乎地之相隔千百里之遠無以異。昔婦孺聞而輒曉者，更經學大師轉相講授而仍留疑義，則時為之也。」〈爾雅文字考序〉，《東原文集》，收入《戴震全書》，冊6，卷3，頁275。

32 陳寅恪（1889-1969）：「獨清代之經學與史學，俱為考據之學，故治其學者，亦併號為企圖利用考據學方法，還原經典文本所蘊含的整體知識，這只能是理想。實際上，考據學的研究對象與課題，僅能在小範圍內進行。考據學要求由字詞的訓詁開始，進而瞭解經典所承載各種學門的知識，因此在考據學進行的過程本就是由細微之處著手，進行深入研究。所以，局部的操作是考據學研究方法上的必然指向。另外使用考據學處理文獻資料，多以設立論題，然後歸納、分析資料的方式進行，成為一種論題式的探索。清代考據學家留下許多筆記形式的論辨文字，正是反映這種局部研究的實況。就考據學來說，局部的研究是拼湊完整知識系統的基礎。但是由經學解釋、傳播的角度來看，考據學難以提供整體性與系統性的考察，畢竟如此專注於切面的、局部的甚至是斷裂的研究，放在整個經典脈絡來看，其所能喚發的意義頗為薄弱。

追求「十分之見」的信念，讓考據學者投身文獻的蒐羅與整理中，以「鉅細必究、本末兼察」的態度，周旋於數量龐大的資料之中。某些批評指向考據資料的堆疊過於冗煩繁雜，[33]研究的面向增多，至苛細瑣碎之地。[34]這可視為考據學方法在操作上必有的現象，畢竟考據學有很大一部份是建構在資料的整理、蒐集、比對上，因此需要廣列證據，博採資料。加上考據學對各種與經典記載有關的學門也要詳加考究，如此則考據的面向就博雜起

樸學之徒。所差異者，史學之材料大都完整而較備具，其解釋亦有所限制，非可人執一說，無從判決其當否。經學則不然，其材料往往殘闕而又寡少，其解釋尤不確定，以謹愿之人，而治經學，則但能依據文句各別解釋，而不能綜合貫通，成一有系統之論述。」〈陳垣元西域人華化考序〉，《金明館叢稿二編》（上海市：上海古籍出版社，1980年），頁23。

33 曾國藩（1811-1872）：「嘉道之際，學者承乾隆季年之流風，襲為一種破碎之學，辨物析名，梳文櫛字，刺經典一二字，解說或至數千萬言，繁稱雜引，游衍而不得所歸。張己伐物，專抵古人之隙。」〈朱慎甫遺書序〉，《曾文正公文集》（長沙市：嶽麓書社，1994年），頁222。

34 沈垚：「乾隆中葉後士人習氣，考證於不必考之地，上下務為相蒙，學術衰而人才壞。」〈與孫愈愚書〉，《落帆樓集》，收入《叢書集成續編》（臺北市：新文豐出版公司，1985年），冊135，卷8，頁21b。

來。資料繁多而學門紛雜的情況似乎理所當然，也很難避免。[35]清代考據學最輝煌的成就便是在經學研究的過程中，條理出多種專門學科。[36]這些學科是考據學研究經典過程中的附加成果，也開拓了新的研究課題。當學術成果大量累積、傳播之後，考據學者必須參照各種研究成果與多門學科知識，這對他們來說將使研究更具效力，但是操作難度也隨之提高。所以考據學發展到最後不單只是方法的問題，其中承載的學術要求，將迫使研究成為專門之學。

考據學是探究文獻材料的有效方法，經學的神聖性讓考據學者將心力投注其中。但是清代考據學將經學推向客觀知識的研究，離了生命意義的思考與社會現實的互動，逐漸形成一種知識專業。

三　聖像的摧毀

就時間上來看，西漢今文經學大盛，比東漢古文經學發展的更早。今文經學在漢朝立為學官，學習傳承上的師法家法井然有徵，這是較古文經學勝出的地方。另外閻若璩對《古文尚書》的辨偽成果，對今文經學的研究有很大的啟示意義：這暗示著《今文尚書》在學術傳承的優越性與正當性。所

---

35 許瀚（1797-1866）：「丙戌（道光六年，1826）、丁亥（道光七年，1827）之間，瀚在京師為李方赤觀察分校此書，同人厭其蕪雜，欲從事刪汰者甚眾，鄙意亦云然。獨安邱王菉友筠孝廉以為未可輕議，當時不甚解其意，展轉十餘年後，初見頓易。竊謂《說文解字》，字書也，凡有字，《說文》無不取資，亦凡有字，無不取資于《說文》。許充〈表〉云：『六藝群書之詁，皆訓其意，而天地鬼神，山川草木，鳥獸昆蟲，雜物奇怪，王制禮儀，世間人事，莫不畢載。』然別其書包孕甚廣，後人為之疏証，征采不能不博，太博則近雜，理勢然也……義有相需，何嫌取證。」〈說文解字義証校例附答楊至堂先生書略〉，收入袁行雲編校：《攀古小廬全集》（濟南市：齊魯書社，1985年），上冊，頁270。

36 梁啟超：「樸學其學問中堅，則經學也。經學之附庸則小學，以次及於史學、天算學、地理學、音韻學、律呂學、金石學、校勘學、目錄學等等。……有久墜之絕學，或前人向不注意之學，自此皆卓然成一專門學科，使吾輩學問之內容，日益豐富。」《清代學術概論》（臺北市：里仁書局，1995年），頁43。

以，隨著考據學興盛，沉寂已久的今文經學，逐漸成為重要的研究對象。[37]

開創常州學派的莊存與（1719-1788）是清代較早的今文經研究者，他的《春秋正辭》並未使用考據方法。當考據學成為學界接受的研究方法，今文經家開始用它來整理今文經文獻。莊存與之後的常州學派學者，如莊述祖（1750-1816）、莊有可（1744-1822）、劉逢祿（1776-1829）、宋翔鳳（1779-1860）、魏源（1794-1856）等，無不使用考據學於今文經學的研究中。[38]他們利用考據學方法，但更重視今文經學義理的闡發，但未如清末今文經家對現實時局的大發議論。[39]基本上清代中期的今文經學家關注的是學術課題，其專門著作不會與政治時局有緊密的呼應。

今文經文獻材料殘缺的情況，比古文經學嚴苛許多，就算再精密的考據也無法填補這些空白。實際上就連經典文本都難以全盤掌握，遑論其他。況且今文經學斷絕已久，學術上的論題爭議並不大。今文經學的考據往往流於

37 〔美〕艾爾曼（Benjamin A.Elman）：「《古文尚書》的考辨成果，為重新探索其他古文經典的真偽開闢了道路，也推動了對今文經學嚴謹的考證性成果的產生」、「今文經學實際上是清代考據學在過去兩個世紀中辛勤累積的文獻考證成果的副產品。」趙剛譯：《經學、政治和宗族——中華帝國晚期常州今文學派研究》（南京市：江蘇人民出版社，1998年），頁16、165。

38 王汎森：「過去有些學者持著一個看法，認為今文經師們反對聲音訓詁之學，專講微言大義。對於初中期的今文經師而言，這個觀察並不對。我們不但可以很容易從莊述祖、劉逢祿、宋翔鳳、魏源等學者的著作中，找到大批聲音訓詁的文字，更可以找到許多證據證明他們追尋古音古字以明六經本義的決心是與考據家一樣強烈的。」《古史辨運動的興起》（臺北市：允晨文化公司，1987年），頁86。

39 周予同（1898-1981）：「清代復興的西漢今文學派，可分為前後兩期：前期的今文學派，崛起於莊存與，成立於劉逢祿，而下終於戴望；後期的今文學派，創始於龔自珍，發展於康有為，而下迄於崔適。前期以分經研究為特徵；對於古文經典加以個別的打擊，對於今文經典予以個別的發揮……。後期以綜合研究、發揮大義為特徵；對於古文學派的學統與體系加以整個的攻擊，對於今文學派的『微言大義』加以高度的發揮，……前期今文學派所以崛起，或者如梁啟超所說，『發於本學派之自身』；換言之，即學術的原因。」〈春秋與春秋學〉，收入朱維錚（1936-2012）編：《周予同經學史論著選集》，頁518-519。

主觀選取，也就是單向地選擇某一立場，然後取材證明。[40]這與古文經學針對爭議的論題進行正反辨難的考據方式有所差異。這並不是說今文經學的考據毫無效力，而是說今文經的考據展示的是對源流的尊重與義理的宣揚，但是古文經學的考據多是難題的剖析、檢證。因此，考據對今文經學來說是一種展示，一種輔助，而義理的演繹推展才是今文經學研究的重點。[41]基本上來說，今文經學家以考據聞名者並不多見，這並非他們的能力不足，而是研究對象的條件限制。

引領今文經學走出學術，轉向對現實關注的是龔自珍（1792-1841）。龔自珍對今文經學的研究不多，也沒有完整的理論闡述。但是他積極地援引《公羊》學的觀點議論政事，這對後來晚清學者有很大的先導作用。[42]

---

40 蔡長林：「主觀考據指的是學者在運用小學知識從事學術研究時，已先預設立場，故所得相對而言較為主觀。常州莊、劉及其晚清今文學信徒所為之業，大致上可以說是主觀考據。……何於己所設定者取之，異於己所設定者去之，則是以文獻為傀儡，而自己是傀儡的操縱者。……常州影響於今文學者，除了引《公羊》以議政、變法改制之外，最大關鍵，當在帶有主觀意圖之考據。」《常州莊氏學術析論》（臺北市：臺灣大學中國文學系博士論文，2000年），頁292、294。

41 劉師培（1884-1919）：「嘉道之際，叢綴之學多出于文士，繼則大江以南工文之士以小慧自矜，乃雜治西漢今文學，旁采讖緯，以為名高。故常州之儒莫不理先漢之絕學，復博士之緒論。前有二莊，後有劉、宋，南方學者聞風興起。及考其所學，大抵以空言相演，繼以博辯，其說頗返于懷疑，然運之于虛而不能証之以實，或言之成理而不能持之有故，于學術合于今文者，莫不穿鑿其詞，曲說附會，于學術異于今文者，莫不巧加詆毀，以誣前儒，甚至顛倒群經，以伸己見。其擇術則至高，而成書則至易，外托致用之名，中蹈揣摩之習，經術支离以茲為甚。」〈近代漢學變遷論〉，收入《清儒得失論：劉師培論學雜稿》（北京市：中國人民大學出版社，2004年），頁271-273。政偉案：劉師培是古文經學家，對今文經學多所批評。但是由其論述可看出今文經學家在議論推演經義方面較為偏重。

42 張壽安：「詳析自珍之《公羊》學，吾人可言，自珍《公羊》學之特色在：『從論學到論政』；也就是改變以往論《公羊》於『典籍』，使成為論《公羊》於『時政』。自珍對《公羊》學的態度，是採取直捷擷取運用的方式，未嘗汲汲於建立一有體系之理論或條例。蓋自珍之志趣，本在議政經世，而《公羊》之微言大義，蘊意深遠，正足以為其議政之援。故自珍之《公羊》學，就其本身學術思想而言，是代表著『積極』和『活潑』的意味；對常州學的發展而言，則是開『援經議政』之先河。晚清學者論清末的今文經學者以康有為（1858-1927）最為著名，他提出政教改革的理論，並且實際施行於國政，掀起巨大波瀾。光緒十七年（1891）康有為《新學偽經考》成書，震撼當時學界。本書使用考據學的方法，匯聚文獻，綱目完備，言必有據，將歷來懷疑古文經的論點與證據，有系統地整合於一處，成為今文經對古文經全面性質疑的巨作。

《新學偽經考》懷疑《尚書》「孔壁本」是偽古文，進一步論證《漢書藝文志》提到的費氏《易》，以及著錄的古文《論語》、古文《孝經》、《爾雅》、《左傳》、《周官》、《毛詩》、《逸禮》都是劉歆（50-23 B.C.）偽造，所以將這些傳習已久的儒家經典都是「偽經」。康有為宣稱劉歆偽造經書的目的，是為王莽（45-23 B.C.）篡權制造理論根據，湮滅了孔子的「微言大義」。因此現在流傳下來的古文經學，只能算是新莽一朝之學，故稱「新學」。[43]

康有為自學術根源上推翻古文經的價值，欲塑造今文經成為學術上唯一繼承聖人之真言的獨尊地位。如此一來，兩千年來對經學研究的學術累積恐將毀失大半，對於儒家依循古文經典所建立的傳統將是嚴重的挑戰。從另一個角度來看，既然劉歆偽作所有古文經典，那麼宋學家們所推演的義理之根源不過是漢時學行卑劣的儒者；漢學家考據出來的成果不過是漢時的聲韻與虛構的典章，何能復先秦故舊？康有為的論點對當時的經學家來說，是最尖銳的攻擊。

《新學偽經考》從根源上攻擊古文經專攬聖言詮釋權威地位，提昇今文經的價值地位，這是今文經學在發展的必然現象。閻若璩可以推翻《古文尚書》，那麼今文經學者當然也可以對其他古文經典進行質疑。清代今文經學

政，每喜援引《公羊》，自珍實開風氣者。」《龔自珍學術思想研究》（臺北市：文史哲出版社，1997年），頁13。

43 康有為：「後漢之時，學分今古，既託於孔壁，自以古為尊，此劉歆所以售其欺偽者也。……歆既飾經佐篡，身為新臣，則經為『新學』，名義之正，復何辭焉。……凡後世所指目為漢學者，皆賈、馬、許、鄭之學，乃新學，非漢學也。即宋人所尊述之經，乃多偽經，非孔子之經也。」見錢鍾書主編：《新學偽經考》（北京市：三聯書店，1998年），頁3。

從劉逢祿以降，便朝著質疑古文經學，恢復今文經學的正統地位而努力。因此《新學偽經考》以考據的面貌，質疑古文經學的來源，並不算突兀。只是康有為對古文經的論斷雖然聳動，但是在學術上引發的討論並沒有太大。關鍵在於《新學偽經考》雖然以考據的方式證明命題，但是其證據效力薄弱，考證不精，這讓古文經學者有恃無恐，采取冷漠，甚至嘲笑的態度對待。[44]《新學偽經考》的影響並不如想像中的巨大，遵信其說者並不多。[45]

康有為進一步推尊孔子的地位，引為所有政教改革的理論依託。光緒二十三年（1897）《孔子改制考》完成。這本書的學術考據較少，以多種角度論述孔子「託古改制」的用心。康有為表示中國在西周共和（841 B.C.）之前的歷史蒙昧不明，典籍不存。[46]而春秋戰國的時局變動，造成百家興起，紛紛託古設說，假遠立制，以求改造社會。孔子於斯振奮而起，虛構一套以堯、舜、文、武的先王聖政禮法體制，親自撰作《六經》作為典章依據。[47]

---

44 章太炎（1868-1936）：「會南海康有為作《新學偽經考》，詆古文為劉歆偽書。炳麟素治《左氏春秋》，聞先生治《周官》，皆劉氏學，駁《偽經考》數十事，未就，請于先生。先生曰：『是當譁世三數年，荀卿有言：狂生者不胥時而落，安用辯難其以自熏勞也。』〈瑞安孫先生傷辭〉《太炎文錄》，收入《章氏叢書》（臺北市：世界書局，1958年），冊2，頁761。翁同龢（1830-1904）：「看康長素《新學偽經考》以為劉歆古文，無一不偽，竄亂六經而鄭康成以下皆為所惑云云。真說經家一野狐也，驚詫不已。」陳文杰整理：《翁文恭公日記》（北京市：中華書局，1997年），冊5，頁2696。

45 錢玄同（1887-1939）：「對《新學偽經考》因仔細研究結果而極端尊信，且更進一步而發揮光大其說者，以我所知，唯有先師崔觶甫（適）先生一人。崔君受業於俞曲園先生之門，治經本宗鄭學，不分今古；後於俞氏處得讀康氏這書，大為佩服，稱為『字字精確』、『古今無比』，於是力排偽古，專宗今文。」〈重論經今古文問題〉，《錢玄同文集》（北京市：中國人民大學出版社，1999年），冊4，頁133。朱維錚：「在清末，『新學偽經』說的確造成過頗大的影響。那主要不是由於此書的流行，而是由於康有為的口頭宣傳和反對者的壓制傳播。」〈新學偽經考導言〉，收入錢鍾書主編：《新學偽經考》，頁13。

46 康有為：「六經以前無復書記。夏、殷無徵，周籍已去，共和以前不可年識。」《孔子改制考》，《康有為全集》（上海市：上海古籍出版社，1992年），冊3，頁2。案：中國歷史開始有明確紀年的是《史記・十二諸侯年表》記載之「共和」元年。

47 康有為：「六經中之堯、舜、文王，皆孔子民主、君主之所寄託，所謂盡君道、盡臣道，事君治民，止孝止慈，以為軌則，不必其為堯舜文王之事實也。」《孔子改制於是《孔子改制考》大張旗鼓地談論「孔子素王說」、「孔子改制說」的觀點，並且援引《公羊》學「三世說」的思想，賦予「三世」說獨特的意義。康有為宣稱「據亂世」為君主專制，「昇平世」為君主立憲，「太平世」為民主共和，然後提出「愈改而愈進也」的論點。這些觀點成為戊戌變法（1898）的理論指導，在當時很有影響力。《公羊》學對於康有為的政治改革思想有所啟發，但也僅是啟發而已。康有為撰述目的在於政治、社會的改革，歷史與學術不過是理想的附庸而已。[48]

康有為的《新學偽經考》與《孔子改制考》是變法的理論基礎，但是所引起的爭議反讓變法添加的阻力。[49]就某種意義來說，儒家的支持者都要站在康有為這一邊，因為恢復聖人之典制，還三代之淳厚，一直是崇高的理想。康有為的確吸引了某些熱情的追隨者，但是有更多反對的聲音出現。關鍵在於若康有為的理論實踐了，則兩千年累積的文化將隳頹不存。《孔子改制考》最主要的思路是將孔子推尊為宗教的教主，[50]則經學為孔子對政治社

考》，《康有為全集》，冊3，頁334。

48 蕭公權（1897-1981）：「公羊學本身易使康氏自由應用。首先，公羊學振一開始，學者就傾向於借實際政治來解釋儒學。……公羊學啟發康氏的第二個特徵是此派在學術致知上不甚求史實之確切，說是孔子作《春秋》，要在微言大義，而不在記錄史實。……在康氏之心目中客觀並無了不起的學術價值，歷史也並無學術研究的實質意義。他認定『漢學』雜蕪繁冗，與他的思想觀點全不相符。因康氏作為公羊學派的信徒，並不計較史實是否正確，歷史的意義只是在闡明孔子所發明的大義。……康氏的學術立場深受反對者的批判。但是他的公羊學玄想雖然缺少歷史證據且沒有條理的分析，卻深刻地影響了他的反傳統社會哲學。」蕭公權著，汪榮祖譯：《康有為思想研究》（臺北市：聯經出版公司，1988年），頁70-73。

49 汪榮祖：「《新學偽經考》與《改制考》不僅引起不必要之紛爭，而且幾淹沒變法之主題。」〈論戊戌變法失敗的思想因素〉，《晚清變法思想論叢》（臺北市：聯經出版公司，1983年），頁111。房德鄰：「許多變法的人，很容易接受康有為所宣傳的西學和變法主張，卻不肯接受他的今文經說。……在維新運動時期，康有為的變法理論采取今文經的形式，雖然也起到了某些解放思想的作用，但總體說來，它阻礙了變法運動。」《儒學的危機與嬗變——康有為與近代儒學》（臺北市：文津出版社，1992年），頁57。

50 梁啟超：「有為謂孔子之改制，上掩百世，下掩百世，故尊之為教主；誤認歐洲之尊景教為治強之本，故恆欲儕孔子於基督，乃雜引讖緯之言以實之。於是有為心目中之

會的改革措施。然而因為孔子為具有全知的聖人，因此其經學預知後世所有發展的理則。因此掌握孔子思想精義不在經學的典章制度之中，而是其喻示的政治、社會進化法則，以對現實進行更新改造。如此一來，孔子的地位雖然被推尊至極限，但是實際上卻從斷絕孔子學說的存在真實，及其綿延久遠的學術傳續。孔子成為空洞的軀殼，內容可以隨時更新填補。[51]

康有為值得尊敬，他盡了知識份子關心時局，為現實的變動尋求出路的責任。但是康有為以宗教的角度塑造孔子的絕對權威，結果適得其反，讓孔子成為虛幻的「符號」。

在學術上與康有為相抗衡的是章太炎（1869-1936）。他早年的治學即以訓詁考據為主，這是其一生堅守的學術方法。章太炎於光緒二十八年（1902）自日本歸國，重新修訂《訄書》，此時加入〈訂孔〉篇。認為所謂的「經」，在以前就是「歷史」。所以章太炎將孔子定位為「良史」，即優秀的文獻整理者。以這個角度來看，劉歆與孔子相等，對古文經這種歷史文獻的整理卓有貢獻。[52]章太炎另外一個主張是以《六經》為史料，提出「六經皆史，古史皆經」的論點。他認為古史（經）中參雜許多神話，幸好有東漢學者為其詳細甄別，經學才得以回復古史的性質。[53]

孔子，又帶有『神秘性』矣！」《清代學術概論》，頁68。

51 王汎森：「廖、康、梁卻想將孔子發揮成全知遍在的人格神，乃至於在孔子的『軀殼』中填入他們所想鼓吹的內容，使得孔子學說成為一個可以由後人任意決定其內容的空殼子。……但說孔子是『全知』的結果卻反而使孔子六經的面目全被不斷變遷的現實境況所決定，喪失了歷史性。說孔子『遍在』，不只為中國『制法』，且為全世界『制法』，表面上看來是『張大孔子』，但實際結果也是使得六經失去他們的歷史性。」〈從傳統到反傳統——兩個思想脈絡的分析〉，《中國近代思想與學術的系譜》（臺北市：聯經出版公司，2003年），頁119。

52 章太炎：「孔氏，古良史也。輔以丘明而次《春秋》，料比百家，若旋機斗玉矣。談、遷嗣之，後有《七略》。孔子死，名實足以伉者，漢之劉歆。」〈訂孔第二〉，錢鍾書主編：《訄書（重訂本）》（北京市：三聯書店，1998年），頁138。

53 章太炎：「六藝，史也。上古以史為天官，其記錄有近於神話（人言六經皆史，未知古史皆經也）。學說則駁。……杜、賈、馬、鄭之倫作，即知『摶國不在敦古』，博其別記，稽其法度，覈其名實，論其社會以觀世，而六藝復返於史。」〈清儒第十二〉，章太炎對抗今文經的論點相當高明：將孔子定位為歷史家，則直接否定今文經學家視孔子為素王的核心概念。當《六經》只是上古之事，只是文獻資料，則通經最大的功效將只是瞭解歷史。章太炎在中國學術史上號稱為古文經學最後的大師，他的成就在於有效地反擊今文經的論點，重新檢視經典的意義。不過，在攻擊今文經的過程中，經學家所信奉的核心理念——孔子與《六經》的神聖意義，恐將裂解。然而對於章太炎來說，他的言論並沒有矛盾之處。他以考據求真的信念自持，就算《六經》失去了神聖性，但是求真的信念與方法不會因此而失去價值根源。

康有為與章太炎之間的差異是民國以後的經學研究重點，[54]但是在實際的影響力上，章太炎以考據學與以經為史料的觀念，帶領國學走過第一波思潮衝擊，在文史學界的地位如日中天。[55]章太炎的出現代表傳統經學時代的終結，卻也開啟學界對經典研究的全新認識。

考據學在章太炎之處發生最大的轉化就是將經學視為歷史的文獻資料。很訝異的是這個論點的提出，沒有遇到太大阻力，自然而然地被許多學者接受。除了儒學權威不斷被外在變化衝撞的因素之外，考據學自身發展的趨向應是重要原因。

考據學發展之初便指向文獻資料的探索，所謂義理的探求是最重要的目標，但是在程序上是第二階段的工作。因此在考據的過程中，無論是語言文字的研究，或是典章制度的復原，都需要大量的材料蒐集與比對。此時，經典文字被割裂引用。因此在考據學的使用上，經典本身就是材料，具有文獻學上的意義。另外在考據學得出的客觀知識來看，具有強烈的史實、史料性

《訄書（重訂本）》，頁156-158。

54 蒙文通（1894-1968）於一九二二年寫下〈近二十年來漢學之平議〉：「什麼教科書、新聞紙，一說到國學，便出不得這兩派的範圍。兩派的領袖，今文家便是廣東的康先生，古文家便是浙江的章先生。二十年間，只是他們的兩家新陳代謝，爭辯不休，他們的爭議便占了漢學的大部分了。」〈經學導言〉，《經史抉原》，收入《蒙文通文集》（成都市：巴蜀書社，1995年），卷3，頁12。

55 參見桑兵：〈近代學術的傳承：從國學到東方學〉《晚清民國的國學研究》（上海市：上海古籍出版社，2001年），頁260-292。

質。

當清末民初儒學遭遇到嚴重的批判，[56]經學研究者堅持的神聖性被消解殆盡，學者要求經學必須徹底地轉換其傳統以來的所賦予的意義。[57]民初興起國故整理運動，並不是重新擁護經學，而是要將經學視為材料，重新整理，以現代的學科模式為其定位。[58]

民國初年，經學很快地走入學院，成為專門之學，[59]嘗試與現代學術接軌。由神聖的經典轉變為學術科目，不過二、三十年時間。其中沒有抗爭，彷彿這種轉變是理所當然。「經學」能逃過清末民初的質疑，順利走入學院，或許與清代考據學有關。考據學方法一開始就指向客觀知識的研究，符合民國以後的學術要求。[60]另外考據學的方法在國學研究方面確實有效，民

56 林毓生以「整體性的反傳統思想或整體性的反傳統主義」(totalistic iconoclastic thought or totalistic anti-traditionalism)，表達民初對中國傳統社會與文化進行全面而整體的抨擊的意識型態。《思想與人物》，(臺北市：聯經出版公司，1983年)，頁146-147。杜維明描述民國初年的反傳統思潮：「把中國傳統，特別是有代表性的儒家傳統歸約為封建遺毒，並以此作為一個符號，即所有中國人不爭氣、不前進、不能進入現代社會的原因。一切的問題都丟到這個垃圾箱裡。這個符號與儒家傳統解了不解之緣，好像不反對儒家不僅沒有理性，而且是自暴自棄。」《現代精神與儒家傳統》，第8講「儒教中國及其現代命運」(臺北市：聯經出版公司，1996年)，頁325。

57 顧頡剛(1893-1980)：「治經學不是延長經學的壽命，而是正要促進經學的死亡，使得我們以後沒有經學。」劉起釪：《顧頡剛先生學述》，(北京市：中華書局，1986年)，頁54。

58 林語堂(1895-1976)：「今日的人治經須與古人不同，就不必使六經為我們的注腳，卻須以六經為國學的注腳。清代學雖有離經說子，別成一家的人，但他獨立的動作還是有限的，敢陰謀而不敢明叛。今日就須『拿國學研究我國各種文化現象』為目的，而『國學的規模可因科學的眼光而改造』。」〈科學與經書〉，《晨報五周年紀念增刊》，1923年12月1日，頁23。陸懋德：「余用近世科學方法，將諸經分為三類：曰哲學、曰史學、曰文學。」〈中國經書之分析〉，收入許嘯天編：《國故學討論集》(上海市：上海書店，1991年影印群學社1927年版)，頁184。

59 周予同於一九二六年寫道：「經是可以研究的，但是絕不可以迷戀的，經是可以讓國內最少數的學者去研究，好像送學者檢查糞便，化學者化驗尿素一樣，但是絕對不可以讓國內大多數民眾，更其是青年的學生去崇拜，好像教徒對於莫名其妙的『聖經』一樣。」〈僵尸的出祟——異哉所謂學校讀經問題〉，《周予同經學史論著選集》，頁603。

60 張壽安：「無庸置疑，禮學考證是捲入清儒最多心力的鉅大學術工程；也因此，它的

國以後的文史研究者，很難迴避清代考據學留下的研究成果與方法。[61]所以，經學的神聖與權威雖然時代變局中崩塌，但是藉著考據學及其相關研究，順利地在高等教育體系中保有一席之地。

五　結論

章學誠指出學者進行考證工作，花大量的時間精力進行研究，但是卻不知這樣的考證工作有何意義。[62]方東樹在道光六年（1826）左右撰寫成《漢學商兌》，抨擊考據學只能在紙本上求是，無益於國計民生，這的確是命中漢學的要害。[63]這些批評似乎暗示考據學的生命即將終結，或是說考據學的發展應該有一定的限制。

考據學讓經學專業知識化，脫離了個體生命體悟與現實社會的要求，逼

貢獻是如此多面且豐富。……這層考禮工夫，在技術上，帶動了名物、度數、典章、制度之學的大盛（這直接關係到近代科技知識的出現，本書暫且不論）。」、「改革的主張，基本上隨禮秩議題出現，做考證與論辯式的伸張，而不是成系統地全面反思。全面性禮秩原型的考索，以純粹度而言，竟自內捲式的走入知識考古之途，開啟了近代經學專業知識之始。」《十八世紀禮學考證的思想活力》（臺北市：中央研究院近代史研究所，2001年），頁127-128，頁471-472。

61 郭康松：「近代學者對清代考據成果和考據方法的廣泛運用與借鑒，一方面說明傳統學力的巨大，另一方面——而且是更為重要的方面——說明清代考據學具有科學性與生命力。……只要是以我國傳統文化典籍為研究領域或對象的學者，都或多或少涉及運用了清代考據學的成果與方法。」《清代考據學研究》（武漢市：崇文書局，2001年），頁301。

62 章學誠（1738-1801）：「學博者長於考索，侈其富於山海，豈非道中之實積，而鶩於博者，終身疲精勞神以徇之，不思博之何所取也。」《文史通義・內篇二・原學下》卷2，葉瑛校注：《文史通義校注》（北京市：中華書局，1994年），上冊，頁154。

63 方東樹：「漢學家皆以高談性命，為便於空疏，無補經術。爭為為實事求是之學，衍為篤論，萬口一舌，牢不可破。……漢學諸人，言言有據，字字有考，只向紙上與古人爭訓詁形聲傳注；駁雜援據群籍，證佐數千百條，反之身己心行，推之民人家國，了無益處；使人狂惑失守，不得所用。然則雖實事求是，而乃虛之至也。」《漢學商兌》卷中之上，收入錢鍾書主編：《漢學師承記（外二種）》（北京市：三聯書店，1998年），頁276。

使經學研究趨向專門，從事局部性的研究。考據經典的風氣越興盛，代表經學越是脫離了生命的感悟與現實的關懷。弔詭的是民國經學的專業知識化現象中，傳統對經典闡釋的意義被無情的攻擊，保留的卻是讓經學專業知識化的考據學方法。

清初採取考據的方式面對經典的問題，經學研究與個體生命與社會現實脫節，走向專業化與知識化。但是學者在以客觀的方法質疑經典時，經典的神聖性將會動搖，而研究的信念與研究方法的指向在長久的研究累積中呈現背反的趨向。清末民初對經學意義的質疑與推翻，恰好消解考據學在信念與方法上的緊張，順遂地在經學專業知識化的形勢下，取得學術專門的地位。

經典的沒落與章學誠「六經皆史」說的提升

劉巍
中國社會科學院近代史研究所副研究員

經典日趨喪失其權威地位而至於要被「扔下毛廁去」[1]，經學日趨敗落而至於「終結」[2]，乃是中國近代文化史之主旋律，也可以說是一部較之敦煌學史毫不遜其沉痛度的「傷心史」。描述其過程，揭示其所以然之故，是一個關乎中國文化發展方向的巨大系統工程，吸引了越來越多的有識之士傾力於此。[3]筆者擬以晚近學人對章學誠的「六經皆史」說的接受與再詮釋為視角，切入此題。晚清以降，尤其是民國以來，學術界流行著一種對章學誠的「六經皆史」說的獨斷詮釋，即認為此說蘊含著夷經於史甚至尊史抑經的意義，具有打破經典權威的思想解放作用，還兼備了以六經為史料的史學觀念。雖有學者對此加以辨正，但是占主導地位的看法形成了時代潮流，或者爭頌「六經皆史」的口號而不自知其借用與章氏之原意本不相合，或者在章氏基礎上進一步提出「六經皆史料」的主張以建設新史學。從打破經典與經

1 語出錢玄同：〈廢話——原經〉，收入《錢玄同文集》（北京市：中國人民大學出版社，1999年），卷2，頁234。

2 語出湯志鈞：《近代經學與政治》（北京市：中華書局，1989年），第八章〈經學的終結〉。

3 有關經學在近代式微的原因的探討，陳以愛從思想、制度等層面，綜述有關研究成果較詳細，可參看。陳以愛：《中國現代學術研究機構的興起——以北京大學研究所國學門為中心的探討（1922-1927）》（臺北市：國立政治大學歷史學系，1999年），頁265-266。

學的權威為理所當然的觀點來看，章學誠自然很容易成為現代新史學的先知先覺；從對經典與經學懷抱較為寬容與建設性的立場，尤其是從拉長時段的歷史理解的角度來審視，則結論就會有所不同。問題是如此尖銳地擺在那裡：孰謂能得章氏之本意？何以喧嘩之眾聲皆會聚焦於本題，致使章氏生前的寂寞與此說日後的堂皇之間形成如此強烈的反差？都有待於深入的探討。此議題之特殊性，使探討的正當途徑竟有類如詮釋之迴圈：如果對「章學誠學術的百年來研究」不作深入的反思，則很難瞭解「六經皆史」說的緣起與本旨，反之亦然，若不考實此說之發生演變以及後世影響，其意義就無從談起。這自然使得此項研究，雖本於章學誠而絕不能侷限於章學誠。尤其是對章氏是否抑經以及章氏是否卑視六經為史料等問題的探討，牽扯出來的實在是中國經學的近代命運這個母題，就更不僅關乎對章氏一人學術思想的評騭了。我們之所以要將他聯繫起來討論，也是為探得此論題之深層意蘊而不能不設置一個略為方便的比較向度而已。懷抱同情的歷史理解也許比滿懷鄉愁的感傷要有力一些，我們只能圍繞著「六經皆史」說所涉及的方面，探討經典與經學的沉浮與變動的時代之間的關係，好比是從浮在海面的冰山一角的搖曳，試略探一探深隱在海中的龐大冰體之挪移。

筆者有文〈章學誠「六經皆史」說的本源與意蘊〉[4]，已先作了正本清源的梳理，或可為評騭章說之「流變」及其與近代經學之命運關係，提供較為切實之張本。然而，此等工作乃建立於對前賢研究成果的「反思」之基礎上，而「六經皆史」議題的突顯實在章氏之歿後而非生前，是故，此說在近代之流傳與播遷，即此問題意識之張揚歷程，反而是本源，亦為筆者關注之緣起。

4 參見劉巍：《中國學術之近代命運》（北京市：北京師範大學出版社，2013年），頁3-44。

一　「六經皆史也」：在《文史通義》位列首句之迷案

我們首先要探討的是，章氏「六經皆史」說發生影響的偶然性問題。

章學誠在他那個時代多少有點異類，他雖然自負才學，而生前確乎是寂寞的。當時就有翁方綱向其友人劉端臨徵詢章氏「學業究何門路」，[5]又有阮元在給洪亮吉的信中問及：「會稽有章實齋，所學與吾輩絕異，而自有一種不可埋歿氣象，不知是何路數，足下能定之否？愚意此亦一時之奇士也。」云云。[6]等等，可知在當時也並非湮沒無聞，但他的學問「路數」無疑成為不被人知的障礙。不過他的身後也著實是光彩奪目的。越來越深入的研究表明，一九二八年姚名達訂補胡適《章實齋先生年譜》，在書末說：「十一年（1922）春，本書初版出版，國人始知章先生。」這話未免誇張；[7]論者所謂「其身後大名，主要還是由於日本學者在二十世紀的新發現」，[8]就更過分了。事實上，他的著述之影響還頗為深遠。[9]他的學術聲譽大致可以章太炎

5 章學誠：〈家書二〉，收入章學誠著，倉修良編注：《文史通義新編新注》（杭州市：浙江古籍出版社，2005年），頁817。

6 章學誠：〈與朱少白書〉，收入章學誠著、倉修良編注：《文史通義新編新注》，頁787-788。

7 除了余英時批評其「誇張」之外。餘說見氏著：《論戴震與章學誠——清代中期學術思想史研究》，（北京市：三聯書店，2000年），頁162。吳天任早就批評「這句話未免大言不慚了！」並進一步以王宗炎、譚獻等人對章氏學問的瞭解為據，指出：「實齋不為一般漢學家所歡迎，原是事實。但說漢學家使實齋事蹟埋沒了一百二十年無人知道，這又是一段笑話了！……總之，實齋事蹟，後人雖非全部瞭解；也斷不至有埋沒一百二十年無人知道；而必須等到胡譜出版後才知道的道理。」參見吳天任：〈胡著姚訂章實齋年譜商榷〉，《章實齋的史學》（臺北市：臺灣商務印書館，1979年），頁293-294。

8 汪榮祖：〈槐聚說史闡論五篇〉，《史學九章》（臺北市：麥田出版社，2002年），頁312。

9 關於章學誠的學術思想對後世的影響，錢基博較早有頗為細緻的討論，參見氏著：《〈文史通義〉解題及其讀法》（上海市：龍虎書店，1935年增訂版）。有學者以劉師培《國學發微》、張爾田《史微》、柳詒徵《國史要義》為例，專章討論「章學誠對後

的一句話概括之：「會稽章學誠為《文史》、《校讎》諸通義，以復歆、固之學，其卓約近《史通》。」[10]正得力於迥異乎儕輩的學術取徑及其卓識；從更長的時段來看，更與其由「文史校讎之學」所獲致的「六經皆史」的大論斷息息相關。不過，這一觀念在章氏的學術思想中佔據如此重要的地位，贏得如此廣泛的聲譽，卻也有出人意外的緣由。多少具有傳奇色彩的是：「六經皆史也」很可能不是章氏自擬《文史通義》開門見山第一句話。

學者多認為今本《文史通義》第一篇〈易教〉第一句話「六經皆史也」不僅是《文史通義》的中心思想也是章氏學術思想的綱領。但是我們要在這裡提出一個對本論題的存在價值及其重要性也許構成嚴重威脅的質疑，如果《文史通義》的第一句話不是「六經皆史也」的話，那麼，這個命題還會受到如此經久不息的關注？它在學術思想史上還會有那麼大的影響？無論如何，我們要論證的一個重要假設，就是，以這一句話開宗明義的〈易教〉[11]，很不可能是章氏自擬中的《文史通義》的第一篇。學術界近來的研究，逐漸逼近於對這個問題作徹底的清查。嘉慶元年（1796），章學誠曾選取《文史通義》中少數篇章編刻出版，此即《文史通義》自刻本，也是《文史通義》的最早刻本。北京大學圖書館現藏華紱抄本中就附有《文史通義》自刻本，篇目中包含有〈易教〉、〈書教〉、〈詩教〉等諸篇，梁繼紅在錢穆的有關研究基礎上進一步認為「恰是因這些文章入選自刻本而說明這些文章並非十分逆人視聽，也並非章學誠論學最為核心的文字。」而乾隆五十四年（1789）「此年所作〈原道〉、〈經解〉、〈原學〉等集中言道的文章當是章學誠論學中心之中心，故而按照章學誠編纂《文史通義》的原則，〈原道〉諸篇當代替

世的影響」，朱敬武著：《章學誠的歷史文化哲學》（臺北市：文津出版社，1996年），第七章；又有學者從「六經皆史」說、治學合一論、方志學思想等方面討論章學誠對龔自珍、魏源、李慈銘、譚獻、鄭觀應、康有為、蔡元培、章太炎、梁啟超等人的影響，陳鵬鳴：《試論章學誠對於近代學者的影響》，收入中國歷史文獻研究會編：《章學誠國際學術研討會論文集》（北京市：北京圖書館出版社，2004年）。可以參考。

10 章太炎：《檢論》之〈清儒〉篇，收入朱維錚編校：《章太炎全集》（三）（上海市：上海人民出版社，1984年），頁474。

11 如今通行的大梁本與嘉業堂刻《遺書》本《文史通義》，皆以〈易教〉居全書之首。

〈易教〉諸篇居於《文史通義》全本之首。」[12]

我們認為，由於章學誠的「文史校讎之學」的理論出發點，乃建立在從「三代盛時」的官師合一到「三代以後」政、學分離的「學術」分野之上，是故像〈原學〉實屬發揮〈原道〉見解的，分析私學興起後的發展狀況而非「集中言道的文章」，此篇似未必定居於各篇經「教」如〈易教〉等之前，相對而言，從章氏一貫「尊史」的立場來看，〈史釋〉在《文史通義》中的排序會比較靠前，無論如何，〈原道〉、〈經解〉確有可能位列頭排，而〈原道〉之為《文史通義》全本之第一篇，更是勿庸置疑的。我們知道，「原道」是章氏一生治學的終極關懷。他在《和州志．藝文書》序列之第一部分標題就是「〈原道〉」。《續通志校讎略擬稿》中的相關內容題名為「著錄先明大道論」，今本《校讎通義》恢復標題為「原道」，從廣義的《文史通義》獨立出來的《文史通義》更必須有他頗為自得的〈原道〉篇，拙作〈章學誠「六經皆史」說的本源與意蘊〉一文已經交代過，其宗旨是要解決自與戴震初晤以來就未曾釋懷的重大問題。它的重要性，自然要使得它在無論是廣義的還是狹義的《文史通義》（該書名有廣、狹兩義，用余英時說）必然是穩居首席的。另外，章學誠是對著述體例在意到幾近苛求的人，他在〈立言有本〉中對汪中《述學》體例的指摘，證明他在這方面正是不屑假借的嚴厲君子。而他本人早就聲言他的《文史通義》是要「下該《雕龍》」的[13]，劉勰《文心雕龍》的第一篇為「〈原道〉」、第二篇是「〈徵聖〉」、第三篇才是「〈宗經〉」，這樣的排列次第怎麼能不讓他效法！因此，章學誠自擬的《文史通義》的第一篇只能是〈原道〉而非〈易教〉。這一點的澄清對本論題有什麼意義？由於章學誠遺稿的編纂者，或者不明章氏之「義例」，或者出於

12 錢穆：《中國近三百年學術史》（上海市：商務印書館，1937年），頁424-427；錢穆：《記鈔本〈章氏遺書〉》，原刊於1936年12月《北平圖書季刊》3卷4期，收入氏著：《中國學術思想史論叢》（卷八）（合肥市：安徽教育出版社，2004年）。梁繼紅：《章學誠〈文史通義〉自刻本的發現及其研究價值》，收入中國歷史文獻研究會編：《章學誠國際學術研討會論文集》，引文見該書頁206。

13 見章學誠：〈與嚴冬友侍讀〉，收入章學誠著，倉修良編注：《文史通義新編新注》，頁706。

某種忌諱，而把最重要的〈原道〉篇往後挪，而造成了〈易教〉為今本《文史通義》的第一篇，從而也就很偶然地造成了「六經皆史也」成為今本《文史通義》開宗明義第一句話的事實。

這一事實，提醒我們，現有的研究中普遍存在的動輒將《文史通義》乃至《校讎通義》諸篇籠統視為「六經皆史也」一句五字的注腳的做法，頗有誇張之處。

二　「六經皆史」說的傳延：章氏的影響與新時代意識建構之間的互動

這樣，自然產生一個問題：百年來她的輝煌的被接受史、被一再詮釋的故事是否也是偶然？事情絕不那麼簡單。消解此惑，不但要求我們溯自章學誠的生前，更須徵之於其身後。片言不足以解紛，容筆者進一步從傳延與折變兩個大的方面來探討它在後世的播遷。這兩方面當然是不能簡單剖判開來的，為了討論的方便起見才有必要如此，希望我們所做的學術思想史的個案分析，能跟得上該觀念發展史的自然流程。

章學誠的「六經皆史」說，蘊含了從「王官之學」與「百家」「私學」分野的角度講中國古代學術的取徑與卓識，頗為難能可貴。錢穆因此將章氏的這一見解推崇為是「極大的創見」。[14]此種評論堪稱的當。其實，章太炎在《訄書》重訂本〈清儒〉中明確主張「六藝者，官書，異於口說。」[15]顯而易見為近承自章學誠以六藝為王官學的見解。又如顧頡剛認為：「中國的古籍，經和子占兩大部分。普泛的說來，經是官書，子是一家之言。或者說，經是政治史的材料，子是思想史的材料。」說穿了，也是在發揮章學誠的「官學」「私學」兩分的見解，而以「材料」論之，則難掩其「時代精神」而已。[16]至於錢穆，更是擅用「王官學與百家言對峙」的觀點講中國學

14 錢穆：《中國史學名著》（北京市：三聯書店，2000年），頁254。

15 朱維錚編校：《章太炎全集》（三），頁160。

16 顧頡剛：《古史辨．顧序》（1933年2月12日），收入羅根澤編著：《古史辨》（上海市：

術思想史的。[17]如此等等，從一個側面，我們可以說，章學誠的「六經皆史」說獲得了光輝的下場。此說還涉及到中國學術史上的一個重要問題，即中國學術思想的源頭是否可以追溯到史官文化的問題，且不說別的，我們看龔自珍如何發揮「古史鉤沉論」，劉師培如何在〈論古學出於史官〉後又作〈補古學出於史官論〉，以及「後來之揚其波者，如張爾田、江瑔、金兆豐，皆謂諸子百家，莫不原本人事，共出於史官。」[18]尤其是，劉氏宗主在古文經學，龔、張氏則傾向今文經學，而均願意為章說作注腳，如此等等，真足讓人感喟見識之長竟有非瑣瑣考證所能望其項背於萬一者，豈得謂此等命題「顯然沒有多少知識上的意義」？

「六經皆史」說內含的經世大義，亦頗不乏解人。「謂集大成者周公而非孔子，學者不可妄分周、孔。學孔子者不當先以垂教萬世為心。」此說既為伍崇曜所激賞，[19]魏源又采入〈學校應增祀先聖周公議〉。[20]龔自珍二十五歲時作的〈乙丙之際著議第六〉，以及言經頗及今文後撰於四十二歲的〈六經正名論〉等，都在深沉地發揮章氏這一核心觀念。[21]道光六年（1826）魏源還把〈乙丙之際著議第六〉收編入《皇朝經世文編》「一卷《學術》」，[22]看來，龔、魏均深賞章氏「治學」合一、「官師」合一的學術觀念及其經世

上海古籍出版社，1982年），冊4，頁15-16。

17 參見夏長樸：〈王官學與百家言對峙——試論錢穆先生對漢代學術發展的一個看法〉，收入臺灣大學中國文學系編印：《紀念錢穆先生逝世十週年國際學術研討會論文集》，2001年，頁45-80頁。

18 語出金毓黻：《中國史學史》（石家莊市：河北教育出版社，2000年），頁329。

19 〈伍崇曜《文史通義》跋〉，收入章學誠著，倉修良編注：《文史通義新編新注》，錄之一，見該書頁1081。

20 魏源：《學校應增祀先聖周公議》，收入魏源全集編輯委員會編校：《古微堂外集》（長沙：嶽麓書社，2004年），卷1，第12冊。魏氏本章說，參見余英時：《論戴震與章學誠——清代中期學術思想史研究》，頁57。

21 關於龔自珍諸篇的撰著時間，參見樊克政：《龔自珍年譜考略》（北京市：商務印書館，2004年）。

22 參見樊克政：《龔自珍年譜考略》，頁295。

致用的意蘊，這一點很可能啟迪了他們那種「喜以經術作政論」[23]的學風。又誠如錢穆所說：「章氏六經皆史之論，本主通今致用，施之政事」影響及于包世臣等人」。[24]在更為年輕一代的康有為身上，我們也找到了影響的蹤跡。章學誠在〈經解上〉中有云：「《易》曰：『雲雷屯，君子以經綸。』經綸之言，綱紀世宙之謂也。鄭氏注謂：『論撰書禮樂，施政事』，經之命名所由昉乎？」此說引起康有為的極大關注並採納於《教學通義》一書：「四者（指《詩》、《書》、《禮》、《樂》——引者），為先王典章，故稱為經。經者，經綸之謂，非有所尊也。（章實齋嘗有是說）。」後來確立了今文經學立場的康氏在《新學偽經考》中批評章學誠說：「近世會稽章學誠亦謂周公乃為集大成，非孔子也。皆中歆（指劉歆——引者）之毒者。」但是這絕不能掩其曾深受章氏「六經皆史」說影響的事實，[25]毋寧說章氏對經之注重經之「經綸」功能的態度既成為康氏他走向具有強烈經世精神的今文經學的橋樑，最後亦與之合流了。甚至到民國年間，也還有像孫德謙的〈申章實齋六經皆史說〉[26]等文章仍然在發揮「六經皆史」說這方面的意蘊。

當然，章氏「六經皆史」說留給後世最大的遺產，是為中國近代學術思想史的最為重要的「大事因緣」——「經學的史學化」提供了不可或缺的也許還是別無選擇的和最為合體的觀念構架或概念工具。

晚近古文經學之領軍人物章太炎在清末曾揭櫫其學術旨趣說：

> 孔氏之教，本以歷史為宗，宗孔氏者，當沙汰其干祿致用之術，惟取前王成跡可以感懷者，流連弗替。《春秋》而上，則有六經，固孔氏歷史之學也。《春秋》而下，則有《史記》、《漢書》以至歷代書志、

---

23 語出梁啟超，見朱維錚校注：《梁啟超論清學史二種》（上海市：復旦大學出版社，1985年），頁63。

24 錢穆：《中國近三百年學術史》，頁392。

25 參見拙著：《中國學術之近代命運》，第二章第一節：〈《教學通義》與康有為的早期經學路向及其轉向〉。

26 此文原載《學衡》第24期（1923年12月），收入存萃學社編集，周康燮主編：《中國近三百年學術思想論集（六編）——章學誠研究專輯》（香港：崇文書店，1975年）。

紀傳，亦孔氏歷史之學也。[27]

這是明白主張以「歷史之學」貫通經史的，其「歷史」的觀念或別有假借於西人，[28]其「沙汰其干祿致用之術」之主張為對今文經學之「通經致用」流弊痛下針砭，在精神上均大大有別於章學誠之所謂「史」，但是他以「前王成跡」視經，實本於章學誠「若夫六經，皆先王得位行道，經緯世宙之跡」之論，他以《春秋》上下推演「孔氏歷史之學」，亦繼乎章學誠以「六藝本書，即是諸史根源」之所見。其間之演進脈絡，豈不明哉！

後有新史學「疑古學派」的主將顧頡剛，也曾於民初極推章學誠「六經皆史」之說云：

> 自從清代的樸學施下了實地的功夫，考究一番，始曉得「垂教萬世的經書」乃是「一代典章的史書」，既然是部史書，則所做疏解、考證的功夫當然與史學無異。章學誠處此潮流，奮其裁斷，所以說「六經皆史」；「集六經之大成者不在孔子，而在周公」。看六經是學問的材料，不拿學問當做六經的臣僕；拿從前對於經學的界說根本撤銷，做經學的人只是考古，並非希聖，說得明明白白。[29]

顧氏所謂「清代的樸學」「所做疏解、考證的功夫當然與史學無異」的看法足以與後來柳詒徵所持乾、嘉「諸儒治經，實皆考史」的見解[30]相互發明。

---

27 章太炎：〈答鐵錚〉，原載《民報》第14號（1907年6月8日），收入馬勇編：《章太炎書信集》（石家莊市：河北人民出版社，2003年），頁179。

28 來自西洋的「歷史」觀念與中國之「史」的觀念之間的差別及關聯，可參見島田虔次：《六經皆史說》，收入劉俊文主編，許洋主等譯：《日本學者研究中國史論著選譯，第七卷：思想宗教》（北京市：中華書局，1993年），頁186-190。

29 顧頡剛：《中國近來學術思想界的變遷觀》，收入中國哲學編輯部編：《中國哲學》（北京市：人民出版社，1984年1月），第11輯，頁307。王煦華據顧氏日記定此文「原為《新潮》第三號的『思想問題』專號而作」，寫作時間是「一九一九年一月」。參見該文所附之「後記」。

30 說見柳詒徵編著：《中國文化史》（下）（上海市：東方出版中心，1988年），頁747-748。

頗能明瞭「經學史學化」已經萌芽於乾嘉時代經學的端倪。[31]這一趨勢到了晚清，「國粹學派」在與廖平、康有為等今文經學派分道揚鑣的過程中，普遍接受章學誠「六經皆史」的觀念，並改造為「夷六藝于古史」的主張，他們所要保存的「國粹」是「以歷史為主」的，[32]他們的經學主要也就是史學，誠如上文章太炎所指明者。顧頡剛的看法其實多少反映了經「國粹學派」過濾後的經史觀念，而他又身處前所未有的打破聖經賢傳的時代，所以他能斬釘截鐵地說：「看六經是學問的材料，不拿學問當做六經的臣僕；拿從前對於經學的界說根本撤銷，做經學的人只是考古，並非希聖」！我們當然能夠品嘗到此處所論已非章學誠觀念的原汁原味了，但是我們似亦不能在兩者之間來一個徹底的抽刀斷水，正像侯外廬對「六經皆史」說的評論[33]給我們造成的印象一樣，因為很顯然地，顧、侯諸先賢是在傳述章學誠的見解，所以若說此類觀念完全為「現代人」所「賦予」，則不免對這些「現代人」過於輕慢，而對於章學誠也太不公平了。

事實上，類似的觀念正是時代的意見，而非少數人的特見，或者說「現代人」正需要這樣的觀念套子。稍後胡適、梁啟超等都有程度不等的以章說

---

31 我們可以回顧一下戴震向章學誠道及的治經路數：「予弗能究先天後天，河、洛精蘊，即不敢讀元亨利貞；弗能知星躔歲差，天象地表，即不敢讀欽若敬授；弗能辨聲音律呂，古今韻法，即不敢讀關關雎鳩；弗能考三統正朔，《周官》典禮，即不敢讀春王正月。」見章學誠：《與族孫汝楠論學書》，收入章學誠著，倉修良編注：《文史通義新編新注》，頁800。將這與章學誠後來根據邵廷采引用《孟子》的話來批評戴震（參見余英時：《論戴震與章學誠——清代中期學術思想史研究》，頁39-41）等做法略做比較可知，戴震的治學方法頗具歷史感，而章氏的論說反而上綱上線更具「經學」精神。參見章學誠：《又與正甫論文》，收入章學誠著，倉修良編注：《文史通義新編新注》，頁807-808。

32 參見鄭師渠：《晚清國粹派文化思想研究》（北京市：北京師範大學出版社，1997年）；羅志田：〈清季民初經學的邊緣化與史學的走向中心〉，《權勢轉移：近代中國的思想、社會與學術》（武漢市：湖北人民出版社，1999年）。

33 參見侯外廬：〈中國早期啟蒙思想史〉，《中國思想通史》（北京市：人民出版社，1956年），卷5，頁509-510。

為「六經皆史料」的見解。[34]唯需引起特別注意的一個普遍現象是：他們的觀念與章氏的見解其實有很大的距離，而每每極願牽引章氏「六經皆史」為說。為什麼會是這樣的？

以胡適為例。在撰著《章實齋年譜》期間，也正是在發起轟轟烈烈的「整理國故」運動的一九二一年，胡適在東南大學作了題為「研究國故的方法」的演講，其中提到研究國故要運用「歷史的觀念」時說：

> 現在一般青年，所以對於國故，沒有研究興趣的緣故，就是沒有歷史的觀念。我們看舊書，可當他做歷史看。清乾隆時，有個叫章學誠的，著了一本《文史通義》，上邊說，「六經皆史也」。我現在進一步言之，「一切舊書—古書—都是史也」。本了歷史的觀念，就不由然而然的生出興趣了。[35]

胡適這段援引章氏的話，最足與他所作的年譜對「六經皆史」的解釋相互發明，有豐富的內涵。年譜強調的是，章學誠所謂「六經皆史」的「本意只是說『一切著作，都是史料』……其實只是說經部中有許多史料。」[36]此說開了從「史料」擴展的角度加以詮釋的先河，有綿延至今的深遠而持久的影響力，可以說是二十世紀最具勢力的經典詮釋。然而令人震驚的是：年譜所謂的章氏「本意」恰恰就是「我（胡適）現在進一步」的主張，「一切著作，都是史料」與「一切舊書—古書—都是史也」有什麼原則性的分別？聽者的筆記也許不能精確傳達講演者的觀念，但只要不以辭害意，思路是絕不會記錯的，尤其所謂「進一步」的提法絕不可能是聽者加上去的。那麼，胡適為什麼會有此混淆？也許只有一個解釋：胡適出於「整理國故」的需要，有意

---

34 參見拙著：《中國學術之近代命運》第五章：〈經學的史學化：〈劉向歆父子年譜〉如何結束經學爭議〉。

35 胡適：〈研究國故的方法〉（在東南大學演講，枕薪筆記），原載《東方雜誌》第18卷第16號，發表於1921年8月。收入蔣大椿主編，王也揚、劉俐娜、杜文君、吳廷嘉、趙軼峰編：《史學探淵——中國近代史學理論文編》（長春市：吉林教育出版社，1991年）。引文見該書第683頁，經校核。

36 胡適：《章實齋先生年譜》（上海市：商務印書館，1923年10月），頁105-106。

無意地把章學誠的觀念解釋成自己的思想，而章學誠那明快響亮（至少在字面上來說是如此）的主張，經過一翻改造後成為「整理國故」運動的強大支援意識，當然，它的影響絕不會以此為限。更值得注意的是，章氏的觀念被賦予了做夢都想像不到的新意義。我們知道，胡適所謂「歷史的觀念」本於乃師杜威之「歷史的方法——『祖孫的方法』」，是具有特定內涵的學術觀念，[37]扼要地說，這種觀念的最大特點是一方面給所處理的物件以一定的地位，但也只是限於歷史上的地位，一方面則將其價值相對化、極端的時候甚至是虛無化（比如胡適後來就說「整理國故」旨在「打鬼」等等），總之是歷史化。從上文來看，當年的語境是，「現在一般青年」「對於國故，沒有研究興趣」，而胡適的說法是給以「國故」（當然包括「六經」）以一定的地位，並想方設法讓他們對之感起「興趣」來，所以他的「歷史的觀念」有這方面的積極肯定它的妙用。但是從「國故」之中「六經」的地位來看，他們原來具有的崇高地位，在「歷史的觀念」系統中，被徹底顛覆。在中國歷史上，經典之所以為經典，正因為是聖賢所述常道之所寄託，是普世性的或超歷史的——歷經檢驗而持久有價值與效用的東西，才備受尊奉。現在他們不但要與其他「古書」並列，而成為「歷史」或「歷史」上的東西，既不必成為研究的重心或主張不要成為研究的重心而要打破「儒書一尊」的成見，甚至認為經書只配有「史料」的價值，那麼他們憑什麼成為「經」，他們還是「經」？「經學」不過是「歷史」上的名詞而已。章學誠雖然在當年因感受到「餖飣補苴」的「經學」的壓力，為提升「史學」的地位，提倡另類的對「經」的研究與致用取徑，將之包容於「史學」，而用推本溯源的方法，將「史學」歸宿周代之官「史」乃至黃帝之「史」，但是他恰恰是為了發揮經典的普世價值而不是打倒他們。胡適在演講中引用了章學誠的話頭而不作解釋，反而賦予了它絕不曾有過的意義，不過是運用口號作宣傳罷了。這可以說是他的「實用主義」運作的一個極端例子。我們可以進一步探討胡適之所

37 參見拙著：《中國學術之近代命運》第三章：〈經、子易位：『諸子不出於王官論』的建立、影響與意義〉。

以如此的根由。其中的一個原因是，像胡適等既然有志於用外來的「比較參考的材料」或觀念來解古書，若解得不好，則難免有將古人思想現代化的毛病。胡適所謂「史料」與章學誠所謂「史」的一字之別，折射出的卻是經過了歐風美雨的洗禮後的現代「史學」觀念與中國傳統的「經史」觀念尤其是特別的章氏之「經」、「史」觀念的遙遠距離。更重要的恐怕是，章氏所提供的思想架構太適合當事人（開創新史學）的需要了，以至於他們無心去分辨自己的主張與他們所好援引的章氏那琅琅上口的口號之間的深層裂痕。無論如何，他們只會堅定地宣稱自己的主張是在章學誠的基礎上「進一步」。諸如此類，也許是章學誠的「六經皆史」說，在生前默默無聞，反而與現代人有糾纏不清的親密關係的原因。

當然有明達之士，在此等詮釋甫興起之初就指出它的不當了。一九二二年十二月十一日，錢玄同在日記中就批評胡適的解讀法說：

> 適之據章氏〈報孫淵如書〉中「……」數語，謂「六經皆史」是說「六經皆史料」。此說我不以為然，不但有增字解釋之失，實在和《文史通義》全書都不相合。今天我想研究之後來做一篇—〈述章實齋的六經皆史說並且評判它的得失〉。[38]

錢玄同後來並沒有寫出〈述章實齋的六經皆史說並且評判它的得失〉一文，因此我們很難瞭解他對章氏「六經皆史」說的正面看法，但是他對章氏的學術有深刻的認知。他經歷了由注重其「文」論到欣賞其「思想」的過程，又經歷了從因迷於康有為、崔適、廖平等的今文家說而「對於『六經皆史』之說棄之如遺」[39]到對此說與晚清經學今古文爭議之糾葛有超越門戶的卓越見解[40]的過程。他又高度評價道：「清代學者中思想高卓者，實有二人，一戴

---

38 北京魯迅博物館編：《錢玄同日記影印本》（福州市：福建教育出版社，2002年），冊5，頁2412。

39 參見北京魯迅博物館編：《錢玄同日記影印本》，冊5，頁2407-2411。

40 參見拙著：《中國學術之近代命運》第五章：〈經學的史學化：《劉向歆父子年譜》如何結束經學爭議〉；以及該書第二章第二節：〈從援今文義說古文經到鑄古文經學為史

震一章學誠也。」[41]錢穆若見此說，當許為英雄所見略同了。錢玄同在一九三〇年一月六日又精闢地指出：

> 章實齋決非「……史料」，但他也是托古改制，因為他要「方志立三書」，因托「志」于《尚書》、《春秋》（合二經為一），托「掌故」於《禮》，托「文徵」於《詩》耳。而《易》無用，故曰：「上古治詳天道……」也。[42]

看來錢氏一直不能接受胡適式的誤讀。他顯然看出章學誠的方志編撰計畫還是要借助經典的權威來「托古改制」，所以在章氏心目中還是把經典當崇高的標準與規範，這與現代學者所謂「史料」是風馬牛不相及的。這一論斷很合乎章氏思想的實際。錢氏也確能當得起「學有本源，語多『行話』」[43]的稱譽，他用「增字解釋」[44]四個字真是點到了胡適之「失」的要害。如他經常調侃並略帶自負地宣稱的那樣：「我所研究的學問是『經學』與『小學』」[45]他看慣了「增字解經」的例子，所以能一眼挑出胡適增一「料」字解「六經皆史」的毛病—即將「六經皆史」誤釋為「六經皆史料」。

話說回來，像錢玄同雖是很能分辨章學誠的觀念與胡適的思想的，但他本人對於經的成熟見解是極近於胡適而遠於章氏的，「六經皆史料」，恰是確當的概括。[46]他甚至認為從「史料」的觀點來看，六經的價值遠不及《史

學——對章太炎早期經學思想發展軌跡的探討〉。

41 參見北京魯迅博物館編：《錢玄同日記影印本》，冊5，頁2403。

42 參見北京魯迅博物館編：《錢玄同日記影印本》，冊7，頁3738。

43 語出黎錦熙：《錢玄同先生傳》，收入曹述敬著：《錢玄同年譜》（濟南市：齊魯書社，1986年），頁170。

44 已有學者注意到上引一九二二年十二月十一日錢玄同這段日記的重要史料價值，見劉貴福：〈論錢玄同的疑古思想〉，《史學理論研究》2001年第3期，頁66。但是，把「增字解釋」認作「增高解釋」，不確。恐怕是因「字」與「高」兩字草書字體形近而誤，何況所謂「增高解釋」甚為不詞，絕非錢玄同所能用。今正之。

45 語出錢玄同：〈我對於周豫才君之追憶與略評〉，《錢玄同文集》，卷2，頁310。

46 參見拙著：《中國學術之近代命運》第五章：〈經學的史學化：〈劉向歆父子年譜〉如何結束經學爭議〉。

記》、《新唐書》：

> 到了近代，章學誠和章炳麟師都主張「《六經》皆史」，就是說孔丘作《六經》是修史。這話本有許多講不通的地方，現在且不論。但我們即使完全讓步，承認二章之說，我們又應該知道，這幾部歷史之信實的價值遠在《史記》和《新唐書》之下，因為孔丘所得的史料遠不及司馬遷、宋祁、歐陽修諸人，「夏禮殷禮不足徵」之語便是鐵證。[47]

錢玄同的摯友黎錦熙似頗能明瞭這一類見解的淵源：

> 一般人只看見錢先生並不和他老師一樣的反對「今文」經學，而且研講「今文」，表章南海，就以為他于章氏的「古文」經學竟無所承，殊不知他在「新文化」運動中，大膽說話，能奏摧枯拉朽之功，其基本觀念就在「六經皆史」這一點上，不過在《新青年》上他的文章中，一般人不易看出這個意識上的淵源來耳。[48]

黎氏的看法蓋得自錢氏之夫子自道，錢玄同曾在日記中就這樣提到其在「經學」（「經學」為其「副業」，「小學」才是其「正業」）上「與章公真正關係」：

> 止接受其經為古史之說耳，「古文經」我決不信也。[49]

所以說，黎氏認為，錢玄同在新文化運動中「能奏摧枯拉朽之功」的「大膽說話」，「其基本觀念」實本乃師章太炎「六經皆史」的見解，這無疑是極有史識的精闢論斷。問題是，嚴格來說，只有「六經皆史料」才能更確當地表述錢玄同的思想，難道是這位語文學家一時用詞不當？不是的。事實上，沒有任何一個詞能比「六經皆史」這四個字更能表述前後輩之間的學術「淵

47 錢玄同：〈研究國學應該首先知道的事〉，《錢玄同文集》，卷4，頁256。

48 黎錦熙：〈錢玄同先生傳〉，收入曹述敬著：《錢玄同年譜》，頁176。

49 北京魯迅博物館編：《錢玄同日記影印本》，冊12，頁6894。

源」關係了。章太炎從章學誠那裡接過來的，錢玄同又從章太炎那裡繼承的正是前文已經點出的那個思想架構：經史相通的觀念。這段話說於一九三九年五月，作為語文學家的黎錦熙還在使用這個畢竟顯得籠統的概念，深刻地說明了提倡「民族主義」史學的章太炎需要依託這個架構，處於「新文化運動」時代的錢玄同也需要借助於這個架構，一九三九年代的黎錦熙也還是認可這個架構的。當然，明智的讀者不會認為他們的具體見解都是一致的。

在大張旗鼓的展開「新文化」運動的時代，像錢玄同那樣把自己的思想與章學誠的觀念區分得較為清楚的畢竟是少數，而像錢玄同所批評的「增字解釋」與錢穆所批評的「誤會」的例子卻是時代的潮流。而這種誤解在薰染了西學新知的更為年輕一代的留學生身上尤為明顯，傅斯年〈與顧頡剛論古史書〉的下述議論就很典型：

> 「史」之成一觀念，是很後來的。章實齋說「六經皆史」，實在是把後來的名詞，後來的觀念，加到古人的物事上而齊之，等於說「六經皆理學」一樣的不通。且中國人于史的觀念從來未十分客觀過。司馬氏、班氏都是自比於孔子而作經。即司馬君實也是重在「資治」上。鄭夾漈也是要去貫天人的。嚴格說來，恐怕客觀的歷史家要從顧頡剛算起罷。[50]

身在歐洲的傅斯年，此時拜倒在提出「累層地造成的中國古史」說的顧頡剛腳下，這是在提出他對《春秋》的看法時說的話。他不認可「後人以歷史」看待《春秋》，而視之為「當時貴族社會中一種倫理的設用」，誠然是富於歷史感的高見。但是他如此援引章氏「六經皆史」為說，則充滿了誤解。章氏認為「六經皆先王之政典」，開之者為有德有位之聖王，掌之者為太卜、外史、太師、宗伯、司成、國史諸職官守（見〈原道中〉），又高倡「府史之史通于五史之義」，意謂高高在上的「內史、外史、太史、小史、御史之史」

---

50 傅斯年：〈與顧頡剛論古史書〉，原載1928年1月23日、31日《國立第一中山大學語言歷史學研究所週刊》第2集第13、14期，收入歐陽哲生主編：《傅斯年全集》（長沙市：湖南教育出版社，2003年），卷1，頁457。

所存「先王之道」，就寄託原本於卑卑居下的「府史之史」—「書吏」所守之掌故。其「尊史」的「經世」思想皆由此而來。章學誠所發明的「六經皆史」之「史」的觀念，毋寧說是古義，而絕非「很後來的觀念」。不用說，那種「十分客觀」的「史的觀念」或「客觀的歷史家」的念頭，更是章學誠夢想不到的。在這裡，「把後來的名詞，後來的觀念，加到古人的物事上而齊之」恰恰是傅氏而非章氏。而那「是很後來的」尤其是很外來的「實證主義」的（即所謂「客觀」的）「史」或「歷史」的觀念，無疑使他更弄不清章氏的苦心孤詣了。

不過，「嚴格說來，恐怕客觀的歷史家要從顧頡剛算起罷。」這一句發自肺腑的品鑒，確能讓人看到新一代「歷史家」告別傳統史學創建現代新史學的沖天豪氣。告別那與「作經」的意圖糾纏不清的不獨立的「史」的觀念，告別那過於注重「資治」或「倫理的設用」的「習慣」，創建那由重建過去確如其實的「客觀」觀念所支配的、以嚴格審定的「史料」與努力搜求的「證據」為根據的新史學。這正是像顧頡剛、傅斯年那一輩人的志業。

而更為明確地宣揚「六經皆史料」的主張以建設新史學的，以周予同的說法最具代表性：

> 中國經學研究的現階段，決不是以經來隸役史，如《漢書·藝文志》將史部的《史記》隸屬於經部的《春秋》；也不是以經和史對等地研究，如《隋書·經籍志》以來有所謂經部史部之分。就是清末章學誠所叫出的「六經皆史」說，在我們現在研究的階級上，也仍然感到不夠；因為我們不僅將經分隸于史，而且要明白地主張「六經皆史料」說。……明顯地說，中國經學研究的現階級是在不循情地消滅經學，是在用正確的史學來統一經學。[51]

這一番話最足以反映新時代新史學以史馭經的銳氣，真不啻史學時代取代經

51 周予同：〈治經與治史〉，原載《申報．每週增刊》第1卷第36號（1936年），收入朱維錚編：《周予同經學史論著選集》（上海市：上海人民出版社，1996年），頁622-623。

學時代的宣言書。他顯然是受到了章學誠先見之明的啟發的，所以才有百尺竿頭更進一步的看法，他也是意識到自己的工作與章氏不可等量齊觀的，所以在二十年多年後周予同還要來辨析胡適等從「史料」角度來解讀「六經皆史」說為不得章氏之旨：

> 有人以為章學誠曾經說過「盈天地間，凡涉著作之林，皆是史學」，從而認為章學誠所謂「六經皆史」的史，就是歷史資料，這是不夠恰當的。[52]

請讀者注意，立論者是曾經明確主張「六經」為「歷史資料」的這一過來人的特殊身份，是故，如此這般澄清章氏本意的努力，實際上仍然不正是為將他們自己這一代人的工作與章學誠劃清界線？就比章學誠「進一步」（見前引胡適講演語）這一點來說，周予同難道不是胡適的最好的學生輩？

縱觀上述討論，大多取材於趨「新」人士的言論，這誠然是不得已的，因為這不折不扣是一股強大的「新潮」。為充分宣明論旨，筆者願再舉一個這一潮流對頗有「舊」的關懷的學者的學術成果的看法的例子，可以明白它是掌控了如何強勢的話語權，具有如何巨大的形塑力量了。

一九三六年一月王國華序《海甯王靜安先生遺書》，論及其兄學術道：

> 先兄治學之方，雖有類于乾嘉諸老，而實非乾嘉諸老所能範圍。其疑古也，不僅抉其理之所難符而必尋其偽之所自出；其創新也，不僅羅其證之所應有而必通其類例之所在。此有得於西歐學術精湛綿密之助也。並世賢者，今文家輕疑古書，古文家墨守師說，俱不外以經治經，而先兄以史治經，不輕疑古，亦不欲以墨守自封，必求其真。故六經皆史之論雖發於前人，而以之與地下史料相印證，立今後新史學之骨幹者，謂之始于先兄可也。[53]

---

52 周予同：〈章學誠「六經皆史說」初探〉，收入朱維錚編：《周予同經學史論著選集》，頁713。

53 見《海甯王靜安先生遺書》（上海市：商務印書館，1940年2月），冊1。

王氏謂乃兄之治學方法「實非乾嘉諸老所能範圍」，誠是也。其比論王國維以及並世之今古文經學家，則頗有不得其情者。今文家輕疑古書，容當有之，說「古文家墨守師說」，則不確，如錢玄同所說，近代的經學家「雖或宗今文，或宗古文，實則他們並非僅述舊說，很多自創的新解」。[54]說他們不外「以經治經」尤不當，如廖平所批評的康有為之《新學偽經考》，「外貌雖極炳烺……而內無底蘊，不出史學目錄二派之窠臼」[55]，固已然「以史治經」矣，更不必說那執「六經皆史」之見以治古文經學，又且大做將「六經歷史文獻化」（用王汎森說）工作如章太炎者。王國華的看法很有一些替乃兄來自我作古的偏頗。但是，他以「二重證據」的業績（即所謂「相印證」云云）來稱譽述乃兄為「新史學」之開山，並標舉以真正實現了「六經皆史」說之富於歷史意識之判語，則絕非泛泛出於親情之私見，實代表了王國維沉湖之後學術界主流的評斷。其著者如王國維的弟子吳其昌就強調，王氏並不以經學家自視，更不以明經衛道為己任，即使與經學遺留下來的問題有關之論著，無論就其實質或宗旨說，都屬考史而非敷經之作。[56]馬克思主義史學之祭酒郭沫若極推王氏為「新史學的開山」，[57]更是眾所周知的。

此類看法雖有相當的根據，然實有拘泥於趨「新」方面定位王氏學術之偏頗。今試略申其作為經學家之懷抱，以見學者的自期與後人的取捨評騭之不能盡合轍也。一九二二年春，北京大學研究所成立，其中的「國學門」內部分「文字學、文學、哲學、史學、考古學」五個研究室，除本校教授講師分任指導外，校外聘請羅振玉、王國維為函授導師。十一月，王氏為研究生提出四個研究的問題是：一，《詩》、《書》中成語之研究；二，古字母之研究；三，古文學中聯綿字之研究；四，共和以前年代之研究。依次分別是經學、「古字母之學」（屬於小學）、「文學」兼「小學」、史學。由此可以略識

54 參見錢玄同：〈重論經今古文學問題〉，《錢玄同文集》，卷4，頁217。

55 轉引自錢穆：《中國近三百年學術史》，頁646。

56 說見吳其昌：〈王觀堂先生學述〉，《國學論叢王靜安先生紀念號》，1928年。參見許冠三著：《新史學九十年》（長沙市：嶽麓書社，2003年），頁88。

57 參見許冠三：《新史學九十年》，頁82。

其教學旨趣所在。[58]一九二三年三月，其代表作《觀堂集林》版行於世，所收諸文，依「藝林」（即經學）、「史林」（廣義的史學）、「綴林」（序傳、散記及詩詞，可謂之文學）之秩編次，也是說經之作居首。[59]前有羅振玉之序，述王氏學術變遷之跡與「變化之故」甚精要，此序實為王氏自作，羅氏「僅稍易數字」而已。[60]結語云：「自茲以往，固將揖伏生、申公而與之同遊，非徒比肩程、吳而已。」[61]意謂更要效法「伏生、申公」，致力於保存遺經的經學工作，而不以程瑤田、吳大澂式的古文字、古器物之學為止境。但此說頗不能為趨「新」之士所接受，比如許冠三就指出，前引「吳（指吳其昌—引者）的辯駁實針對羅振玉等人的論調。按《觀堂集林》序文，羅曾期待國維『將揖伏生、申公而與之同遊』」。[62]今既知道此序為王氏自作，則「期待」固是事實，且絕非羅氏之一廂情願也。一九一九年二月二十六日，王氏致羅氏信中說：「乙老（指沈曾植—引者）言，我輩今日須作孔鮒伏生藏書之計。雖系憤激之談，或將有此日耶？」[63]可見此類說法亦出於沈曾植，這是遺老遺少之間常常掛在嘴邊的互勉勵志的話，[64]確實能代表其治學取向。序中又特舉〈殷卜辭中所見先公先王考〉及〈殷周制度論〉為贊：「義據精深，方法縝密，極考證家之能事，而于周代立制之源及成王周公所以治天下之意，言之尤為真切。自來說諸經大義，未有如此之貫串者。」[65]

---

58 參見袁英光、劉寅生：《王國維年譜長編（1877-1927）》（天津市：天津人民出版社，1996年），頁343、362-365。

59 參見王國維著，彭林整理：《觀堂集林》（外二種）（上），李學勤所撰〈前言〉。

60 參見一九二三年六月九日羅振玉致王國維信，王慶祥、蕭立文校注，羅繼祖審訂：《羅振玉王國維往來書信》（北京市東方出版社，2000年），頁570-571；以及羅繼祖之按語。

61 《觀堂集林序一》，王國維著，彭林整理：《觀堂集林》（外二種）（上），頁4。

62 參見許冠三：《新史學九十年》，頁88。

63 參見王慶祥、蕭立文校注，羅繼祖審訂：《羅振玉王國維往來書信》，頁443。

64 類似的話又見於〈沈乙庵先生七十壽序〉：「使伏生、浮邱伯輩，天不畀以期頤之壽，則《詩》、《書》絕于秦火矣。……若先生者，非所謂學術所寄者歟？……」此處，則是王氏以傳經之儒伏生、浮邱伯比擬沈曾植。參見王國維著，彭林整理：《觀堂集林》（外二種）（下），頁721-722。

65 王國維著，彭林整理：〈觀堂集林序一〉，《觀堂集林》（外二種）（上），頁4。

此二文在《觀堂集林》中雖列「史林」，而作者之自負，卻尤在於「說」、「經」，這是至可注意的。他的故交樊少泉（抗父）也許能瞭解此種意態，所以推崇〈殷周制度論〉為「實近世經史二學上第一篇大文字。」[66]惟這篇大文字非由夫子自道，外人實難於領會其更深的「經世」懷抱：「……政治上之理想，殆未有尚於此者。……此文於考據之中，寓經世之意，可幾亭林先生。」[67]而此處雖直抒胸臆，對於圈外人來說仍嫌過於簡約，也許下文可為之注腳：「時局如此，乃西人數百年講求富強之結果，恐我輩之言將驗。若世界人民將來尚有孑遺，則非採用東方之道德及政治不可也。」[68]先是經歷了辛亥之變，又見識了第一次世界大戰及以後世界政治與文化的新動向，王國維堅信他所致力探討的周孔之道等具有普世的價值，不僅當時的中國應實行此種「政治上之理想」，即「將來」之「世界人民」亦當以此等「東方之道德及政治」為唯一的指南針。這不僅是他的政治觀也是他的文化觀，他的〈殷周制度論〉最能代表他的這一主張，所以也就最為他本人所看重。這可以說最能反映王國維作為經學家的志趣的那一面了。但是「新」派的學人多能欣賞的是他的「考據」而非「經世」，是他的「史學」而非「經學」。比如傅斯年在對〈殷周制度論〉所作的眉批中，有曰：「殷周之際有一大變遷，事甚明顯，然必引《禮記》為材料以成所謂周公之盛德，則非歷史學矣。」[69]今按：關於「三代」之因革關係，自孔夫子以降的傳統觀點，認為殷因於夏禮，周因於殷禮，「三代」一脈相承，有損益而無大變革。而〈殷

66 抗父：〈最近二十年間中國舊學之進步〉，原載《東方雜誌》第19卷第3號（1922年2月10日），收入羅志田導讀，徐亮工編校：《中國近三百年學術史論》（上海市：上海古籍出版社，2006年），頁387。樊氏此論斷，後被趙萬里作《王靜安先生年譜》所吸收，見袁英光、劉寅生：《王國維年譜長編（1877-1927）》，頁225所引。

67 參見一九一七年九月十三日王國維致羅振玉的信，王慶祥、蕭立文校注，羅繼祖審訂：《羅振玉王國維往來書信》，頁290。

68 參見一九一九年三月十四日王國維致羅振玉的信，王慶祥、蕭立文校注，羅繼祖審訂：《羅振玉王國維往來書信》，頁447。

69 轉引自王汎森：〈一個新學術觀點的形成——從王國維的〈殷周制度論〉到傅斯年的〈夷夏東西說〉〉，《中國近代思想與學術的系譜》（石家莊市：河北教育出版社，2001年），頁281。

周制度論〉則主張「中國政治與文化之變革，莫劇于殷、周之際」，乃絕大創說，[70]傅氏接受王氏舉證與論證之大體，所以才會說「事甚明顯」，否則哪能有那麼輕巧的話。惟傅斯年心目中之「歷史學」，是前文已涉及之不必重「資治」也不必「貫天人」的頗需「客觀」之新史學，他所批評的「非歷史學矣」，正是王國維最意欲努力發抒之深「寓」「經世之意」之「經學」，即其頗為自負的「自來」「未有如此之貫串者」之「諸經大義」。這是很耐人尋味的。

所以王國華用「六經皆史」之說來涵蓋他的兄長的學術業績，頗有未達一間的隔膜；但就以此來說明王國維與「新史學」的關係來說，又有其合理之處。像王國維那樣有強烈「舊」關懷的學者學術貢獻也需要用已經頗富「新」意的「六經皆史」說來界定其地位，深刻地說明了「六經皆史」說已經成了一個時代潮流所鑄就的思想架構，不可或缺。

三　「六經皆史」說的折變與經典權威地位之失落

由上述討論，可知章氏「六經皆史」說影響之廣遠。「影響」云者，有發揮其說的，有誤解其說而仍不能不援據其說的，亦有賦予其說以新意而不必舉其名的，要之，章學誠實不必盡為後世所演諸「六經皆史」新義負責，即是說，「六經皆史」乃脫離其主闡者而成為了獨立之新思潮也。其所以如此之故，乃晚近學術思想史所應當處理之重要議題，而章氏一人之得失高下，反而只居於邊緣的地位，此不可不先明之。

近世學人批評章氏學術之失，余嘉錫〈書章實齋遺書後〉[71]可為代表，陳垣亦有此意，牟潤孫援乃師之說並論及章氏之「六經皆史」云：

---

70 隨著大批新卜辭的不斷出土、考古學與歷史學的發展，後學者又紛紛質疑王國維的看法，反而與傳統觀點趨近。參見胡厚宣：《甲骨學商史論叢初集》；陳夢家：《殷墟卜辭綜述》第十九章「總結」第一節〈《殷周制度論》的批判〉；張光直：《中國青銅時代》；等等。

71 余嘉錫：〈書章實齋遺書後〉，收入《余嘉錫文史論集》（長沙市：嶽麓書社，1997年）。

> 先師很少批評人，時常誦「不薄今人愛古人」這句詩。五四以後，梁任公、胡適都大捧章實齋，我曾問過先師「章實齋學問如何？」先生笑說「鄉曲之士」！我當初不明白為什麼說他是鄉下人？後來看到章氏著《史籍考》，自稱仿效朱彝尊著的《經義考》，卻不知朱氏之書是仿自僧祐的《出三藏記集》。所見不廣，豈不是鄉下人？先師時常說，「讀書少的人，好發議論」。我讀了錢鍾書的《談藝錄》，才知道六經皆史之說除袁枚持論與章氏類似之外，認為經即是史的，早于章實齋者，有七人之多，在錢鍾書所舉之外，我更找到明人何良俊《四友齋叢說》，其中也有「史之與經，上古原無所分」的話。先師說讀書少的人好發議論，其意或指章實齋。[72]

今按，牟氏之言誠能啟人新知，陳垣所謂「讀書少的人，好發議論」，後學者尤當置之座右，時時自警。其實，即使深受章學誠薰陶的章太炎，亦曾批評章氏道：「凡說古藝文者，不觀會通，不參始末，專以私意揣量，隨情取捨，上者為章學誠，下者為姚際恆，疑誤後生多矣。」[73]可以說是學界的共識。惟不論發明權歸屬為誰，也不能侷限於「五四以後，梁任公、胡適都大捧章實齋」諸情實，章氏之「六經皆史」說為近世學人爭議之焦點，乃為不爭的事實，其意義遠遠超出了對其一人思想之評騭。

「六經皆史」說的內涵在後世經歷了複雜深巨的被接受與被改造的過程，一個重大關節是晚清的經今古文經學之爭與之發生了密切的關係。郭斌龢有一段評論已指涉及此：

> 實齋推原《官禮》，以周公與孔子並重。謂孔子述而不作，經之與史，僅為程度上之區別，而非性質上之區別。六經，特聖人取此六種之史，以垂訓者耳。此六經皆史之說，與古文學家相近。然其主通今

72 牟潤孫：〈勵耘書屋問學回憶——陳援庵先生誕生百年紀念感言〉，收入陳智超編：《勵耘書屋問學記》（增訂本）（北京市：三聯書店，2006年），頁76。

73 章太炎：《國故論衡・原經》，收入劉夢溪主編：《中國現代學術經典》，陳平原編校：《章太炎卷》（石家莊市：河北教育出版社，1996年），頁55。

> 致用，重思想，重發揮，不僅為個別事實之考訂，而為原則原理之推求，又與今文學家有暗合之處。[74]

余英時有更為簡約的說法：

> 早期今文學派的龔自珍從「經世」的觀點宣揚「六經皆史」的深層涵義，晚清古文學派的章炳麟則用「六經皆史」的命題來摧破廖平、康有為關於孔子「托古改制」的論點。所以到了《國粹學報》時期（一九〇五——一九一一），《文史通義》與《校讎通義》兩書早已膾炙人口。[75]

兩氏之說，綱舉而目張，而尤有未盡也。今更當明者，章氏之「六經皆史」說所蘊含之「周孔」論述，實不必牽合古文經學以為說。章氏「以周公與孔子並重」，甚至以周公為高過孔子之權威，遠則批評並改造亞聖孟子的「孔子之謂集大成」、「集大成也者，金聲而玉振之也」諸說，先將「集大成」之冠轉戴諸周公；復以周孔一道而分辨說：「周公其玉振之大成，孔子其金聲之大成歟！」一為承前一為啟後。章氏證之以制度與聖言曰：「故隋唐以前，學校並祀周、孔，以周公為先聖，孔子為先師，蓋言製作之為聖，而立教之為師。故孟子曰：『周公、仲尼之道，一也。』」[76]今按，據葉瑛注引《禮記．文王世子》鄭注、《新唐書．禮樂志》以及黃進興對孔廟祭祀制度的研究，[77]章說實有所本而略有誇張。而其中涉及的尊周抑孔之義理根據，則如黃氏所說：「惟後世今文學家往往歸罪劉歆以下古文學家長遠之影響，

---

74 郭斌龢：〈章實齋在清代學術史上之地位〉，《國立浙江大學文學院集刊》第1集（1941年），頁57。

75 見余英時：〈「通古今之變，成一家之言」——《章學誠的生平與思想》中譯本代序〉，收入倪德衛（David S. Nivision）著，楊立華譯：《章學誠的生平與思想》（臺北市：唐山出版社，2003年）。

76 章學誠：〈原道上〉，收入章學誠著，倉修良編注：《文史通義新編新注》，頁94-97。

77 參見章學誠著，葉瑛校注：《文史通義校注》（北京市：中華書局，1994年），頁129；黃進興：〈權力與信仰：孔廟祭祀制度的形成〉，《聖賢與聖徒》（北京市：北京大學出版社，2005年）。

此說能否確立，猶待詳考。」[78]章氏此處援引孟子之言以證周孔一貫，更有多處援據孟子所述：「……其事則齊桓、晉文，其文則史；孔子曰：『其義則丘竊取之矣』」[79]以證章氏所謂史家之「獨斷」，惟不如「後世今文學家」好引「《春秋》，天子之事也。」[80]（章氏亦頗好引《孟子》，而很少引此句）以宣騰其孔子「為漢制法」「托古改制」諸說，此豈亦為古文經學與今文經學之別乎？又章氏之「周孔」論述，近則實為針對唐代大儒韓愈著名的〈原道〉篇的下述觀點而發，此又不可不知。韓氏愈在此文中拉出一長串道統系譜後，指出：「由周公而上，上而為君，故其事行；由周公而下，下而為臣，故其說長。」[81]眾所周知，韓愈〈原道〉為宋明道學道統論之張本，章學誠以他那種獨特的推論原始的思維方式很自然地意識到，韓愈那「君」之「事」與「臣」之「說」分判過嚴的論調，造成後儒長於空「說」而短於實「事」的流弊，此不可不正也。所以他自己的〈原道中〉開篇即引韓氏〈原道〉中的這段話，並批評道：「夫說長者道之所由明，而說長者亦即道之所由晦也。夫子盡周公之道而明其教于萬世，夫子未嘗自為說也。」由此才引發出六藝為「周公之舊典」、孔子「述而不作」等一套理論。[82]其中的關鍵是，章氏自居處於道統與治統合一的時代，而對宋儒過分偏執於「說」「教」的道統說提出了有力的批評，這就更不是什麼今古文之爭了。

當然，誠如章學誠的公子章華紱所稱揚的，其父「大抵推原《官禮》，而有得于向、歆父子之傳，故於古今學術淵源，輒能條別而得其宗旨。」[83]學者服其中肯，許為「知言」。章氏之「推原《官禮》」，立論深本於古文經典《周禮》，乃為不爭的事實。但是他的學術爭議的物件為流於破碎的「漢

78 黃進興：〈權力與信仰：孔廟祭祀制度的形成〉，《聖賢與聖徒》，頁40。

79 語出《孟子・離婁下》。

80 語出《孟子・滕文公下》。

81 〔唐〕韓愈撰，馬其昶校注，馬茂元整理：〈原道〉，《韓昌黎文集校注》（上海市：上海古籍出版社，1986年），頁18。

82 章學誠：〈原道中〉，收入章學誠著，倉修良編注：《文史通義新編新注》，頁100。

83 章華紱：〈大梁本文史通義原序〉，收入章學誠著，倉修良編注：《文史通義新編新注》，頁1080。

學」與夫流於空虛的「宋學」，他更沒有經今文古文壁壘森嚴乃至你死我活的意識，如果有學者以後世愈演愈烈的經今古文門戶之見將其劃歸古文經學一派，這是他所不能承受的。章氏連「經史門戶之見」[84]都在所必棄，更何況如此不合體的高帽？

是故，如章太炎所言，章學誠「專以私意揣量，隨情取捨」容或有之，若以後起之今古文經學門戶之見糾纏之，則不免如傅斯年所說「實在是把後來的名詞，後來的觀念，加到古人的物事上而齊之」。在考察此類問題時，似不能不具備一點歷史感。循著這一視界，我們還能看到的重要資訊是，如郭斌龢、余英時所觸及到的，章學誠「六經皆史」的見解對後世經今古文經學兩派均有深刻影響，儘管影響的方式可能不同。進而論之，像龔自珍、魏源、康有為等之今文經學的立場之確立與接受「六經皆史」的觀念並不是同步的，但是「六經皆史」的「經世」涵義對他們都有很強的吸引力，在他們走向具有強烈「通經致用」精神的今文經學的路上也不會不發生作用。然而，在明確今文經學立場的康有為、皮錫瑞等人那裡，「章學誠乃謂周公集大成，孔子非集大成矣。」[85]的見解成了他們的眼中釘，關鍵在於「六經皆史」所內涵的「周孔」論述妨礙了他們那孔子作六經、「孔子『托古改制』」等觀念。因為他們的主旨是要讓孔子去包融西學新知、去統攝東西一切文化的，所以不容別有創世者的。而章氏之「周孔」論述，原本是意在對「宋學」、「漢學」流弊均施批評的「經世」觀念。到章太炎、劉師培那裡，卻成為古文經學家打破今文經學家上述觀念的最有力的歷史根據。比如劉師培《經學教科書》〈第四課：西周之《六經》〉有曰：

> 故周公者集周代學術之大成者也。（用魏源〈學校應增祀先聖周公議〉說。）六經皆周公舊典，用章學誠《校讎通義》說。足證孔子以

84 語出章學誠：〈上朱中堂世叔〉，收入章學誠著，倉修良編注：《文史通義新編新注》，頁760。

85 〔清〕皮錫瑞著，周予同注釋：《經學歷史》（北京市：中華書局，2004年），頁2。

前久有《六經》矣。[86]

由前文可知魏氏之說亦取於章學誠，是故劉氏乃全本章氏之說以敵今文家言。「六經皆史」的觀念又被章太炎視作判分今古文經學立場的基本標準，[87]此類說法還影響到周予同等現代學者對經學分派的理解。[88]此為章學誠「六經皆史」說之一變。

在此等變化的歷程中，經典的意義非復神聖，經典的地位可以說每況愈下。

讓我們還是從章學誠對經典的態度說起。我們已經討論過，章氏的「六經皆史」說之孕育，有其深刻的時代背景或時代根據，這就是學者所豔稱的「乾隆盛世」以及章氏所執迷的「唐虞三代」之郅治將再現於「本朝」的狂想。《周官》所設計的各種制度「美備」而又帶有很強的統制色彩的宏偉藍圖，正是章氏的政治理想與文化理想的最好寄託。所謂「治教合一」、「政學合一」、「以吏為師」、「周孔一道」等等都是這種政學觀念的反映。他以「書吏」的身份而能非常自信地以道自任，表明在他的心目中這是一個大有可為的時代，也是經典能煥發青春光彩的時代。然而，從乾隆晚年到嘉慶初，國家多事，非昔日之盛。作為底層幕僚，多悉民生細故的章學誠對時世認識得更清醒了，在嘉慶帝親政、權丞和珅賜死的嘉慶四年（1799），六十二歲的章學誠終於按捺不住濟世之心，在一年之內向上上下下的有關當局連呈六篇論時政書，事關財政之虧空、吏治之壞、諫官之法的整頓、貢舉之改革等等。[89]兩年後，章氏就歿了。從論時政書的有關內容來看，此時他對「本朝」與「唐虞三代」的距離的認知，絕不會像過去那麼樂觀，但是從生命終

86 劉師培著，陳居淵注：《經學教科書》（上海市：上海古籍出版社，2006年），頁15。

87 參見拙著：《中國學術之近代命運》第二章第二節：〈從援今文義說古文經到鑄古文經學為史學——對章太炎早期經學思想發展軌跡的探討〉。

88 參見拙著：《中國學術之近代命運》第五章：〈經學的史學化：《劉向歆父子年譜》如何結束經學爭議〉。

89 胡適著，姚名達訂補：《章實齋先生年譜》，收入存萃學社編集，周康燮主編：《章實齋先生年譜彙編》（香港：崇文書店，1975年），頁186-190。

結前大放異彩的議政之舉來看，他是非常忠實地實踐「六經皆史」的經世主張的，尤其是以自己「位卑未敢忘憂國」的言行，為他所用心闡發的「府史之史通于五史之義」作了最好的注腳。這也從一個側面說明，經典在那個時代仍然具有權威的地位、自足的功用。因為這是一個在傳統的「天下」觀裡安之若素的世界，是一個與日益咄咄逼人的西方尚未有實質性的接觸與較量的國度。在這樣的「天下」裡，作為「唐虞三代」之郅治的結晶的「經」典，仍然是士大夫發揮政治與文化理想的寶藏，仍然高居於萬民言行之最高標準地位，那是毫不奇怪的。

是故，當康有為早年的重要著作《教學通義》深受章學誠的影響而對周代「美備」之「教學」制度稱述不已之時，可以說在一定意義上象徵著：中國的士大夫在整體上還沒有走出日後「新學小生」所批評的「理想化古代」—在政治與文化觀念上習慣性地不能不依託「黃金古代」的格局。正如康氏之自白：

> 吾謂古今遞嬗，不外質文遞更：前漢質，後漢文；六朝質，唐文；五代質，宋文；元、明質，國朝文。然對三代較之，則二千年皆質也。後有作者，其復于文乎？[90]

所謂「質文遞更」、「復於」、「三代」，正是尚未步入或尚未被納入民族國家體系的新世界的士大夫們最典型的思維方式。而當確立了今文經學立場後當，他對曾「酷好《周禮》」這一點諱莫如深，而對章學誠痛下針砭，又高倡「孔子改制」之說。誠如其高徒梁啟超揭示其底蘊曰：

> 有為謂孔子之改制，上掩百世，下掩百世，故尊之為教主；誤認歐洲之尊景教為致強之本，故恆欲儕孔子於基督，乃雜引讖緯之言以實之；於是有為心目中之孔子，又帶有「神秘性」矣。[91]

---

90 康有為：〈教學通義〉，收入姜義華、吳根樑編校：《康有為全集》（上海市：上海古籍出版社，1987年），第1集，頁144。

91 朱維錚校注：《梁啟超論清學史二種》，頁65。

這不僅僅是康氏一人之「誤」，一定意義上也是西人威逼與眩惑的結果，是中西之間有所接觸而又未能充分瞭解之時的看朱成碧，也是國人面對「西潮」的衝擊某種不得已的反應方式。這當然是晚清以來有見識之士「開眼看世界」（用范文瀾語）之後才有的事，古來「三代」的理想在今日之西方已然至少有部分的實現，則吾人必須先自認「夷狄」才能進至於「夏」。無論如何，這是從向「三代」汲取郅治之方一變而為「向西方尋找真理」（用毛澤東語）。康有為那影響深遠的「大同」構想，在這方面更為典型。一向好塗抹文稿倒填年月以超聖先知自居的康有為，有時在弟子們面前也會坦坦蕩蕩地傾吐家底道：

> 美國人所著《百年一覺》書，是大同影子。《春秋》，大小遠近若一，是大同極功。[92]

不難理解，「認歐洲之尊景教為致強之本」以及「美國人所著《百年一覺》」之類的西學新知，正是曾經迷戀過的《周禮》之類經典的替代品。誠所謂「值四千年之變局」，身處「列國並立」、「並爭之世」，而非複天下「一統之世」，[93]美輪美奐的種種治國方案夾槍帶棒地進入禹域，在此等時勢下的康有為自不能也不必像章學誠那樣「故今之學士，有志究三代之盛，而溯源官禮，綱維古今大學術者，獨漢〈藝文志〉一篇而已。」也不必並不能像龔自

---

92 吳熙釗、鄧中好校點：《南海康先生口說》（廣州市：中山大學出版社，1985年），頁31；又見康有為著，樓宇烈整理：《長興學記．桂學答問．萬木草堂口說》（北京市：中華書局，1988年），頁133。熊月之：《西學東漸與晚清社會》（上海市：上海人民出版社，1994年），已經引這段話的前一句，即「美國人所著《百年一覺》書，是大同影子。」來說明《百年一覺》對康有為等中國士大夫的影響。一八九一年十二月至一八九二年四月，《萬國公報》連載了李提摩太翻譯的《回頭看紀略》。一八九四年，廣學會出版了此書的單行本，改名《百年一覺》，發行兩千冊。此書原作者畢拉宓（1850-1898），今譯貝拉米，是美國十九世紀著名作家、空想社會主義者。原書是一部幻想小說，出版於一八八八年，書名《*Looking Backward,2000-1887*》，凡二十八章，出版後風行一時。見熊書第409-413頁。

93 語出康有為：〈上清帝第二書〉（一八九五年五月二日），史稱「公車上書」，收入湯志鈞編：《康有為政論集》（北京市：中華書局，1981年）。

珍那樣「藥方只販古時丹」了。古文經典主要因為無用（即不足以救國）而被康有為開除「經」籍，[94]當然，在康有為那裡，經典並沒有徹底崩壞，他要用公羊《春秋》去融會諸如美國人的「大同影子」，他把孔子的權威反而樹得更高，讓它沉重地去擔負統攝那「體制改革」、「進步」、「平等」等等新價值的歷史使命。

從康有為告別此說的過程，可以看到他與前輩已有很大的不同之處，就在於：西力東侵與西學東漸，使得經典的權威地位大為動搖，他們不復是中國士大夫寄託和構築政治和文化「理想國」的最高的資源了。

類似的故事，也發生在經學立場與之大異其趣的章太炎、劉師培等人身上。

章太炎是晚清大張旗鼓地宣揚章學誠的「六經皆史」說並用以建構其古文經學的代表人物，後學者中很多人、尤其「新學小生」們，是由章太炎而獲知章學誠此說的。然而他對經典的態度與章學誠相比也是不可同日而語。「挽世有章學誠，以經皆官書，不宜以庶士僭擬，故深非揚雄、王通。」[95]章太炎對此持批評態度，如學者所說：「經的價值只是提供歷史知識，遂把經的作用完全限於史。這樣才能說，用史來取代經，才能說把經從神聖的寶座上拉下來。正因為如此，實齋所謂六經乃先王政典不可擬作之論，對太炎而言，也就毫無意義。」[96]他那「夷六藝于古史」[97]的激烈主張，雖然是緣於對康有為等「神秘」化孔子的反動，但是一樣深深依據了外來的學理，不僅「歷史」的觀念從日本轉手得之於西人，若無同樣是借道於日本的以「進化」論為依託的「社會學」學理，他怎麼能將在章學誠那裡還是至高無上的「六藝」，視為「上世社會汙隆之跡」，從而大做其將「六經歷史文獻化」

94 參見拙著：《中國學術之近代命運》第二章第三節：〈康有為、章太炎經學今古文之爭的『知識轉型』〉（北京市：北京師範大學出版社，2013年6月）。

95 語出章太炎：《國故論衡・原經》，收入劉夢溪主編：《中國現代學術經典》，陳平原編校：《章太炎卷》，頁52。

96 汪榮祖著：〈槐聚說史闡論五篇〉，《史學九章》，頁331。

97 朱維錚編校：《章太炎全集》（三），頁159。

（用王汎森語）的工作？

而劉師培呢，是的，他的確寫過〈古學出於史官論〉、〈補古學出於史官論〉等發揮章學誠的見解。但劉氏論及「古代之時」、「有官學而無私學」的情況卻說：

> 凡專制之時代，不獨政界無自由之權也，即學界亦無自由之權，（今文明國之憲法，莫不載明言論、思想、出版之自由，而憲法未定之國，臣民無此權利。）故威權極盛之世，學術皆定於一尊。（與歐洲宗教專制相同。）龔定庵曰：「周之世官，大者史。史之外無有語言焉，史之外無有文字焉，史之外無人倫品目焉。」（《古史鉤沉論》一。）章實齋曰：「官守學業皆出於一，而天下以同文為治，故私門無著述。」（《校讎通義》上卷。）則有周一代為學術專制之時代明矣。學術專制與政體之專制相表裡，周代之政體漸趨專制，故學術亦然。……（無識陋儒皆以學術定於一尊為治世，豈知此實阻學術進步之第一原因哉！觀彌兒《自由原理》，此理自明。）[98]

章學誠、龔自珍所稱慕不止的周代王官之學，在劉師培那裡適足成為周代「專制」「愚民」的證據！其間的取捨，真有讓人恍若隔世之慨。為什麼會這樣？那是因為有了世界「文明」史的比較（抑或比附？）視野，那是因為秉持了像「彌兒《自由原理》」這樣的西方經典。真是見怪不怪，上述觀點，與氏著《中國民約精義》「直以中國文化史上與西方現代文化價值相符合的成分為中國的『國粹』」[99]相比，就算不得什麼了。更有意思的是，劉師培於一九〇五、六年間，在《國粹學報》刊有〈讀左札記〉，談到《左傳》的精義時，竟說：

> 挽近數年，皙種政法學術播入中土，盧氏《民約》之論，孟氏《法

98 劉師培：〈補古學出於史官論〉，收入劉師培著，鄔國義、吳修藝編校：《劉師培史學論著選集》，（上海市：上海古籍出版社，2006年），頁16-17。

99 參見余英時：〈中國知識份子的邊緣化〉，《二十一世紀》第6期（1991年8月），頁22。

意》之編，鹹為知言君子所樂道；複援引舊籍，互相發明，以證晳種所言君民之理，皆前儒所已發。由是治經學者，咸好引《公》、《穀》二傳之書，以其所言民權多足附會西籍，而《春秋左氏傳》，則引者闕如。……以證君由民立，與《公》、《穀》二傳相同。……且《左氏傳》所載粹言，亦多合民權之說。……足證春秋之時，各國之中，政由民議，合于《周禮》「詢危詢遷」之旨。（……）而遺文佚事，咸賴《左傳》而始傳，則左氏之功甚巨矣。彼世之詆排《左氏》者，何足以窺《左氏》之精深哉！[100]

東漢章帝時，賈逵為爭得《左傳》的官學地位而發揮「《左氏傳》大義長於二傳者」，乃「擿出《左氏》三十事尤著明者，斯皆君臣之正義，父子之紀綱」。認為《左傳》高過《公羊》的中心理由，是所謂「《左氏》義深于君父，《公羊》多任于權變」云云。[101]當年爭執之要害主要看孰為更能貼近「君為臣綱、父為子綱」的政治倫理標準，到劉師培之時，競爭的焦點卻在於誰更符合「民權之說」，而劉氏所云云，簡直是要與今文經學家比賽誰更能「附會西籍」（如「盧氏《民約》之論，孟氏《法意》之編」）！這真是比中國歷史上佛教傳入初期之文化格義時代走得更遠的時代，這確是以西方的經典為經典的時代，這就是從一位當時中國最有希望的青年經學家意識深處傳達出來的時代精神。經典地位之隨時勢之變而轉移，還有比之更為極端的例子？

而「六經皆史」說更進一步的折變，是她寄身於「六經皆史料」的口號並繼續發揮著更新觀念的橋樑作用。現代學者像胡適、周予同等之所以在鼓蕩其具有強烈自我作古色彩的奮發意氣而高唱新口號時還不能不提到她，正是因為「六經皆史料」說的觀念前提之不可或缺者，正是「經史相通」這一內在邏輯，而章學誠毫無疑問是這一架構的最偉大的建設者，這也是他們所

---

100 劉師培：〈讀左劄記〉，收入劉師培著，鄔國義、吳修藝編校：《劉師培史學論著選集》，頁24-25。此文系年見該書頁621。

101 〔宋〕范曄著，〔唐〕李賢等注：《後漢書．賈逵傳》（北京市：中華書局），頁1236。

能利用的最切近最經典最有用的思想資源。這是章學誠的「六經皆史」的觀念在現代的延展性。另一方面，這一觀念內部經歷了深刻的裂變或者說是自我否定，這集中體現在：「六經皆史料」的觀念，對章學誠的「六經皆史」的觀念所蘊涵的重要思想—以「三代」為理想的黃金古代等等聖經賢傳的觀念的自覺揚棄、更嚴重地說是刻意打破上。

胡適是民初「大捧章實齋」關鍵人物，他對章氏學問的去取就很耐人尋味。錢穆後來提到研究章學誠的正當取徑，評論及以胡適為代表的「近代學人」的有關見解說：

> 在我認為，研究他的學問，該看重他講古代學術史，從《漢書·藝文志》入門，然後才有「六經皆史」一語。……而我們近代學人如胡適之，他就最先寫了一篇〈諸子不出於王官論〉。（來反對《漢志》的「九流出于王官說」——引者據錢氏上下文）……胡氏又寫了一部《章實齋年譜》，來提倡章氏史學。他不想，既是主張諸子不出於王官，則章實齋六經皆史一語又就無法講。他既要提倡章實齋史學，而又要推翻《漢書·藝文志》，實把章實齋最有心得的在古代學術史上提出的精要地方忽略了。[102]

錢穆對章學誠的學問大體有著比胡適更為深刻全面的理解，所以他能一眼看出胡適的「諸子不出於王官論」與章學誠的「六經皆史」說的內在矛盾。其中的關鍵之一就在於對經典的態度大不一樣，換句話說，其分野就在於「尊經抑子」與「尊子抑經」的不同。如果我們對胡適也多一點同情的瞭解的話，這當然是這位新一代留學生立意掀起中國的「文藝復興」運動題中應有之義，借助晚清經今文家打倒《漢書．藝文志》的激烈見解，又本乎從美國學來的文獻高級批判學以及「實用主義」等西學新知，鑄就了鋒利的「疑古」剃刀，胡適操起它來就將章學誠念茲在茲的「王官之學」一把剃去了，[103]

---

102 錢穆：《中國史學名著》，頁254-255。

103 參見拙著：《中國學術之近代命運》第三章：〈經、子易位：『諸子不出於王官論』的建立、影響與意義〉。

其歷史效應恰如顧頡剛所說：「這一改把我們一班人充滿著三皇五帝的腦筋驟然作一個重大的打擊，駭得一堂中舌撟而不能下。」[104]真不啻中國人歷史意識的大革命！作為一股強大的動力，如此這般引導顧頡剛走上疑古史學之路。從這些地方，我們可以看到胡適對章學誠「六經皆史」作「實用」解釋，借古人酒杯，澆自己心中塊壘的深層理由。

錢玄同那「離經叛道非聖無法的《六經》論」[105]就更激烈了：「『六經』固非姬旦的政典，亦非孔丘的『托古』的著作，(……)『六經』的大部分固無信史的價值，亦無哲理和政論的價值。」；[106]「『經』這樣東西壓根兒就是沒有的」。[107]這是晚清今古文經學相持不下而兩敗俱傷之必然結果，也是「『新文化』運動」的幹將們「把他們（指今文家與古文家——引者）的假面目一齊撕破」[108]的工作業績。

被胡適視為觀點「正統」的馮友蘭的《中國哲學史》，也肯定並採用章學誠那「古無私門之著述」的見解，但這是在「除去其理想化之部分」之後的事，而他指出的此論所含有的「理想化古代之嫌」，批評的正是章學誠對「三代」尤其是對「周」代的想像。[109]

諸如此類對章氏「六經皆史」觀念所持的分析取捨態度普遍地存在於現代學者當中，比如劉節的觀點就很有代表性：

> 照我們現在看，「六經」還只能說是史料，尚不能謂之史學。即是說六經也不過是古代史的史料而已。這樣說法，就完全正確了。這一開宗明義，一方面是有貢獻的，另一方面又是很模糊的。章實齋的缺點

104 顧頡剛編著：《古史辨》第一冊〈自序〉（北京市：樸社，1926年11月），頁36。

105 語出錢玄同：〈研究國學應該首先知道的事〉，《錢玄同文集》，第四卷，頁256。

106 錢玄同：〈答顧頡剛先生〉，《錢玄同文集》，卷4，頁238。

107 錢玄同：〈春秋與孔子〉，《錢玄同文集》，卷4，頁261。

108 語出顧頡剛：〈序〉（1954年12月），《秦漢的方士與儒生》（上海市：上海古籍出版社，1998年），頁4。

109 參見馮友蘭：《中國哲學史》（上冊）（上海市：華東師範大學出版社，2000年），頁18-19。

> 就是相信中國的黃金時代是三代，這仍舊是最古老的經生見解，與他自己的許多新發現是很不相稱的。[110]

可以清楚地看到，現代學者頭腦中的「六經皆史料」的觀念，與章學誠「六經皆史」說的最大區別就在於是否擁有對「中國的黃金時代是三代」的信仰，後者旨在發揮她的示範功能，而前者必欲置之於死地。有學者用「反歷史主義的歷史主義」去把握「六經皆史說」的深層結構，難免治絲而棼，[111]倒不如說，「賦詩斷章」的傳統、乃至「斷章取義」的習慣乃是像「六經皆史」這樣富於詮釋潛能的觀念發展史的普遍運作機制；如果不侷限於章學誠而是在該觀念展開與流變的歷史中來觀察，我們不僅從一個側面看到傳統世界觀特別是歷史觀的崩潰過程，她尤其集中反映了經學的衰敗及其主導地位被史學取代、而經典自身不能不以「史料」的身份寄人籬下於「史學」的歷史命運，這也正是這個觀念受到如此經久不息的關注與討論的根本原因。再也找不到另一個觀念，比「六經皆史」說的沉浮史更能述說中國近代經學所面臨的困境了。一九一〇年，章太炎在一篇名為〈經的大意〉的白話文中說：

> 這樣說，經典到底是什麼用處呢？中間要分幾派的話。漢朝人是今文派多，不曉得六經是什麼書，以為孔子預先定了，替漢朝制定法度，就有幾個古人（「人」字疑為「文」字之訛—引者）派的，還不敢透露的駁他。宋朝人又看經典作修身的書。直到近來，百年前有個章學誠，說「六經皆史」，意見就說六經都是歷史。這句話，真是撥雲霧見青天！

---

110 劉節：〈章學誠的史學〉，《中國史學史稿》（臺北市：弘文館出版社，1986年），頁418。

111 章學誠的「六經皆史」觀念，固然充滿了「流」變的「歷史」觀念，但是那回溯於「三代」的根源意識，即「史」本的觀念，保證了再豐富的「歷史」感也必須是統之有元會之有宗的。有學者用其極端難免不流入「相對主義」的「歷史主義」來把握「六經皆史」，自然又要多一層「反歷史主義的」糾葛，這些地方也許才見出我們這些「現代」人好玩漂亮的抽象概念（又曰「大詞」，或者還是來自「西方」的？）疊加的遊戲來把捉古人思想的削足適履。

同文又說：

> 若怕人說經典沒用，就要廢絕，也只要問那個人，歷史還有用麼？如果他說有用，那麼經典是最初的歷史，怎麼可以廢得！[112]

「經典」的「用處」必須委身於「歷史」，甚至，「經典」之「廢得」還是廢不得必須命懸於是否被判定為「歷史」之一線，這是「百年前」那個章學誠夢想得到的？

無獨有偶，一九一九年一月，顧頡剛在〈中國近來學術思想的變遷觀〉一文中也說：

> 「道」、「禮」等名詞原是抽象的，也沒有什麼固定的善惡，經書原是史書，有何可燔之理？[113]

這是在表達與當時已經興起的「用『不塞不流、不止不行』的專制手段」去打倒「孔教」不同的頗具歷史感的溫和態度，顧氏那多少意在為經書辯護的理由正與他的前輩章太炎一鼻孔出氣：「經書原是史書」；而形勢則更為嚴峻，已經到了必須抉擇要不要將經書付之一炬的地步了。

假如章學誠能夠穿越時光的隧道而看到他的「六經皆史」說起到了這樣的作用，他會作何感想呢，幸乎？不幸乎？我們真願意起章氏於地下而問之！

尤有進者，錢玄同在寫於一九二五年的〈廢話—原經〉一文中，更積極主張對於儒家經典：「不必說現在，在商鞅、李斯時代，早就該將它扔下毛廁去了！」其中對於《春秋左傳》，他說了一段發狠的話道：

> 我們是主張「讀書以求知識」的，本來就沒有想效法書中的鳥道理，

112 章太炎：〈經的大意〉，收入章太炎著，陳平原選編：《章太炎的白話文》（貴陽市：貴州教育出版社，2001年），頁82、87。

113 顧頡剛：〈中國近來學術思想界的變遷觀〉，收入中國哲學編輯部編：《中國哲學》（北京市：人民出版社，1984年），第11輯，頁313。

> 所以不管什麼奸庶母，奸妹子，奸嫂子，奸媳婦，奸侄媳婦，交換老婆，國君奸大夫之妻，祖母吊孫子的膀子，兒子殺老子，老子殺兒子，哥哥殺兄弟，兄弟殺哥哥……種種醜怪的歷史，既然有此事實，不必「塞住耳孔吃海蜇」，盡可以看看讀讀。他們是主張「讀書以明理」，要以書中人事為模範的，像那種經書似乎還以不讀為宜。[114]

看來錢氏確實是「動了感情」，要不怎麼會如此口無遮攔呢。像《左傳》這類經典確實記載了此類史實，但是正因為如此，所以才有種種所謂「義法」云云去規範它，是以此為戒而決不是以此為法的；像為錢氏所不齒的「那班衛道先生們」，再不濟，也決不會公然提倡亂倫行為的。可錢氏連這些基本的事實都不顧，以新權威自居而極力用粗率醜詆之辭加諸經典，真不知其居心何在。還是他的密友黎錦熙對此類言論有同情的體諒：「這不是說孔子要不得，乃是說二千年來藉著孔子的招牌來開店作買賣的就非打翻不可，其意義也就等於反對『崇拜偶像』」。[115]我們不能以其人之道還諸其人之身，所以對此也不必深責，但是我們終究不明白既然可以「讀書以求知識」，為什麼就不允許「讀書以明理」？錢玄同晚年評價乃師章太炎的話似乎告訴我們更多的東西：

> 先師在學術上之地位，自可上媲東原。東原作《孟子字義疏證》，斥程朱以理殺人，有功于世道甚大。故挽辭云然。先師尊重歷史，志切攘夷，早年排滿，晚年抗日，有功於中華民族甚大。此思想得力於《春秋》，《國故論衡》之「原經」篇中說明此旨，去年所講之「經學略說」亦及此義。故弟等即以昔人挽戴之辭，易「孟子」為「素王」，以挽先師也。[116]

---

114 錢玄同：〈廢話——原經〉，《錢玄同文集》，卷2，頁234-235。

115 黎錦熙：〈錢玄同先生傳〉，收入曹述敬著：《錢玄同年譜》，引文見該書頁175。

116 見錢玄同一九三六年七月十七日致潘景鄭的信，收入《錢玄同文集》，卷6，頁305。錢氏歿於一九三九年一月十七日，信中有關內容可視為他對章太炎學術、功業的晚年定論。

錢氏認為章氏「有功於中華民族甚大」的種種業績，「此思想得力於《春秋》」，這是非常恰當的論斷。有意思的是，錢玄同曾經在〈廢話—原經〉等文章中不惜罵罵咧咧地極力如是主張過：「想知道孔丘的思想的人們，可以看看《論語》。若要以那裡面的話為現代道德的標準，那個人就是混蛋！」[117]《春秋》無疑是類似《論語》的經典，如果以這類見解為評論標準，則章太炎也應該被歸入「混蛋」之列，而決不是什麼「素王」！因為按照引文所說，章氏分明主要就是以《春秋》「那裡面的話為現代道德的標準」的。這是多麼令錢氏尷尬的推論，然而卻內含了不容辯駁的邏輯。這是不是歷史的諷刺？也許是隨著時勢的變化，閱世漸深，他的觀點也有所調整，也許是錢氏本來就是一個思想不周延而好隨意說說「廢話」的人，對此，我們在這裡不能冒然論定，但是所有這些出自一人之口的話，不是同樣振聾發聵、不是更加引人深思。

117 錢玄同：〈廢話——原經〉，《錢玄同文集》，卷2，頁240。

徐世昌與《清儒學案》的編纂人員

曾聖益
輔仁大學中國文學系副教授

前言

《清儒學案》二百八卷，正案一百七十九人，附錄九百二十二人，諸儒六十八人，總計載錄清代學者，一千一百六十九人，[1]是研究清代學術最重要之參考文獻。

《清儒學案》自民國二十八年刊行以來，學者廣泛徵引，用以探討清代學術思想，成果斐然；對其內容亦有所評論，唯貶抑多於讚揚，以其遠不及於黃宗羲《明儒學案》。然學者徵引評論之餘，對於《清儒學案》的編纂者及編纂過程，則多不措意，此非學者無意於此，蓋文獻不足徵也。予致力於

1 根據沈芝盈、梁運華標點：《清儒學案．凡例》（北京市：中華書局，2008年），頁4。本文徵引《清儒學案》均此版本。
《清儒學案》所收錄，幾經修訂刪裁，而後確定此數。曹秉章致徐世昌書札記載：「學案人數，據兩《經解》、《學案小識》、《先正事略》、《書目答問》、《理學人名表》、三《碑傳集》、《清史稿》、《清史列傳》所見儒林姓氏，刪除重複，約一千六七百人，現除《學案》已錄及擬補者外，所略三百餘人耳。現已輯成正案者二百有五案，計二百十五人，附案七百六十四人。應補輯者，計尚有一百四十三人，其中有學案已錄，或父子或兄弟可於傳中連敘者三十餘人，可為附錄或從緩檢書採錄者，亦約三十餘人，卓犖大者不過十餘人，其餘六十餘人，或補或略，總以得書為斷。亦上各數目均係就理出之人名單子與稿本查對者，唯沈羹梅所得之數為正案二百有五案，汪伯雲所得之數，則正案二百有三案。微有歧異，日內尚須約葆之、小汀來通盤再細查一過，方可確數也。見《清儒學案書札一》，收入俞冰：《名家書札墨跡》（北京市：線裝書局，2007年），冊11，頁5。

近代學術研讀，多年來斷斷續續點讀《清儒學案》，迄今未完。今年初得見陳祖武點校本及沈芝盈、梁運華點校本二種，雀躍之情難隱於表。唯讀其書前介紹之序言，仍稍有憾焉，蓋於《清儒學案》二百餘卷之成書過程及編纂者之生平仕履仍屬簡略，且多因循前說。孟子云：「頌其詩，讀其書，不知其人，可乎？是以論其世也，是尚友也。」是有本文之作也。

《清儒學案》由徐世昌召集門生故舊編纂。當時徐氏避居天津，編纂諸人則居北京，由負責聯繫之曹秉章將學案稿件送呈徐世昌批閱，並作書札信函向徐世昌報告工作進行情況及編輯細節。徐世昌則將其觀點及交代事項批示於書札後，交由郭樹聲（號鐵林）送回，並諭示曹秉章妥善保存書札，以備編纂條例使用。陳祖武撰寫《中國學案史》時，親見部分，然未能細讀，殊以為憾。近年俞冰主編《名家書札墨跡》，將此批書札印成三冊，雖缺落失序不免，然終能公佈於世，而《清儒學案》之編纂過程，及編纂者之辛勞，亦可藉以得見。

本文限於篇幅，僅略述徐世昌及夏孫桐等與《清儒學案》之相關工作，以作為探究或徵引《清儒學案》之輔助，故對於徐、夏等人之仕履、著作及學術思想，則暫存而不論，以俟他日。

一　徐世昌與《清儒學案》

民國十七年，徐世昌（1855-1939）倡議編撰《清儒學案》，同時號召舊日詞臣友好一同進行，經過十年，於二十七年（戊寅）春完成，同年付梓，二十八年徐世昌逝後發行。《清儒學案》編撰，時徐世昌退居天津，而編纂者多在北京，故在受壁胡同曹秉章（理齋）家設立編纂處，「每遇星期五，群集曹君理齋寓中，討論其事」[2]。之後各人繳交文件，由曹秉章寄呈徐世昌，待其批示裁定後修改成編。[3]

2 朱彭壽：《安樂康平室隨筆》，卷6，頁276。

3 見《清儒學案書札一》卷首。《清儒學案書札》收錄僅記月日，依據書札論及之事由於徐世昌位居要津，編纂多種宏編巨帙，故後人多疑《清儒學案》亦如《晚晴簃詩匯》(《清詩匯》)，徐氏僅出資掛名耳。夏孫桐之子即云：

> 《清儒學案》及《清詩匯》二書，具名者為徐世昌，實際徐氏只出資任名而已，擔任選詩與編學案者，則皆其友朋也……徐于《清詩匯》竣事後，意欲仿黃梨洲、全謝山《宋元學案》、《明儒學案》例，編纂《清儒學案》，於是邀聘舊友數人共為之，而徐氏僅任其名，負擔經費，並未曾親自執筆。[4]

由於此文《清儒學案》主要編纂者夏孫桐之子親撰，故被多方徵引，過溪〈清儒學案纂輯記略〉變通其說而稱：「徐氏學識亦絕不能比之梨洲、謝山，遂邀聘友朋數人共為之編纂，而徐氏僅居其名，惟負擔全部經費而已。」[5]其後論及《清儒學案》者多據此論之，陳祖武在親見部分徐世昌批答書札之後，肯定徐世昌在《清儒學案》中的角色，論稱：

> 《清儒學案》的纂修，徐世昌不惟提供全部經費，而且批閱審定書稿，歷有年所，並非徒具虛名者可比。[6]

雖如此，但陳氏仍稱：「這部書雖因係徐世昌主持而以徐氏署名，實則是一集體協力的勞作。」[7]今人論徐世昌的事業功業，於《清詩匯》、《大清畿輔先哲傳》多記其功，但於《清儒學案》則略言其事，遂使徐世昌之心力費而不顯，[8]殆多因從夏孫桐子所云。[9]

務，編輯者似未加以排列，如第二冊中記載柯劭忞八十二歲（頁17），及王式通喪葬事（頁18），應在一九三一年。第一冊中記載廖平死二年（頁58），應在一九三四年。

4 慧遠〈清儒學案編纂經過記略〉，見張伯駒《春游社瑣談》(北京市：北京出版社，1998年)，卷5，頁243-245。慧遠應是夏孫桐子之筆名，其本名及名號待查。

5 過溪：〈清儒學案纂輯記略〉，收入《藝林叢錄》(臺北市：谷風出版社，1986年)，第七編，頁115-117。

6 見《中國學案史》(臺北市：文津出版社，1994年)，卷7，頁248。

7 同前註，頁246。

8 如沈雲龍：《徐世昌評傳》(臺北市：傳記文學出版社，1979年)，僅於第二十三章末徐世昌對於《清儒學案》的編纂工作，並非出資召集而署名編纂耳。其晚年幾乎將全部生命投注在《清儒學案》的編纂中，當時各編輯人員將擬定的稿件繳交至曹秉章處，由其呈閱徐世昌，徐世昌裁定批示後寄回，如此往返數次。從體裁的擬定，學者的立案分合，文章的選錄，書籍的購借，到整體的批閱等繁瑣的工作，均由徐世昌簽注，做最後裁定，其戮力從事的情形，從曹秉章的書札及徐世昌的批閱中，不難看出。[10]茲舉其中犖犖大者，以著其事。

（一）學案選立

《清儒學案》由二百餘案，刪裁成一百七十九案，收錄人數由一千七百多裁成一千一百多，刪減幅度約三分之一，不可謂不大。今人對其不收錄廖平、康有為等人，並多有責辭。[11]此刪裁者，應是出於徐世昌及夏孫桐，而徐世昌又是最後裁決者。如曹秉章請示廖平、張慎修、胡薇元三人立案事，云：

> 廖平、張慎修、胡薇元三人雖通經學，皆無大名，張慎修更無知者。胡薇元其人，閏枝深知之者，云所作詩文，即無一可取，人亦卑卑無

段論及此事，稱：「繼於民國二十七年，亦即其逝世之前一年，由王式通襄助輯印《清儒學案》二百〇八卷，〈序〉一卷、〈目錄〉一卷，線裝一百冊，與《晚晴簃詩匯》同稱巨製。惜全書梓行，已不及見。」頁728。《清儒學案》於民國二十七年刊版蕆事，二十八年（1939）七月由修綆堂書店發售，徐世昌逝於民國二十八年六月五日，故沈雲龍稱其「已不及見」，陳祖武則云：「卷帙浩繁的《清儒學案》，終於在他生前得以問世。」詳見《中國學案史》頁248。

9 夏氏子〈清儒學案編纂經過記略〉所記，影響甚大，然其中多屬傳聞臆知，又於其父工作多所回護，遂使信疑參半，如稱全書「于東海（徐世昌）謝世後匆匆刻竟，流布坊間……。」此據朱彭壽《安樂康平室隨筆》，對照《清儒學案》刊行時程，亦稍有出入。

10 徐世昌批示云：「辦理學案往還之函牘，及批註各語，均請彙存，將來撰凡例時，或有可採取之處也。」曹秉章留存書函，蓋承此批示，惟其未註記年分，殊為可惜。

11 如梁運華、沈芝雲《清儒學案．點校前言》、及陳祖武《中國學案史》等書。

足高論。此三人中，如欲列入學案，惟廖平可勉強將就，然其履歷事蹟不可得，且僅死二年耳。亦與前議凡列案者，以宣統三年為限之例不符，仍候示遵。

徐世昌批云：

前見其書，不知其人，故問之。今既見其人，故作罷論，不必立案也。[12]

隨後又批云：

此三人皆不必入學案。[13]

除此外，苗先麓之立案，夏氏以其立一學案似為單薄，作為附案則附入曾國藩或祁雋藻各有難處，「本擬附入曾文正交游中，然先麓與祁文端交情最深，附文正又不如附文端為當，惟文端附在封翁鶴臯先生案內，若以先麓作附中之附，又無此例，且益輕視先麓，故欲仍附文正也」。徐世昌依其所論云而成案。此顯見各學案之成立省併，均由徐世昌做最後的決定。

（二）次序排定

學案先後次序的排列，編輯人員中，夏孫桐常與王式通及曹秉章的主張不同，此最後亦由徐世昌裁定，如曹秉章函云：

---

12 《清儒學案書札一》，收入俞冰：《名家書札墨跡》，冊11，頁58。又曹秉章書函云：「廖平死不及三年，若以之列入學案，似無以對康有為嚴幾道二人。」（頁70）陳祖武《中國學案史》論即廖平不入案，云：「《清儒學案》……不及康有為、梁啟超，以及對康氏學說有重要影響的廖平。以一己之好惡而人為地割斷歷史，實在令人不能接受的。」（頁271）然於此書札及徐世昌的批示中，可見當時棄廖平不列，非如陳祖武所云因於個人好惡之故。

13 《清儒學案書札一》，頁70。

> 前諭照閏枝函中所說釐定次序，惟閏枝欲照《詩彙》辦法，先按科第定先後，無科第者始論年輩，然此書無科第之人實佔多數，且此書與《詩彙》不同，鄙見似仍應重年輩而略科第，且俟與閏枝酌定後再行開單。

徐世昌批覆云：

> □論甚當，此書與《詩匯》大不同，應論年輩並應論同時，而學術□聖道大不相同者，是以甚費斟酌也。[14]

曹秉章即依據其指示，云：

> 學案諸儒先後次序，諭云年輩中又須論學問品望，不可按年排比，此自是探源之論，編次謹當與閏枝詳細考校排比。[15]

《清儒學案》即依此序列，此於學術源流及問學交游關係，自可以清楚得見。然排比非易，在曹秉章書函中，時可見編纂者原本欲安置之處理方式及徐世昌之批示，而學者之歸屬及附案更因之而挪動者，隨處可見。

（三）學者歸屬

《清儒學案》收錄清代學者千餘人，其體例又有正案、附案之不同，而附案包含家學、弟子、交游、從游、私淑五項，此目的一方面欲統觀學者之學術思想，一方面易於考其傳承關係，理解一代學術之流衍，然附案與專案即顯示對該學者之評價，故不可不慎。夏孫桐亟欲歸併各家學案，而曹秉章等人則持相反意見，最後仍由徐世昌裁定，如蔡松坡，曹秉章轉載徐世昌指示，云：

14 《清儒學案書札一》，頁258。
15 《清儒學案書札二》，頁179。

諭中謂松坡附案非專案，希酌定一節。日前閏枝卻亦有此說，但未敢擅專，故特請示遵辦。若如此則柯鳳翁。可否亦援此例，尋一附麗之處以傳之？[16]

徐世昌批可，又如鄭杲〈東甫學案〉，曹秉章函云：

此案遵諭改為正案，而以宋、柯兩人附入。至盛伯義，閏枝本擬附入張文襄案中，若改附東甫，亦無不可。[17]

又如戴望，曹秉章函云：

前書衡將其附於陳奐南園學案，茲書衡又與閏枝商量，覺不甚妥貼，擬移附顏李私淑之列，凡現在所成案中附列之人，將來須移動者，恐甚多也。

徐世昌批云：

所論甚是，即請照辦。[18]

可見《清儒學案》全書的纂輯過程，人物的選列，均是徐世昌的觀點及意志的呈現，唯在編輯過程中，夏孫桐等人稍有變通以合乎體例耳，如〈程春海學案〉，徐世昌批示後，曹秉章覆回，說明處理方式，云：

交游中未列阮文達。按阮文達是春海之師，故不能列入交游中，文達案內則已列春海於弟子中。

批諭云：劉孚京或列入劉庠案後。按劉庠亦不能專立案，似是曾文正附案中人物，且不知其所著之書，曾否刊行，目下有處可求否？[19]

於此類之討論與批示中，均顯見徐世昌對《清儒學案》有清楚之編輯架構，

16 《清儒學案書札一》，頁162。

17 《清儒學案書札一》，頁164。

18 《清儒學案書札一》，頁316。

19 《清儒學案書札一》，頁152-153。

欲藉此顯現的清楚的清代學術流變。

（四）文章選錄

《清儒學案》選錄的文章，初由各人選輯，其後由夏孫桐審閱，最後均由徐世昌定奪，如編輯〈張伯行學案〉時，曹秉章請示云：「葆之看出清恪敬庵案中采有〈論學文〉一首，痛詆顏習齋，謂習齋之學不程、朱，不陸、王……葆之以鈞座素主表彰顏學，海內人士靡不知之，一旦此文載諸學案，不但自相矛盾，且亦起學子誹議……。」徐世昌批云：

> 葆之校書甚精細。清恪案中，一文應刪去。清恪碻守程朱，習齋則不然，無怪其此文也。學派爭論，千古一慨。[20]

此顯見《清儒學案》的文章選錄原則，是徐世昌的思想觀點為指導原則。又如鄭杲文章的選編，曹秉章函云：

> 東甫（鄭杲）之稿，章已逐漸閱看，其所謂奏議、呈子書函、條陳者，大半是因甲午戰爭建言，有自為者，有代他人屬稿者，其時士大夫於洋務上見解均不甚透澈，但有忠憤並無切中時勢之言，覺其稿不盡可存，不敢擅定去留，擬除去重複與字跡看不清楚者，先令人鈔一清本，呈請鈞座閱定。
>
> 灤源書院講義，純與肄業者講論題目做法，於書中義理發揮極為透闢，亦有隨便說經之文，章亦不敢擅定，擬請小汀一看，如有可存者，令其圈出另鈔清本，再呈鈞座閱定。

此呈札中論及二類文章，一是講義，本不在《清儒學案》收錄範圍，[21]一是

---

20 《清儒學案書札一》，收入俞冰：《名家書札墨跡》，冊11，頁22。

21 《清儒學案・凡例》第十三條：「凡近於帖括者，雖經不錄也。近於評騭者，雖史不錄也。」頁3。

論洋務之文章，徐世昌於前者批示云：

> 甲午言夷者，皆代人之言，均不必入送。[22]

曹秉章依此原則，將鄭杲文章重新選編，由夏孫桐確認後編入。[23]此可見《清儒學案》中文章選錄及刪裁，均是徐世昌所決定，故有曹秉章視為透澈者，徐世昌不取，夏孫桐棄錄不取者，徐世昌諭其保留，[24]顯見此書實是徐世昌學養識見的具體呈現。

（五）清本審閱

《清儒學案》編纂過程，幾經往返，經過夏孫桐裁成，再送徐世昌定案；但定案後的清本，仍送徐世昌審閱。此項工作繁重不堪，故徐世昌回覆曹秉章報告的書札，示云：

> 近日已閱《學案》為功課。凡有寫出清本，先請閔、朱、沈三兄校閱。後如有增加改易者，再寄一閱。[25]

又云：

> 以後凡寫清本，先由諸公詳校後，再寄一閱。[26]

雖是如此，今見徐世昌批示曹秉章的書函中，仍隨處可見其增減的指示，對於各處細節，均頗為關注。

---

22 《清儒學案書札一》，頁5。
23 《清儒學案書札一》，頁12。
24 見下引文。
25 《清儒學案書札一》，頁61。
26 《清儒學案書札一》，頁37。

（六）刊本字體板式

學案稿本呈送徐世昌批閱後發回，如無須改易，則進行刊樣工作，然徐世昌仍然親自審定批覆，對於字體、校字等均有指示。曹秉章書函云：

> 諭飭文楷齋選人分手學習汲古閣本宋體字樣，已告知沅叔轉囑矣。惟章處有汲古閣書數種，皆歐體楷書，宋體字僅有《樂府解題》一種，字畫甚粗，亦不甚好看，示諸沅叔，伊當另尋他書也。

對於字體樣式亦多指示，如：

> 請沅叔斟酌別樣亦可，惟宋字稍大，筆畫稍粗者為耐久。[27]

此事在徐世昌的批示中，屢次出現，如：

> 明年刻書，請先告沅叔，屬文楷齋速派人分手學習宋體字。以汲古閣本字樣，須教人字皆一律方可。[28]

至於藍印樣本，徐世昌更是仔細校閱，閱後批示云：

> 寄來各本刻的太草率，誤字、未刻字□□矣，有一字少半筆者，又一字少一角者，既不易重刻，又不能補……。[29]

《清儒學案》各案編成之後，隨即由傅增湘等人負責刊刻校訂，然各校樣仍由徐世昌親自檢示，其批示曹秉章書函，曰：

> 各冊初稿，前後抄寫，參差甚多，工人寫宋字必更訛誤，如抄清本須請編輯諸公手自詳校，寫出數卷即隨時送校，亦不耽延時日，且可成

27 《清儒學案書札一》，頁67。

28 《清儒學案書札一》，頁40。

29 《清儒學案書札一》，頁67。

善本也。[30]

就其校閱工夫，可見其對刊刻樣式成品之重視，但徐世昌諭示編輯人員將學案隨時發刻的想法，並非可行，王式通等人多不贊成，[31]但雖如此，仍依徐世昌意行之，故夏孫桐引進張爾田時，欲變更體例，諸家均反對，遂生齟齬。

徐世昌透過曹秉章的書函及批示，掌握學案的進行，注意相關細節，[32]使編輯人員產生莫大的壓力，然亦使《清儒學案》臻於完備，對後人研究清代學術，提供可據信的參考文獻。

二　《清儒學案》的編纂人員

《清儒學案》的編撰人員未見於該書卷首，夏孫桐之子〈清儒學案編纂經過記略〉，稱具體修撰者十人。分別是：夏孫桐（字閏枝，1857-1941）、王式通（字書衡，1864-1931）、金兆蕃（字籛孫，1868-1938）、朱彭壽（字小汀，1869-1950）、閔爾昌（字葆之，1872-1948）、沈兆奎（字羹梅，1885-？）、傅增湘（字沅叔，1872-1949）、曹秉章（字理齋，1864-1937）、陶洙（字心茹，1876-？）及張爾田（字孟劬，1874-1945）。[33]過溪〈清儒學案纂

30 《清儒學案書札一》，頁31。

31 曹秉章函云：「鈞座欲將學案搞隨時付刊，書衡云：稍暇當與閏翁先將小案檢出加以整理，預備發刻。因小案著作少，附屬之家數亦少，一經定稿，不致大有更易，大案則不然，既有費斟酌處，其附案中，亦必有更動處也。」（頁32-33）。

32 曹秉章致徐世昌書函云：「上次批諭中問江浙未輯者尚有若干人，雲、貴兩省共有幾家，甘肅、新疆有人否？秉章按：應纂各家姓氏目錄單內，原未註出籍貫，分給各人編纂時，亦非按省分派，此時若問某省已成者若干人，未成者若干人，一時竟答不出……。」（頁310）。

33 見慧遠〈清儒學案編纂經過記略〉，文中記載各人工作，云：「夏、王、金、朱、閔、沈分任編纂，傅任提調，曹任總務，陶任采書、刻書。另有助理抄寫，汪惟韶伯雲、曹葆宸君儒，開始擬以具編纂方案，商酌案名體例，然後分別擔任功課……二十三年甲戌秋，乃商之徐，約聘張爾田孟劬任之……未及三月即拂袖去。」以上各人生年，

輯記略〉、陳祖武《中國學案史》、沈芝盈、梁運華《清儒學案·點校前言》均因其說。其中張爾田雖受夏孫桐命代作〈清儒學案序〉[34]，但參與其事為時甚短，未必有具體作為。實際從事者，如夏孫桐子所云，主要為夏孫桐、朱彭壽、閔爾昌、沈兆奎，傅增湘、陶洙則負責採購、刊行等工作。除以上修纂人員外，今見諸曹秉章致徐世昌函札中者，尚有章華（字曼仙，1872-1830）[35]、鄭沅（字叔進，1866-1940）[36]及校勘員曹君儒、汪伯雲、何洪亮及傅端模、李詵五人。[37]

根據朱彭壽：《安樂康平室隨筆》（北京市：中華書局，1997年），卷6，頁276-277。

聘任張爾田事，曹秉章致徐世昌書函中記曰：「今日星期五，同人來會，沅叔、心如亦來共同商議，趕辦稿件迅速發刻各事。閏枝深以精力已衰，稿之未成者雖已無多，而全稿之整齊修理，非逐一細校，不能放心。若欲剋期告成，非添一結實幫手不可。云有史館舊同事錢塘人張采田足勝此任，因上鈞座一函，並呈張君所著《史微·內篇》二本、《李義山年譜會箋》四本，茲特一併寄呈鈞座。至張君其人，章素所不知，沅叔則與之極熟，屢聞稱道。為閏枝上鈞座書中云願以總纂一席讓之，自認分纂一節，章竊以為無此辦法，如果鈞座俯允添延，擬請延張君為幫總纂……但能使全書早日告成，免致多延時日。」（頁95）張爾田與夏孫桐素友善，然不為纂修人員接受，二星期即生齟齬（6月2日-6月17日），曹秉章致徐世昌書函言其情形，云：「閏枝此次力舉張孟劬入社，固以自己精力不及，亟欲程功而然，然當此時拉一生人為助未先白同人，亦是其疏忽之處，因之同人皆有違言。葆之素性尤為狷介，首謂我儕既不為總纂所信任，不如去休，遂即作函言辭。章為之再三剖解，勸其少安，伊云年已六十餘，從事府主門下已久，忽來一素不知名之人為作導師，可恥孰甚，萬不能留，章見其志堅不可回，是以不得不為上聞，迨孟劬到社，是日葆之已不來。始欲變更體例……當時固亦言之成理，閏枝就無以折之，但云君且先作凡例再說。章恐其攪動全局，乃曰：若如此，則全書皆須更動，現在成稿已定期發刻，萬不能行，沅叔亦甚不以為然。故章前稟先敘孟劬到社與閏枝接洽辦理情形，即接言葆之言辭之事，後又有以後同人相處是否能融洽，隨時密陳之語。」（頁105）。

張爾田不久即去，曹秉章致徐世昌函，云：「此次添一張孟劬，原為趕辦編輯，早日成書起見，不料此人一來，轉致橫生波折，諸事延緩，現在孟劬果去，當可各泯意見，漸次順手。」《清儒學案書札二》，頁75。

34 見《國風半月刊》第5卷第8、9合期。民國二十三年（1934）。夏氏命其作《清儒學案》全書序文，見《清儒學案書札一》，頁126。

35 作〈恕谷學案〉、〈養知學案〉等，見《清儒學案書札一》，頁168。

36 見曹秉章致徐世昌函，《清儒學案書札一》，頁174。

37 見曹秉章致徐世昌函，《清儒學案書札一》，頁225。李詵係臨時校勘員，見《清儒學夏孫桐、朱彭壽、王式通、傅增湘等人為前清進士，金兆蕃為舉人，在民初享有盛名，參與多種大型文獻編輯計畫，如夏孫桐為《清史稿》總纂之一，金兆蕃為修纂，二人全程參與《清史稿》的修纂，[38]張爾田、王式通則列名第二、三期《清史稿》纂修。[39]又王式通嘗任「東方文化事業總委員會」委員，與夏孫桐、傅增湘、沈兆奎等人參與《續修四庫全書總目提要》撰述工作。[40]此正見《清儒學案》的編纂者的觀點在當時有相當的代表性。

《清儒學案》中，徐世昌擘畫全局，曹秉章居中協調，夏孫桐任總纂，[41]主持學案整體工作；朱彭壽、閔爾昌、沈兆奎執行編纂。王式通逝後，徐世昌詢問曹秉章編輯進度及預估成書時間，曹答云：

> 諭問全書預計何時可成。查現在未纂者尚將及百家，內中頗多大案，社中既缺作手，書亦不易訪求；凡書之易得者，已先逐一纂出，此後一日難一日，一步難一步。閏翁既要了自己功課，又要核閱他人之作，更須抽出功夫訪問書籍，實有日不暇給之勢。先時閏翁曾與書衡

案書札一》，頁251。

38 據朱師轍：《清史述聞》（臺北市：樂天出版社，1971年），卷3記載，夏孫桐在清史館的工作是：「總閱列傳，自嘉、道以後，咸、同、光、宣皆歸之，後光、宣無暇顧及，由校刻之人以原稿付印，彙傳則有〈循吏〉、〈藝術〉二傳，皆其所撰，〈忠義〉初亦擬有傳例，後交章式之整理。第一期中多撰嘉、道等列傳及彙傳，第二期中，專任修正嘉、道兩朝列傳，又撰〈藝術傳〉。」（頁52）金兆蕃的工作是：「任列傳清初至乾隆總閱。館長初推夏閏老總閱列傳，閏老薦籛孫分任，彙傳〈孝義〉、〈列女〉亦歸整理。第一、二期中，曾與鄧邦述合撰〈太祖本紀〉及清初各傳，康、乾列傳。」（頁52）

39 朱師轍《清史述聞》記載張爾田在清史館的工作為：「繼筱老任順、康列傳，與夏閏老同定康熙朝大臣傳目，僅成圖海、李之芳傳一卷，南旋。第一期曾撰〈地理志〉江蘇一卷，又撰〈后妃傳〉、〈樂志〉，今史稿所刊，猶其初稿。」（頁54）王式通在清史館任纂修。其工作，「張（爾田）云：任〈刑法志〉，未作，後由張采田纂修，祇成一卷。今史稿中，則又另一人重纂，非本來面目矣。夏（孫桐）云：未有留稿。」（頁57）

40 羅琳：〈續修四庫全書總目提要前言〉，《續修四庫全書總目提要（稿本）》（濟南市：齊魯書社，1998年），卷首，頁3。

41 見本文註4，曹秉章致徐世昌書函。

> 約定，俟開春後，與伊兩人將已成各稿逐一子細詳核，隨時修改。今書衡一死，又缺一大幫手，故章竟不敢預言日期也。

王式通逝於民國二十年，時《清儒學案》編纂工作僅進行三年耳，然徐世昌、夏孫桐、曹秉章均年過七十，垂垂老矣，雖云「路遠不須愁日暮，老年終自望河清」，徐氏等人對《清儒學案》的寄託，不難看出，而諸家之辛勞，也溢於言表。茲根據《清儒學案書札》所記，略記夏氏等人擔任的工作及編纂的學案，以彰明諸家之辛勞，崇贊其不朽之功業，亦記後學感念之意。

（一）夏孫桐

夏孫桐任《清儒學案》總纂，除編輯學案外，更負有修訂重責。在編纂過程中，各人所撰學案稿均經其核閱，修訂、增補後，再呈徐世昌，故工作分量最重。然其個性謹慎，雅避浮濫之譏，故多刪裁。曹秉章於此函告徐世昌，云：

> 閏枝……又取舊稿五種去脩正矣，所謂脩正者，即是排訂頁數，察看書法有無不一律處，初意頁數過多者，將采錄之文酌量刪削之，今已遵諭不刪削矣。惟此事凡同人盡人能為，正可不必獨耗心神，而閏枝必須手自料理者，重在補添、附案等，以消納無著落之人也。而未輯各案，儘可令他人幫忙。章與說之至再，終不放手，殊令人著急也。[42]

又云：

> 閏枝生怕多收，屢屢戒同人以州縣辦案為喻，云夠辦便了，不可開花，章亦屢以與辯駁，謂州縣辦案不開花，是免株連、省拖累也。輯學案不開花，是畏難衹圖敷衍了事也。當時同人亦皆一笑置之。現在

42 《清儒學案書札一》，頁8。

章與朱、閏、沈三人商定，凡必應補之人，衹要求得書來，即歸伊三人分輯之，輯成之後再送閏枝覆閱，事前竟不先告之。[43]

夏孫桐之謹慎仔細，不只表現在學案的選取上，曹秉章轉述其勘閱稿本的態度云：

勘閱學案稿本，閏翁云：第一小敘要子細留心，恐有落套處及犯複處，此處與他處牴牾處，此皆初做時最易忽略者。第二是采錄之文，其持論已被人駁斥，則萬不能留於篇中，然非子細逐一詳考不可。

此實是極具識見之語，非通曉一朝學術者，不能言之。《清儒學案》各案前小序，原由學案編纂者撰寫，最後即由夏孫桐整體修訂。[44]

《清儒學案》最後成書僅一百七十九案，與夏氏的謹慎刪裁有關。其除於學案內容取捨外，於學者傳記資料，亦頗關注及堅持其見。蓋學案開始纂輯時，傳主之傳記資料，以當時坊刻〈儒林〉、〈文苑〉兩傳及碑傳、《先正事略》、《清儒學案小識》等書為主，但民國十七年（1928），中華書局出版《清史列傳》，曹秉章、閔爾昌、沈兆奎欲取以補正《清儒學案》中之傳記資料，夏孫桐則指為廢稿，不可用，雖求證於金兆蕃，仍為夏氏所拒。[45]

夏氏以《清儒學案》為念，在見張爾田與編纂諸人無法融洽後，更全力趕辦定稿，且屢請徐世昌預備人選接替其工作，[46]使《清儒學案》可以順利

---

43 《清儒學案書札一》，頁5。

44 曹秉章致徐世昌函云：「各案小序恐有雷同之語，須另行彙鈔一冊，請閏枝磨勘一通再定。而稿本太多，既不能交人取去抄寫彙齊，字數又極多，現擬招一人到秉章寓中抄寫也。」徐世昌批云：「可。」（頁224）。又載：「葆之云：各學案小敘，須彙鈔一冊，專交一人磨勘，則落套處，犯複處，與他案牴牾處，種種毛病字易勘出。若如仍然各案看，卷帙太繁，無論如何細心，總有忽略之處也。」《清儒學案書札二》，頁4。

45 《清儒學案書札一》，頁118。

46 曹秉章致徐世昌函云：「閏枝又云：近日體中，實已無病……擬將凡例各條一一寫出，呈請府主斟酌，雖不須大作文章，而全書綱領種種計畫，須徹上徹下打量一番，方可著筆，實覺思力不能周到，故至今未曾動手。況目下已定之稿須磨勘者甚多，亦必須趕辦，庶刻字店接續而寫，不致停工待稿。但自顧年老身衰，設有不測，不能將此書

完成，故曹秉章致徐世昌函中，嘗呈請朱師轍（1879-1969）相助，[47]然未見徐氏批可。雖其至《清儒學案》完書即因病請辭，但其用心之誠頗令人敬佩。

（二）曹秉章

曹秉章負責所有聯繫工作，包括學案稿件的呈送、學案進度，文獻的蒐集、書籍的訂購，編纂人員不同的意見[48]或處境、健康情形，及各項行政庶務工作，均由曹秉章鉅細靡遺的向徐世昌報告。而徐世昌之想法觀點，及具體指示，亦透過曹秉章轉達夏孫桐，以節制各員做法，《清儒學案》編纂工作可以順利進行，曹是功不可沒。由於其任居間連繫工作，故於《清儒學案》的編纂遇到的問題及進度最為熟悉，如篇目、傳記的選用，刊刻延誤的原因，及各項細節，皆瞭若指掌。前引其向徐世昌報告張爾田與諸人不相容問題，及夏孫桐請求找尋替代總纂時，曹秉章均據其觀察，報告其主張，而徐世昌亦多從其意。[49]徐世昌信任曹秉章，交辦事務亦具體而微，如曹氏報

完全告成，不免辜負府主厚意。務須懇求府主預備替手。囑章為代陳。」（頁142）。

47 見《清儒學案書札一》，頁216。

48 如曹秉章致徐世昌函：「羹梅兩表初成之時，曾經面告閏枝，當時即大相齟齬，駁難甚劇，兩人均來告章，故章於羹梅上書稟中有須顧閏枝面子之語。」（頁246）。

49 夏孫桐請求預備替手一事，曹秉章云：「章看閏枝面色甚淨……今年雖已七十有八，似尚不致驟有變故……預備替手一事，自是其膽小之語。目下不但想不出替手，即有人可替全盤事體，既不接洽，亦無從下手。章以為此層可置諸不論，倘若果有不測，小汀、葆之、羹梅三人在事既久，足以了之，故章答公既精神不甚好，凡例可但將各條粗目寫出，將其中曲折意思，於小汀、葆之、羹梅三人中擇一告之，令其秉筆述出，公再斟酌，或即令三人匯參為之，公再斟酌，均無不可。即須磨勘之定稿，亦可令原輯之人自行磨勘，有疑難處再與公商量修改，似是一辦法。而閏枝不置可否，似不甚以為然。是其任事之心甚切，而又事事慎重唯恐他人或有疏略，故爾如此用特詳細陳明，擬請鈞座再親筆致閏枝一信，略為得章來稟，知其近來精神不甚健旺，囑其千萬靜養，毋多勞心，且勿著急，如有繁重與瑣碎之件，儘可令朱、閔、沈三人幫同辦理。」徐世昌批答曰：「即照吾弟之意作書寄去。」見《清儒學案書札一》，頁142。

告刊刻進度，云：

> 現在自夏峰起前列之五案，寫本已校好，交文楷齋上板。以下各案閏枝雖經指定十餘案，而仍有須再細看之言……將來能否剋期趕出，不誤刻工，殊不敢必，惟有求鈞座隨時催問，不厭其煩。

徐世昌答云：

> 成書不知何時，似與沅叔所計畫不同。吾弟尚須切實通盤籌畫，大家說明。既已動工即不能停，且既聚數十工人而無書刻，徒耗工資，且恐工人刻緩，須逐日嚴催，立定工作程限，向來即如此辦法，前由叔衡所定之書以□見似不可再更動，只將未成之書趕速辦理最為上策，不可先攪擾從前，而未成之書又閣置也，似非善策。[50]

其遵循徐世昌意，竭盡思慮，以求完善，故有痛斥文楷齋刊刻草率之舉，云：

> 文楷齋人來，已嚴斥之，然究不抵心如之痛罵為得力，惟告以刻書如此之不可靠，《學案》即另交別家刻矣。雖惟惟而去，未知以後果能經心否。[51]

曹氏因中風，左半身不便，故不負責實際編輯工作，與徐世昌書抑應是倩人代筆。[52]但除此編纂的行政聯繫工作外，曹氏亦負責編纂人員的生活照應，編輯人員之身體病痛及生活上之難處，曹秉章均據實向徐世昌報告，以求得徐氏的資助。[53]

---

50 《清儒學案書札一》，頁103。

51 《清儒學案書札一》，頁49。

52 略見《清儒學案書札一》，頁145。

53 如報告朱彭壽為子債務所逼的窘況。函云：「小汀百計張羅，為子還債，章屢屢為言，父還子債，中外所無，如果債戶逼索，可任其涉訟，而伊堅不肯，賣衣賣書，現在又想質室，急迫不堪言狀，其信章不能不為代呈，未知我師能設法一應其急否？設或不能，請飭鐵林婉辭致章一信，仍由章回覆之可也。」徐世昌批云：所云押房契借債一節，兄向不肯作此等事。小汀既有信來，送其四百元□以應命可也。」《清儒學案書

（三）王式通

王式通在民初曾任國務院秘書長，孫宣敬〈王公志盦先生傳〉稱其「晚歲勤於著述，常預修《國史》、《清史》、《四庫書目》，又從徐公世昌撰輯《清儒學案》、《清詩匯》等」[54]，雖其在《清儒學案》開始編撰前幾年即病故，然其在初期的工作頗重，編纂學案五十餘冊，[55]校訂的稿件亦多。

王式通於民國二十年（1931）病故，其纂輯的學案，後由夏孫桐整理校訂。然夏氏於其所編撰，實多微詞，曹秉章云：

> （閏枝）云書衡所作之稿，有傳文太長，采錄之文過多，不甚精當之處，必須一一修改。[56]

又云：

> 書衡舊稿，閏枝本不甚滿意，屢騰口說，然不刪改於當時，而改於此日，且交孟劬刪改之，孟劬學識是否果勝書衡，章不能知。[57]

然張爾田有無修改未可知，王式通編成學案不少，均由夏孫桐進行修訂，或交由朱彭壽等人重新纂輯。其編纂學案如下：

（四）金兆蕃

金兆蕃雖參與《清儒學案》工作，但並非常在北京，而是長居上海。原本負責整齊學案內容，分纂學案目錄即其工作。後則編撰算學相關學案，曹

札一》，頁180

54 見《志盦文稿》（臺北市：文海出版社，1971），卷首，頁1-3。

55 見《清儒學案書札一》，頁246。

56 見《清儒學案書札一》，頁103。

57 《清儒學案書札一》，頁105。

秉章函中稱：

> 據其開來算學各家姓名，自清初梅氏父子以逮後來之華蘅芳，共十六人，每人案內附麗者正復不少，若華蘅芳案中，則必更有言西學之人矣。[58]

又云：

> 籛孫寄來算學四案，今日已交閏翁審閱。[59]

據此，《清儒學案》中西學相關學案，應即是自金兆蕃所編撰。

曹秉章致徐世昌書函中，多記金兆蕃校閱及購書之事，如沈兆奎輯〈訪溪學案〉，即由金兆蕃在上海代購書數種。[60]

至於《清儒學案》序文，徐世昌原意屬夏孫桐代撰，夏氏推辭，[61]轉請張爾田。然張氏於序文大頌康熙帝，稱學術由其所發，於學術流變則無所發揮，未被徐世昌及編輯諸人接受，故曹秉章推薦金兆蕃作序文，徐世昌同意，[62]但金兆蕃堅辭，[63]最後由沈兆奎擬定。

---

58 《清儒學案書札一》，頁215。

59 《清儒學案書札一》，頁288。

60 《清儒學案書札一》，頁165。

61 曹秉章致徐世昌函云：「閏枝函中所說學案序，自以文筆譾庸，擬請鈞座另覓鉅手為之，此自是其謙辭。且我師纂輯《學案》之深意與編纂蒐輯之種種繁難，決非身歷其事者不能一一道出，擬請鈞座即以此意復伊數行，未知鈞意以為當否？」（頁227）。

62 曹秉章函云：「《學案》序文自張孟劬之作奉批駁回後，閏枝久置不論，亦未議及倩誰另擬……章刻擬致函籛孫，傳諭令其代作一序，伊本一切了然，且亦閏枝素所心折之人，當不至或生異議，未知我師以為如何？」（《清儒學案書札二》，頁299）。又「倩籛孫代擬序文，日內當即寄信前去。初開辦時，鈞座曾諭及有清一代人文實皆由聖祖培育而成，學案對於聖學，應如何闡述，囑籌辦法。章當時與閏枝、書衡及諸同人商議，擬全書告成後，仿曾文正〈先正事略序〉於序文中，將聖祖聖學之淵深及作育人才之盛德，一一詳述，稟奉批令照辦，籛孫固以早經接洽矣。特不宜如張孟劬將聖祖各種學問分段排敘，若作壽敘者，而全不道及學案耳。」（頁263）。

63 見《清儒學案書札二》，頁289。

（五）朱彭壽

朱彭壽《安樂康平室隨筆》云：

> 《學案》一書，共為二百八卷。至戊寅春纂輯粗畢，時社友皆散，終其事者僅余一人。書首序例目錄，經東海命余修改數四而後定。余以全書所纂正附各案，當諸友屬草時，分任撰述，彼此各不相謀，恐體例未必盡同，且或有重復及抵牾之處。復請於東海，擬俟寫工繕就清稿後，暫緩付梓，先由余通檢一過，以期前後貫徹，遇有上述諸點，即可隨筆修正，免貽疏外之虞。雖稍廢時間，而於全書不無小補，時已刻者約十之三四，余亦擬為之覆校，蓋愚意所註重者，不在衍文脫字，而在全體之畫一整齊也。東海頗韙余說，卒以年高多病，急於觀成，承刻者但求早日畢工，迄未將稿本送余覆閱，嗣編纂處亦裁撤，余於社事遂不復與聞矣。[64]

此記載流傳頗廣，然與曹秉章致徐世昌函稍有不同，《清儒學案》編輯後期，朱彭壽、閔爾昌、與沈兆奎固為主要編纂者，然凡例、序文等均出自沈兆奎，朱、閔贊預其事耳。曹秉章致徐世昌函中，除編纂學案外，少有涉及朱彭壽之記載。

（六）閔爾昌

閔爾昌編纂《清儒學案》時，同時編輯《碑傳集補》，於《清儒學案》中學者之仕履考察，頗有助益。[65]夏孫桐欲聘張爾田時，傅增湘等薦其協助夏孫桐校勘，以免張爾田之任，然夏氏無意，故其於張爾田到任後請辭。[66]

64 朱彭壽：《安樂康平室隨筆》，頁277。

65 見《清儒學案書札一》，頁306。

66 《清儒學案書札一》，頁111。

然張爾田未幾即去，閔爾昌則編纂至《清儒學案》全書告成。

閔爾昌為揚州儀徵人，故其編纂之學案，多與揚州有關，如〈心巢學案〉、〈曉樓學案〉、〈孟瞻學案〉、〈儀徵學案〉、〈高郵學案〉等名案。

（七）沈兆奎

沈氏於各家中最年輕，係於王式通、章華病故及鄭沅、金兆蕃辭職後，由夏孫桐邀請加入。[67]其在編纂《清儒學案》後期的工作中，不僅整理章華及鄭沅留下的舊稿，又從事人物文獻蒐集編輯工作，曹秉章致徐世昌書函，云：

> 茲羹梅有信一函，並其所為〈清儒年次序草目〉及擬〈補諸儒姓名〉兩表，一併呈鑒。

徐世昌批云：

> 名次先後亦可照此排列，仍請諸君卓裁。
>
> 羹梅之書眉上各注數語，請諸公酌定，兩表甚精詳，應補。諸儒可照辦添入。[68]

沈兆奎辦事積極勤奮，深得夏孫桐及曹秉章信任。[69]雖其最後加入，在夏孫

67 詳見《清儒學案書札一》，頁294。曹秉章致徐世昌函，說明用沈兆奎之故，云：「諭令於吳向之、沈羹梅二人中酌延其一人以資襄助。章以為延吳不如延沈。因沈本閏翁欲延以為助者，且其人年力正強，足以耐勞，其輩行亦較後，閏翁與之文字商量，或督催功課，可無客氣也。已將此意商之閏翁，閏翁亦以為然。」（頁314）。

68 《清儒學案書札一》，頁13。曹隨後書函云：「批諭到時，適羹梅在座，當即示之。所有各案前後次序，及必須補輯之人，當即將兩表與奉批定辦法，交閏枝閱後，分交朱、閔、沈三人分辦。」（頁14）。

69 曹秉章致徐世昌函云：「羹梅數月以來，於纂輯一事，既已隱綜其成，又極勤奮，趕稿極多，其景況又最為艱窘，可否照從前致送閏枝之數，給以雙柏？章特別交付，非敢偏厚於羹梅，正亦我師獎勵體恤之至意。」《清儒學案書札三》，頁29。

桐請辭後，其幾乎負起所有工作，故《清儒學案》的凡例及序文均出自其手。[70]

（八）傅增湘

傅增湘在《清儒學案》編輯過程中，負責採購及刊刻工作，曹秉章書致徐世昌的書函中提及其工作，云：

> 近鈔清本之格紙，即是將來刻書之式樣，文楷齋寫樣本字，即照此格寫也。前定此格式時，即由沅叔（傅增湘）檢校汲古閣《漢書》式樣，令文楷齋照寫字樣，呈閱而後定者。[71]

文凱齋刻成之樣式，即送傅增湘審核，[72]再呈徐世昌選定。傅增湘為近代著名藏書家及版本鑑賞家，精擅校讎事務，故其在《清儒學案》進行刊刻時，即呈請延聘校對人員，曹秉章致徐世昌函云：

> 沅叔信內所薦之何君鴻亮為刻書校勘一節，將來自不能不用。沅叔又告章曰：一人校對決不殼，總須經過三四次細校，方可細密。其兄老大之子傅端謨亦可充任，惟係其姪，不便直接言之。

其後，徐世昌即依其所議，延聘何、傅二員任校對事。[73]《清儒學案》得以在徐世昌生前完成全部刊樣，傅增湘居功厥偉，然朱彭壽所云校勘不精，仍應歸責於傅。

---

70 《清儒學案書札二》，頁332、338。

71 《清儒學案書札一》，頁36。

72 《清儒學案書札一》，頁194-195。

73 見《清儒學案書札一》，頁209。

（九）陶洙

殆承傅增湘命，主持刊板工作，故曹秉章致徐世昌函中，僅載轉呈刊樣及刊行進度相關事務。

（十）章華

章華參與《清儒學案》編輯工作，未幾而逝。其未編撰學案，後由夏孫桐、王式通、閔爾昌分輯。[74]曹秉章致徐世昌函中，說明章華編纂情況，云：

> 曼仙所分編輯學案功課，照單內所列應輯人數計算，約成稿僅及四分之一，。夏初輯〈湘鄉學案〉，正案已成，附案斧成一半，其稿經閏翁取去，伊當為之續成也。此外未動手者約尚三十餘人，內僅一張伯行是大案，人不再聘人，則此三十餘人之學案，同人中如何匀派，容與閏、書兩君子仔細商量，再行稟聞。[75]

未幾而王式通亦病故，章華分配學案，多由沈兆奎接手或由夏孫桐接續編纂。

據曹秉章致徐世昌函中記載，現《清儒學案》中，章華所編撰學案有〈恕谷學案〉、〈養知學案〉、〈曾文正公湘鄉學案〉三種。

（十一）鄭沅

鄭沅在《清儒學案》開始編纂時，即參與工作，然其居於上海，聯繫不便，購書亦須先請示，後以文獻難得辭去《清儒學案》相關工作，並辭退薪

---

74 見《清儒學案書札一》，頁217。

75 《清儒學案書札一》，頁335。

俸。[76]曹秉章致徐世昌函云：

> 此次學案稿十三冊，叔進手筆居多，伊在上海，借書為難。其來信云：所需之書，皆來自東方圖書館。歲杪……不免稍有停頓。其所編輯仍覺過於簡單，有待修飾擴充考訂者甚多。閏枝云若皆由此間為之修改，不免太煩，擬與書衡商量審擇，或分半寄令自行修改。[77]

鄭沅所編纂學案，後均由夏孫桐及沈兆奎等人重新整理。其輯成初稿學案有下列四種：

〈陳澧東塾學案〉（後由夏孫桐新輯）、〈陳恭甫父子學案〉、〈胡石莊學案〉、〈朱駿聲豐芑學案〉（後由夏孫桐新輯加入附案四人）。

在夏孫桐辭去總纂後，徐世昌並未新任總纂主持《清儒學案》編纂事務，而是仍由曹秉章聯繫，而由朱彭壽、閔爾昌、沈兆奎三人負起完結工作。

結語

徐世昌召集舊日門生編纂《清儒學案》時，年已七十四，開始編纂數年，章華、王式通病故，徐世昌更覺迫切，故覆曹秉章函中，督促日緊。而欲將清代近三百年的學術歸流屬系，本非易事，曹秉章致書中，道出其困難，云：

> 鈞座因曼仙之逝，念及編輯事極繁重，而動筆諸人皆以年老，不宜過為延緩，此層秉章早為慮到。事既開辦，總以趕緊成書為第一要義，所最難者，一為搜求書籍，一為鈔寫費事。既得書，須從頭至尾字細詳閱，而後審擇之、論斷之，一案之成，動須三四易稿，是以不能求速。閏翁既須自作文，又須審定他人之作，屢言累極，恐精神有來不

76 見《清儒學案書札一》，頁204、205。

77 見《清儒學案書札一》，頁175。

> 及之時……金、鄭二人雖在南中，然所交功課亦不為少。惟鄭所編者以求書太難，過於簡單。動須增輯，增輯擇須求書，求書又非易事，故鄭之稿在閏翁處未閱出者甚多。在事諸人感激知遇，決不能故為延緩……。[78]

此中道出夏孫桐等人之辛勞困苦。參與編纂《清儒學案》之學者，雖在清朝有功名，但多屬貧士，民國以後，靠鬻文為生。年事既高，體衰多病，一燈熒熒下，卻逐字校讀，選文成編，以成不朽事業。

透過曹秉章書札，大致得以考見當時情況，自初始總承其事之夏孫桐至最終擬定凡例、撰寫序文之沈兆奎，雖是受倩從事，為人作嫁，然謹守文人風範，竭盡思慮，以求完善之心，卻頗令人敬佩。

78 見《清儒學案書札一》，頁334。

《清儒學案》案前敘言論清代學術

曾聖益

輔仁大學中國文學系副教授

前言

清代學術的整理、闡發與評論，在民國建立之後，受到學界相當的重視，劉師培（1884-1919）的〈近儒學術系統論〉、〈清儒得失論〉、〈近代漢學變遷論〉可視為發起之作[1]，然其說既簡略，亦未成系統。將清代學術史作系統研究，從梁啟超（1873-1929）《清代學術概論》、《中國近三百年來學術史》開始。梁氏《中國近三百年學術史》中，自〈陽明學派之餘波及其修正〉至〈清初學海波瀾餘錄〉論述黃宗羲、顧炎武以下三十餘人，略述各家學術宗旨，蓋欲師法《明儒學案》而變易之。[2]

梁氏雖接受西方近代政治社會思潮，亦重視西方的科學發展，但論述中國傳統學術則深受晚清學風的影響，故論述雖兼及史學與算術科學，但仍以義理學為主；同時受限於文獻材料，論列對象亦僅能舉犖犖著名之學者，故其書雖能提綱挈領，有綱舉目張之效，如欲藉以一窺清代學術的風貌與多元發展，則尚多疏略而不足。

清代文獻的徵集及學術的整理，在《清史稿》初步完成後展開，其中最

1 劉師培論述各篇，分見《左盦外集》及《劉申叔遺書》（南京市：江蘇古籍出版社，1997年）。

2 梁啟超稱：「《明儒學案》這部書，我認為是即有價值的創作，將來作哲學史、科學史、文學史的人……對於他的方法和精神，是永遠應採用的。」見《中國近三百年學術史》（臺北市：里仁書局，1995年），頁74。

重要的，即屬《清儒學案》。此部由徐世昌（1855-1939）出資、主持，取法《明儒學案》、《宋元學案》體例，召集學者編纂的《清儒學案》，正是企圖呈現清代學術的面貌，展現清儒論學的成就與得失的學術彙編。因其欲呈現清代的學術成就，又欲對各家思想的得失有所論評，故特重視傳主的仕履行誼及學術觀點，並藉由每學案的序言以發其評論。

《清儒學案》各篇序言，長則百餘字，短則十數言，是徐世昌、夏孫桐等編纂者總括清儒學行思想後的評論，既具有正史論贊的性質，亦有書目題跋的作用，可藉以探究一書的編纂宗旨，亦可藉以探討一代學術，其重要性不言可知。

本文僅就《清儒學案》一百七十九案的序文，考察徐世昌、夏孫桐等人對清代學術的基本觀點，以作為探討《清儒學案》的文獻編纂及其欲呈現的思想內容之基礎。

一 《明儒學案》、《宋元學案》及《清儒學案》的序論

梁啟超《中國近三百年學術史》稱「中國有完善的學術史，自梨洲（黃宗羲，1610-1695）之著學案始」，而「著學術史有四個必要的條件」，分別是：

> 第一，敘一個時代的學術，須把那時代重要各學派全數網羅，不可以愛憎為去取。第二，敘某家學說，須將特點提挈出來，令讀者有很明晰的觀念。第三，要忠實傳寫各家真相，勿以主觀下其手。第四，要把各人的的時代和他一生經歷大概敘述，看出那人的全人格。[3]

梁啟超所論列的四個條件，包括學派的選列，學說的敘述，及學者的經歷，

3 梁啟超：〈五，陽明學派之餘波及其修正〉，《中國近三百年學術史》（臺北市：里仁書局），頁72-73。

著重在學者的事蹟行誼，有極其強烈的思想評介意味，但以此評論《明儒學案》及其後的《宋元學案》、《清儒學案》，卻有不見其全體之缺失，欲藉以彰顯各部學案的內容與精神，更有所不能。蓋學案的性質與學術史不同，學術史著重在內部思想的變化，學案則欲呈現一家學術思想的完整面貌，因此，黃宗羲《明儒學案》中，論著選輯。雖是如此，但梁氏所陳，卻是學案編纂所不可或缺的內容，可以作為評論一部學案的基本原則。

黃宗羲編撰的《明儒學案》，被梁啟超稱為是「完善的學術史」，但以其論列的四要件考察，則屬不然，《明儒學案》選錄的學者已有所侷限。且就體例而言，《宋元學案》、《清儒學案》在《明儒學案》的基礎上，進一步的擴充與發展，而臻於完善，尤其是梁啟超未及見之的《清儒學案》，陳祖武論云：

> 中國學案體史籍，自黃宗義《明儒學案》肇始，總論、傳略、學術資料選編，一個三段式的編纂結構業已定型。後經全祖望續修《宋元學案》加以發展，案主學術資料選編後既增「附錄」一目，又於其後以學侶、同調、家學、門人、私淑、續傳為類，著錄案主交遊、學術傳衍。至徐世昌《清儒學案》出，合黃、全二案而再加以取捨，各學案遂成正案、附案二大部分。正案依黃氏三段式結構不變，再添附錄一目。附案則別為家學、弟子、交遊、從遊私淑五類。至此，學案體籍的編纂體例極度成熟。[4]

透過《明儒學案．發凡》，可知黃宗羲將序、傳、論著三者緊密結合，既以「序」撮一家學術的宗旨，再以「傳略」顯透出學者行誼、思想、學術地位及影響，最後以「論著選輯」顯其學術細微處。《明儒學案．發凡》第二條，云：

4　見《中國學案史》（臺北市：文津出版社，1994年），頁265。其中「總論」指各案學者的學術要旨，全祖望將其彙為一編，置於卷首，稱作「序錄」，見《宋元學案．卷首》（北京市：中華書局，1986年），本文依據其名義，各學案前的論述文字，逕稱作序。又各學案「學術資料選編」應稱為「論著選輯」較為恰當。

> 大凡學有宗旨，是其人之得力處，亦是學者之入門處。天下之義理無窮，苟非定以一二字，如何約之，使其在我。故講學而無宗旨，即有嘉言，是無頭緒之亂絲也。[5]

〈發凡〉第四條，云：

> 每見鈔先儒語錄者，薈撮數條，不知去取之意謂何。其人一生之精神未嘗透露，如何見其學術？是編皆從全集纂要鉤玄，未嘗襲前人之舊本也。[6]

其云「從全集纂要鉤玄」非僅指論學語錄，亦說明《明儒學案》的學者傳文，係黃宗羲體察明代儒者著作之要旨，粹掇英華以顯其為學之氣象。此論述方式使《明儒學案》的各學者「傳」與「序」及「論著選輯」密切結合，並與《明史》所記有明顯不同，呈現個人學術思想，及其在學術史的特色與價值。

全祖望修訂的《宋元學案》，擴充《明儒學案》，透過附錄改變其以師承為編纂主體及論述核心的方式，呈現宋元學者的互動及交錯的學術關係，使各家學術的變化脈絡更為清楚。

《清儒學案》的體例沿襲《宋元學案》，序、傳、論著選輯、附錄、附案五者依序論列，不僅呈現各學者的學術思想，亦記錄其一生的學術活動及行事風格。如此方式，不僅可以藉以了解一家學術思想的產生、發展過程，與當時的學術風尚與學術活動，更可以呈現學術發展過程的傳承關係，及不同時代、不同地域的學術特色與成就。陳祖武稱《清儒學案》的體例極度成熟，良有以也。

《清儒學案》編輯過程嚴謹，載錄的學者及內容取捨，均經過多次的汰除、增補及刪改。全書分為二百八卷，正案一百七十九人，附錄九百二十二人，諸儒六十八人，總計載錄清代學者一千一百六十九人，此係先由夏孫

---

5 《明儒學案・發凡》（臺北市：里仁書局，1987年），頁17。

6 同前註。

桐、沈兆奎草擬，再經徐世昌裁定。[7]各學案序文的撰寫及定案經過亦同。

黃宗羲透過案主序言以論述明儒的論學宗旨，言簡意賅。唯其立學案僅十九，其中〈止修學案〉無序，〈諸儒學案〉分三，中、下亦無序文，故實際論述僅十六。《清儒學案》，起自孫奇逢（1584-1675）〈夏峰學案〉，〈諸儒學案〉不計，則終於鄭杲〈東甫學案〉；若以卒年論，正案以王先謙（1842-1917）為殿後，附案則以柯劭忞（1848-1933）為最後，總計序文一百七十篇，略可囊括清世各方代表性的學者及論述。

《清儒學案》各案的序論，不侷限在一家之學或一流派之觀點，既彰顯出清代百學紛呈，眾流並聚的多元發展及興盛繁榮的面貌[8]，又能切中各家學思精要，其立論述，力求平允，[9]頗有可採。且徐世昌、夏孫桐等人不僅論述學術流別及得失，亦深寄寓意於其中。

二　呈現清代學術的多元面貌

夏孫桐承徐世昌命，主持《清儒學案》的纂修工作，本欲彰顯清代學術

7　詳見拙著：〈徐世昌與《清儒學案》的編纂人員〉，本論集收錄。

8　錢穆〈清儒學案序〉云：「徐世昌菊人之《清儒學案》，全書二百八卷，一千一六十九人，迄於清末，最為詳備。然旨在蒐羅，未見別擇，義理考據，一篇之中，錯見雜出。清儒考據之學，軼出前代甚遠，舉凡天文、歷算、地理、水道、音韻、文字、禮數、名物，凡清儒考訂之所及，徐書均加以甄采而均不能窮其閫奧，如是則幾成集錦之類書，於精於博兩無所取矣……本編所錄一以講究心性義理，沿續宋明以來理學公案者為主，其他經籍考據，蓋不旁及，庶以附諸黃、全兩家之後，備晚近一千年理學升降之全，此乃著書體例所關，非由抑漢揚宋，別具門戶私見也。」參見《中國學術思想史論叢（八）》（臺北市：東大圖書公司，1980年）錢穆編撰《清儒學案》，在於申明清代理學的發展，繼承《明儒學案》，其目的與徐世昌不同，以此評論徐世昌《清儒學案》，不見其全。至於其稱徐書「義理考據，一篇之中，錯見雜出」，此正是清儒學術風貌，錢穆所論言，殊不足議也。

9　〈惜抱學案・總論〉云：「（惜抱）當乾、嘉漢學極盛之際，斷斷以爭，為程、朱干城，久之信從始眾。湘鄉繼起，表章尤力，其說益昌。漢、宋門戶之見雖難盡化，持平之論犂然有當於人心焉。」（卷88，頁3451）於此顯見徐世昌、夏孫桐評論清儒力求平允之心。

成就的繁盛多元，故其取法《宋元學案》的體例，而採擷的內容則與黃宗羲大異其趣，既不限於理學，[10]亦不限於傳統的經學成就。[11]對於考據校讎、史輿地學、曆法算術等各門類，均能正視其學術價值。

清代經學發展，直溯漢宋，義理闡發及考據徵實分據二端，合而為之，發以為用則為經世之學，此無論重發微言之前漢、重訓詁之後漢或是強調性理的宋明理學均然。經學既是傳統學術的核心，在《清儒學案》中佔主要部分，此自不待言。

經學之外，清代史學發展亦邁越前朝，舉例而言，如闡發史學理論的章學誠（1738-1801）、考辨古史真偽的崔述（1740-1816）、貫串年代世譜的林春溥（1775-1862），其論述在學術上均有百世不替的地位，〈實齋學案・序〉云：

> 實齋獨伸六藝皆史之旨，條其義例，比於子政，辨章舊聞，當時闃寂，近數十年，翕然宗之。[12]

此既肯定章學誠《文史通義》「六經皆史」說在學術史的地位，亦說明其由不受注意到備受推重的變化。又如崔述諸《考信錄》及林春溥《春秋經傳比事》、《戰國紀年》各書的成就，〈東壁學案・序〉云：

> 孔子曰：「多遺闕文。」孟子曰：「盡信書則不如無書。」至劉子玄乃有〈疑古〉、〈惑經〉諸篇。東壁實事求是，推闡發揮其義，視子玄較

---

10 錢穆〈清儒學案序〉雖稱其選錄「以講究心性義理，沿續宋明以來理學公案者為主」，然胡楚生：〈錢賓四先生對「清儒學案」之新構想〉，《錢穆思想學術研討會論文集》（臺北市：東吳大學錢穆故居管理處，2005年）將錢穆收錄的學者分作四類，其中有「明顯為漢學家者」、「以漢學家而兼具理學家身分者」、「對宋明理學持反對態度者」，總計約有二十人，接近錢穆《清儒學案》收錄的三分之一。

11 同前註，胡楚生云：「清代學術，不止『理學』，理學在清代較之經史考據等學，反而是較輕的一環，如果記述清代學術，只取理學，記述清代學者，只取其個人學術中的理學成分，則對於一代的學術而言，對於某些學者而言，則都不免有『取輕捨重』之憾。」

12 《清儒學案》，卷96，頁3877。

純。生乾、嘉之世，未與休、歙諸賢相接，循其軌轍，殆殊途同歸歟！[13]

〈鑑塘學案·序〉云：

鑑塘耆年篤學，於《六經》、《四書》俱有纂述，而研究古史，致力尤深。自開闢以至戰國之末，其間時事及世次年月，皆詳其異同得失，貫串成書。凡考秦、漢以前紀年之作者，其詳博殆無以過之。[14]

明顯看出《清儒學案》肯定崔述與林春溥從事古史研究工作的成就，認為崔述的觀點超越劉知幾，是乾嘉考據學的具體成就。而林春溥運用年代世譜，考訂上古至戰國史事的成就，在清代亦無以倫比。

清代史學在理論的闡發，史事的辨正，名物制度的闡釋，地理年代的考訂上，均有豐碩的成就，如邵晉涵（1743-1796，〈南江學案〉）、梁玉繩（1716-1792，〈錢塘二梁學案〉、洪亮吉（1746-1809，〈北江學案〉）、祁韻士（1751-1815，〈鶴皋學案〉）、齊召南（1703-1768，〈息園學案〉）、徐松（1781-1848，〈星伯學案〉）等，而各人論述的重心不同，如徐松的《西域水道記》、《新疆識略》各書，徐世昌喻其為「千古未有之書」，推崇之意不言而喻。

清儒擅長的考據方法被胡適喻為科學方法，廣泛的運用在經史諸子的考訂上，在金石、古籍校讎上，均有相當成就，前者如王昶（1725-1806，〈蘭泉學案〉），後者如顧廣圻（1770-1839，〈思適學案〉）等人。

明朝中葉之後，西學東漸，西方的科學、天文曆法等傳入中國，對清代的算學、曆法均產生相當的影影響，而傳統算學的研究，也因此有長足的進展，如李銳（〈四香學案〉）、張作楠（1772-1850，〈丹邨學案〉、項名達（1789-1850，〈梅侶學案〉）、羅士琳（1789-1853，〈茗香學案〉）、董祐誠（1791-1823，〈方立學案〉）、徐有壬（1800-1860，〈君青學案〉）、鄒代鈞

13 《清儒學案》，卷97，頁3911。

14 《清儒學案》，卷134，頁5257。

（1854-1908）[15]、丁取忠（1810-1884，〈雲梧學案〉）等人，〈四香學案·序〉云：

> 乾隆中，古《九章》復出，學士大夫治天算之術者，以竹汀、東原為職志。四香受經於竹汀，精揅天算，有藍勝冰寒之譽。[16]

〈梅侶學案·序〉云：

> 算術以割圜為最重要，亦最難。梅侶所自信者，弧矢互求及求橢圓弧線兩種，皆能別定新術，為前人所未及。[17]

此皆肯定諸家在算學上的成就，足以成為清代學術的代表，並與經、史義理考據之學並駕而行，論清代學術者，必不能忽之而不論也。

《清儒學案》記述的清代學術雖超越《明儒學案》及《宋元學案》，然以當代學術觀點考校之，固然仍多不足處，如詩文理論（如桐城派之古文義法及論詩各說）、藝術理論，此自兩宋以來，已脫離經學之《詩經》、小學而獨立成門類。雖清代詩文學家仍多經史家，如翁方綱等人，然既論學術，則闡揚詩文理論、書畫評論原理者，自應與詩詞、書畫創作者分列，記述一代學術，自應有所論載。

又晚清以來，西方文化傳入中國，學者面對此文化衝擊的應變論述，如郭嵩燾等人相關的著作，其中有中西學術互相闡明者，亦有互相批評者，此類論述反應清代中晚期學者之思想，《清儒學案》棄而不取，亦屬遺憾。

---

15 鄒代鈞字沅帆，係漢勛之孫，〈叔績學案·序〉云：「沅帆以西人午線合之經術，土圭測景，又以地定尺，至是中國始有自繪精密輿圖，可謂善繼善述者矣。」卷167，頁6433。

16 《清儒學案》，卷126，頁4997。李銳生卒年待查。

17 《清儒學案》，卷150，頁5835。

三　推崇學術的融會與兼容

清代近三百年，朝政雖有起落，由繁榮強盛轉為衰敗，但學術趨勢，義理與考據始終別聚成流，分庭頡抗，漢學、宋學之稱，更是與清朝相始終，既是清代經學主要的呈現方式，亦為清代學術思想的主流。《清儒學案》中對於漢、宋學者雖多著意，然特別加以推崇者，是能兼顧考據、義理，或出入學派，不囿師說，卓然自成之學者。前者如翁方綱（1733-1818），後者如馬宗璉（？-1802）父子及惲敬（1757-1817）[18]、張惠言（1761-1802）、姚文田（1758-1821）[19]等人，〈蘇齋學案・序〉云：

> 考據之學，至乾隆中葉而極盛。蘇齋說經，以抽繹經義為務，教人以篤守程、朱傳說，以衷漢、唐精義，反復言之，不憚與諸儒立異。嘗謂「攷訂訓詁，始能究義理。顧謂聖人之道，必由典制名物得之，則不盡然」。立論持平，不為風氣所囿。後之調停漢、宋者，莫能外焉。[20]

翁方綱在清代學術史上，無論是重視考據的漢學，或是強調闡發義理的宋學，均未視其為重要人物，然《清儒學案》特別推崇其能調停漢、宋，亦能兼顧漢、宋的論學態度，於此可略見徐世昌、夏孫桐等人評論清代學術的基本觀點。

《清儒學案》中，對於能兼容漢、宋者，均特家推崇，如常州學的莊存與（1719-1788，〈方耕學案〉）、定海黃式三父子（1789-1862，〈儆居學

18　〈子居學案・總論〉云：「皋文、子居之文，出於方、姚，而不囿於方、姚者也。」（卷113，頁4527）皋文為張惠言字，子居為惲敬字。

19　〈秋農學案・總論〉云：「乾隆中葉，漢學方極盛，士讀宋諸儒書，覺其言義理，釐然誠有不可偏廢者，乃折衷為持平之論，秋農其一也。訓故考訂則仍守漢經師家法。」卷115，頁4581。

20　《清儒學案》，卷90，頁3585。

案〉)、桐城派的馬宗璉(〈魯陳學案〉)等人。〈方耕學案・序〉云:

方耕於《六經》皆有撰述,深造自得,不斤斤分別漢、宋,但期融通聖奧,歸諸至當,在乾隆諸儒中,實別為一派。家學流傳,薰陶者眾。猶子述祖及外孫劉逢祿、宋翔鳳輩,皆湛深經術,卓然成家,其淵源蓋有自也。[21]

莊存與、莊述祖及其後之劉逢祿、宋翔鳳等是清代常州學的代表人物,其學術思想以西漢今文經學為依據,《清儒學案》不論其今文經學,而稱述其能「不斤斤分別漢、宋」,正顯見其宗旨所在。論黃式三父子的學術成就,更以此觀點為主旨,〈儆居學案・序〉云:

儆居博綜群經,尤長《三禮》,謹守鄭學而兼尊朱子,嘗謂「讀書而不治心,猶百萬兵而自亂之」。子以周,少承家學,以「三代下之經學,漢鄭君、宋朱子為最,而漢學、宋學之流弊,乖離聖經,尚不合於鄭、朱,何論孔、孟」。蓋紹述庭聞焉。從子以恭、孫家岱,俱能傳其學,東南稱經師者,必曰黃氏。[22]

序言中引黃以周辨斥執守漢、宋學的流弊之言,必至於背離鄭玄、朱熹,乖離經旨,以此以見兼融漢、宋觀點之必要。又如丁晏,亦贊其「能以漢學通宋學」,〈祏唐學案・序〉云:

祏唐覃精研思,諸經皆有譔述。晚年治《易》,尤嗜程《傳》,為《述傳》一書,於治亂消長,獨見徵兆,而不雜以空疏無當之辭,最得漢經師遺意。論者謂道、咸以來,惟祏唐為能以漢學通宋學焉。[23]

丁晏治《易》,由《易程傳》入手,而能通曉漢《易》象數,其兼容漢宋

---

21 《清儒學案》,卷73,頁2793。

22 《清儒學案》,卷153,頁5931。

23 《清儒學案》,卷160,頁6205。

學，可以顯見。又如馬宗璉，《清儒學案》贊其學於桐城學者，而能不為所限，〈魯陳學案．序〉云：

> 桐城學者，多以文章名。魯陳受學於惜抱，而研經考史，不為方、姚傳派所囿。元伯繼之，遂為毛、鄭專家之學，於經師中高踞一席。[24]

馬宗璉子瑞辰（1782-1853），撰《毛詩傳箋通釋》，是清代諸經新疏中的《毛詩》代表作，《清儒學案》推崇其父能脫超桐城，而後能為專家之學，透露出徐世昌等人對學術流派的觀點。以此，被視為清代學術代表的考據學，《清儒學案》抱持否定之態度，〈實齋學案．序〉云：

> 乾、嘉間，休寧、高郵諸儒，相與正訓詁，明音韻，考名物，覈度數，寖流為支離破碎。[25]

戴震、王念孫父子是乾嘉考據學之代表人物，「正訓詁，明音韻，考名物，覈度數」，正是其畢生戮力從事者，徐世昌稱其「寖流為支離破碎」，對其評價不言而喻。

融通漢宋學術，是晚清至民初重要的學術特徵，劉師培作《群經大義相通論》[26]，曹元弼亦欲以禮學會通各經，[27]均是此學術風氣的代表論述。《清儒學案》顯然採此觀點，並表現在各學案的序文中。

四　特意彰顯士人學行

一代學術的風氣及學者論述的內涵，與士人的觀念習行相呼應，隋、唐之異於魏、晉，宋、明之異於隋、唐，良有以也。孟子稱「知人以論世」，世代風尚，自士人學行可略見也。《清儒學案》考論清代學術，特別稱述德

24 《清儒學案》，卷111，頁4435。

25 《清儒學案》，卷96，頁3877。

26 見《劉申叔遺書》及萬仕國《劉申叔遺書補遺》相關的考訂。

27 見曹元弼《禮經學》、《復禮堂文集》各篇。

行可彰之士人，亦讚揚學派學人之氣節與風習，如全祖望（1705-1755，〈謝山學案〉）、錢大昕（1728-1804，〈潛研學案〉）、尹會一（1691-1748，〈健餘學案〉）、陸燿（1723-1785，〈朗夫學案〉）、成孺（1816-1883，〈心巢學案〉）等人，〈謝山學案・序〉云：

> 數百年來，浙東學派以重根柢尚志節為主，南雷開其先，萬氏繼之，全氏又繼之，風氣綿延，迄今弗替，其效遠矣。[28]

全祖望增補完成之《宋元學案》，是《清儒學案》範本，然徐世昌等人特別著墨於浙東學派「重根柢尚志節」之精神，以及其形成之風氣，以此彰顯士人之學行，於世風教化影響之大。其於錢大昕（1728-1804）在學術成就之外，亦特意彰顯其德養，〈潛研學案・序〉云：

> 潛研崛起婁東，於訓詁、音韻、歷算、金石無不淹貫，尤邃於史。後如分其一節，皆足名家，乃兼擅眾長，不自矜詡，著述宏富，闇然日章，其德養為不可及。群從子弟，互相砥礪，樸學風尚，萃於一門，可廬、溉亭尤深造焉。[29]

全祖望、錢大昕均以其學養品節影響子弟，形成學風，故足以稱道贊誦。然《清儒學案》不僅表彰全、錢等人，若立身處世，能刻苦篤志以自立者，於序言中亦多表彰之意，如尹會一，〈健餘學案・序〉云：

> 健餘崛起孤寒，習聞夏峰、習齋教澤，中年志益篤，養益粹，一以朱子為宗。事親為孝子，服官為明臣，卓然足以自立焉。[30]

〈朗夫學案・序〉云：

> 朗夫通達治體，廉靜自持，論者以為乾隆朝廉吏第一。雖不以講學

28 《清儒學案》，卷69，頁2649。

29 《清儒學案》，卷83，頁3241。

30 《清儒學案》，卷62，頁2409。

名，而研易理，明禮制，覈性情，並切實用，無虛空迂廓之談……賢者舉措，終有益於世也。[31]

〈心巢學案・序〉云：

心巢博通六藝，尤重力行，授經養母，依依孺慕，身為孝子，子又忠臣，足為經儒增重矣。[32]

陸耀、成孺，《清儒學案》一稱其「有益於世」，一稱其「足為經儒增重」，推崇之意，遠勝其學術成就。於此顯見徐世昌纂輯《清儒學案》所刻意彰顯之士人學行。

五　注重學術之實用

宋元明六百年間，儒者投注心力於心性義理之探討，其於德行修養，固有助益，對天理人慾之分界，亦辨析至密。然其於經世濟民之務，則多無顯用。清初，顧炎武、顏元等明季遺民鑑於亡國之痛，極力推闡經世之學，以儒學當用於經世濟民，而非坐論心性。《清儒學案》於此類論述，極為推崇，並以其不傳為惋惜可歎之事，如顏元（1635-1704，〈習齋學案〉）、馮桂芬（1809-1874，〈校邠學案〉）、曾國藩（1811-1872，〈湘鄉學案〉）、包世臣（1775-1855，〈安吾學案〉）、劉光蕡（1843-1903，〈古愚學案〉）等人，〈習齋學案・序〉云：

顏、李之說，引而未申，使推闡其說而昌大之，禮樂兵農，工虞水火，胥顯其用，及歐西之科學哲學，亦不出其範圍，治術學術，庶獲一貫之效歟！[33]

---

31 《清儒學案》，卷78，頁2987。

32 《清儒學案》，卷180，頁6945。

33 《清儒學案》，卷11，頁503。

〈校邠學案．序〉云：

> 校邠宗尚亭林，究心經世之學，其《抗議》四十篇，亦《日知錄》支流也。昔亭林著書，謂「若果見之行事，不難躋斯世於治古之隆」。雖託空言，而聞者興起。後二百餘年，而有校邠，與亭林所處不同，此心若一。使後之人讀其書，知儒效可憑，思有用於世，斯亭林之緒長已。[34]

徐世昌從大處觀視儒者之觀念，故其以「治術學術」為一貫，而馮桂芬《抗議》諸言，亦歸之儒學。不僅此，曾國藩敉平太平天國，《清儒學案》亦歸功於儒學之實用。〈湘鄉學案．序〉云：

> 有清中葉，漢學盛而宋學衰。湘鄉力挽其弊……致諸實用，乘時得位，戡定大亂，光佐中興……真儒實效，蓋間氣所鍾也。[35]

以此，顯見《清儒學案》重視實用之學，且強調傳統儒學之功效，故其對包世臣、魏源[36]、沈垚等講論經濟實用之學者，均倍加推崇，〈安吾學案．序〉云：

> 嘉慶以還，士人始昌言經濟之學，期於有裨實用。慎伯於農、禮、刑、兵、河、漕、鹽諸政，博訪精研，持之有故……誠可謂豪傑之士矣。[37]

〈古愚學案．序〉云：

> 清季士夫，恫於內憂外患，知非僅治考據詞章者所能挽救，乃思以經

34 《清儒學案》，卷173，頁6657。

35 《清儒學案》，卷177，頁6789。

36 〈古微學案．序〉云：「古微說經，本於常州莊氏……至於治《元史》，策海防，彰往察來，鄣歸有用，開咸、同以後著書風氣，則時為之也。」卷162，頁6255。

37 《清儒學案》，卷136，頁5325。

世屬天下。古愚講學關中，本諸良知，導之經術，欲使官吏兵農工商各明其學，以捍國家。自謂今日講學，宜粗淺不宜精深，可見其宗旨已。[38]

包世臣論言禮兵刑政，劉光蕡「本諸良知，導之經術」，《清儒學案》均視其為儒者風範，推崇之意中已見徐世昌、夏孫桐之撰述宗旨。故其學案序論中，感嘆黃彭年無門戶之見，能折衷經術體用兼賅，卻不得其時；[39]又嘆張之洞身體力行，以求中西兼備之學，然未能如其志，無法將其學識付諸實行。[40]

六　提挈清代學術的發展與流變

《清儒學案》序論一百七十五篇，兼有史傳論贊及書目題跋的性質，既論述一家之學，亦勾勒學術之間的流傳與演變，對於欲了解清代學術風貌，或探究各學者論述在學術上的作用及意義，均有助益。在論述徐世昌編撰《清儒學案》之宗旨後，略歸納各學案序論的內容，以見其欲呈現之清代學術樣貌與流變之關鍵。

（一）學風肇始及形成

學術的發展，及論題的闡發，均須眾多學者的投注心力，多方探討，前後相承而臻於精密，才能成為一代思想主流。故探討一代學術思潮的發生，或考察前代學者之論述，或須遠溯百千年，不一而定。《清儒學案》為清代學者立傳，特詳述各種學術觀念的起源及發展，以此以論學者之學術價值及

38 《清儒學案》，卷191，頁7365。

39 見〈陶樓學案・序〉，卷184，頁7101。

40 見〈南皮學案・序〉，卷187，頁7191。

在學術史中之地位。遠溯學術發展者，如古文尚書，[41]論及清代學術風尚之肇造者，如徐乾學（1631-1694，〈健庵學案〉）、陳壽祺（1771-1834，〈左海學案〉）、林伯桐（1778-1841，〈月亭學案序〉）等人。〈健庵學案．序〉云：

> 健庵博識，多通史學輿地、禮制掌故，延納眾長，規模閎大，乾、嘉學派之先聲於此肇焉。[42]

〈左海學案．序〉云：

> 閩中諸儒，承李文貞、蔡文勤之後，多宗宋儒，服膺程、朱。自左海始兼精揅漢學，治經重家法，辨古今文。樸園繼志述事，父子並為大師。[43]

〈月亭學案．序〉云：

> 粵中自創設學海堂後，其間承事諸人，以月亭為最久，獎掖多士，著作等身，有經師人師之目。同事諸名宿，亦皆學有本原，風會所趨，氣求聲應，而嶺南崇尚樸學者，遂相承弗替焉。[44]

此三者，分別論述清代考據風氣的肇始、福建學術風氣的轉變，及廣東學術的起源及流傳，是學術史中極具重要之論題。

---

41 如清代探討《尚書》今古文問題，〈艮庭學案．總論〉：「疑《古文尚書》之偽者，始於宋之吳才老。朱子以後，吳草廬、郝京山、梅鷟繼之。清代自閻百詩《古文尚書疏證》、惠定宇《古文尚書考》出，乃其作偽之迹，勦竊之原，發明無遺。艮庭受學於惠氏，又為之刊正經文，疏明古注，論者謂其足補閻、惠所未及焉。」卷76，頁1923。

42 《清儒學案》，卷33，頁1195。

43 《清儒學案》，卷129，頁5069。

44 《清儒學案》，卷132，頁5189。

（二）提挈論述宗旨

一時代之學者，足以自成學案者，必有其深刻之立學宗旨，亦有其意趣相投之學侶及服膺傳承不替之門人子弟，[45]如惠周惕（〈研谿學案〉）、郝懿行（1757-1825，〈蘭皐學案〉）各家。〈研谿學案・序〉云：

> 惠氏之學，以博聞彊記為初基，以尊古守家法為究竟。其治經要旨，純宗漢學，謂漢經師之說，當與經並行。[46]

〈蘭皐學案・序〉云：

> 《爾雅》新疏，邵、郝並稱，百餘年來，謂郝優於邵者有之，邵優於郝者有之。然蘭皐自述別乎南江者，一則於字借轉聲處不避詞繁，二則釋草木蟲魚皆由目驗。蓋其所長在此，實不可沒焉。[47]

以上，一明惠氏為學要領，蓋純守漢儒經說，一明郝懿行《爾雅義疏》之特點，皆欲闡明其論述宗旨。

（三）學術觀念之流行與承繼

學術觀念傳布與形成風氣，並流傳於後，常非一時之事，亦非必然有所親授，蓋圖書文獻之流傳，常使學者能默契前賢，師法其人其學，《清儒學案》在論述一家之學時，對其學術觀念之來源，多有辨析，以明其所自，如俞正燮（1775-1840，〈理初學案〉）、陳奐（1786-1863，〈南園學案〉）、唐鑑（1778-1861，〈鏡海學案〉）。〈理初學案・序〉云：

---

45 《清儒學案》將「其有潛修自得，或師傳莫考，或紹述無人」者，歸入〈諸儒學案〉，按省編排。

46 《清儒學案》，卷43，頁1671。

47 《清儒學案》，卷114，頁4563。

> 理初之學，主於求是。其治經專以漢儒為宗，恆謂「秦、漢去古未遠，可信者多」。每解一義，依經為據，有脫譌，取證秦諸書、漢諸儒，陳古刺今，識力堅定。並博究史籍，旁及諸子百家，剖析疑似，靡不精實，江、戴之緒遠已。[48]

〈南園學案．序〉云：

> 吳郡經師，惠、江炳著，南園後起，卓爾專家。其生平論學，以高郵王氏為宗，所著《毛氏傳疏》與《廣雅疏證》相出入。凡弟子從游者，必授以《管子》、《周禮》先鄭注、丁度《集韻》等書，皆王氏家法也。教人為學當從西漢入，謂「東漢人名物象數言之非不精確，然此有意說經也；西漢人無意流露一二語，已勝東漢人千百語，此即微言大義也」。又謂「學貴精密奚汎濫，為精乃通深乃靈」。無入而不挈千載之心，殆自道所得與？[49]

〈鏡海學案．序〉云：

> 鏡海為學，主省身持敬，精思力踐，以施於有政。於宋宗程、朱，於明宗薛、胡，於清宗陸、張，排斥心宗最力，亦為害道，蓋曾湘鄉、羅羅山之先河。[50]

俞正燮、陳奐及唐鑑均為清代中葉代表性的學者，雖其學思各異，然各自遠承前賢，由此而表現出其截然不同之學術風格，俞正燮近於皖派，陳奐近於吳派，唐鑑則為宋學大家，清中葉程朱學之代表。

48 《清儒學案》，卷137，頁5363。
49 《清儒學案》，卷148，頁5765。
50 《清儒學案》，卷140，頁5511。

（四）學術發展及影響

一代之學術，不僅是士人研究論述之所得而已，更是與士人之學行修養關係密切，而爭論探究過程中形成之氣氛，更足以成為一代風俗，顧炎武論東漢風氣及士人氣節，自是明鑑。《清儒學案》綜觀清代近三百年學術發展，於學術影響所及，亦多所感嘆，如閻若璩（1636-1704）、劉逢祿等人造成之影響。〈潛丘學案·序〉云：

> 自偽古文之說流行，後來風氣，動輒疑經，極其流失，有專主今文，而概以他經古文為偽者。學術之偏，何所底止？此豈昔人所及料哉？[51]

〈定盦學案·序〉云：

> 定盦學出金壇段氏，後從武進劉氏受《公羊春秋》，遂大明西京之學。其見於文字者，推究治學本原，洞悉周以前家法。同光學者喜治《公羊》，託於微言大義，穿鑿附會，寖致恣肆，此則末流之失，未可以議前人也。[52]

學術對風俗變化的影響，不一而足，前舉閻若璩、劉逢祿等人對晚清學術之影響，蓋有感於康有為等人之作為而發，然此並非通例，如全祖望、錢大昕、魏象樞（1617-1687）、倭仁（1804-1871）等，《清儒學案》極為推崇。〈環溪學案·序〉云：

> 一代之興，必有正人君子立於其朝，激濁揚清，引為己任，而後人才出焉，風俗成焉。敏果（魏象樞）律己嚴而知人明，同時諸賢，如孫鍾元、刁蒙吉，既屢與酬答，湯文正、陸清獻又皆所薦達也，講道論

---

51 《清儒學案》，卷39，頁1461。

52 《清儒學案》，卷158，頁6133。

藝，聲應氣求，嗚乎盛已！[53]

〈艮峰學案．序〉云：

文端篤守程、朱，以省察克治為要，不為新奇可喜之論，而自抒心得，言約意深。晚遭隆遇，朝士歸依，維持風氣者數十年，道光以來一儒宗也。[54]

由其貶抑閻若璩、劉逢祿，及推崇魏象樞、倭仁之評論中，亟見徐世昌對世道人心之重視，亦顯見其相信學術論述對社會風俗之作用。

（五）學術成就與評價

《清儒學案》既欲呈現清代近三百年的學術成就，故在提挈學術的發源、流變及各家的論述要旨及特色外，亦須評介各類論述的成就的代表性著作。如王懋竑（1668-1741，〈白田學案〉）、朱軾（1665-1736，〈高安學案〉）、凌曙（1775-1829，〈曉樓學案〉）、馮登府（1780-1841，〈柳東學案〉）、王筠（1784-1854〈貫山學案〉）、李善蘭（1811-1882，〈壬叔學案〉）等各家成就。朱子學：〈白田學案．序〉云：

白田讀朱子書數十年，於朱子生平，為學誨人，次第本末，條析精研，訂為年譜四卷，俾有志朱學者，不致為異說所迷眩。其有裨聖道，較之《閑闢錄》、《學蔀通辨》二書，直遠出其上矣。[55]

儀禮學：〈高安學案．序〉云：

正一身以正天下國家者，其禮乎？清代名儒大臣，莫不以是為兢兢。健庵、味經其尤著者也。可亭為《儀禮節略》一書，一以《經傳通

53 《清儒學案》，卷20，頁787。

54 《清儒學案》，卷165，頁6377。

55 《清儒學案》，卷52，頁2057。

解》為宗，而刪繁舉要，博采諸家，附以獨見，所言皆明白洞達，可謂知本務矣。[56]

公羊學：〈曉樓學案．序〉云：

乾嘉、嘉慶之際，治《公羊》學者，以顨軒孔氏、申受劉氏為大師，皆謹守何氏之說，詳義例而略典禮訓詁。曉樓蓋亦好劉氏學者，而溯其源於董子，既為《繁露》撰注，又別為《公羊禮疏》、《禮說問答》等書，實為何、徐功臣。卓人傳其師說，鉤稽貫串，撰《義疏》一書，遂集《公羊》之大成矣。[57]

石經學：〈柳東學案．序〉云：

柳東治經，蒐集遺說異文，疏證精密；於石經致力尤勤，薈萃歷代諸刻及諸家考訂之說，折衷求是，可謂集成之書。[58]

說文學：〈貫山學案．序〉云：

清代治《說文》者，以桂未谷、段懋堂為最著。貫山承其後，獨闢門徑，補偏救弊，推勘精詳，論者以為許氏之功臣，桂、段之勁敵。蓋書雖晚出，而折衷一是，實能集眾說之成焉。[59]

算學：〈壬叔學案．序〉云：

論者謂有清一代天算之學，勿庵（梅文鼎）為金聲，壬叔為玉振。然壬叔補譯《幾何原本》，不獨為勿庵未見之書，實綜明以來天算家治西術者而得其全，其所自造，亦皆精益求精，駕前人之上。[60]

---

56 《清儒學案》，卷49，頁1943。

57 《清儒學案》，卷131，頁5161。

58 《清儒學案》，卷144，頁5635。

59 《清儒學案》，卷145，頁5659。

60 《清儒學案》，卷176，頁6775。

以上舉數家，略見一端，《清儒學案》甄擇編纂過程中，既追溯各家學術之源流，又比較其論述要旨，以此多方比較而後撮其要，以成各學案序，故評定其成就，不失公允。

（六）辨正舊論

評定學術成就，本易受限於於習知成見，難求公允，或受限於所學，難以論定得失。歷代學術紛爭，莫不由此，《清儒學案》中有若干辨正前說之論述，然終非其要要旨，如姚學塽（1766-1826）及錢儀吉（1783-1850）之學術，〈鏡塘學案．序〉云：

> 鏡塘之學，以躬行實踐為宗，不事表襮，而高才誠服……會稽潘少白與其性情略同，而平實未逮，自交鏡塘，變化氣質，由狂返狷。或謂少白規模宏遠，足濟鏡塘所不及，匪篤論也。[61]

少白，潘諮字，〈鏡塘學案〉的交游中，或謂之說，茲未得見。錢儀吉（1783-1850），〈嘉興二錢學案．序〉云：

> 衎石、警石兄弟，自為師友，以純儒相勉，務兼通漢、宋，一時稱「二石」。曾文正稱其恪守程、朱。宗主義理，不薄考據，與桐城姚氏相近。然其飭倫紀、敦孝友，要自有家法，而博洽群書，仍為浙西之派焉。[62]

浙西派，蓋指顧炎武，其學既注重實證考據，又重視敦品力行，以氣節相勉。序中引曾國藩稱述錢儀吉之語而評議之，並非《清儒學案》之常。

---

61 《清儒學案》，卷124，頁4933。

62 《清儒學案》，卷143，頁5601。

餘論

《清儒學案》編纂時間前後十年，參與編撰者，總計十二人。主要從事編纂者僅六、七人，以此六、七員蒐集數千種文獻資料，刪汰選編，分立案別，再依序將各學者根據學承關係分屬附案，最後撰寫傳略及各學案序言，此過程幾經易手，疏漏自是難免。

然從學案之序言中，可以看出徐世昌、夏孫桐等人亟欲以客觀公允之角度呈現清代學術之特色與流變。

本文限於篇幅，先就各學案序考察其著作宗旨，作為探討《清儒學案》學術內涵及價值之基礎。其中各學案序文的撰者關涉緊要，但目前文獻仍不足論定，依據《清儒學案書札》，《清儒學案》最後定稿是徐世昌應無疑問，序文則是編輯者草擬，夏孫桐潤飾後由徐世昌裁定，或是全部均由夏孫桐撰稿，尚待考訂。

由於參與《清儒學案》編纂者，除徐世昌、夏孫桐、曹秉章外，多無著作傳世，難以窺得蛛絲馬跡，無佐證以供論證，僅能暫時存疑，待他日再行論述。

《清儒學案》案主傳記資料考論

曾聖益

輔仁大學中國文學系副教授

前言

徐世昌以《明儒學案》的體例為基礎，編纂《清儒學案》，修訂若干細節，以求周詳完備，企圖呈現清代學術的成就。因此，對於學者及作品的選錄，學案的合併及主從附錄關係，均經過一番斟酌考量，而後成案。

《清儒學案》最後雖由徐世昌定案，但實際編撰乃成於眾人之手，且多一案經手數人而後成者，故其案主事蹟之記載與學術評價多見歧異不一之處。本文略以《清儒學案》案主傳記數種，考論其來源與編撰者之增刪，以此推見《清儒學案》編撰者之用力處與其編訂之得失。

一　案主傳記的論述與編纂

《清儒學案》由夏孫桐、沈兆奎等人合力編撰而成，依據《清儒學案書札》記載，可知確立某一學者之學案後，即由編撰者各自負責案主所有的文獻蒐集及學術價值判定，摘錄學術論著，並撰寫各學案前之序言及案主之生平事蹟，交由夏孫桐、沈兆奎審定，最後再呈交徐世昌定案。[1]因此，各學

1　案主傳記，最後由徐世昌裁定者，曹秉章致徐世昌書札云：「宋晉之傳中有『至民國徵之不出』一語，章覺民國字亦不甚妥，亦請批出，再與閏枝商改。」徐世昌批云：「已删去矣。」《清儒學案書札一》，頁83。

案主的傳記資料及學術評價，一方面是編撰者以其對清代學術之理解及態度為基礎所做之論述，另一方面則是前後任總纂夏孫桐、沈兆奎及徐世昌三人學術觀點之呈現。

由於夏孫桐、金兆蕃、王式通等人參與《清史稿》之編纂，故《清儒學案》案主傳記之來源，部分與《清史稿》相同，但因《清儒學案》與《清史稿》之性質不同，故於案主事蹟必然必須有所增減，以符合學案體例。

《清儒學案》在編撰之初，即擬定案主傳記資料來源，夏孫桐〈擬清儒學案凡例〉云：

> 所採諸人，以《國史儒林傳》為本，以〈文苑傳〉中學有本原者增益之。唐氏《學案小識》中有史傳未載，而遺書可見，仕履可詳者併收焉。江氏《漢學師承記》、《宋學淵源記》、李氏《先正事略》，及各省方志、諸家文集，並資採證，加以搜訪，遺籍所得，為前諸書所未及者，共得正案若干人……。[2]

據此〈凡例〉，《清儒學案》傳記資料來源，主要有史傳、前人編纂學案、方志、文集數種。諸家文集中多行狀、事略及墓志、神道碑等碑傳文字。

夏孫桐擬定〈凡例〉中所稱之《國史儒林傳》、〈文苑傳〉，乃指《清史稿》之〈儒林傳〉及〈文苑傳〉，曹秉章致徐世昌書札敘述此事云：

> 當開辦之初，同人各據所知，與舊有書傳中所列者，略具諸儒姓氏，

2　夏孫桐：《觀所尚齋文集》(《民國文集叢刊》第一編收錄，臺中市：文听閣圖書公司，2008年)，卷6，頁12。(新編頁205) 曹秉章致徐世昌書札云：「初開辦時，所擬草目，本係閏枝與同人分據坊刻之〈儒林〉、〈文苑〉兩傳，及《先正事略》、《國朝學案小識》之書參酌為之。迨前年，清史既成而不可見，適得中華書局所印《清史列傳》一書，章與葆之、羹梅欲就其中核對有無疑漏須補之人，閏枝即斥其書為不可信。而遇有無處搜求傳誌者，仍不能不求之此書中。籛孫信中云此書亦國史館原稿，章日前又聞人言，書局中人係從館中錄事買出者。而閏枝指之為廢稿，則不知有所據否。」徐世昌批云：「我們只論其人當入學案否，不必談論史館之稿廢不廢。」《清儒學案書札一》，頁118-119。

> 編為草目。閏枝、書衡所據者，為繆筱珊所撰之《清史．儒林、文苑》二傳稿，與坊間印行之《清史列傳》稿。篠之則據《畿輔先哲傳》與《中州徵獻錄》分摘直隸、河南兩省之人彙敘成目。[3]

此書札中，論及《清儒學案》開纂之初，編撰者擬定之原則，與夏氏擬定的原則已略見不同。其後在《清儒學案》編撰時，更有有若干修正，所援引參考之資料亦更為周詳，《清儒學案．凡例》第三條：

> 諸儒傳略，取材於《漢學師承記》、《宋學淵源記》、《洛學編》、《學案小識》、《先正事略》之「名儒」、「經學」，《碑傳集》之「理學」、「經學」，《續碑傳集》之「儒學」，《耆獻類徵》之「儒行」、「經學」，去其複緟，表其粹美，大抵著者八九，而不著者一二。《經解》兩編作者畢舉，《籌人》三傳家數多同。至《儒學傳稿》，雖未梓行，而足備一代綱要；《清史列傳》雖出坊印，而實為館檔留遺，引證所資，無妨慎取，斯二書者，亦參用之。[4]

此凡例中，最重要者，在於加入《碑傳集》、《續碑傳集》及《耆獻類徵》各書中經學、儒學相關記載，不再以《國史儒林傳》為主，而以既成學案中傳記及相關碑傳為主，與夏氏原擬有所不同。〈凡例〉所云《儒學傳稿》應即指阮元《儒林傳稿》四卷，[5]與繆荃孫修撰之《清史稿．儒林傳》有別。〈凡例〉末特別申言《清史列傳》，則另有緣故，略見下節論述。

3　《清儒學案書札二》，頁65。

4　《清儒學案》（北京市：中華書局，2008年），卷首，頁1。〈清儒學案凡例〉為沈兆奎所擬訂，參見筆者〈徐世昌與《清儒學案》的編纂人員〉一文。

5　《儒林傳稿》指陳壽祺、阮元編纂之書，阮元《國史儒林傳》在清代及民初有四卷本及二卷本流傳。其相關問題，詳見戚學民：〈論阮元撰二卷本《國史儒林傳》〉，《揚州文化研究論叢》（揚州市：廣陵書社，2009年），第3輯，頁50-61。

二　案主傳記資料的來源與裁取

考察《清儒學案》各案主之傳記後所記載之資料來源，首先是史傳，其次是案主碑傳及年譜，再次為文集，再次為《清學案小識》、《漢學師承記》、及《先正事略》等相關傳記，最後則為各地方志。先列史傳殆尊崇官書，蓋《清儒學案》編撰者取裁於《清史稿》各傳者，仍多增刪，以符合學案所載。

（一）取材《清史稿》與《清史列傳》的問題

《清儒學案》實際進行編輯時，閔爾昌、朱彭壽、沈兆奎等人，多取《清史列傳》作為案主傳記資料主要來源，因而與夏孫桐產生若干衝突，蓋夏孫桐意以為《清史列傳》不可據信，極力阻止編撰學案之同事徵用。爭議不決，最後由曹秉章致書，請徐世昌裁決，札云：

> 案內各傳下「參用史傳」書法，往復辯論，不得解決，此事章前秉已略陳大概。[6]章之意初以稿中或寫國史，或寫清史，參差不一，甚不好看。查《宋元學案》各傳下，均寫史傳，故援其意例，亦渾書為史傳，以歸畫一。而閏翁必欲分道光以前書「國史某傳」，道光以後書「清史某傳稿」。章仍以為參差不好看，不寫史傳，何妨竟寫清史。而閏翁謂國史是一書，清史是一書，非分別寫明不可。章亦深明著作

6 此札云：「各傳中參用史傳，或寫參國史，或寫參清史，所以參差之故，以《清史》印本不可得見。所得者從前坊刻之〈儒林〉、〈文苑〉兩傳，及中華書局印行之《清史列傳》。據聞書局之本，確從國史館鈔出，而閏翁力詆其偽，謂不可信，必欲得繆筱珊所編舊目以證之。託籛孫代向劉翰怡借鈔，至今未到。以故采之舊坊刻本者，則書國史，采之書局印本者，則書清史，今擬一律書為史傳。」（頁107）。又札云：「參用史傳書法，究竟可否仿照《宋元學案》書『參史傳』前例，以渾含出之，免招指摘之處，即乞先行諭知。」（頁119）。

必須字字確實，方可信而有徵。不知昔之國史已一變而名清史矣，此時仍書國史，則恐動時賢之疑，妄生指摘。即書清史，而清史禁止發行，我儕從何得見，似亦有所未便。……閏翁之所以堅持己見，實由於兩年之前，小汀、葆之、羹梅三人每從中華書局所印之《清史列傳》中考查應入學案之姓名；閏翁即云此書萬不可信，必須得繆小（筱）珊所編目錄方可證明……前星期五，閏翁來會，忽云目錄鈔來矣，並與籛孫證明中華印本係國史館廢稿。孰知章昨得籛孫信，云中華印本，即從清史館鈔舊國史館原本，與〈儒林〉、〈文苑〉兩目並無異同云云，是以並將此信呈鑒。且閏翁所開校勘注意各條，寫明傳下應寫「國史儒林傳」或「文苑傳」，與應於傳下加一「稿」字等語，今交來〈王紹蘭傳〉寫「參國史本傳」，胡又自背其說。……如我師以章說為然，即請師於王紹蘭此案傳後批明：「凡各傳下，均用《宋元學案》前例，一律書『參史傳』。」則毫無痕跡也。[7]

札中夏孫桐記作「參國史本傳」者，其所謂國史，應是趙爾巽（1844-1927）主持清史館，由柯劭忞任等人任總纂之《清史稿》。此書編成後，於民國十七年（1928）刊行，印行一千一百部，[8]隨即為國民政府所禁，不得流行。夏孫桐既參與《清史稿》編纂事，清代史書必然多所寓目，其稱《清史列傳》為舊廢稿，必有所據。且近人王鍾翰以清代國史館舊稿及《耆獻類徵》等書與《清史列傳》比對，亦證夏孫桐指其為廢稿與堅拒之態度，不為無故。[9]

據此書札論云及徐世昌之批示，[10]則《清儒學案》中之立案選取及案主

7　《清儒學案書札一》，頁116。

8　見鄒愛蓮、韓永福、盧經：〈《清史稿》修纂始末研究〉，《清史研究》2007年第1期（2007年2月），頁86-94。

9　見王鍾翰：〈清國史館與《清史列傳》〉，收入《清史新考》（瀋陽市：遼寧大學出版社，1997年）。王氏稱《清史列傳》之文獻來源有三，分別是：《原國史館纂修的大臣列傳稿本》、《耆獻類徵》及《滿漢名臣傳》，而主要鈔自後二書。

10　徐世昌批語，見註2。

傳記來源，應有多取自《清史列傳》者。今考《清儒學案》之立案及附錄學者，與《清史列傳》相近，案主傳略則多同於《清史稿》而異於《清史列傳》。以卷一孫奇逢為例，《清儒學案》主案及附案收錄十八人，其中孫奇逢子博雅、魏一鼇、趙御眾三人見於《清史列傳》，而《清史稿》孫奇逢傳附之耿介，《清儒學案》則作為湯斌〈潛庵學案〉之交游中。

就案主之傳記內容而論，《清儒學案》敘述之內容多與《清史稿》相同，而與《清史列傳》多有出入，亦以孫奇逢為例，《清史列傳·儒林傳》云：

> 孫奇逢字啟泰，直隸容城人……年十六……年十七，舉萬曆二十八年鄉試。與定興鹿善繼講學，一室默對，以聖賢相許。既，連丁父母憂，哀毀成疾，廬墓六年。[11]

《清史稿·儒林傳》云：

> 孫奇逢，字啟泰，又字鍾元，容城人……年十七，舉萬曆二十八年順天鄉試。連丁父母憂，廬墓六年，旌表孝行。與定興鹿伯順善繼講學，一室默對，以聖賢相期。[12]

《清儒學案·夏峰學案》云：

> 孫奇逢，字啟泰，一字鍾元，容城人……年十七，舉於鄉，連丁父母憂，廬墓六年。與定興鹿伯順善繼講學，以聖賢相期。[13]

此在字號籍貫，及敘事之順序上，先述丁憂事，再述與鹿善繼講學事，均明顯見其取裁自《清史稿·儒林傳》。

《清儒學案》案主傳記主要取自《清史稿》，然《清史稿》敘事「概括

---

11 《清史列傳·儒林傳上一·孫奇逢》（北京市：中華書局，1987年），頁5239。

12 《清史稿·儒林一》（北京市：中華書局，1977年），頁13101。

13 《清儒學案》，卷1，頁1。

了事」[14]，於學術思想僅粗見梗概，對於學者之著作，更僅擇要記載數種，雖〈儒林傳〉亦是如此，如上列孫奇逢學行及著作，《清史稿．儒林傳》云：

> 奇逢之學，原本象山、陽明，以慎獨為宗，以體認天理為要，以日用倫常為實際……著《讀易大旨》五卷……又著《理學傳心纂要》八卷。

以上記載孫奇逢之學術以「以慎獨為宗」等三句概括之，著作則僅列《讀易大旨》及《理學傳心纂要》二種，頗為不足，《清儒學案》則以其為基礎，申述孫奇逢之學云：

> 先生之學，原本象山、陽明，以慎獨為宗，以體認天理為要，以日用倫常為實際，不欲判程、朱、陸、王為二途，[15]以《朱子晚年定論》為歸。於明儒推羅念庵，不取王龍谿。輯《理學宗傳》……所著《讀易大旨》五卷，《書經近旨》六卷，《四書近旨》二十卷……。

此敘述不但清楚說明孫奇逢學術內涵之根本觀點，上接宋明儒者，並說明其與程、朱、陸、王及陽明後學主張之異同，可呈現孫奇逢學術思想的特點及在學術史上的意義，並足以與其學案之「論著選輯」參照。

就著錄之著作而論，《清儒學案》有二十一種，明顯多於《清史稿》，亦多於《清史列傳》，[16]顯見孫奇逢學案並非依據《清史列傳》裁成。

又就孫奇逢案附錄之學者而論，孫博雅、魏一鼇及趙御眾三人在《清儒學案》之記載，與在《清史列傳》頗見差異，如魏一鼇，《清史列傳》載云：

> 魏一鼇，字蓮陸，河南新安人。明舉人。官山西忻州知州，有惠政。搜訪遺逸，折節下士。去官之日，匹馬雙童而已。少從奇逢遊，遭時

14 王鍾翰評述語，見〈清國史館與《清史列傳》〉一文。

15 《清史列傳》於此稱孫奇逢「兼采程、朱之旨，以彌闕失」，較《清史稿》清楚，但不如《清儒學案》符合孫氏思想。

16 《清史列傳》著錄孫奇逢著作十六種，卷數多與《清史稿》及《清儒學案》不同。

> 喪亂，共患難者三十餘年。及奇逢遷蘇門，一鼇自山右歸，率間歲一至，每至必數月留。後構雪亭於夏峰，為奇逢訂正年譜。白雪盈山，孤鐙午夜，上下古今，視千秋如旦暮。故及門問答，一鼇為多。嘗記其所聞為《雪亭夢語》。奇逢命一鼇輯《北學編》，命湯斌輯《洛學編》。……賓嘗稱一鼇才大而養之以靜，學博而守之以約，世俗升沈得失無足介其胸中，後日必為師門顏子。所著有《四書偶錄》、《詩經偶錄》、《雪亭詩草》。[17]

《清儒學案》則載云：

> 魏一鼇，字蓮陸，直隸新安人。明崇禎□□舉人。官忻州知州，有惠政。去官之日，匹馬雙僮而已。順治二年，謁夏峰於北城，從學。夏峰語之曰：「為官之日短，為人之日長，失意不動心，則不受羈縻，所謂英人達士也。」再補泗州不就，仍從夏峰於兼山堂。堂畔築室，顏曰雪亭。與湯潛庵、耿逸庵同堂問辨，潛庵謂其「上下千古，視千秋如旦暮，性高曠不耐俗」。夏峰謂之曰：「聖人之教，為愚夫愚婦所共由，賢人之教，乃高人志士所獨契。觀〈師冕〉一章，則聖人萬物胸襟，位育參贊全體。學者得此，方完性分所固有，職分所當為。」蓋進之也。從夏峰三十年，及門答問，語先生居多。……著有《四書偶錄》、《北學編》、《夏峰年譜》、《雪亭夢語》、《雪亭詩草》。[18]

比勘二傳，《清儒學案》多引孫奇逢勉語與湯斌對其評價，《清史列傳》則多魏一鼇追隨孫奇逢問學之過程，二者各有偏重，不宜偏廢。考《清儒學案》所記，蓋來自《夏峰集》與《北學編》，如「為官之日短」語，乃裁擇〈與魏連六〉文，[19]「聖人之教」句，則引自《北學編》，[20]二者均未見於《清儒

17 《清儒列傳》，卷66，頁5242。

18 傳文末記「參《北學續編》、《夏峰集》」，頁37。

19 《夏峰先生集．與魏連六》（北京市：中華書局，2004年）：「昔人云：『不得為官，猶得為人。』蓋為官之日短，為人之日長。況一年平定，百世循聲，豈今日去官而減價

列傳》。就此而論，《清儒學案》之傳記采自《清史列傳》者應屬有限。

（二）裁鎔碑傳墓誌以成之學案傳記

《清儒學案》收錄之學者，遠多於《清史稿》及《清史列傳》之〈儒林〉、〈文苑〉各傳。以〈夏峰學案〉中附錄之各人為例，孫奇逢子孫博雅、夏峰弟子之王餘佑、魏一鼇、耿極、張果中、薛鳳祚、馬爾楹、高鐈、王之徵、陳溯、申涵光、崔蔚林、趙御眾、錢佳選[21]，交遊之杜越、李對、張湣、許三禮，及私淑之胡具慶等十八人。其中，孫博雅、魏一鼇及趙御眾三人，《清史列傳》附於孫奇逢。高鐈、耿極、錢佳選三人則因與趙御眾遊故，並附於趙御眾末。許三禮則《清史稿》有傳。

許三禮傳記末云「參史傳、徐文駒撰〈墓誌〉、《國朝學案小識》」。《清史列傳》無許三禮傳，則此史傳應即是《清史稿》。《清史稿．徐三禮傳》據徐文駒〈墓誌〉而成，特其中無其「師事孫奇逢」、「從黃宗羲游」[22]事，顯見係取裁《清史稿》而成。

徐文駒撰許三禮〈墓誌〉，述其學思頗得要義，如〈誌〉前序論述許三禮對理學之體會與承繼，云：

> 理學者，國家國家之元氣也，為天地立心，……顧此心此理，未嘗一日或息於天下，而見道之明，體道之力，天大重任以一身為之擔當，

乎……我輩學問全要在失意時長進。當失意而不動心，或更有一番輕脫自得，不受世塵羈縻之意，便是英人達士也。」（卷6，頁42）。

20 《北學編．魏蓮陸先生》（清乾隆二十九年刻本）：「徵君謂之曰：『聖人之教，爲愚夫愚婦所共由，賢人之教乃高人志士所獨契，觀〈師冕〉一章，即是聖人萬物一體胸襟，位育參贊全體。學者進此一層，方完性分所固有，職分所當爲。』蓋勉以知性誠身之學也。」（卷3，頁14）。

21 沈、梁二氏標點本《清儒學案》頁49，未將錢佳選單獨成一條，應屬疏失。

22 《清史稿》見卷266，《清儒學案》見頁57。徐文駒撰：〈兵部督捕右侍郎安陽許公三禮墓誌銘〉，收入錢儀吉：《碑傳集》（北京市：中華書局，1993年），卷18，頁593-601。

> 則古今以來代不數人而已。相州許酉山先生，毅然以斯道為己任，精明強固，身體力行。其學以事天為主，旦晝所為，夜必焚香告天，彷彿趙清獻故事。蓋天者，理而已矣。先生體認天理，信心而往，無城府隔閡……。

頗能連接許三禮與理學之關係，〈墓誌〉次段又論其學要旨，曰：

> 先生……明體達用，務以聖學為準……以為學者，學天而已，乾吾父，坤吾母，董子謂道之大原出於天，學天乃所以學道也。學者始於告天，中於合天，終於達天，則盡性至命，其機在我。推之應事接物，無所處而不當……以此修己，亦以此告人，曰吾道當如是，謂勇配孟子可矣。[23]

《清儒學案》中，徵引孫奇逢及黃宗羲與其之語，以為許三禮之傳記主旨，[24]而略其墓志，取裁實非恰當。

《清儒學案》編纂時，錢儀吉《碑傳集》及繆荃孫之《續碑傳集》早已梓行流傳，閔爾昌《碑傳集補》亦完成。[25]其采輯非難，故《清儒學案》編撰者多據意增補《清史稿》所不及者。如張爾岐〈蒿庵學案〉，傳記依序詳載其父死兵難，欲投水不死，又欲出家為道士，以母老而止，後續述其自題室名「蒿庵」及孝行居喪行誼。後述其與顧炎武訂交之經過及交遊，末述其

---

23 徐文駒撰：〈兵部督捕右侍郎安陽許公三禮墓誌銘〉，《碑傳集》，卷18，頁593-594。

24 《清儒學案》：「許三禮……初赴海寧時，謁夏峰問學，夏峰語以事賢友仁之道。又謂『大人格君心之非，孝子喻親於道，方成其為忠孝。』後貽書論希天之道。在海寧聘黃梨洲主講。後官京師，有疑必貽書相質。先生以明儒宗良知，每本心而不本天，故論學揭一天字，而實之以仁孝，謂：『舍敦倫之外，更何處可見實行？極之利萬民，愛萬物，格天地，動鬼神，感風雷，貫日月，何莫非君臣父子忠孝節義所推而致焉者！』效宋趙抃故事……。」（頁57）。

25 錢儀吉於光緒十九年（1893）刊行，見靳斯〈碑傳集說明〉（《碑傳集》前附，北京市：中華書局，1993年），繆荃孫《續碑傳集》成書於二年（庚戌，1910），閔爾昌《碑傳集補·序》作於民國十二年（1914）。

學守程、朱及著述十一種。[26]此順序與《清史稿》顯有不同。《清史稿》就其學行，於其「以母老，止」後，即言其「篤守程、朱之說」，著《天道論》及《學辨》等，其後述其覃思《儀禮》，撰述《儀禮鄭注句讀》，為顧炎武所讚許，未敘其著述及「蒿庵」室名之所由。[27]

據二者記載之順序，知《清儒學案》所重視，與《清史稿》不同，先言其行誼及儀禮精義，後稱其篤守程、朱，輕重緩急與張爾岐志事符合，蓋鎔裁盛百二〈蒿庵遺事〉、羅有高〈張爾岐傳〉及李煥章〈張蒿庵處士傳〉各碑傳而成，[28]而裁輯之處，頗見蘊義。

（三）裁輯文集語錄而成之傳記

宋明儒者師門問學過程，多存於語錄，於此可略見學者之行誼及學術思想要旨，《清儒學案》多就答問、語錄及文集以裁輯成學者傳記，除上述魏一鼇外，考《清儒學案》附錄學者，其傳文多藉徵引文字以呈現其學行者，蓋多裁取文集或語錄而成，如〈夏峰學案〉附錄之王之徵，傳云：

> 王之徵字五休……與論不睹不聞，戒慎恐懼，本體合一之理，及白沙靜中養出端倪之妙，先生心神領會……康熙元年，再至蘇門請益，夏峰告以「舉事接言，乃吾心與天下綰通之脈絡。以義制事，以道接言，為聖賢至詣。其有錯亂者，皆人欲牽纏，見己而不見人耳。強恕而行求仁莫近，時時見有過可改，有善可遷，方為聖賢磨練之功，學者惟於此致力而已」。[29]

此引孫奇逢答語以說明王之徵學術要旨，孫氏語見於《夏峰先生集》卷十三

26 《清儒學案》，卷66，頁699-700。

27 《清史稿》，卷268，頁13169。《清史稿》傳文敘次，與《清史列傳》相同，文字亦近似。《清史列傳》見卷68，頁5444-5445。

28 盛百二等三篇見《碑傳集》，卷130，頁3875-3884。

29 傳文末記「參《夏峰集》、《年譜》、《顏李叢書》」，頁37。

〈語錄〉，唯內容稍有裁簡。[30]就《清儒學案》此傳記引文而論，裁簡之處雖見精要，然略失王之徵所問，則所示者，孫奇逢之言，而非王之徵之學也。然王之徵傳中「與論不聞不睹」段，亦見於《夏峰先生集·答王五修》。《夏峰先生集》中答王之徵及語錄者多處，分別論述天理人欲，為學須從源頭處理會，分辨本體與工夫之差異等要題，《清儒學案》未采錄，亦未能裁鎔成傳，或因於急欲成書故，然實失其問學精旨。

考〈夏峰學案〉附錄之學者，裁剪《夏峰集》之答問以成傳記者，如王之徵、張果中、崔蔚林、張湝等人，多有如王之徵傳之失。

《清儒學案》凡立案學者多有相關碑傳可采，若附案之家學、弟子、交游、從游及私淑者，則多無顯行足可立傳，《清儒學案》則多就文集及語錄中考見其學行，摘錄師門之答問及勸勉，以為傳略。如張履祥〈楊園學案〉附錄之弟子張嘉玲、姚瑚及顏鼎受，交游之顏統、錢寅、祝淵及凌克貞等人均是。[31]大抵而論，采輯書札及答問以成傳者，多徵引之語，然亦有未睹全貌，偏隅簡略之失。

三　案主傳記與序錄之呼應與歧異

《清儒學案》一百七十四篇序錄，[32]頗成呈現清代的學術風貌，亦能彰顯學者之學術成就與影響。然欲彰顯學者之思想內涵與學術成就，仍須藉傳記及資料選輯以具體呈現。

---

30 原答問：「五修問：日用間起念，舉事，接言，頭緒時覺錯亂，照顧不及時，工夫又斷了，此病應如何？曰：起念，舉事，接言，是吾心與天下綰通之脈絡，莫輕看。，起念無妄，以義制事，以道接言，便是大聖賢境地。不能當下合拍，便覺頭緒錯亂，須著一番心照管。大凡錯亂處，皆是人欲牽纏，見己而不見人耳。強恕而行，求仁莫近，正在此處用工夫。不用工夫，安見己有錯亂？見有錯亂，決無到底不返之理。時時見有過可改，有善可遷，才是聖賢磨練工夫。」《夏峰先生集》，卷13，頁547。

31 見《清儒學案》，卷5，頁254-265。

32 詳見拙著：〈《清儒學案》案前序言論清代學術〉，「變動時代的經學與經學家」第六次研討會論文（臺北市：中央研究院中國文哲研究所，2009年11月19、20日）。

《清儒學案》之案主傳記與序錄之內容，頗多呼應之評述，此見編輯者之用力，亦使學案之內容更見充實。但亦有若干完全不相及者，殆編輯者未能兼顧所致。

〈亭林學案〉案前序論曰：

> 亭林之學，實事求是，不分漢宋門戶，經世致用，規模閎峻，為有清一代學術淵源所自出。後之承學者，因其端以引申之，各成專家，而兢兢以世道人心為本，論學論治，莫能外焉。[33]

傳記則云：

> 顧炎武……熟究經世之學、諸經外，好宋人性理諸書……學主於斂華就實，晚益篤志經學，曰：「經學即理學也，舍經學，則所謂理學者，禪學也。」於陸、王之說，辨之最力。論治綜覈名實，於禮教尤兢兢，謂「風俗衰，廉恥之防潰，由無禮以權之」，常欲以古制率天下。生平論學，標「博學於文，行己有恥」二語為宗旨……清初學有根柢者，以先生為最……。

傳中稱顧炎武「好宋人性理諸書」，並未見於《清史稿》。蓋《清儒學案》編撰者為配合「傳前序言」而作之論述，引「風俗衰」之論述，則呼應「兢兢以世道人心為本」，「清初學有根柢者，以先生為最」亦呼應序言「清一代學術淵源所自出」之語，亟見夏孫桐等編撰者之意。

又如張伯行〈敬庵學案〉，案前序言曰：

> 清初，中州諸儒多奉夏峰為依歸，惟敬庵專宗程、朱，篤信謹守，與陸清獻相後先。躬行實踐，致君澤民，理學而兼名臣，亦與湯文正媲美。[34]

---

33 《清儒學案》，卷6，頁267。

34 《清儒學案》，卷12，頁553。

傳記論曰：

> 先生學宗程、朱，不參異說，奉「主敬以端其本，窮理以致其知，躬行以踐其實」三言為準的，以聖人之道為必可學，而不可一蹴，幾循序漸進，歷艱險崎嶇，確乎不可拔。以困學自居，退然不自足，檢束考驗，至老不懈誠敬。上結主知，立朝靖獻，一本所學，為理學名臣之冠。

傳文中標取其專「宗程、朱，不參異說」語，顯應案前序論。「檢束考驗，至老不懈誠敬」、「上結主知，立朝靖獻，一本所學」等語，則與「躬行實踐，致君澤民，理學而兼名臣」呼應，均見《清儒學案》作傳者之縝密用功處。

然若干學案之學者傳記，顯與案前序言所論不相應，如郭嵩燾〈養知學案〉，案前序云：

> 養知始宗晦庵，後致力於考據訓詁。其治經先玩其本文，采漢、宋諸說以求義之可通。博學慎思，歸於至當，初不囿於一家之言，故能溫故知新，明體以達用。[35]

郭嵩燾案之傳文序言所論評，完全無涉，茲錄全文以證之，傳云：

> 郭嵩燾字伯琛，號筠仙，湘陰人。與曾國藩、劉公蓉相友善，切劘道義。道光丁未進士，改庶吉士。丁父憂，回籍。粵寇為江西省城，率湘勇往援。圍解，論功授編修。參蒙古親王僧格林沁軍幕，回京直南書房，出為蘇松糧道。歷兩淮鹽運使、福建按察使，擢廣東巡撫。治軍理財，負時望。與總督不合，去職歸里。光緒初召授兵部左侍郎，充總理各國事務大臣，出使英、法兩國，以病乞歸。嘗以海外諸國非撻伐所及，當深思因應之宜，力戒宋、明紛呶，以弭近憂，而宏遠謨。其與外人交，一持公誠，屏矜氣，歸於和，劑於應，辦難者仍直

35 《清儒學案》，卷182，頁7007。

> 爭，西人咸敬服焉。光緒十七年卒於家，年七十四。在里主講城南書院兼思賢講舍，啟迪後進如不及，尤以扶植善類，獎拔孤寒為己任，學者稱養知先生。[36]

此傳記取裁《清史稿》，記載以事功為主，與序言專論其學術思想，顯見其扞隔，讀之狀若二人。郭嵩燾有王先謙所撰之〈兵部左侍郎郭公神道碑〉[37]，其《養知書屋文集》及《禮記質疑》等書世間通行，《清儒學案》編撰者，逕取《清史稿》為傳，不亦疏略乎！

《清儒學案》中，傳記與序言未能呼應者，尚有若干案，如沈垚〈敦三學案〉及鄒漢勛〈叔績學案〉等均是其中明顯者。

結語

《清儒學案》之案主傳記，多為編撰者參酌既有史傳及文集等相關文獻而成，其中多有能彰顯一家一人之學術成就者，故廣為徵用，嚴文郁（1904-2005）且以就資料，編成《清儒傳略》，[38]其重要性及受重視程度，不言自明。本文匆促寫就，僅稍舉數傳之片段論述，自未能得見全貌。以此論評，亦難免以偏概全之譏，然以此文為基礎，考察全書，亦未能無所發見。

就《清儒學案》之傳記內容，除考辨其內容，及與案前序文之關係外，尚可藉以評析各學案之資料選輯，分析各案之序言、傳記及資料選輯之關連性，而後探討《清儒學案》之得失，必能予以確當之評價。

---

36 《清儒學案》，卷182，頁7007-7008。傳文末載著述十二種，此處暫略。

37 繆荃孫：《續碑傳集》（臺北市：大化書局，1984年），卷15，頁2132。

38 嚴文郁編：《清儒傳略》（臺北市：臺灣商務印書館，1990年）。

《清儒學案》之論著選輯與案主學術成就簡論

曾聖益
輔仁大學中國文學系副教授

前言

《清儒學案》編纂過程，先由據夏孫桐《清史稿・儒林傳》及〈文苑傳〉記載，擬定學案，再由王式通等人分纂，負責各學案的內容，包含學者學案序言、傳記及論著採錄，及附錄的學者等工作，再由夏孫桐、沈兆奎彙整全編，最後呈交徐世昌審定發刊。

就清代學術的成就而論，《清儒學案・序》有概括性之論述，在有德行政事兼備者，若魏象樞、張爾岐等人；有通經而能致用者，若徐乾學；在野之士而體用兼能則有孫奇逢、黃宗羲、顧炎武；程、朱學之遺風，則張履祥、李顒；別闢門徑者，則有顏元、李塨；史學則有萬斯同、閻若璩等；至於籌人、文學，各有其人。至乾嘉之世，精研考證，風尚稍異，治經則有張惠言、焦循，訓詁則有段玉裁、王念孫等人，考史則有全祖望、王鳴盛、錢大昕等人，金石則有翁方綱、嚴可均等人，校讎則盧文弨；論學則有汪中、周中孚，地理、歷算亦各有其人。

《清儒學案》序文經過多次改作，最初由張爾田執筆，不為徐世昌所取用，後由夏孫桐請金兆蕃、王式通及沈兆奎等擬定，最後應是出於沈兆奎之手。然就此序言之論述，既可見清代學術之多元豐富，卻也可見其缺乏思想脈絡，難以就學術主張歸納成不同單元，亦即成個別學案。

若欲論述或展現一代學術之成就，以學術主題或思想脈絡為單元應是最佳方式，且如此方式亦兼具有彰顯學術傳承及呈現學術流變之作用。但以清代學術之紛雜面貌，以此進行有其難處，蓋清代二百六十餘年間，學者治經方式，義理、考據之外，鮮見特殊方式。前者用之於修身論政，後者普遍用於經史、諸子，以及金石、地理、歷算之考訂；及其用之吏事，則教化、刑法，水利、槽運、稅賦，無所不施，難以分辨其為考據或義理。

今人評論《清儒學案》，多稱其缺乏貫串其中之主體思想，除義理、考據不同類型之為學方式有明顯不同外，各學案之間，不易考見其差異性，故譏其為資料彙編耳。此實非徐世昌耗費其生命最後十年之所欲為也。

《清儒學案》成為資料彙編之性質，主要有二方面，其一，此書備載清代學者之相關文獻；其二，論著選輯為其主要內容。備載學者相關文獻及其得失，筆者於前篇論文中，已略作說明，茲不具論。就論著選輯部分，今人多肯定其用力，亦贊其完備。鄙意以為此就全書略言之耳。若就各學案中之論著選輯而論，則《清儒學案》不僅不完備，且多失之偏頗，失卻學者學術宗旨，是不可不察。

一　《清儒學案》之論著選輯

（一）徐世昌對論著選輯之影響

徐世昌校閱《清儒學案》全書，對於論著選輯的內容，極為注意，以求能完整呈現學者之學術成就及思想特色為目的。如鄭杲《東甫學案》附宋晉之的著作，其中收錄〈齊魯古印攗後序〉、〈續齊魯古印攗序〉[1]二文，曹秉章以其中多古篆，收錄刊刻多難校訂，故擬刪略，而徐世昌則批示應留存。曹秉章書云：

> 羹梅校此篆體字，據云原書鉛字本多錯誤，鈔字人依稀摹仿，錯益加

1　見〈東甫學案〉，《清儒學案》（北京市：中華書局，2008年），卷194，頁7532、7535。

錯。且鉥篆本非所習，求之《說文古籀補》，亦不可得。但依其筆畫，改用尖峰，略具形象，較鉛印稍清楚而已。然求書檢校，已費多日工夫，將來手民寫出後，非倩行家細閱不可，絕非僅知小篆者所能辨。章（曹秉章）竊以印譜之序，關繫經文亦甚有限，若寫刻時無能精校，轉為全書之累，似不如竟將此文刪去。我師如以為然，請批出，當再與閏枝商之。

徐世昌批示云：

原文無多，且此等文字亦不可少，□不可刪。[2]

據此書札，可見夏孫桐、曹秉章等人編纂《清儒學案》，重心放在經學，以印譜內容能與群經相參有限，且校勘不易，故擬以刪略不錄。徐世昌則考量於清代學術的面貌，故認為不可少，應予收錄。今《清儒學案》可以較為完備的展現清代學術成就，徐世昌功不可沒。

《學案》中之論著選輯，徐世昌多所指示，如〈南畇學案〉中若干論述，蓋由徐世昌所裁示辦理者，曹秉章書札中云：

〈南畇案〉內，汪大紳、羅臺山兩傳中應刪之語，已經閏枝遵照刪去矣。所采汪大紳〈自敘文〉，觀其起句云：「縉為學知尊孔子，而游乎二氏者也。」幾欲援儒入墨，頗覺刺目。以下則辨別甚明，不獨自明其學派，且深剖陽明之非禪學，其說亦甚辨，故仍存之。[3]

論著選輯過程中，不斷的增修刪定，其中多經由徐世昌裁示而後定。這種方式，一直持續到《清儒學案》付梓。

自〈夏峰〉起，前列之五案寫本已較好，交文楷齋上板。……（夏孫

2 見《清儒學案書札一》，收入俞冰：《名家書札墨跡》（北京市：線裝書局，2007年），冊11，頁82。

3 見《清儒學案書札三》，頁288。〈南畇學案〉，《清儒學案》，卷42，案主彭定求。汪縉，字大紳；羅有高，字臺山，均為彭定求交游。

> 桐）並云：書衡有傳太長，采錄之文過多，或不甚精當之處，必須一一修改，將來能否剋期趕出，不誤刻工，殊不敢必。[4]

徐世昌批示云：

> 前由書衡所定之書已呈見，似不可再更動。

此均見徐世昌對《清儒學案》中選錄的學者論述，有裁決作用。

又夏孫桐等采錄論著文章時，一以徐世昌之思想主張為依歸，如張伯行〈敬庵學案〉中，因采錄批評顏元之語，與徐世昌所宗主不合，故去而不錄，曹秉章致徐世昌書云：

> 日前葆之看出張清恪〈敬庵案〉中采有〈論學文〉一首，痛詆顏習齋之學不程朱不陸王，此人必為王安石，是大亂之道。又曰其學足以殺人云云。葆之以鈞座素主表彰顏學，海內人士靡不聞知，一旦以此文載諸學案，不但自相矛盾，且易啟學子誹議。來商於章，章亦以此文必不可存，質之沅叔，亦以為然。因即刪去，亦不再關白閏枝，免生意見。然章實擅專，不能不陳明鈞座也。並將稿中此文裁出呈鑒。

徐世昌批示云：

> 葆之校書甚精細，〈清恪案〉中一文應刪去。清恪碻守程朱，習齋則不然，無怪其文也。學術爭論，千古一概。[5]

據此，明顯可見《清儒學案》的論著選輯，是以徐世昌的學術觀念為依據。

徐世昌之學術觀念對《清儒學案》之編輯方式，及學案論著的選輯有關鍵的影響，但因徐世昌本身為一文士，以詩詞古文名家，又雅善書法丹青，收藏清人著作，亦以詩詞文集為主。考其著作，可知其對經史並未深入涉獵。對清代的學術流變亦僅於平常之知見，未見有研究論述或進行梳理的工

---

4 見《清儒學案書札一》，頁102。

5 見《清儒學案書札一》，頁22。

作。以此而進行《清儒學案》的編纂工作，則闕漏自是不免，尤其是涉及藉由挑選學術著作，以呈現學者及一代學術成就的論著選輯。

（二）選輯論著之原則

《清儒學案》的論著選輯原則，除由徐世昌裁示外，見於該書卷首〈凡例〉中，凡例十七條，其中第十三至十六，說明學者之論著採錄原則及著錄編輯行款，分別如下：

> 甄錄著述，蓋有二義：一、其書貫串，未容翦裁，如《禮書綱目》、《廿二史考異》之屬，則取其序例，以見大凡。一、其書美富，不勝標舉，如《日知錄》、《東塾讀書記》之屬，則擇其尤至，以概其餘。凡近於帖括者，雖經不錄也。近於評騭者，雖史不錄也。清儒序跋，最得經意，自序必詳為書之綱要，為人書序必為之之說以相資，此固徵實之學，大啟後學之塗徑，故足取焉。
>
> 採纂諸書，必求原本。正續《經解》，多割棄序跋，而所收札記文集，雖經抉擇，往往未睹其全，後出單行，每堪補定。其未見之書，或有序跋載於文集，刻之叢書，如《說文統釋》之屬，則記注其下，庶免疑誤將來。其文集不傳，而得篇章於總集選本者，題曰文鈔，亦同此例。
>
> 采纂諸書，略依四部排比，先專著而後文集。（下略）[6]

以上三條凡例，第一條主要說明著作選輯之原則，主要分為三類：其一，專著，無法分割，輯錄序跋以見其學。其二，劄記，擇選其精要者。其三，文集論述，則帖括及史評不錄。

第二條則說明采據文獻，序跋以見於原本者為主，收錄於文集者為次。

---

6 《清儒學案》（北京市：中華書局，2008年），卷首，頁3-4。下略者，說明采錄標示原則及刊版格式。

第三條則說明排列方式，先專著而文集。劄記屬專著，故在文集之前。

此三條係針對札記、序跋等而發。《清儒學案》須特為序跋而立一凡例者，有其不得不然。蓋清代學術，不論是義理考據，經學著作均佔極為重要之分量，經學著作又多以注釋方式進行，注釋之書無法裁取片段而收入《清儒學案》。相較於《明儒學案》或《宋元學案》則無此問題，蓋其著作多答問、語錄及文集，且黃宗羲固有其明確之編纂宗旨；亦即《明儒學案》係以思想為核心，故易於采輯甄錄。《清儒學案》則不然。《清儒學案》編纂者徐世昌、夏孫桐等人，面對龐雜之清代學術，缺乏一以貫之的識見與能力，故僅能就小範圍之師承學侶組成學案，各學案之間實不易見其差異性及相關性。

不僅經學注釋類型之著作無法裁選編入《清儒學案》，考證劄記亦有同樣情形。清代學者編撰的考據劄記，本多為作為古籍校訂及注釋之用，其精神態度一致，其內容則針對問題而發，其判斷則據其所見文獻，實難遽說哪類劄記重要，哪類劄記則否，以後人整理文獻之角度考察，固有先後提出之差異，但在清代文獻著作流傳不易的情況，此種比較殊無意義。且學者劄記乃學者個人之學思，因其與前人相同而以其不具價值，亦不可取。

《清儒學案・序》不斷強調清代學術的成就，在經史文學上均有繁富多元的表現，學者之行誼思想，亦多有獨特之成就，以此觀念而編撰《清儒學案》[7]。但如考察其在立列學案及論著甄擇過程中，仍以經學為主，如陳介祺、劉喜海等以金石學名家，其碑帖序跋自有可取之處，然因其無經學相關著作，故難以選輯，亦無法編入《學案》，曹秉章致徐世昌書云：

> 陳介祺、劉喜海二人本是考訂金石家，且俟尋得其書，看其考訂有無足補經文，足證史誤之處，再定辦法。

7　《清儒學案・序》論述清代學術成就，分前後期，清初以儒學（含「德行兼政事」、「通經以致用」、「兼體用」、「關、閩之遺」、「別闢門庭而不詭於正」）、史學、文學為主，清中葉以後則治經、訓詁、考史、金石、校讎、述學、微言大義、兼及地理、歷算。而《清儒學案》則欲將其「彙為一編」。見《清儒學案・序》，頁2-3。

徐世昌批示云：

陳介祺、劉喜海如無經學，無書可採，亦可存而不論。[8]

此二人《清儒學案》均未收錄。以此可見徐世昌、夏孫桐等人編輯《清儒學案》，明確以《經學》為核心，清代極具代表性之金石碑帖之學，非其所措意者。於此顯見，徐世昌、夏孫桐等人實未了解清代學者藉金石文獻，以考據史實，訂補史傳人物之作法，而此實為清代考據學之主要方式及重要精神。

就此而言，《清儒學案》選輯的學者論述，實不能達成徐世昌、夏孫桐等欲呈現清代學術多元發展及學者的學術成就的目標。

二　選文的增補與刪裁

《清儒學案》編纂過程中，初由夏孫桐、王式通、金兆蕃、朱彭壽、閔爾昌、沈兆奎等人分別采輯。然各人標準不一，且面對之材料不同，亦無法以一致標準進行。如經學家，因其著無法分割，則只有序跋及凡例等可取裁，以此而見其學術成就，殊為簡略。此類情形，則須加以增補，以見其學行。大致而言，乃以文集篇章補充，然文集無所不包、奏議、書札、序跋、碑傳，無所不包，其選錄則不易，且其中論及經史學術之觀念者，未必成篇。蓋古人多藉碑傳以發其志，亦寓學術觀念於其中。

清代官學宗程朱理學，故陸世儀、張履祥、湯斌、李光地等名儒著作等身，其中語錄、性理之論述累牘長篇，蔚為巨幅。此類則多須刪裁。

又如編撰者觀念之不同，對於學術偏好而進行之選編，亦須經統整一致，以使其一致。此如張爾田所選輯的〈錢大昕學案〉，經刪裁後約去其半。[9]

8　見《清儒學案書札一》，頁257。

9　見《清儒學案書札一》，頁88。曹秉章致徐世昌札云：「茲有龔梅覆輯錢大昕〈潛研學案〉兩冊，附張孟劬原輯〈潛研學案〉刪篇備檢一冊。」

學案論著之刪裁與增補，於《清儒學案》編輯甚至刊板時仍不斷進行，故時請示徐世昌，以徵其意為據依。如張之洞〈南皮學案〉，又負責編纂之王式通，既未就張之洞著作全書選輯，又錄《輶軒語》全編，失於裁取，故須進行增補與刪裁工作。曹秉章致徐世昌書札云：

> 書衡處所采錄張文襄之文，乃將全部照錄一通，毫無用處。書衡向來采錄各文精審過於他人，何忽草率至此，當是已在病重之時，精神顧不到矣。閏翁云決非另選不可。[10]

張之洞的論述選輯問題，夏孫桐又云：

> 張文尚須斟酌，因《全集》中論學問之著作本少，但取《輶軒語》、《書目答問》、《勸學篇》數種訓士之語，實不成樣子也。[11]

此稱取《輶軒語》、《書目答問》、《勸學篇》中之論述，不足以呈現張之洞之學術成就，然夏孫桐重新采錄張之洞之論述，僅增加《奏議》數篇及《讀經劄記》之內容。其采錄之內容仍未見精當。且將《輶軒語》全部刪略不錄，亦有矯枉過正之嫌。

又如清代理學名儒倭仁的〈艮峰學案〉，初為鄭沅所輯，[12]因其太簡略，而由夏孫桐補輯。曹秉章致徐世昌書云：

> 倭文端前已經叔進為作專案，因所纂太簡，交閏翁覆閱，謂須設法擴充。且應附屬於其案中者，亦頗有人一時尚費考核，故尚未成也。[13]

今見〈艮峰學案〉，奏疏四篇，雜著二篇，日記數十則，實過簡略，以今所見《倭文端公遺書》考之，則應未完成增補。如其卷一〈講義〉及〈為學大

---

10 見《清儒學案書札二》，頁20。

11 見《清儒學案書札二》，頁39。

12 鄭沅參與編纂《清儒學案》事，不見於他書記載，《清儒學案書札》中則言及若干處，殆其務為儉約者，故選輯均簡，為夏孫桐等所不取。

13 見《清儒學案書札二》，頁12。

旨〉係講論經旨及修身持養方法，不無可取，且與〈艮峰學案・小序〉稱其學「以省察克治為要，不為新奇可喜之論，而自舒心得」相呼應，足顯其論學特色，《學案》不擇錄，亦見其失。然據曹秉章書札，則知其原有增補之意。

又如何秋濤，原本僅就《朔方備乘》采錄論著，夏孫桐以為卷帙太少，擬以《周易爻辰申鄭義》補之，後得《一鐙精舍文集》，除上篇外，並就其中采錄〈貢禹鄭氏略例〉、〈周禮故書今讀如讀為當為之字攷〉等四篇。[14]

《清儒學案》之增補過程見於曹秉章致徐世昌書者頗多，蓋因於求完備之意，且藉以見編撰者之辛勤，其中因新見文集而增補者為多，如閔爾昌編輯阮元、王引之二案，[15]朱彭壽編纂之雷鋐案，[16]章華編纂之曹庭棟案，[17]均據文集增補，見於曹秉章致徐世昌書札中。於此，亦見沈兆奎、朱彭壽等人在《清儒學案》編纂後期中，擔負的工作情形。

三　論著選輯與學術成就

徐世昌、夏孫桐等人編纂《清儒學案》，一方面為呈現清代學術的成果及特色，一方面又欲彰顯學者之學術成就，故在纂輯及校勘過程中，夏孫桐認為有二事須特為留意者，其一為小序之撰述，其二即為論著之選錄，夏氏論云：

> 采錄之文，其所持論已被人駁斥，則萬不能留於編中，然非仔細逐一

14 見《清儒學案書札二》，頁100。

15 見《清儒學案書札三》，頁99。札云：「葆之於〈儀徵案〉家學中新鈔得阮福文一篇，〈王伯申案〉中亦增家學一人，皆近日看書，於無意中得之者。」

16 見《清儒學案書札一》，頁139。札云：「（閏枝）云：雷翠庭文集，昨日經羹梅向書鋪借來，閱之覺小汀所輯〈翠庭學案〉中可增之文、可附之人甚多，日內擬即擴充增補鈔齊。」雷翠庭即雷鋐，見《清儒學案》卷66，頁2551。

17 見《清儒學案書札一》，頁88。札云：「曼仙原輯之〈先太高伯祖慈山公〉一案，現經小汀、羹梅二人覆輯，擬入〈浙江諸儒學案〉中。」曼仙係章華字，參與編輯《清儒學案》時間甚短。〈先太高伯祖慈山公〉即〈諸儒學案〉中之曹庭棟案。

> 詳考不可。[18]

此與前段所述，徐世昌裁示張伯行案中應將其批評顏元之語裁去之用意大致相同。其目的在於使《學案》有一致之觀點，而此觀點即由徐世昌、夏孫桐等所贊同者。然清代學者論學，本實有互相攻訐駁難，既有《尚書古文疏證》，亦有《古文尚書冤詞》；既有劉歆偽作《左傳》，亦有為劉歆洗冤者。學術各有宗取，亦互相排抑，千古所同。夏孫桐所論，並未見其可，然此為其裁取學者論述而成論著選輯之重要原則，其影響自是不得忽略。

《清儒學案》之論著選輯，受限於專著無法裁取，故語錄及劄記、序跋成為其主要內容，茲以顧炎武〈亭林學案〉、顧廣圻〈思適學案〉及郭嵩燾〈養知學案〉，略探討其得失。

顧炎武是清代學術之開山代表，〈亭林學案序〉論其學術，云：

> 亭林之學，實事求是，不分漢宋門戶，經世致用，規模閎峻，為有清一代學術所出……兢兢以世道人心為本，論學論治，莫能外焉。[19]

據其傳則稱其學「於陸、王之說，辨之最力」，在《日知錄》卷二十〈心學〉、〈晚年定論〉諸條詳細論述，《清儒學案》前條節略其要，後條則全錄，大致符合〈亭林學案序〉所云。然《日知錄》全書三十二卷一千一百一十五條，《清儒學案》選錄八十七條，不及十分之一，表現顧炎武治學之態度足矣，欲以考見顧炎武之讀經治史之成就，則未能也。

又顧炎武《亭林文集》六卷，中多論制度變遷，如卷一之〈原姓〉、〈錢糧論〉、〈郡縣論〉、〈生員論〉各篇，《清儒學案》不取，則無法彰顯顧炎武對制度之關心，及其欲用以經世之志，如此則其「經學即理學」，變成無根之談，故知《清儒學案》的選錄難以呈現學者主要思想，而成為泛泛的論學之言。

再以顧廣圻為例，〈思適學案序〉云：

---

18 見《清儒學案書札一》，頁344。

19 《清儒學案》，卷6，頁267。

> 澗蘋以小學而通經學，以經學而通校勘，一時士夫以傳刻古書相尚，經史鉅編，爭用委屬。凡經手定，增重藝林，幾欲比跡鴻都，折衷虎觀，前此澹園、義門所未逮焉。黃、鮑諸家，多或專車，少則一帙，精能美富，各盡其致，校勘之業，於斯為盛。[20]

〈思適學案〉收錄顧廣圻論述十三篇，以校書序跋為主，符合顧廣圻之學術特色。然卻未必能呈現顧廣圻之學術風貌。今通行《顧千里集》二十四卷，除卷一至卷四為詩詞外，卷五經說，為顧廣圻經學思想之具體呈現，《清儒學案》未采錄，難以見「澗蘋以小學而通經學，以經學而通校勘」之途徑。又卷十五、十六為金石題跋，學案未采錄，義無由見其字體辨識，通小學之具體運用。

再以郭嵩燾為例，〈養知學案序〉稱郭嵩燾之學術，云：

> 始宗晦庵，後致力於考據訓詁。其治經先玩本文，采漢宋諸說以求義之可通。博學慎思，歸於至當，初不囿於一家之言，故能溫故而知新，明體而達用。[21]

《清儒學案》選錄郭嵩燾包含《大學章句質疑》、《中庸章句質疑》、《禮記質疑》中之若干篇章，及文集五篇，分別為〈周官九兩繫民說〉、〈讀孟子〉、〈綏邊徵實序〉、〈罪言存略小引〉及〈致曾沅甫書〉。

姑不論其選錄《大學質疑》、《中庸質疑》及《禮記質疑》等專著之不當，《養知書屋文集》二十八卷，其中卷一為經義，〈養知學案〉選錄二篇，卷六至卷八為序跋，卷九至卷十三為書札，中多論學之語。

郭嵩燾為晚清中極具新時代觀念之學者，亦極有治世之才，其《文集》論局勢，論錢糧，均極具見識，為其思想之重要特色，且其觀念來自《易》之時與勢，乃傳統學術之具體應用，《清儒學案》未錄，頗失郭嵩燾之學術要旨。

---

20 《清儒學案》，卷125，頁4969。

21 《清儒學案》，卷182，頁7007。

再以附案之何焯為例。王式通稱其「一生祇一校勘之學，然行輩極老，聲聞極著」[22]，其書多散逸不存，流傳於世，唯《義門讀書記》、《困學紀聞箋》為著。《清儒學案》附在〈安溪學案〉中，選錄其論著，以《義門讀書記》為主，另由《文集》選錄〈上安谿先生書〉一篇。

以何焯為例，[23]顯見《清儒學案》選文之未當，以《義門讀書記》而論，《清儒學案》選錄二部分，分別是《詩經》十五條，《漢書》二十五條，《後漢書》五十一條。但何焯校讎之精，深蘊論學宗旨者，不在其中，《義門讀書記》最早完成者為《春秋》三傳、兩《漢書》及《三國志》，而其用力最深者，在於「漢、魏、三唐之詩」[24]，畢生致力者，在於「窮究四書精蘊為著文之本」[25]，故可知其未選錄《義門讀書記》中之《四書》及《春秋三傳》，殊不可取。且其選錄中，顯見其未足以呈現何焯學術成就者，約有數端：

其一，何焯讀書記，義理、考據及校勘並重，《清儒學案》選文重考據，忽略何焯闡發經學之重要思想，如讀書記中《詩經》第一條，何焯云：

> 故之聖人不以天下奉一人，豈獨殺禮哉。[26]

---

22 見《清儒學案書札一》，頁156。《安溪學案》附錄何焯傳云：「先生蓄書數萬卷，凡經傳、史子、詩文集、雜說、小學多參稽互證，以得其指歸；於其真偽、是非、疏密、隱顯、工拙、源流皆各有題識，如別黑白，及刊本之譌闕、同異，字體之正俗，亦分辨而補正之。其校訂兩《漢書》、《三國志》最有名。」（卷41，頁1599）。此傳刪裁沈彤〈翰林院編修贈侍讀學士義門何先生行狀〉而成。

23 此案，夏孫桐原作專案，後由沈兆奎處理，而加入〈安溪學案〉而成為安溪弟子，其論著亦由沈兆奎采輯。《清儒學案書札三》記載：「羹梅將何義門加入」安溪弟子中，並於所錄《讀書記》及文與附錄，均酌量刪節。」（頁94）。原本夏孫桐的擬稿是將何焯立為專案，而以校勘家附之，唯他人不以為然。同函中載云：「閏枝將義門作專案，而以各校勘家附之，同人均不以為然，沅叔亦不以為然，現將義門提出。所有各校勘家，沅叔與同人商定，以顧千里為首，另作一案。」（頁94-95）。

24 何焯從子何堂語，見《義門讀書記．序》（北京市：中華書局，1991年），頁1285

25 見沈彤：〈翰林院編修贈侍讀學士義門何先生行狀〉，《義門讀書記》，頁1275。

26 見：〈詩經〉，《義門讀書記》，卷7上，頁131。

此針對鄭玄箋「於時殺禮以救艱危」而發，明顯表現出何焯之闡釋經旨之方式及特色。又如〈小星序〉鄭玄箋稱「命謂禮命貴賤」，何焯云：

> 能安於禮命之貴賤，則不違于天，所賦予之分自在其中。[27]

又如〈綠衣〉，何焯論朱熹說之未當，云：

> 朱傳以女為君子，最難通。以絲為妾之少艾以治，為君子嬖之。欲與下章相對，而甚乖疏。[28]

此類皆明顯反映出何焯治經兼重義理與考據之特色，若《四書》、《春秋三傳》中所呈現何焯之識見，則又《清儒學案》選文所未能及也。

其二，文集選錄偏狹。劄記因內容其繁雜，或因編纂者之學術專長之差異，而未能有精當之選輯。考之何焯文集，則益見其失。現存《何義門文集》十二卷，[29]卷一為序及壽序，卷二為記、傳及雜文，卷三至卷七為書，卷八、卷九為跋，卷十雜著，卷十一、十二為詩。可見書、跋佔文集之大部分，而書札中論及讀書[30]及經義者甚多，於宋明經說，亦多評議。碑帖題跋更與是清代學術重要內容，而何焯所論言，既含金石碑刻，亦有書籍版本之論述，《清儒學案》闕而未錄，實令人費解。且收錄〈上安谿先生書〉蓋論史籍纂修，其云「竊嘗論之，胸中非先有一代之志者，難為一代之紀傳，其事變不悉故也」[31]。以此可見何焯於史志之重視，然於讀書記之選錄中，未見於此也。

---

27 見：〈詩經〉，《義門讀書記》，卷7上，頁134。

28 見：〈詩經〉，《義門讀書記》，卷7上，頁135。

29 據道光年間刊本《義門先生文集》十二卷。另張舜徽《清人文集別錄．義門先生集十二卷》（臺北市：明文書局，1982年）：「宣統元年，平江吳蔭培，又得焯家書百通，編為四卷。與是集合刻於嶺南，視此本為備云。」（頁99）。

30 如卷3〈與徐亮直書〉、卷5〈與友人書〉、卷6〈與陳彥瑜書〉。

31 原見《義門先生集》卷3，《清儒學案》卷41，頁1615。

四 結語

《清儒學案》二百八卷，正案一百七十九人，附錄九百二十二人，諸儒六十八人，總計載錄清代學者，多達一千一百六十九人，[32]欲掌各家學者之論學宗旨，已非易事，在《清儒學案》二百卷之有限篇幅中，欲輯錄其代表性之論述。又當時，清代學者之著作多尚可考見，專著、文集及各種劄記，文獻繁冗，梳理不易。

《清儒學案》之編纂者，多數為文人，徐世昌師法桐城派，精擅古文，夏孫桐為著名詞人，王式通、曹秉章、沈兆奎等均為文人，雖未必對經史考據全然陌生，但亦非精擅者，故其采錄清儒學者之論著，多未能掌握作者之思想要旨，而選輯多未臻妥當。其顯著者，主要有二方面：

其一，選輯浮濫，未得作者深義，如前所例舉之顧炎武、顧廣圻及郭嵩燾、何焯等人之論著。

其二，選輯偏限，未能彰顯學者思想。除前例舉之郭嵩燾外，張之洞之〈南皮學案〉亦亟見此失。張之洞《讀經劄記》二卷二十一篇，《學案》采錄七篇，駁公羊經義二篇，殆針對康有為立憲改制說等而發，未見精義。此為《學案》所采者，若《張之洞全集》中闡述經義、金石題跋中考據文字之

32 根據沈芝盈、梁運華標點：《清儒學案・凡例》，頁4。
《清儒學案》所收錄，幾經修訂刪裁，而後確定此數。曹秉章致徐世昌書札記載：「學案人數，據兩《經解》、《學案小識》、《先正事略》、《書目答問》、《理學人名表》、三《碑傳集》、《清史稿》、《清史列傳》所見儒林姓氏，刪除重複，約一千六七百人，現除《學案》已錄及擬補者外，所略三百餘人耳。現已輯成正案者二百有五案，計二百十五人，附案七百六十四人。應補輯者，計尚有一百四十三人，其中有學案已錄，或父子或兄弟可於傳中連敘者三十餘人，可為附錄或從緩檢書採錄者，亦約三十餘人，卓犖大者不過十餘人，其餘六十餘人，或補或略，總以得書為斷。亦上各數目均係就理出之人名單子與稿本查對者，唯沈羹梅所得之數為正案二百有五案，汪伯雲所得之數，則正案二百有三案。微有歧異，日內尚須約葆之、小汀來通盤再細查一過，方可確數也。見《清儒學案書札一》，收入俞冰：《名家書札墨跡》，冊11，頁5。

語，及《書目答問》中論述學術流變，古文及書札中極具識見之語，均未見采錄。[33]

綜觀《清儒學案》之論著選輯，大致而論，義理思想，闡發程朱理學之論述選錄為精，於考據、校讎及經世之學，則了不相契，難以得見學者之思想宗旨。

33 詳細篇目，見《張之洞全集》（石家莊市：河北人民出版社，1998年），冊12。

從經學到經史學
——論章太炎「六經皆史」說

宋惠如
國立金門大學華語文學系副教授

一　前言

晚清民初是中國傳統學術思想的重大轉折期。在清代學術轉而為民國學術的歷程中，作為傳統學術的主體——經學，歷經廢科舉、廢讀經等制度上的變革，又經臨知識分子準以專門知識分科的方式重整傳統學術，變化尤為劇烈。晚清的學術分類為辭章、義理、考據，或是傳統的經、史、子、集，集部、辭章之學轉為文學，子部、義理之學轉為思想、哲學，本為經學附庸的小學，獨立為語言文字學，史學也獨立成一門學科。經學論述則轉為哲學、學術思想、史學、文學及語言文字等學科；傳統上居於價值優先地位的經學，反成為被解體的傳統知識。然據學者研究指出，民初的經學研究仍舊熱絡，在保存國粹、國學的意識下，不僅延續著傳統經學的研究理念與方法[1]，在變動中亦實有新格局與新方向的出現。

1　民國經學研究以期刊型態出版者，據程克雅先生的研究，就可得之期刊一百○七種中，與文史哲學門、國學及經學相關的三十二種刊物中，共選得二百六十八篇經學類相關的期刊論文。當中經義的討論高達九十九篇，當中又以闡述傳統五經義理的論文篇數較多。尤其如《船山學刊》大量保存了經義、治事、辭章的習作形式文體，並有多篇採經義制藝形式談《論》、《孟》的論文，或闡述四書義理者。（參氏撰：〈民國初年學報所刊載經學論文及其議題之轉變〉，「變動時代之經學與經學家（1912-1949）

由清代經學轉而為民國經學的歷程中，觀念上最明顯的轉變是，清儒以經為「天下公理」為理念，在民國學者則多以史視經，挑戰經之為常法的傳統觀念。早在章學誠（1738-1801）六經皆史說，即已鬆動清儒的治經信念，標幟著清代學術的一大轉折，學者討論甚多。他對於後世經學觀念的影響，要言之有二：一，其以六經為先王政典，將經之成立，上溯三代，系統說明六經源流，尋求考證學家由詞以通道之外，通達聖人義理的可能。此一追溯六經原始的學術走向，其實已經撼動漢代以來，六經乃孔子之道之所存的理念。二，章學誠說明經史關係，以經為史之典型，史為經之流衍，亦是不同於宋明以來以「經細而史粗，經正而史雜」尊經抑史的觀念。這兩項關於經學根本性質與發展演變的重大議題：六經如何形成、經史性質與關係，不僅為後世經學開啟新視域與新方向，復成為晚清民初今古文學爭議中的主要課題，而為民國經學觀念轉向之核心問題。章學誠的六經皆史說在晚清民初學者的進一步聲張下，不論是今文學者如龔自珍（1792-1841）、魏源（1794-1857）、譚獻（1832-1901）、康有為（1858-1927），或是自許為古文家的章太炎，皆有所發揮[2]，擴大為經史學論述，形成民國時期學者治經的底蘊。然而民國以來對「六經皆史」這一命題研究，猶多集中在對章學誠文史論述的闡發，至於晚清民初的學者如何闡述與反省章學誠的「六經皆史」說，拓展而為民國的經史學觀念，這一層面的課題仍有待深究。

周予同（1898-1981）指出，章學誠的思想直接影響到龔自珍與章太炎，又以章太炎關於史學與經學關係的論述，頗值得研究。[3]呂思勉（1884-1957）亦曾評議康有為、梁啟超（1873-1929）與章太炎對當時學術的影響，特別指出「康有為和章太炎，雖然都講經學，而其影響於後來，轉以史

第二次學術研究會會議論文」（臺北市：中央研究院中國文哲研究所，2007年11月）凡此，可見傳統研究經學的方法與理念猶有延續。

2 參陳鵬鳴：〈試論章學誠對近代學者的影響〉，《章學誠國際學術會議研討會論文集》（北京市：北京圖書館出版社，2004年），頁408-426。

3 許道勛、沈莉華整理：〈周予同論經史關係之演變——紀念周先生誕辰百週年〉，《復旦學報》（社會科學版）1998年第1期，頁88。

學為大。」[4]以章太炎雖為經生[5]，然其經史觀對晚清民初學術由重經至重史的發展脈絡，實起著關鍵性的作用。尤其是章太炎以章學誠「六經皆史」說為理念，重新詮釋「六經皆史」說的內涵，這一論述的貢獻與啟發，是清代經學走向民國經學的重要環節，為本文所欲深論的人物與主題。

學者評價章太炎多重其史學，對於經學則關注其左傳學的研究，然而二者的關連如何？見章太炎曾於一九三三年自述其治學，謂：

> 幼專治《左氏春秋》，謂章實齋「六經皆史」之語為有見；謂《春秋》即後世史家之本紀列傳；謂《禮經》《樂書》，彷彿史家之志；謂《尚書》《春秋》，本為同類；謂《詩》多紀事，合稱詩史。謂《易》乃哲學，史之精華，今所稱社會學也。[6]

具體指出六經乃為各有史學意涵的史籍之前，先捻出「六經皆史」為其治《左傳》的基本理路。章氏於二十九歲完成《左》學巨著《春秋左傳讀》，知其早期治經即以「六經皆史」說為根本理念。這樣的治經立場在一九二二年的《國學概論》中才有較完整的觀念闡釋，在這之前，章太炎多批評、修正章學誠學說，尚未成一清晰概念。他對於「六經皆史」說的論述關涉到六經如何形成、其源流演變又是如何，相繫於此的經史觀念的變化又是如何等等問題，當中的思考與究竟，須細察一九〇四年所做的〈訂孔〉、〈清儒〉，一九〇六年〈諸子學略說〉，一九〇九年〈原道〉、〈原經〉，一九二二年《國學概論》、一九三五年《國學略說》，以及期間與師友弟子往來的書信，方能明其梗概。章太炎的「六經皆史」說雖在晚年方成系統，然其經學觀在早期即隱然成型，而為其建構六經源流說與批評章學誠學說的基礎。因此本文首

4　呂思勉：〈從章太炎說到康長素梁任公〉，《呂思勉遺文集》（上海市：華東師大學出版社，1997年），上，頁397。

5　呂思勉曾謂：「章太炎確是經生。他生平學問，當以小學為第一，這本是治經之本。他于解釋經文，是正經字，鈎考經說同異，辨章經學宗派，均有特長。」（同前註，頁395）

6　諸祖耿：〈記本師章公自述治學之功夫及志向〉，《章太炎學術文化隨筆》（北京市：中國青年出版社，1999年），頁342。

先闡釋章太炎重新詮釋「六經皆史」說，詳述其說明六藝發展為六經，演為史學的歷程，其次說明章太炎對章學誠說法的反省與批評，及其經學觀念的變化，最後總結以上論述，說明章太炎「六經皆史」說的影響與啟發。

二　章太炎重新詮釋「六經皆史」說

（一）「夷六藝於古史」

章太炎固然接受「六經皆史」的概念，卻批評章學誠古代藝文發展的見解，以其「不觀會通，不參始末，專以私意揣量，隨情取捨」[7]，於是重新根據古書文獻，引證經史傳記，實事求是，回溯古代學術源流。

他以《漢書・藝文志》之諸子出王官說為起點，進一步查知：

> 古之學者，多出王官世卿用事之時，百姓當家，則務農商畜牧，無所謂學問也。其欲學者，不得不給事官府為之胥徒，或乃供灑掃為僕役焉。故〈曲禮〉云：「宦學事師」。學字本作或作御。所謂宦者，謂為其宦寺也；所謂御者，謂為其僕御也。故事師者，以灑掃進退為職……。觀春秋時，世卿皆稱夫子。夫子者，猶今言老爺耳。孔子為魯大夫，故其徒尊曰夫子，猶是主僕相對之稱也。《說文》云：「仕，學也。」仕何以得訓為學？所謂宦于大夫，猶今之學習行走爾。是故非仕無學，非學無仕，二者是一而非二也。[8]

透過三項考察，證明古學出自王官世卿之用事。一，根據〈曲禮〉「宦學事師」，析「學」、「宦」之義，可知古之欲學者，以吏為師。二，可由春秋時孔子之徒稱其為「夫子」，猶稱僕從之稱「老爺」，見其轉化之跡。三，《說

7　章太炎：〈原經〉，《革故鼎新的哲理——章太炎文選》，頁328。

8　然有「學優則仕」之言，章太炎指出，此乃子夏言。子夏為魏文侯師，當戰國時，仕學分途久矣，非古義。見氏撰：〈諸子學略說〉，收入《革故鼎新的哲理——章太炎文選》（上海市：上海遠東出版社，1996年），頁160。

文》以學訓仕，所謂宦于大夫，意為學習行走。宦、學、仕，從語言文字分析來看，意出同源，皆指向古學出於官師之用者。

繼之，《史記・曆書》有謂「疇人弟子分散」者。疇，類也；又如「漢律」，以年二十三傳之疇官，各從其父學，即是古學在王官，官宿其業，傳之子孫的制度之遺。章太炎認為後世學術分化，諸家分立，實源自古代官師疇人之制。如《史記》稱老聃為柱下史，莊子稱老聃為征藏史，知道家出史官；墨家先有史佚，為成王師，其後墨翟亦受學於史角；陰陽家所掌為文史星曆之事，是為《左傳》所載瞽史之徒，能知天道者。可知，春秋戰國之學術藝文，皆出於王官之流。[9]

章太炎主張儒家亦為諸子之一，為王官學的一部分。然而究竟王官之學的內容如何？又如何與六藝、六經相關？他進一步舉證說明。

關於六藝的內涵有二個說法；漢人以六經為六藝，《周禮・地官・保氏》則以禮、樂、射、御、書、數為六藝。章太炎認為，周時，《詩》、《書》、《禮》、《樂》皆官書，《春秋》為史官所掌，《易》藏太卜，亦皆官書，所謂六經，當屬大藝；禮、樂、射、御、書、數者，則為小藝。[10]他主張，所謂大藝的六藝不等於六經，六藝內容繁多，六經乃孔子刪述後的定名。

以《易》為例，原出於卜筮布卦。見《周禮・春官・太卜》記太卜燒灼龜甲以卜吉凶，「掌三兆之法，一曰玉兆，二曰瓦兆，三曰原兆。」[11]經兆之體，皆百有二十，其頌皆千有二百。太卜又掌三《易》之法，《連山》、

9 同前註，頁160、161。

10 章太炎據《大戴禮・保傅》篇謂「古者八歲出就外舍，學小藝焉，履小節焉。束發而就大學，學大藝焉，履大節焉。」認為小藝指文字而言，小節指灑掃應對進退而言。大藝即《詩》、《書》、《禮》、《樂》，大節即為大學之道者。詳細的徵實與分疏古代藝文。見氏著：《國學略說》，收入《章太炎國學講義》，（北京市：海潮出版社，2007年），頁64。

11 鄭玄注：「兆者，灼龜發於火，其形可占者，其象似玉、瓦、原之釁罅，是用名之焉。」見《周禮疏》卷24〈春官・太卜〉，收入《十三經注疏》（臺北縣：藝文印書館，1989年），頁10。可參釋。

《歸藏》與《周易》。經卦皆八，其別皆六十四。又掌三夢之法，「一曰致夢，二曰觭夢，三曰咸陟。」[12]其經運十，其別九十。章太炎認為，孔子贊《易》，獨貴《周易》，《周易》在太卜所掌之舊法史記中，實與筮書、卜夢之書等同。並引證《左傳》記韓宣子觀書於太史氏，見「易象」與「魯春秋」，曰：「周禮盡在魯矣。」知太史所掌「易象」內容既為釋卜之卦爻辭，如同三兆、三夢之屬同掌之於太卜，可知當時的九流之學，根極全在官守，同為周禮之一環。[13]

再者，據〈數術略〉記蓍龜家有《龜書》、《夏龜》、《南龜書》、《巨龜》、《雜龜》，雜占家有《黃帝長柳占夢》、《甘德長柳占夢》，書皆別出，《易》亦如此。〈數術略〉記《周易》有三十八卷，與〈六藝略〉記《易》有十二篇，可見「周易」不只一部。[14]而且，《左傳》所載卜筮辭，不與《周易》同者甚多。今《周易》六十四卦，三百八十四爻，焦延壽作《易林》，以六十四自乘，得四千九十六條。據此，章太炎認為，「安知周代無《易林》一類之書，別存于《周易》之外乎？」[15]

章太炎又持《汲冢書》為證。《汲冢書》關於《易》者，有《易經》二篇，與《周易》上、下經同。又有〈易䌛陰陽卦〉二篇，與《周易》略同，䌛辭則異《卦下經》一篇，似《說卦》而異。〈易䌛陰陽卦〉，當為〈數術略〉記《周易》三十八卷中，其中之一。據此，章太炎認為未至周制衰敗，《周易》已析為數種[16]，且認為《連山》、《歸藏》，初同為卜筮之書，《周易》上、下二篇，與三十八卷之《周易》性質相同，並無高下之分。直至孔子贊《易》，乃專取文王所演之《周易》，成為六經之《周易》。

因此，章太炎認為，在孔子之前，《尚書》不止百篇，《詩》積三千餘

---

12 〈春官．太卜〉：「掌三夢之法，一曰致夢，二曰觭夢，三曰咸陟。」鄭玄注：「致夢，言夢之所致，夏后氏作焉。咸，皆也；陟之言得也，言夢之皆得，周人作焉。……（觭夢）亦言夢之所得，殷人作焉。」（同前註，頁13）。可參釋。

13 章太炎：〈原經〉（1909），收入《革故鼎新的哲理——章太炎文選》，頁327。

14 同前註。

15 章太炎：〈國學略說．易經〉（1935），收入《章太炎國學講義》，頁103。

16 同註12，頁327、328。

篇，《禮》屢有修改，《春秋》為周史記年之體。[17]其謂：

> 六藝者，道、墨所周聞。故墨子稱《詩》、《書》、《春秋》，多太史中秘書。女商事魏君也，衡說之以《詩》、《書》、《禮》、《樂》，從說之以《金版》、《六弢》。(《金版》、《六弢》，道家大公書也，故知女商為道家)。異時老、墨諸公，不降志于刪定六藝，而孔氏擅其威。[18]

又謂：

> 六藝者，古《詩》積三千餘篇，其他益繁，由觸無協，仲尼刪其什九，而弗能貫之以纑間。故曰：達于九流，非儒家擅之也。[19]

可知章太炎主張，孔子刪述六藝成六經，而以古之六藝，遠多於今日可見的六經，且諸子皆稱引六藝，六藝不獨為孔子或是儒家之屬。

從六藝起源與發展來看，章太炎認為六藝內容關乎社會進化之跡，當列史類，而將六藝返於古史之列，亦因此批評今文學者視經為後世之誦法，專致孔子六經之學者，實未能「博其別記，稽其法度，核其名實」[20]，遂埋沒六藝諸子的價值，使得後世專以六經為學術與文化的核心，而窄化了六藝的豐富內涵。同時，面對六藝古文雜有許多神化、讖緯之言，成為後人臆度道理的根據，復令民國疑古學者疑上古歷史為神話，對此，章太炎主張：

> 傳記通論，闊遠難用，固不周于治亂；建議而不讎，夸誣何益？魑鬼、象緯、五行、占卦之術，以宗教蔽六藝，怪妄。孰與斷之人道，夷六藝于古史，徒料簡事類，不曰吐言為律，則上世人事污隆之跡，猶大略可知。[21]

---

17 章太炎對《易》、《書》、《詩》、《禮》、《春秋》，如何由內容繁多的王官之學，轉為孔子刪定後的六經面貌，皆持據詳述，見其《國學略說．經學》，此不贅述。

18 章太炎：〈訂孔〉(1904)，收入《革故鼎新的哲理——章太炎文選》，頁115。

19 章太炎：〈清儒〉(1904)，同前註，頁126。

20 同前註，頁127。

21 同註19，頁131。

主張正確的檢別上古富有神話色彩的傳記文獻，從人文化成的角度，去除以六藝為規範的框架，僅將六藝視為古史之史料，簡其事類，則得以掌握上古政教施行之跡，不僅可明其流變，亦可審其因革。換言之，針對民初的疑古說，他主張不因上古傳記文獻雜有神化、讖諱之文，一概將六藝古史視為偽作。相對的，他認為當透過適切的檢別，準以人文，去其夸妄，考六藝以觀世知化，勾稽中國古代文明。

章太炎將六藝視為古史的重要文獻，六經既在當中，當然也成為掌握上世文明的根據。六藝在孔子之成六經後，中國學術文化的流變與文明價值，有了更富深度的轉衍與發展。接著，章太炎進一步論述六經之學的發展脈絡。

（二）從六藝到六經

章太炎認為後世對六經的認知，定型於漢代。今文經學者推崇孔子，獨尊儒術，將六經奉為典常，同時罷黜百家，無視諸子亦王官六藝學的分化流衍。自是，不僅六藝簡約為六經，六經復成為儒學專門之典籍。再者，漢儒訓經為常、常道、經天緯地，將六經視為恆常之理、聖人之道、經世之法，將經學推向二個面向，一則通經致用，一則以經典為恆法。在漢人推闡下，六經成為中國學術與文化的主體，後世之政治、道德文化，無不在此理路中推衍。

面對傳統經學觀，章太炎在致友人書中提到：

> 古今異變，宜弗可以同概，通經致用之說，則漢儒所以求利祿者，以之諓世取寵，非也。以為經典所言，古今恒式，將因其是，以檢括今世之非，不得，則變其文跡，削其成事，雖詖直不同，其於違失經意，均也。[22]

---

22 章太炎：〈與簡竹居〉（1909），收入《章太炎書信集》（石家莊市：河北人民出版社，2003年），頁258。

他不滿漢儒因以致利祿的通經致用說，也不認同漢儒將六經視為恆常之理、經世之法，據以則今的作為。他透過追溯經在先秦的字本義，推翻漢儒所訓經意，否定漢儒的經學觀，指出經字原意只是一經一緯的經，即一根線，所謂經書，只是一種線裝書，[23]並不具有恆常、公理的意涵。更何況，六經自有其淵源，不能視孔子之創制，更不能如今文學者所主張的將六經指為孔子之道，直指為聖人之道之所存。因此，他認同章學誠的六經皆史說，主張六經只是周代政典之遺，進一步從典籍之形式質料與內容二方面，證明六經皆周代官書之遺。

古代書本有三種形式，一，字多者編簡書之，稱「簡」。以繩貫之，故曰「編」。以其用竹，故曰「篇」，亦可稱策。二，字少者書於「方」，即版牘，又稱「業」。三，帛書，絹也，古時少用，稱卷。[24]據《後漢書．周磐傳》：「編二尺四寸簡寫〈堯典〉」，知簡為古制二尺四寸。據劉向校古文《尚書》，每簡片或二十五字，或二十二字，知一簡策僅六百二十五字。《尚書》每篇字數無幾，多者不及千字，《周禮》六篇，每篇少則二、三千，多至五千，若《儀禮．鄉射》有六千字，〈大射儀〉有六千八百字。章太炎認為，當時講授時決不用原書，必移書於版，使之便捷，故稱師徒講授，謂肆業、受業，而不謂肆策、受策。

而簡策又有不同長度。策之短者，為尋常之書，證之《論衡》謂非經又非律者為「短書」。策之長者為官書。據《漢書》稱律為「三尺法」，又謂「二尺四寸之律」，律亦經類，故亦用二尺四寸之簡。鄭康成謂，六經二尺四寸，《孝經》半之，《論語》又半之。漢律乃漢之官書，六經為周代官書，故形式一同。因此，從形式來看，周代《詩》、《書》、《禮》、《樂》皆官書，《春秋》史官所掌，《易》藏太卜，亦官書。

其次，從內容來看。先秦所謂六經當指六類經書，非六部經書。章太炎

---

23 先秦尚未有線裝書，或指線編竹書，章氏此說有疑，但可從中看出在此時期，其意圖在於平實的看待經的價值、重新估量經的地位。

24 章太炎：〈國學略說〉（1935），收入《章太炎國學講義》，頁92-94。以下論述皆出於此，不贅述。

認為，六經亦不過是當代記述較多，而常要翻的幾部書。其中《詩》、《書》、《禮》、《樂》備於周代，為學校教授內容。如孔子教人，曰：「興于《詩》，立于《禮》，成于《樂》。」又曰：「《詩》、《書》執禮，皆雅言也」，可見《詩》、《書》、《禮》、《樂》為當時通行教育內容。至於《春秋》與《易》，在六藝中屬於特殊文獻；《春秋》乃國史秘密，《易》為卜筮之書，均不教人。

孔子刪《詩》、《書》、《禮》、《樂》，贊《周易》、修《春秋》，將之同列「六經」。自此，六經之名乃成。為明此說，章太炎指出：

> 五禮著吉、凶、賓、軍、嘉之稱。今《儀禮》十七篇，只有吉、凶、賓、嘉，而不及軍禮。不但十七篇無軍禮，即《漢書》所謂五十六篇《古經》者亦無之。〈藝文志〉以《司馬法》二百餘篇入「禮類」（今殘本不多），此軍禮之遺，而不在六經之內。孔子曰：「軍旅之事，未之學也。」蓋孔子不喜言兵，故無取焉。[25]

禮分五門，今《儀禮》缺軍禮，古經五十六篇亦無。章太炎認為此乃孔子不喜言兵，故刪軍禮之故，可視為孔子刪六經之跡。

此外，古律亦官書。據《周禮》所稱，五刑有二千五百條，〈呂刑〉則云三千條，皆官書，卻不入六經。章太炎認為這些刑律，當時必著於簡冊，乃孔子不編入六經，因而至今無隻字之遺。然見《周禮・地官》之屬，州長、黨工，有讀法之舉，是百姓均須知律。他認為，刑律不入六經的原因有二：一，律者，在官之人所當共知，不必以之教士；二，孔子不以入六經者，當以刑律有改變，不為典要。[26]

章太炎更指出，春秋時人引《逸周書》皆稱《周書》，〈藝文志〉稱《逸周書》乃孔子所前百篇之餘；又《連山》、《歸藏》，漢時猶存，孔子不贊。兩者皆不入六經，實則《逸周書》與《尚書》為一類，《連山》、《歸藏》與

---

25 同前註，頁94。

26 同註24，頁93。

《周易》同為一類，在當時皆稱為經，皆為官書。因此，周代官書不悉為六經，六經則皆為周代官書。

根據以上證據，章太炎伸張六經為周代政典，為官方記錄，是皆史也的主張。其謂：

> 在六經裏面，《尚書》、《春秋》都是記事的典籍，我們當然可以說他是史。《詩經》大半部是為國事而作，像歌謠一般的，夾入很少，也可以說是史。《禮經》是載古代典章制度的（《周禮》載官制，《儀禮》載儀注），在後世本是史的一部分。《樂經》雖是失去，想是記載樂譜和制度的典籍，也含史的性狀。……《春秋》是羅列事實，中寓褒貶之意；《易經》卻和近代「社會學」一般，一方面考察古來的事跡，得著些原則，拿這些原則，可以推測現在和將來。……因此可見六經無一非史，後人于史以外，別立為經，推尊過甚，更有些近于宗教。實在周末還不如此，此風乃起于漢時。[27]

六經皆是上古之史，性質不一，呈現國家事狀、典章制度、樂制，與社會行狀、原則等。透過上溯先秦六經之源流，還原經之為官書的原貌，據此，章太炎主張六經本質為史，反對經具特殊的意義，不當於史之外，別立為經。

然而六經之所以為後人尊崇者，畢竟在其具恆常性的教誡意義，及其經世致用的價值。章太炎不同於傳統經學之探討六經的義理，那麼六經的意義與價值何在？他將六經視為「史」，其所謂的「史」，和章學誠以為凡涉著作之林皆為史的內涵，又有何不同？此皆章太炎重審六經，以六經皆史，必須續作探究的問題。

（三）史承經作，經史無別

章太炎認為後世的史，與先秦的史不同。當先秦，六藝皆為古史，史的

27 章太炎：《國學概論》（1922），收入《章太炎國學講義》，頁16。

範圍甚大。六藝分流為六經、諸子、傳記等，皆為古史。從這個層面來看，先秦經、史不分，史的範圍，猶大於經。漢代以後，經、史的內涵又與先秦不同。

漢代，經成為六經專名，然而後世對經的內容，又有所增減，從七經到十三經、二十一經。今所傳十三經，《禮記》、《左傳》、《公羊》、《穀梁》均為傳記。〈藝文志〉將《論語》、《孝經》同列「六藝」，實亦傳記。嚴格論之，六經無十三部。[28]章太炎認為，由此可見經的名目不必執定，而對段玉裁二十一經的說法，深表贊同，贊為「其言閎達，為雅儒所不能論」。[29]尤其對段玉裁將《國語》、《史記》、《漢書》、《資治通鑑》入於經，未將經史分途的作法，推為獨得之見，稱為「清儒中蓋未能或之先」者。[30]

秦漢之不分經史，清儒多有論述，章太炎本此，亦指出《漢書・藝文志》本於《七略》，凡《春秋》二十三家，《國語》、《戰國策》、《楚漢春秋》、《太史公書》、《漢著記》，均在〈六藝略〉中，未嘗別立史部，知史部本與六經同類。經史之分部，始於荀勖《中經新簿》，因史籍過多，故別立一部。在這之前，經史不分，有如王儉撰《七志》，循《七略》之體以六藝、小學、史記雜傳同名為〈經典志〉為常。據此，章太炎將六藝典籍的性質，較之後世史書，指出：

> 古之六藝，《易》與《連山》、《歸藏》同列，《詩》猶漢《樂府》，《書》猶唐《大詔令》與《雜史》，《周官》則會典，《禮經》則儀注。

28 章太炎：《國學略說》，收入《章太炎國學講義》，頁94、95。

29 段玉裁將《大戴禮記》、《說文解字》、《周髀算經》、《九章算術》、《國語》、《史記》、《漢書》、《資治通鑑》納入經的範圍。集是八家，為二十一經。章太炎評論段說，可見〈檢論・清儒〉(1914)，收入《章太炎全集》三（上海市：上海人民出版社，1982年），頁479。又見〈論經史儒之分合〉(1935) 年，收入《章太炎講演集》(石家莊市：河北人民出版社，2004年)，頁244、245。兩邊說法略有出入。在前篇，章太炎以《算經》、《算術》為書數之學，合保氏六藝之說，得入經部。後篇則準以〈藝文志〉未將二書入經部為由，改其說，謂不宜擅入經部。

30 章太炎：〈論經史儒之分合〉(1935)，同前註。

> 如《春秋》即後代紀年之史于正史之本紀耳。《七略》以《戰國策》、《楚漢春秋》、太史、馮、商諸書悉隸春秋家，經史何別矣哉？[31]

後世史書之體，可溯自六藝，可知經史同體，又見漢代將史書屬春秋家，因此從源流來看，經史無別。

此外，章太炎更細究漢代典籍，以其承六藝之流，多為擬經之作。如新汲令王隆為《小學漢官篇》，依擬《周禮》，以知舊制儀品；孔衍又次《漢魏尚書》，世儒書儀家禮諸篇，亦全規摹士禮，皆與六藝同流。[32]而司馬遷作《史記》，欲上繼《春秋》，班固作《漢書》，其於十二本紀自稱為《春秋考紀》，直至晉、宋，孫盛、習鑿齒亦自名其書曰《晉春秋》、《漢晉春秋》，皆襲經名。章太炎指出，惟史籍可襲用經名，若揚雄撰《太玄》以擬《易》，撰《法言》以擬《論語》，論者以為吳楚僭王，而史家自稱「春秋」，殊無貶詞，亦可見史本《春秋》嫡系。[33]

尤其從漢代首部史書之作──《史記》，可以看出其依六經規模構作的體式與精神。章太炎指出：

> 而史籍之承經而作也，首自司馬《史記》，其本《春秋》者，已自言之矣，他如《禮書》、《樂書》本于禮者也，相如之傳，錄其賦，用《詩經》之意也──賦者古詩之流──則史承經作，亦灼然明矣，此經與史之關係也。[34]

又謂：

> 《尚書》當然是史；《禮》經、《樂》書，等于史中之志；《春秋》便是史中紀傳，不過當時分散各處，體例未備，到司馬子長作《史記》，才合而為一，有紀有傳，有志有書。所以，史即經，經即史，

---

31 章太炎：〈與李源澄〉（1935），收入《章太炎書信集》，頁951。

32 章太炎：〈原經〉（1909），收入《革故鼎新的哲理──章太炎文選》，頁326。

33 章太炎：〈論經史儒之分合〉（1935），收入《章太炎講演集》，頁243。

34 章太炎：〈關於史學的演講〉（1933），同前註，頁172。

沒有什麼分別。[35]

認為史為經之流衍，具備經的內容與精神。因此，章太炎甚至推崇「遷固二書當與六藝並立」[36]，主張「經者古史，史即新經」。[37]甚至，將六經與《史》、《漢》同觀。

然而經史雖同源同流，章太炎也觀察到，先秦與漢以後，六藝經史的內涵實有所變化。六藝皆周代官書，先王政典，官方文獻，皆為古史。六藝官學在周末，進入民間流為六經、諸子、傳記之學。六經由六藝而來，是以從探求上古文明的角度來看，六經亦皆史也。因此，講論先秦經史學，章太炎主張「夷六藝於古史」或「六經皆史」，所謂的史，實指史料。如其謂《尚書》為「未成之史，所謂史料者爾」。[38]因而此時史的範圍概括六藝，當然也包括六經。漢代以後，史書以六經為法式，體例趨向嚴謹，這時史具有後世史籍的內涵，而為章太炎所認為具嚴格意義的史，又以漢以後史書乃承自六經體例與內涵的擬經之作，因而推贊史為新經。

總上言，章太炎分疏六經的源流，提出「夷六藝於古史」，主張「六經皆史」，所論內涵至少有個重要意義：一，詳述六藝、六經諸子及後世史學的演變歷程，建構上古學術流變的譜系；二，將六經視為上古文明之史料，所開啟六經的史學價值，使得六經不限於傳統的義理價值，而為研究中國文明變遷的重要文獻。這樣的思考與走向，始見他在一九〇二年〈致吳君遂書〉表述，自謂在戴震的小學研究中，發現掌握中國進化之跡的方式。其云：

試作通史，然後知戴氏之學，彌侖萬有，即小學一端，其用亦不專在六書七音。頃斯賓薩為社會學，往往探考異言，尋其語根，造端事小，而所證明者至大。何者？上世草昧，中古帝王之行事，存于傳記者已

---

35 章太炎：〈經義與治事〉（1932），同前註。

36 章太炎：〈與鍾正楙〉（1909），收入《章太炎書信集》，頁250。

37 章太炎：〈論讀史之利益〉（1934），收入《章太炎講演集》，頁196。

38 章太炎：〈略論讀史之法〉（1934），同前註，頁200。

寡，惟文字語言間留其痕跡，此與地中僵石為無形之二種大史。[39]

章太炎此時受時興之社會學、進化論的影響，開啟眼界，當他看到清儒小學研究的豐碩成果對古史研究的重要性，啟發他探求古代社會的興趣。一九〇二年以後，章太炎陸續作〈原學〉（1904）、〈諸子學略說〉（1906）、〈原經〉（1909）、〈原儒〉（1909）等考辨學術源流的作品。結合考鏡源流與社會進化的觀點，章太炎從不同於傳統的角度，從實然的學術歷史重審六經之學。在章太炎系統的發掘經學的史學性質下，使得傳統經學得以結合史學的方法與價值，得以走向經史學研究之途。根據這樣的經史學脈絡，章太炎批評章學誠的六經皆史說，包括宗經觀與史學觀兩個層面，而由章太炎對章學誠的批評，更可以看出章太炎有別於清儒的新時代經學觀。

三　章太炎對章學誠「六經皆史」說的反省與批評

（一）「經不悉官書，官書亦不悉稱經」：批評章學誠的宗經觀

對於章學誠的「六經皆史」說主意仍在尊經，學者多有共識。[40]他將《尚書》視為史學之祖，以其書無定法為「圓而神」的撰述之作，推其「於史也，可謂天之至矣。」而以《春秋》為《尚書》支裔，將其編年有成例，視為記注之屬。接著，又以《左傳》拘守成法，為《尚書》之降，後折為《史》、《漢》之宗[41]，推崇《尚書》，作為史學開山，而以史學為六藝支子[42]。這當

39 章太炎：〈與吳君遂〉（1902），收入《章太炎書信集》，頁64。

40 如王記錄從史學變革的視角論述章學誠的六經皆史說，指出章學誠是以崇經的心態探索史學的出路，以經為標準論述史學的發展狀況，中肯而簡要的說明章學誠之語六經皆史的動機。見氏撰：〈六經皆史：章學誠史學變革的兩難之境〉，引同註2，頁39-41。

41 章學誠：〈書教〉上中下，《文史通義校注》（臺北市：里仁書局，1984年），頁30-53。

42 如邵晉涵評〈書教〉謂：「是篇所推，於六藝為支子，於史學為大宗；於前史為中流砥柱，於後學為蠶叢開山。」同前註，頁53。

中可明顯的看到章學誠的尊經意識。再者，他主張三代以上官師合一，以六經出於政典，皆史也，又認為三代以下，治學分離，處士橫議，不盡出典章政教，使得「大道之隱也，不隱於庸愚，而隱於賢智之倫者紛紛有見也。」[43] 顯然認為三代以上官師合一之況，方為有道，對周末諸子並起，文字著述出於私家者，頗不能認同。他推崇六經之所以為經的價值，在於「經為世法」，強調六經為官書、為政教典章之所出的意義。因而相對的，他鄙薄私作，貶抑諸子學與史學，而強調史不當私作，六經不當僭越，事實上是限制了史的範圍，高推六經的典範地位。

章太炎接受章學誠六經皆史，乃三代治教合一所出的觀點，也認同章學誠引申《漢書・藝文志》諸子出於王官，以諸子有如《莊子・天下》篇所謂耳目鼻口皆有所明、不能相通的說法，卻不同意章學誠以經出於官作、庶人不當僭擬、史不當私作等尊經抑史的觀點。他批評章學誠尊崇六經之為「經」的獨特性與權威性，而主張先秦時經不為六經之專名，且「經不悉官書，官書亦不悉稱經」。[44]

他論述秦漢典籍多有以經為名的著作，舉證如《吳語》稱「挾經秉枹」，以兵書為經；《論衡・謝短》謂「五經題篇，皆以事義別之，至禮與律獨經也。」乃以法律為經；《管子》書有謂經言、區言。又如〈律曆志〉序庖犧以來之帝王世系者，為《世經》；辨疆域者有《圖經》，可見名經之書甚夥。

那麼經書之名如何而來？章太炎認為，名經之書，當始於師友讎對之辭，如《墨子》有〈經〉上、下，《韓非》有〈內儲〉、〈外儲〉，賈誼《新書》有〈容經〉。而孔子作《孝經》，到漢代《七略》始傅六藝，又如《史籀篇》、《世本》，皆出於官守，卻不稱為經。[45]可見經之名、實有其變化，不為六經專稱，亦不必盡為官府文書。

---

43 章學誠：〈原道〉中，收入《文史通義校注》，頁132。

44 章太炎：〈原經〉（1909），收入《革故鼎新的哲理——章太炎文選》，頁328。

45 同前註，頁325、326。

章太炎認為周末以後，私家著述蔚然成風，且多擬經之作，固學術發展之必然，不當以公私之分，定其高下。其謂：

> 老聃、仲尼而上，學皆在官；老聃、仲尼而下，學皆在家人。正今之世，封建已絕矣，周、秦之法已朽蠹矣，猶欲拘牽格令，以吏為師，以官于大夫為學。[46]

在老子與孔子之後，官學一變而為私學，實為周末學術一大變動。當章學誠猶持治學合一之理念，拘於周、秦不切時宜之法，執守以吏為師，將先王之法一概作為後世著述的標準，實不能公允的看待周末學術之發展。經既不為六經之專稱，亦不悉官作，固不當執以公私之分，特尊六經，貶抑私人著述的價值，甚至以此菲薄後人擬經的著述。因此，章太炎也不同意章學誠之不滿庶人僭擬官書，深非揚雄擬《易》以作《太玄》、王通擬作《元經》的意見。章太炎指出，後世擬經者甚夥，多出於私人著述，可從三點來看，一、周公作《周髀算經》，張蒼以計相計章程，而次《九章算術》，為識王官失紀，乃自為律曆籌算之書。二、〈明堂月令〉為授時之典，本無百姓參酌之處，而崔實擬經而作《四民月令》。三、古之書名，掌於行人保氏，故史籀在官為之，李斯、胡毋敬等皆在官為之。然至漢，則有《凡將》、《訓纂》，非出於王官之職而作者。又如許慎撰《說文解字》之後，猶有呂忱、顧野王諸人，續之不絕。凡此，世皆無咎其僭擬，可見經非但不為不可擬，且後人多以擬經為法式。是以他認為「後生依其式法條例則是，畔其式法條例則非，不在公私也」。[47]

更何況，章學誠推尊六經，以先王政典不可私作，與後人尊推六經之況相齟齬，首先衝突的便是孔子與《春秋》的關係。《春秋》是孔子去司寇以後修作，乃私修僭作，然而《春秋》卻不因其為私修，仍受後人尊崇，那麼經典出於官修或私修，絕非世人尊其為經的必要條件。[48]因此，章太炎認為

46 同註44，頁328。

47 同註44，頁326。

48 同註44，頁327。

經書之所以名其為經，有其源流演變，並非特定的歷史條件下的產物。

由上可知，章太炎談「六經皆史」的進路與章學誠不同。章學誠從道器論經之存在與價值，推論經之所以為經的原理原則。章太炎則從實然的學術發展來看經的內涵與意義的變化。他既不滿意清儒以經為天下公理的治學理念，也大幅的修正章學誠經史學的觀念，確立經非皆先王之政典、官修或私修不礙著述價值的前提，全盤打破傳統既有的經學觀念，從不同的角度審視經學。他反對章學誠籠統的以《尚書》為後世史學之祖，主張《春秋》具備官書之經與正式之史的體例與內容，是六經從先秦史料意涵轉向後世史學意涵之關鍵，而為中國經史學發展之關鍵典籍。

（二）《春秋》為史學之祖——批評章學誠的史學觀

章學誠論六經皆史，將《春秋》掛在《尚書》的脈流下，以《尚書》為後世史學之典範，推為史學之祖。[49]雖然章太炎論六經皆史，乃接踵章學誠以二十三史為春秋家學之說[50]，卻不同意章學誠將《春秋》引為《尚書》之流，而將二典準以「徵實」的原則，就內容與體例，重新評價《尚書》和《春秋》對後世經史學的影響。

章太炎認為六經皆史料，《尚書》即屬體例未備之史料，指其「或紀言，或紀事，真有似斷爛朝報無年可尋」，當中若無《詩序》指引，實無從

49 章學誠謂：「《尚書》《春秋》皆聖人之典也。《尚書》無定法，而《春秋》有成例。故《書》之支裔，折入《春秋》……史氏繼《春秋》而有作，……」（《文史通義‧書教》，頁49。）知章氏以《春秋》為《尚書》支裔，後世史書又為《春秋》流裔，固實推《尚書》為史家之祖。其又謂：「夫史為記事之事。事萬變而不齊，史文屈曲而適如其事，則必因事命篇，不為常例所拘，而後能起訖自如，無一言之或遺而或溢也。此《尚書》之所以神明變化，不可方物。」《文史通義‧書教》，頁52。）乃是以《尚書》為史書典範。

50 章太炎多次表明其觀念實受章學誠的啟發。關於《春秋》之說，章學誠謂：「二十三史，皆《春秋》家學也。本紀為經，而志表傳錄，亦如左氏傳例之與為終始發明耳。」（《校讎通義‧宗劉第二》，《文史通義校注》，下冊，頁956。）

知其條貫？當中偶有紀年者，亦不甚明白。如〈太誓〉云「唯九年四月」，實不明何王之九年。〈洪範〉云「唯十有三祀」，亦不明何王之十三？紀年有稱「唯十有三祀」，或稱「既克商二年」者，紀年之法不統一。[51]再者，從傳播影響來看，《尚書》散漫無紀，藏之於故府，國亡，則人與事不復存，即如太史公所云「史記獨藏周室，以故滅」。換言之，《尚書》篇章不下於庶人，形成流傳困難，加上內容闊略而無統紀，亦令其無從查考。[52]因此，從實質內容與影響來看，《尚書》實不成為史學之祖。

再者，章學誠將史學之源推跡《尚書》、以為知來之創的說法，猶有可議。蓋《尚書》體例未備，無法作為後史法式，故章學誠又以《春秋》為二十三史之祖，實際上是空推《尚書》為史學典範，實以《春秋》為史學法式。章太炎也看到了《尚書》體例未備，與《春秋》相較，實未足以成為史學典型，而指出《尚書》「史法草苴暨哉」[53]，非質言以紀事者，流別實異於《春秋》[54]。換言之，《尚書》不足為史學典型，《春秋》亦非《尚書》之支裔，乃是自成典型，具體作為後世史學之法式者。

章學誠以《春秋》、《詩》、《禮》為史書楷模，將其經世之志，落實在方志的撰寫上[55]，章太炎批評其「實未作史，徒為郡邑志乘，固無待高引古義。」[56]以章學誠的史學理論，其用只在方志。[57]依章太炎看來，史之所

51 章太炎：〈春秋三傳之起源及其得失〉（1933），收入《章太炎講演集》，頁154。

52 章太炎：〈原經〉（1909），收入《革故鼎新的哲理——章太炎文選》，頁330、331。

53 章太炎：《春秋故言》（1914），收入《中國現代學術經典——章太炎卷》（石家莊市：河北教育出版社，1996年），頁195。

54 同註50，頁330。

55 見章學誠〈答甄季才論修志第一書〉謂：「丈夫生不為史臣，亦當從名公巨卿，執筆充書記，而因得論列當世，以文章見用於時。如纂修志乘，亦其中之一事也。」（《文史通義校注》，頁821-822），表示即使不能做為史臣，也可以將撰述方志視為其經世實踐。他又作〈方志立三書議〉，「凡欲經紀一方之文獻，必立三家之學，而始可以通古人之遺意。……古無私門之著述，六經皆史也。後世襲用而莫之或廢者，惟《春秋》、《詩》、《禮》三家之流別耳。」（同前，頁571-577）將方志視為其經世史學的實踐。

56 章太炎：〈與吳君遂書〉（1902），收入《章太炎書信集》，頁64。

57 章太炎：〈與人論國學〉（1908），同前註，頁217。

記，大者為《春秋》，細者為小說。如小說家之《周說》者，為漢武帝時方士虞初以侍郎為黃車使者，采閭里得之，方志當為此類。如《周說》者一則非朝廷之務者，再則非以國別為史如《國語》之倫者，漢代皆不列錄於春秋家，即不列於史部。[58]而且，孔子《春秋》，取周室百二十國寶書，記述各國國政，不下通於地齊萌俗，若《管子．山權數》曰：「《春秋》者，所以記成敗；行者，道民之利害也。」之倫。[59]因此《春秋》乃載史之大者，當章學誠將方志與國史同論，欲令方志體例追跡六經，「欲以遷、固之書相擬，既為表志列傳，又且作紀以錄王者詔書，蓋不知類。」[60]從規模弘大講論六經為先王政典，推崇六經為廣大精深的經世典範，將之轉衍到史學理論，最後落實在方志學，逕將六經視為史志書體的典範楷模，而將方志體比擬六經，是無視於兩者存在著國史與地域方志的巨大落差，實不明《春秋》書國史的意義與價值所在。

從而，他從推溯上古古史內容與推後世史學之源兩方面推崇《春秋》為史學之祖。其一，究其實，《春秋》以前古史，皆茫昧無緒。而謂：

> 今人以為古聖制禮作樂，必無不能紀年之理。其實，非惟周公未知紀年之法，即孔子亦何嘗思及本紀、世家、列傳哉！[61]

並引證四點以明此況：

一，太史公〈三代世表〉謂：「余讀牒記，黃帝以來，皆有年數，稽其曆譜牒終始五德之傳，古文咸不同乖異。夫子之弗論次其年月，豈虛哉！」可見史公所見周秦以前書不少，而紀年各不同。

二，觀《竹書紀年》，自黃帝以來，亦皆有年數。而與王孫滿所稱「鼎遷於商，載祀六百」之言違異，乃後人據曆推之，各家所推不同，故所言各

58 章太炎：〈原經〉（1909），收入《革故鼎新的哲理——章太炎文選》，頁334。

59 章太炎：〈尊史〉（1904），收入《訄書詳注》（上海市：上海古籍出版社，2000年），頁794、795。

60 同註56，頁335。

61 章太炎：《國學略說》（1935），收入《章太炎國學講義》，頁134。

異。

三，太史公不信譜牒，故於三代但作〈世表〉，共和以後，始著〈十二諸侯年表〉。

四，《大戴禮‧五帝德》稱宰予問於孔子曰：「昔者，予聞諸榮伊令，黃帝三百年。請問黃帝者人耶？抑非人耶？何以至于三百年乎？」如當時有紀年之書，宰予何為發此問哉！

五，劉歆作《三統曆》以說《春秋》，班氏以為推法密要，然周以前不可推。以古人曆疏，往往有日無月，不能以月日推也。

可見中國古代無完全之史，遑論具有史法之史，而認為中國歷史直至《春秋》之紀事臚言，書有定法，始令前代實事，昭明後世。而以《春秋》記述文明實事，作為中國始具史法之典籍，其開化文明之功莫大乎此！其價值與典型意義，當推為史學之祖。

其二，就性質、源流與體例而言，後世之史乃皆《春秋》之流。然而歷代春秋學深受漢儒影響，或以日月為例，或謂《春秋》以一字定褒貶，或以《春秋》春秋正月、春王二月、春王三月，合用三正而有通三統之說，或以《春秋》具有所見異詞、所聞異詞、所傳聞異詞，分其編年為所見太平之世、所聞升平之世、所傳聞撥亂反正之世，以為三世之說。凡此，章太炎予以駁斥，認為這些說法，三《傳》皆無明文，不足置信。他也反對歷來以《春秋》之作，在使亂臣賊子懼的說法，認為「蓋《春秋》之作，貴在勸戒，非但明罰而已。後有荀悅之《漢紀》，司馬光之《通鑑》，其效正同。」不當如前儒以公理大法之見測知《春秋》之義，而當以史書勸戒之效，據實事以明其源。從這個立場來看，章太炎認為《春秋》與歷代史籍的性質效用其實是一樣的。

雖然後代史家對六經如何為史學源流，看法不一；如劉知幾《史通》言《尚書》記言，《春秋》記事；《隋書‧經籍志》分正史、古史，以《史》、《漢》屬正史，《兩漢紀》、《晉春秋》、《漢晉春秋》屬古史，皆將六經概視為後世史籍淵源，章太炎為明其實事，則指出《七略》、〈藝文志〉將史書歸入春秋家，而馬、班著史的精神亦承自《春秋》。其謂：

> 然六經之中正式之史，厥維《春秋》。後世史籍，皆以《春秋》為本。……史公〈自序〉曰：「有能紹明世，正《易傳》，繼《春秋》，本《詩》、《書》、《禮》、《樂》之際，意在斯乎？小子何敢讓焉」。班固亦有類此之語。由今觀之，馬、班之言，並非夸誕。[62]

雖然遷、固史書之體，隱括六經之旨而成文，於《書》、《詩》、《禮》、《樂》無所不該，然其志又特在紹繼《春秋》。其次，根據六經內容與史書體例，溯其源流，章太炎指出《尚書》非全記言，亦有記事之文，如〈禹貢〉記地理、〈顧命〉記喪事，而認為《尚書》乃集合檔案而成，為史法未具之書。故後人作史，法《春秋》而不法《尚書》，而以《春秋》難法，故法《傳》而不法經，如《兩漢紀》、《資治通鑑》。他認為，如《兩漢紀》、《晉春秋》、《漢晉春秋》體例皆循《春秋》體系，隸屬古史。歷代史籍，雖以紀傳體為主，其體備於《史》、《漢》，故以《史》、《漢》為正史。《史》、《漢》之體，兼涉六經。表、志，如《樂志》、《禮志》，《樂志》，取法於《周禮》、《儀禮》、《樂經》。然本紀、編年、紀錄等大體，仍似《春秋》。《史》、《漢》之後，表、志多付闕如，與《春秋》多不相同，但是紀、傳仍準以《史》、《漢》。因此，所謂古史仿自《春秋》體例，正史中亦多《春秋》體例的書寫方式，可見後世史籍體例皆淵源自《春秋》經傳。[63]

章太炎進一步聲張孔子作《春秋》的價值，認為六藝諸典為大史中秘書，時人如墨子、倚相、萇叔皆聞六藝，卻不能降志于刪定六藝，惟有孔子繼志述事，承守臧史老聃之績。因此，章太炎認為「布彰六籍，令人人知前世廢興，中夏所以創業垂統者，孔氏也。」[64]又贊孔子「自老聃寫書征臧，以詒孔氏，然後竹帛下庶人」。因推之「不曰『賢于堯舜』，豈可得哉！」[65]從這個角度推揚孔子之功。

62 章太炎：〈歷史之重要〉（1933），收入《章太炎講演集》，頁151。

63 章太炎：〈論經史儒之分合〉（1935），同前註，頁243、244。

64 章太炎：〈訂孔〉（1914），收入《中國現代學術經典——章太炎卷》，頁208。

65 同前註，頁208、209。

因此，當我們從六經皆史的理路來看一九〇〇年《訄書》之〈訂孔〉，可知章太炎主要針對傳統經學觀立論，反對以六經為聖人之道之所存，孔子作六經而為聖人之論。所謂「訂孔」之論，無非是要破除前人分別經史、尊經抑史的經學觀。這樣的理路，中年以後猶未改變，故一九一四年刪修《訄書》篇章成《檢論》，猶存〈訂孔〉上、下篇。可見他仍然反對傳統尊孔觀，而堅持以史學之祖推贊孔子開化之功。

相對的，由這個立場來看孔子之學，章太炎主張孔子學當以歷史學為宗。他說：

> 若夫孔氏舊章，其當考者，惟在歷史，戎狄豺狼之說，管子業已明言。上自虞、夏，下訖南朝，守此者未逾越，特《春秋》明文，益當保重耳。——故僕以為民族主義，如稼穡然，要以史籍所載人物制度、地理風俗之類，為之灌溉，則蔚然以興矣。——
>
> 孔氏之教，本以歷史為宗，宗孔氏者，當沙汰其干祿致用之術，惟取前王成跡可以感懷者，流連弗替。《春秋》而上，則有《六經》，固孔氏歷史之學也。《春秋》而下，則有《史記》、《漢書》以至歷代書志、記傳，亦孔氏歷史之學也。[66]

主張除去前人通經致用說，將孔子《春秋》以上，六藝以及六經種種，視為歷史學，也將《春秋》以下，史學的創發，也視為歷史學。前者為史料，後者則為正式之史，而以《春秋》為其轉變之樞紐。

總前述，章學誠「六經皆史」的主張，將聖人之道的創制者由孔子轉擴為三代先王，強烈衝擊著對漢代以降的經學觀，一方面使得所謂的聖人之道不限於孔子之理，令何謂聖人之道的論述有了重新討論空間，另一方面亦可見章學誠仍在傳統尊經觀念的框架下，以六經為先王政典時，將經視為經綸天下，猶推尊經之恆常、公理的價值。章太炎接受前者，質疑後者；反對傳統賦「經」與恆常性、神聖性，主張「夷六藝於古史」、「六經皆史」，並信

---

66 章太炎：〈與鐵錚〉（1907），收入《章太炎書信集》，頁179。

而有徵的追溯「經」在秦漢時期的原始意涵，重省「經」的性質與意義，從中推溯六經之一的《春秋》實為史學之祖，當為中國經史學發展之關鍵。從學術史的角度來看，章學誠與章太炎經史觀存在著這樣的差別，實乃經史論述推進的歷程，此如周予同所指出，「宋儒以史來補充經，章學誠則以史看經，把『經』和『史』地位完全相等了。……章學誠的觀點，超過了前人。龔自珍講過類似的話，但尚未鑽進去研究。魏源也有較切實的意見。章太炎更進一步認為，孔子就是史學家，見於〈訂孔篇〉；《春秋》就是歷史書。」[67]從章學誠到章太炎，經學有著觀念上的重大轉變與發展。

四　結論：章太炎「六經皆史」說的貢獻

章太炎論「六經皆史」，建立在可考的文獻資料上，脈絡明晰的呈現出中國學術發展的歷史進程；三代六藝在周秦分流為孔子六經與諸子，由孔子《六經》在漢代衍流為後世史學，信而有徵而視域寬廣的脈絡出中國文明與學術文化的發展架構，詳述六藝、六經至後世史學接承之跡與學術繁衍、分化的階段性歷程。章太炎的「六經皆史」論，不僅展衍並開闊了章學誠的經史論述，更引領變動中的傳統經學走出新格局，使得六經不限於傳統的義理價值，得以結合史學的方法與價值，走向經史學研究嶄新局面。其說之影響與啟發可由三方面來述說。

首先，章太炎論「六經皆史」，較章學誠更深一層，而且實事求是的考據《六經》源流與演變，提出六藝演為六經的歷程，使得六經成為研究上古史的根本文獻，提供了研究中國文明與學術文化演進歷程的理論基礎。民初的古史論戰以及新史學發展，「六經皆史」實為學者論述的基本理念。見胡適（1891-1962）、錢玄同（1887-1939）、顧頡剛（1893-1980）與傅斯年（1896-1950）等嘗試走出新文化、新思維的民國學者，從史學的眼光來看

67 許道勛、沈莉華整理注釋：〈周予同論經史關係之演變〉，《復旦學報》（社會科學版）1998年第1期，頁88。

六經，皆在「六經皆史」這一理念框架下的論辯思考。他們多將「六經皆史」視為「六經皆史料」，完全從史學的立場暢述其說，可見章學誠尊經意識下的「六經皆史」說，在民初成為史學學門的活水源頭，將史料文獻的範圍擴及上古史。然而民初學者非為尊經而究經，而是在疑經的立場下研究六經，當中的觀念轉折，當是繼「六經皆史」後，章太炎「夷六藝於古史」觀念的提點。即如顧頡剛曾自剖道：「我願意隨從太炎先生之風，用了看史書的眼光去認識六經，用了看哲人和學者的眼光去認識孔子。」[68]說明其古史思想實受章太炎的啟發。由此可知，由疑古史、辨古史，至重建古史，民國史學由此開展不同於傳統的新氣象，六經成為史學研究根本的一環，章太炎的「六經皆史」說實開啟民國史學的新視域與新的研究方向。

第二，章太炎考據六經源流與傳統經學觀念的形成，證明孔子乃是刪述六經而非作六經，揭發傳統以六經為孔子經世之道，乃漢代今文學宗經觀念流風所及，透過還原秦漢之經學與六經面貌，打破傳統對於孔子六經之學的盲目崇拜，還復六經史學層面的性質與價值。這樣的溯始與重塑秦漢經學的歷程，衝擊著傳統以六經為天下公理的經學觀，使得六經的性質究實為何？有著更寬廣的討論空間。

第三，章太炎承《漢書・藝文志》諸子出於王官、章學誠之官師合一論，明晰出六藝、孔子六經、漢以後史學的演變脈絡，當中究竟為何？猶有深論證實的必要。有如章太炎之後，有胡適起而反對諸子出於王官說，對於六藝諸子的分化有不同的見解，當中之是非，如今當有更一步的證成與伸張。這樣的從學術史的角度研究經學，一方面如侯外廬所評價，以章太炎為中國學術史研究的先聲[69]，另一方面章太炎將經學結合史學，以治史的方法

68 顧頡剛：〈古史辨第一冊自序〉，《顧頡剛古史論文集》第一冊（北京市：中華書局，1988年），頁23。當然，疑古學者也受者康有為等疑經的影響，他們在方法上延續著康有為不信文獻記載的辨偽態度，終致疑六經、疑古史，甚至不信一切古書，但這樣的影響是方法上的，而非觀念上的。關於疑古思想的方法論述，可參考彭明輝：《疑古思想與現代中國史學的發展》（臺北市：臺灣商務印書館，1991年），頁62。

69 侯外廬認為章太炎是中國近代第一位有系統地嘗試研究學術史的學者。參見侯外廬：《近代中國思想學說史》（重慶市：生活書店，1947年），下，頁826。

治經，實開出近代經學的新路向，亦得以令晚清以來備受質疑的經學，重新建立在堅實的實證基礎上。

最後要說明的是，章太炎有眾多弟子門生衍承其學，在「六經皆史」說的影響下，其弟子多走向史學，以治史的方法治經。如錢玄同表示對於經學的態度是站在歷史的立場上，研究經的本來面目，而認為經是古代史料的一部分[70]；朱希祖亦說：「先師之意，以為古代史料，具於六經，……且推先師之意，即四部書籍，皆可以史視之，即亦皆可以史料視之，與鄙意實相同也。」[71]而直接提出捐除「經學」之名，在當時形成了廣大的影響力。章門弟子又先後在北大建設史學系，成立中國史學界第一個歷史學會，全力在制度上將史學推向專業與獨立化。[72]然而章太炎倡言經史學，並不代表他反對六經經義的價值，這一部分的論述在其晚年深有體會，而主張六經為國學的主要內容，將《孝經》、《大學》、〈儒行〉、〈喪服〉等富有義理與教化價值的經典篇章視為國學之統宗，極力聲張「讀經有利而無弊」。經史發展同源而不同質換言之，他從學術史的脈絡上主張經史同調，卻不意謂著他將經學等同於史學，而捐棄經學的名目與傳統價值。因此，他對於經學的總體闡述與理念主張為何？這關連到現代經學如何接續民初學人在經學上的見識與主張，猶待我們深究。[*]

---

70 錢玄同：〈重論經今古文學問題〉，《古史辨》（上海市，上海古籍出版社，1982年），冊5，頁27。

71 朱希祖：〈章太炎先生之史學〉，《文史雜誌》第5卷第11、12期，頁3-5。

72 章門弟子的學術主張與史學貢獻，可參考盧毅：〈章門弟子與中國近代史學轉型〉，《史學月刊》2006年第10期，頁104-110。

* 經　審查教授指教，以章太炎之評判章學誠「六經皆史」說，可能存在著章太炎欲完成其自身理論時的誤解，此當細加推敲。本文僅說明兩人經史觀進路上的差異，未能全面深論章學誠文史觀以進行，這部分有待他日，感謝　審查教授之提點，謹此誌謝。

讀章太炎先生〈原儒〉札記

何廣棪
香港樹仁大學中國語言文學系教授

前言

章太炎先生（1869-1936），清末民初國學大師，著作富贍，尤以所撰《章氏叢書》正、續編創獲至豐，有功學術，蜚聲於世。

章氏長於儒學，曾於晚清宣統元年（1909）撰〈原儒〉一篇，分「達名」、「類名」、「私名」三科以察儒之變遷，甚具創意；民國二十三年（1934），胡適之先生撰〈說儒〉，針對章氏所述，進行討論，諸多商榷，頗具突破成效；然胡氏所論說者，錢賓四先生多未以為然，抗戰期間乃撰〈駁胡適之說儒〉，民國三十一年（1942）一月初刊成都《學思雜誌》一卷一期，民國四十三年（1954）一月，又轉載於香港大學《東方文化》一卷一期中。

章、胡、錢三氏因察儒而論儒，輾轉辯論，實乃一具深意之學術研究公案。然近半世紀以還，似未見有學者詳加論說，並作系統性之探究者。其後雖有大陸學者王曉清著《章太炎學記》，然其書中亦未考及此篇；陳平原、杜玲玲合編《追憶章太炎》，二〇〇四年且出版增訂版，收文八十九篇，而其間竟無一文憶及章氏撰〈原儒〉及胡氏與之論辯事。故余頗擬撰寫〈從章太炎先生〈原儒〉、胡適之先生〈說儒〉，以迄錢賓四先生〈駁胡適之說儒〉〉一文，以詳加述說，並釐清此綿延百年之學術公案。然礙於撰作需時，又囿於研討會論文篇幅所限制，未能成事。茲不得已乃僅先就太炎先生〈原儒〉一文，撰成札記數則，用申淺見，以就教座上諸君子。如有未是之處，尚祈指正是幸。

一 〈原儒〉之作年

余讀章太炎先生〈原儒〉，其初乃就《章氏叢書》正編、《國故論衡》下卷〈諸子學〉所收此文而研閱，唯文中未署作年，故一時亦未能曉悉也。及後檢視潘承弼、沈延國、朱學浩、徐復合輯《太炎先生著述目錄初編》，其書卷上〈已刊之部〉二〈論文〉丙〈諸子〉著錄：

> 〈原儒〉《國粹學報》第五十九期（宣統元年己酉）。[1]

按：宣統元年己酉，即西元一九〇九年，其年章氏四十二歲。又檢《太炎先生自定年譜》「宣統元年」條載：

> 《民報》既被禁，余閒處與諸子講學。[2]

則〈原儒〉一篇，蓋章氏為群弟子講學而撰者也。

再檢姚奠中、董國炎合著《章太炎學術年譜》，其書「清宣統元年」條載：

> 九、十月間，發表〈原經〉、〈原儒〉、〈原名〉，均載於《國粹學報》，後收入《國故論衡》時有改動，容據定本述之。[3]

據上述三條所記，則〈原儒〉於清宣統元年（1909）九月發表於《國粹學報》第五十九期，其後收入《國故論衡》，則內容有所改動。而〈原經〉一篇，亦刊見《國粹學報》第五十九期，〈原名〉則見當年十月《國粹學報》第六十期。唯〈原經〉一篇亦收入《章太炎文鈔》卷二，《章太炎學術年譜》未載及，似可補。

---

1 潘承弼等：《太炎先生著述目錄初編》，見章炳麟《太炎先生自定年譜》（香港：龍門書店，1965年），附錄三，頁84。

2 章炳麟：《太炎先生自定年譜》（香港：龍門書店，1965年），頁13。

3 姚奠中、董國炎：《章太炎學術年譜》（太原市：山西古籍出版社，1996年），頁139。

二　「原儒」、「達名」、「類名」、「私名」釋義

太炎先生撰〈原儒〉，其文開宗名義即曰：「儒分三科，達、類、私之名。」惟於「原」、「達」、「類」、「私」四字，未嘗釋其義，難知確解。茲擬略作考述，以探太炎先生之意。至所考是否有當，尚乞專家學者裁奪。

「原」字之釋義甚多，今人宗福邦等所編《故訓匯纂》[4]「原」字條所收釋義多達九七條，若粗略以觀，頗易以「原」字作「本」解，或作「源」解，以為即切近章氏「原儒」之義。《故訓匯纂》「原」字條第九載：

> 原，本也。《管子・兵法》「一之原也」尹知章注；《莊子・天地》「君原於德而成於天」陸德明釋文；〈天下〉「皆原於一」成玄英疏；《孟子・離婁下》「則取之左右逢其原」焦循正義；《荀子・儒效》「俄而原仁義」楊倞注；……[5]

是尹知章、陸德明、成玄英、焦循、楊倞諸人皆釋「原」為「本」者也，若依之而釋「原儒」，則「原儒」作「儒之本」解矣。

《故訓匯纂》「原」字條第一四又載：

> 原作源。《禮記・學記》「或原也」陸德明釋文：「原，本又作源。」（《說文・驫》朱駿聲通訓定聲：「原，俗字作源。」）[6]

是陸德明以原、源為一字，故曰「本又作源」；朱駿聲則以為原、源乃正、

4　宗福邦、陳世鐃、蕭海波主編：《故訓匯纂》（北京市：商務印書館，2003年），其書乃繼清阮元《經籍籑詁》之後而作。書中內容不但全收《爾雅》、《小爾雅》、《方言》、《說文解字》、《釋名》、《廣雅》、《玉篇》、《廣韻》、《集韻》、《類篇》等十部小學專書之義訓條目，且兼收經、史、子、集之故訓，又擴充至近代筆記與佛經注釋。篇幅甚大，約為《經籍籑詁》之四倍，一千三百萬字，實能克服阮氏書中蒐輯不備之缺點。（參考王寧〈《故訓匯纂》序〉）

5　同前註，頁292。

6　同前註。

俗字之分，故謂「俗字作源」。若依此而作解，則「原儒」應釋作「儒之源」矣。

然細考〈原儒〉之文，其內容駁雜繁多，似非僅述及儒之本，或儒之源者，故竊以為「原」作「本」解，或作「源」解均不適合。

《故訓匯纂》「原」字條所收釋義中，其「原」字另有作「廣平之野」、「再」、「復」、「謹厚」、「赦」等解者，均與章氏「原儒」題意甚不切合，故不具論。

考《故訓匯纂》所載「原」字條亦有釋作「察」與「察度」者，其「原」字條第五九載：

> 原，察也。《管子・戒》「春出原農事之不本者」尹知章注。[7]

又其「原」字條第六〇載：

> 原，猶察度也。《周禮・地官・土訓》「以辨地物而原其生」孫詒讓正義。[8]

是則尹知章以「原」字作「察」解，孫詒讓則作「察度」解。二者所釋略為相同。今考太炎先生〈原儒〉，其文初則分「達名」、「類名」、「私名」三科以察「儒」事，其後更察及「五經家」、「類名宰私名」、「私名宰類名」、「私名宰達名」種種情事，[9]是則章氏所察於「儒」之事，蓋夥且深矣！故竊以為章氏既以「原儒」命題，其文且從多方面以考察儒事，則其命題之意，絕不應僅作儒之本或儒之源解也。

若就此義而申論之，「原儒」既可釋為「察儒」，則舉凡章氏文章如〈原經〉、〈原名〉，皆可作「察經」、「察名」釋矣！又《章氏叢書》中如〈原學〉、〈原道〉、〈原人〉、〈原變〉、〈原墨〉、〈原法〉、〈原教〉等文之「原」

---

7 同註4，頁293。

8 同前註。

9 章炳麟：〈原儒〉，《國故論衡》，收入《章氏叢書》（臺北市：世界書局，1982年），頁478-480。

字，亦同可解作「察」矣！

太炎先生於其文中，對「達」、「類」、「私」三字亦未見有所釋義，[10]茲擬再就《故訓匯纂》所輯釋義以為述說。

「達」字，《故訓匯纂》所收釋義凡九一條，其作「通」解或「大」解者似最得章氏「達名」之意。《故訓匯纂》達字第二條載：

> 達，通也。《書・舜典》「達四德」江聲集注音疏；〈皋陶謨〉「達于上下」江聲集注音疏。[11]

是清人江聲均以「通」釋「達」，是則章氏之「達名」，似可稱為「通名」也。

而「達」字又可作「大」解，《故訓匯纂》「達」字第六六條載：

> 達，叚借為大。《說文・辵部》朱駿聲通訓定聲。[12]

朱駿聲《說文通訓定聲》以「達」為「大」叚借字，是則「達名」亦可稱為「大名」矣。

「達名」，既有「通名」、「大名」之義。竊以此推章氏謂儒有達名一科，蓋指儒有廣義之儒。故章氏文中於述「達名」之儒後，其所作結論謂：

> 是諸名籍，道、墨、刑法、陰陽、神仙之倫，旁有雜家所記，列傳所錄，一謂之儒，明其皆公族。[13]

如章氏以上所說，則廣義之儒，其內容幾涵蓋先秦諸子各家、中國西漢前學

---

10 章太炎先生「儒分三科，達、類、私之名」。此語實出《墨子・經上》第四十「名，達、類、私」一語。前人亦未嘗釋義。至適之先生〈說儒〉始謂：「《墨子・經上》、篇說名有三種：達，類，私。如『物』是達名，『馬』是類名，『舜』是私名。」唯亦未釋達、類、私三字之義。即撰《墨子閒詁》有名於世之孫詒讓，亦未於其書中解及達、類、私三字。

11 宗福邦等：《故訓匯纂》，頁2295。

12 同前註，頁2296。

13 章炳麟：〈原儒〉，《章氏叢書》，頁478。

術之全部，故章氏又以「公族」稱之。是更可證明「達名」之儒，章氏確視之為廣義之儒矣。

「類」字，《故訓匯纂》所收釋義凡一三七條，「類」有「偏」義，亦可作「偏頗」解。《故訓匯纂》第一〇四條載：

類，偏也。《集韻．隊韻》。[14]

又第一〇五條載：

類，偏頗也。《集韻．賄韻》。[15]

是《集韻》以「偏」、「偏頗」釋「類」字，是故〈原儒〉一文之「類名」，或即作「偏名」解。類名即偏名，明其與達名所涵蓋甚廣者相異。「類名」之儒，僅偏於儒之一端，故章氏〈原儒〉釋類名之儒云：「類名為儒，儒者，知禮樂射御書數。」[16]是章氏指「類名」之儒，其所習者乃僅局限於禮、樂、射、御、書、數，遠非「達名」之儒既涵蓋「道、墨、刑法、陰陽、神仙」之儒，且及於「雜家所記，列傳所錄」可比也。是「類名」既釋作「偏名」；「偏」則有所偏頗，故不如「達名」涵蓋之廣大也。

「私」字，《故訓匯纂》所收釋義凡九五條，私有小義，其義亦與「達」具大義者剛相反。《故訓匯纂》「私」字第四一條載：

私，小也。《廣雅．釋詁二》。[17]

又第四二條載：

私，小也。自關而西秦晉之郊、梁益之間，凡物小者謂之私。《方言》卷二。[18]

---

14 宗福邦等：《故訓匯纂》，頁2506。

15 同前註。

16 章炳麟：〈原儒〉，《章氏叢書》，頁479。

17 宗福邦等：《故訓匯纂》，頁1618。

18 同前註。

章氏〈原儒〉「私」字如作「小」解，乃可相對「達」字作「大」解。故〈原儒〉所云之「私名」，殆亦可謂之「小名」也。太炎先生於〈原儒〉中僅據劉歆《七略》以釋儒之「私名」(即《漢書·藝文志》所釋)，其言曰：

> 私名為儒，《七略》曰：「儒家者流，蓋出於司徒之官，助人君，順陰陽，明教化者也。游文于六經之中，留意於仁義之際，祖述堯、舜，憲章文、武，宗師仲尼，以重其言，于道為最高。」[19]

據是，則「私名」之儒，其包含之廣大遠不及「達名」，唯又不如「類名」之偏頗；至「私名」之儒既能游文六經，留意仁義，祖述堯、舜，憲章文、武，宗師仲尼，以重其言，故於道為最高矣！就此以推之，竊謂章氏察儒之後，其所崇揚者非「達」、「類」之儒，而實為「私名」之儒矣！

「達名」之儒即指廣義之儒，「類名」之儒指偏義之儒，而「私」字釋「小」，則「私名」之儒乃指狹義之儒矣！章氏察儒，依其所撰文章之發展，乃由「達名」而「類名」，而「私名」；至其於「私名」儒者之界定，乃一秉劉歆《七略》所述為依歸，並表崇敬之意。就此而觀之，則章氏研儒、察儒之先後進境，固曉然可悉；若就其全文深考之，則其撰文之結穴處，尤在「私名」之儒也。

三　章太炎先生論「類名」之儒

章氏〈原儒〉文中有論及「類名」之儒者，其文曰：

> 類名為儒，儒者，知禮樂射御書數。〈天官〉曰：「儒以道得民。」說曰：「儒，諸侯保氏，有六藝以教民者。」〈地官〉曰：「聯師儒。」說曰：「師儒，鄉里教以道藝者。」此則躬備德行為師，效其材藝為儒。養由基射白猿，應矢而下；尹需學御三年，受秋駕。《呂氏》曰：「皆六藝之人也。」《呂氏春秋·博志》篇。則二子皆儒者，儒者則

19　章炳麟：〈原儒〉，《章氏叢書》，頁479。

足以為楨干矣。[20]

是章氏論「類名」之儒，乃謂其學與教均偏於「禮、樂、射、御、書、數」之六藝。至章氏立論之依據，則僅為《周禮》之〈天官〉與〈地官〉篇，並及其「說者」鄭玄之《周禮注》。文後所引養由基射猿、尹需學御之事例，則用以舉例說明「類名」之儒所教習者，至其徵引《呂氏春秋・博志》篇云：「皆六藝之人也。」則欲以進一步說明「類名」之儒，皆屬六藝之人。章氏論「類名」之儒，其內容大抵如此。

惟章氏此論，其後胡適之先生撰〈說儒〉，[21]即就此點有所商榷。胡氏云：

> 但太炎先生的說法，現在看來，也還有可以修正補充之處。他的最大弱點在于那「類名」的儒。（其實那術士通稱的「儒」才是類名）他在那最廣義的儒之下，另立一類「六藝之人」的儒。此說的根據只有《周禮》的兩條鄭玄注。無論《周禮》是否可信，《周禮》本文只是一句「儒以道得民」和一句「聯師儒」，這裏並沒有儒字的定義。鄭玄注裏說儒是「有六藝以教民者」，這只是一個東漢晚年的學者的說法，我們不能因此就相信古代（周初）真有那專習六藝的儒，何況《周禮》本身就很可疑呢？[22]

適之先生認為章氏「類名」儒者之說法，建立在材料單簿上，（《周禮》之兩句話，鄭玄之兩條注）況且證據可疑。（《周禮》有被認為偽書者）胡氏謂此乃章文論證「最大弱點」，因而不易使人信服。適之先生於文中並表示彼殊不「相信古代（周初）真有那專習六藝的儒」，從而亦否定章氏所提出「類名」儒者之存在。是則胡氏之商榷，確有指出章氏不足處者。

20 同前註。

21 胡氏撰〈說儒〉，署年為「23，3，15開始寫此文，23，5，19夜寫成初稿」，即成於民國二十三年（1934）三至五月間。載見《胡適論學近著》卷一（上海市：商務印書館，1936年），頁3-81。

22 同前註，頁5-6。

四　章太炎先生論「五經家」

章氏之察儒，亦有考及「五經家」。章氏文中之「五經家」，殆指漢世之經今、古文學家。章氏以為「五經家」既不在儒之三科內，而其治經之專致一經，又有別於「私名」儒者「游文于六經之中」者。故〈原儒〉曰：

> 是三科者，皆不見五經家。往者，商瞿、伏勝、穀梁赤、公羊高、浮丘伯、高堂生諸老，《七略》格之，名不登於儒籍。儒者游文，而五經家專致，五經家骨鯁守節過儒者，其辯智弗如。此其所以為異。[23]

章文中所列示商瞿、伏勝、穀梁赤、公羊高、浮丘伯、高堂生諸老，皆五經家之今文家，因其實不與私名儒同，故謂《七略》格之。格者正也，蓋劉歆正其名，而不登之於儒籍也。又彼等之治經往往專主一經，此章氏所以稱其「專致」，而與「私名」儒「游文于六經之中」，博通群經者，固又大不相同也。

章氏〈原儒〉續曰：

> 自太史公始以儒林題齊、魯諸生，徒以潤色孔氏遺業，又尚習禮樂弦歌之音，鄉飲大射，事不逮藝，故比而次之。[24]

此則言五經家之今文家亦習禮樂弦歌、鄉飲大射，有近於「類名」之儒，然又有所不及。故〈原儒〉謂其「事不逮藝」，即指其成就不如「類名」儒。但章氏以其性質相近「類名」，雖藝不如人，故仍「比而次之」，附其事於「類名」儒之次。

〈原儒〉又曰：

> 及漢有董仲舒、夏侯始昌、京房、翼奉之流，多推五勝，又占天官風

23　章炳麟：〈原儒〉，《章氏叢書》，頁479。

24　同前註。

> 角，與鶡冠同流。草竊三科之間，往往相亂。[25]

此又謂五經家之今文家有「草竊三科之間」，既似「達名」之儒，又近「類名」、「私名」之儒，故往往與三者相亂，難確悉其旨趣。而董仲舒、夏侯始昌等即其例也。

至「五經家」之古文家，〈原儒〉亦評論及之，曰：

> 晚有古文家出，實事求是，徵於文不徵於獻，諸在口說，雖游、夏猶黜之，斯蓋史官支流，與儒家益絕矣。[26]

此言古文家雖晚出於西漢末，唯其治學「實事求是」，徵文不徵獻，故其所為，殆與史官為近。若是更與達、類、私三科之儒不同矣！

五　章太炎先生論三科稱儒、三科相伐之弊

上條札記所述，太炎先生已言「五經家」不在三科之列，其後更進一步謂三科亦不宜悉稱為儒，否則乃相互攻伐，而見其弊。〈原儒〉曰：

> 孔子曰：「今世命儒亡常，以儒相詬病。」謂自師氏之守以外，皆宜去儒名便，非獨經師也。以三科悉稱儒，名實不足以相檢，則儒常相伐。[27]

此處所言名實不相檢，殆謂不克查驗也。以下乃舉彼此因不足相檢而常相攻伐之例。〈原儒〉續曰：

> 故有理情性、陳王道，而不麗保氏，身不跨馬，射不穿札，即與駁者，則以呰窳詒之，以多藝匡之，是以類名宰私名也。[28]

---

25 同註23。

26 同註23。

27 同註23。

28 同註23。

此「類名」儒宰制「私名」儒之例也。蓋「私名」儒雖能「理情性，陳王道」，即所謂「祖述堯、舜，憲章文、武，宗師仲尼」者，然不麗保氏，不能「有六藝以教民」，「身不跨馬，射不穿札」，故受制於「類名」儒，既被訴之以「呰窳」，（言其短力弱才，不能勤作也）又欲匡之以「多藝」。斯「類名」攻伐「私名」之例也。

〈原儒〉再曰：

> 有審方圓，正書名，而不經品庶，不念烝民疾疢，即與駁者，則以他技詬之，以致遠匡之，是以私名宰類名也。[29]

此「私名」儒宰制「類名」儒之例也。蓋「類名」儒雖能「審方圓，正書名」，（「書」指書法）多才多藝，然不能治國愛民，遂詬其藝為「他技」，指其非治國之良器；又欲以「致遠」匡之，蓋謂「類名」儒所習者不克負重任，不能鉤深致遠也。斯「私名」攻伐「類名」之例也。

〈原儒〉又曰：

> 有綜九流，齏萬物，而不一孔父，不蹩躠為仁義，即與駁者，則以左道詬之，以尊師匡之，是以私名宰達名也。[30]

此「私名」儒宰制「達名」儒之例也。蓋「達名」儒雖能「綜九流，齏萬物」，博則博矣，然不尊敬孔子，不用心於仁義，故受制於「私名」。「私名」儒乃詬其學為「左道」，又匡之以「尊師」，（即尊孔也）斯「私名」攻伐「達名」之例也。

以上所述，均為太炎先生論三科稱儒而互為攻伐之弊。

---

29 同註23。

30 同註23，頁479-480。

六　章太炎先生對三科之新命名

太炎先生既見三科稱儒所造成之淆亂與爭議，不得已乃提出一己之見解及重為之命名，蓋欲以釋其紛爭。〈原儒〉曰：

> 今令術士、藝人閎眇之學，皆棄捐儒名，避師氏賢者路，名喻則爭自息。不然，儒家稱師，藝人稱儒，其餘各名其家，泛言曰學者，亦可以無相鏖矣。[31]

此處之「術士」，指「達名」儒；「藝人」，指「類名」儒；「師氏賢者」，指「私名」儒。章氏初則呼籲「達」、「類」二科拋棄儒名，以為「名喻則爭自息」；繼而提議「私名」儒稱「師」，「類名」儒稱「儒」，而「達名」儒各稱「家」，或稱「學者」，認為能如是，則「可以無相鏖」，而止喧譁矣！斯乃太炎先生對三科儒者之新命名。然時經百載，章氏此一提議，似猶未獲中外學人所認同也。

結語

年前，余授「儒學現代化問題討論」課程於臺灣華梵大學東方人文思想研究所博士班，因所講授內容兼及章太炎先生之儒學及其所撰〈原儒〉，乃深入鑽研其文，參閱群籍，並兼研治胡適之先生〈說儒〉、錢賓四先生〈駁胡適之說儒〉，幸頗有所領悟。用是撰成讀〈原儒〉札記六則，俾得參加「變動時代的經學和經學家（1912-1949）第七次學術研討會」，以請益於學者。惟文中必有疏陋錯譌之處，尚乞方家不吝斧正。

---

31 同註23，頁480。

豐產儀典與始祖傳說
——聞一多古籍詮釋之特色及其對古禮儀研究的啟發

林素娟
國立成功大學中國文學系教授

聞一多對古籍的詮釋除了奠基於傳統的國學、史學、文字、聲韻及訓詁等傳統治學方法外，更重要的是還帶入了文化人類學、民俗學、考古學、古宗教學、史學、心理學……等研究視域，使其古籍詮釋別開生面，具有生動活潑之洞見；同時對於經學、古禮俗、神話學、史學……等研究均多有啟發。聞一多的著作甚為豐富，其全集業已出版[1]，由其學術成果來看，研究《詩經》、《楚辭》、唐詩所佔篇目最多，而《詩經》、《楚辭》等論述往往受到極深的神話學、宗教學、文化人類學等視域啟發。聞一多古籍詮釋中最為突顯而貫串其諸多研究論題的核心主軸為豐產儀式與圖騰崇拜（Totemism），其企圖透過豐產儀典，為上古詩歌、文學找到活水源頭的生命力；透過圖騰崇拜理解古禮俗之演變。其將古歌詩研究置於社會、文化史的脈絡，並透過象徵廋語（symbolism）、諧聲廋語（puns）串連整體之精神[2]；對圖騰崇拜之流變和於文化上的展現，則透過「興」進行解讀。聞一多不只由新視域對古籍進行詮解，對於歷史實存處境的思考，亦溯源至古宗教

1　孫黨伯、袁謇正編：《聞一多全集》（武漢市：湖北人民出版社，1993年），計十二冊，收錄其創作、文藝評論、雜文、書信，以及研究論文如神話、詩經、楚辭、唐詩、文學史、周易等著作。

2　〈風詩類鈔・序例提綱〉，收入《聞一多全集》，冊4，頁456。

儀典。其以為女始祖或男性共祖之根基皆與豐產、圖騰崇拜等議題息息相關，並透過圖騰崇拜重新思考、溯源民國初年時頗受關注的國族共同體的問題。聞一多透過隱語、興等視域詮釋《詩經》及諸多古籍，對後來學者研究古文化史、民俗、宗教、神話……等層面，均有不少啟發和影響。由於聞一多認為古禮儀核心的社、禘之祭皆出自女始祖（高禖）之豐產儀典，並透過豐產儀典及始祖傳說以探討古禮俗之核心課題，本文於是以聞一多之豐產儀典及始祖傳說的相關論述作為核心，探討其如何透過隱語、興象以思考古文化及禮儀課題，同時探討此研究視域對於古禮儀研究的啟發。

一　文化人類學、古宗教禮俗詮釋視域下的豐產儀典

（一）女始祖之感生與繁育儀典

聞一多古禮俗研究中，宗教學及文化人類學的視域十分突顯，對於中國上古文學，往往從巫史角度進行理解[3]，其並將《詩經》視為社會史料和文化史料，其於〈風詩類鈔・序例提綱〉中，提出了解讀歌詩的幾個重要態度：「略依社會組織的綱目，將國風重行編次」，其中三大類目為：（1）婚姻，（2）家庭，（3）社會。聞一多認為傳統由經學、歷史、文學等角度解讀《詩經》有其限制，以為古禮俗最核心的議題與繁育儀典密切相關，因此解釋《詩經》時，往往將其中諸多意象與繁育意象扣合，企圖透過豐產儀典，為上古詩歌、文學找到活水源頭的生命力。聞一多論豐產儀典往往透過交感巫術角度進行理解，整個豐產儀典不論就地點、衣著、舞蹈、法器……均與繁育之交感巫術密切相關，如女始祖豐產儀典所進行的聖地為「社」，聞一多即從《墨子・明鬼》：「燕之有祖，當齊之社稷，宋之桑林，楚之雲夢也。此男女之所屬而觀也。」而推論桑林、雲夢均為生殖儀典進行的神聖地。認

3　〈歌與詩〉，收入《聞一多全集》，冊10，頁5、15中提及：古之歌、詩與「原始人最初情感的激盪」密切相關、「《三百篇》有兩個源頭，一是歌，一是詩，而當時所謂詩在本質上乃是史。」

為古代禮俗與神聖地（社）上所行之豐產儀典密切相關，並以豐產儀典作為古禮俗之核心議題[4]。

聞一多認為夏、商、周三代得姓之由來均與透過吞服、接觸而交感其質性的繁育巫術相關。[5]如禹母吞芣苡而感生乃是透過具有生命力之種子的求育巫術；並認為後代芣苡宜子之信仰乃由禹母吞芣苡的傳說而來，而夏亦由此感生事蹟而得姓。除此而外，商為女始祖吞鳥卵而感生，故為子姓，並推斷殷人姓「子」，其籀文即為「燕」；周為女始祖履跡而感生，故為姬姓。[6]祭祀女始祖之豐產儀典往往充滿繁育意象及交感巫術之運用，如〈姜嫄履大人跡考〉一文透過人類學及豐產儀典之視野，指出：「履跡乃祭祀儀式之一部分，疑即一種象徵的舞蹈」，而此舞蹈與求育密切相關。「所謂『帝』實即代表上帝之神尸，神尸舞於前，姜嫄尾隨其後，踐神尸之跡而舞」，為耕田之象徵。[7]舞在此處具有強烈薰染和轉化生命的動力，[8]並以兩性交合之象徵

---

4 〈詩經編．高唐神女傳說之分析〉，收入《聞一多全集》，冊3，頁3-34。

5 聞一多提及在圖騰崇拜下，信仰圖騰：「有一種廣大無邊的超自然的法力，即所謂『魔那』(Manna) 者，然後纔肯奉它為圖騰。」並透過「模擬巫術」「使自己也變得和它一樣」。詳參《聞一多全集》，冊3〈伏羲考〉，頁84。聞一多此「模疑巫術」之說與《金枝》解釋交感巫術一致，而《金枝》中亦以探討豐產秘儀為關注焦點。詳參弗雷澤（J. G. Frazer）著，汪培基譯：《金枝》(The Golden Bough)（臺北市：久大、桂冠圖書公司聯合出版，1991年），頁21-73。

6 「契母吞燕卵而生契，殷人即姓燕，與禹母吞薏苡而生禹，夏人即姓姒，正是同類」。見〈詩經編上．匡齋尺牘〉，收入《聞一多全集》，冊3，頁210-214。聞一多認為周之姬姓乃因姜嫄履大人跡而得，並論証「姬字從𦣞」、「𦣞聲字或變從止」而「止為趾本字，古通足為止，足跡亦為止。」〈神話編．姜嫄履大人跡考〉，收入《聞一多全集》，冊3，頁54。

7 〈神話編．姜嫄履大人跡考〉，收入《聞一多全集》，冊3，頁50-57。

8 〈文藝評論．說舞〉，收入《聞一多全集》，冊2，頁208-214中，聞一多透過人類學角度，強調舞乃是「真正全體生命機能的總動員」，在此時透過火光、樂聲、歌唱，以及臉上的紋飾，身上的動物皮飾，……創造整體綜合情境。此種情境不但展現了生命的節奏與律動，同時透過強烈的張力，以「體會到最高限度的生命情調」，此時透過「純舞」以展現生命真實之自身，並達到生命相互融入的整體和諧一體狀態。聞一多從人類學角度理解舞，使得舞既具有生命轉化的神秘功效，又具有社會功能性，同時透過儀式的全生命參與，轉化族群共同體的生命。

促進豐產。此種刺激豐產的祭祀之舞往往透過男女悅愛的形式呈現，如韶舞、萬舞往往「內容頗為猥褻，只因原始生活中，宗教與性愛頗不易分」[9]，透過強烈性愛意象之舞，以交感於萬物之生生。除了舞外，祭姜嫄的儀式還如《論衡・吉驗》所提及的透過「履大人跡」、「衣帝嚳之服」、「坐息帝嚳之處」而達到「妊身」的效果[10]，即以象徵性行為而刺激豐產。聞一多並藉由《後漢書・禮儀志》之：「后稷又配食靈星」，與〈周頌・絲衣〉序：「高子曰靈星之尸」，推斷靈星祭為周郊祀之異名，且與豐產儀典密切相關：

> 祠靈星，公尸衣絲衣，載會弁，以象天帝，是姜嫄衣帝嚳衣，即衣尸衣，衣尸衣而坐息於尸處，蓋即「攸介攸止」時行夫婦事之象徵。[11]

以衣尸、坐息象徵男女好合，此行為乃再現初民農耕時野合之俗[12]。而農耕時之野合與豐產之促進有關，聞一多此見解不斷出現於其古籍詮釋中，如〈高唐神女傳說之分析〉一文指出：豐產儀典往往透過男女性儀典而交感之，主要以「生殖機能為宗教的原始時代的一種禮俗」[13]。正由於原始宗教中生殖機能十分突顯，故於宗教儀式及儀式神聖地上往往不斷上演著豐產性質的男女性儀典。女始祖在不斷重覆的性儀典中受到尊崇，成為各民族的高禖。祭祀高禖時於社地上一再上演男女交合的儀典，以再現生民之初的強大情感體驗，並刺激豐產。

對於豐產儀典的歌頌，以《詩經》中男女相悅之詩最為集中。聞一多受人類學、田野風俗，以及西方性心理學等啟發，認為《詩經》男女悅愛之儀式歌謠實有更大的原始求育之背景，可以視為文化史料加以解讀。若以文化

---

9 〈楚辭編・什麼是九歌〉，收入《聞一多全集》，冊5，頁338。

10 〈神話編・姜嫄履大人跡考〉，收入《聞一多全集》，冊3，頁50-57。〔漢〕王充著，黃暉校釋：〈吉驗〉，《論衡校釋》（北京市：中華書局，2006年），卷2，頁85-86。

11 詳參〈神話編・姜嫄履大人跡考〉，《聞一多全集》，冊3，頁50、53，前揭文。

12 人類學之研究中，許多原始文明透過男女交合而感應穀種豐產，此部分的研究成果於《金枝》中有鮮明的呈現，詳參《金枝》，前揭書。另外如《周禮》、《禮記》有關古宗教之豐產儀典亦往往透過男女交合的儀式，相關論述，詳於後文。

13 〈詩經編・高唐神女傳說之分析〉，收入《聞一多全集》，冊3，頁26。

人類學的視野解釋《詩經》中諸多與性有關的豐產儀典，則此歌謠反映的不只是男女二人之私情私愛，亦融會了當時的宇宙觀，並與族群生命之繁育密切相關。如《詩經通義》、《風詩類鈔》中對於《詩經》諸多篇章的解讀均從豐產及性儀典角度進行理解。男女之情愛與詠歌關係著宇宙生命之繁育，生命間形成綿密的交感互動之網絡，春生、夏長、秋收、冬藏為風土、時令下的身心感受而形諸的人文景觀，宇宙時序中又以春季繁育意象最為豐沛，故聞一多主張成婚季節以春為最宜，因為：「初民根據其感應魔術原理，以為行夫婦之事，可以助五穀之蕃育，故嫁娶必於二月農事作始之時行之」[14]，透過交感巫術的原理，男女之性行為可以感應五穀之繁育。聞一多認為《詩經》中與性愛、男女之事相關的篇章為數甚多，頻繁出現的男女性愛之歌頌詠嘆作品，乃是原始風俗之性與豐產的交感巫術之呈現。[15]此觀點與葛蘭言將《詩經》中的戀歌解釋成春、秋二季的豐產儀典類同[16]，其後諸多學者亦承此視域從豐產及性儀典角度理解《詩經》，影響深遠。

聞一多將古詩歌從古文化史角度進行理解，並認為古詩歌、古禮俗與原始巫術和繁育儀典密切相關，古禮俗以生殖繁育為核心，透過女始祖之儀典，得以生民、五穀繁茂，故認為「社與禘本皆出於高禖，初只一事。後世始分外祭為郊社，內祭為嘗禘。」[17]象徵國家生命與家族生命的祖先崇拜皆

---

14 《詩經通義．邶風》，收入《聞一多全集》，冊3，頁367-370。

15 此態度可參考〈詩經編．匡齋尺牘〉，收入《聞一多全集》，冊3，頁202-209，認為治詩最大難處在於難以回復《詩經》之作者的存在情境，而此情境，聞一多以濃烈的繁育動能理解之。

16 葛蘭言（Marcel Granet）著，趙丙祥、張宏明譯：《古代中國的節慶與歌謠》（桂林市：廣西師範大學，2005年），對於《詩經》中之男女悅愛的歌謠即從整體生命之繁育角度著眼，而不僅只於男女私情之交流。此與聞一多解〈芣苢〉、〈螽斯〉、〈桃夭〉、〈椒聊〉……均從性本能的儀典進行理解相類，聞一多指出：「再借社會學的觀點看。你知道，宗法社會裏是沒有『個人』的，一個人的存在是為他的種族而存在的，一個女人是在為種族傳遞並蕃衍生機的功能上而存在著的……你若想像得到一個婦人在做妻以後，做母以前的憧憬與恐怖，你便明白這採芣苡的風俗所含的意義是何等嚴重與神聖。」〈詩經編．匡齋尺牘〉，收入《聞一多全集》，冊3，頁205-206。

17 〈周易雜記〉，收入《聞一多全集》，冊10，頁309。

可追溯至女始祖的豐產儀典。〈高唐神女傳說之分析〉亦以人類學之母系社會說為基礎，推斷最初始祖應為母神，而後才逐漸過渡給男性始祖。在始祖神逐漸轉為男神的過程中，原始母神意象仍然殘留，於是一分為二，高陽為男性氏族之承傳，高唐為禖神。始祖神之追尋不但可透過一次又一次的繁育儀典助成豐產，同時對於氏族之凝聚、承傳及國族問題之思考亦具有關鍵意義。

（二）與豐產儀典密切相關的隱語

聞一多既由原始宗教、繁育儀典角度思考古禮俗之重要面向，對於隱喻的力量也十分關注。其透過《左傳》、《詩經》、《易經》乃至於樂府民歌等大量的材料，來發掘先秦時即已存在的深度情感。如此深刻的存在情感喟嘆，往往於歌、詩中透過隱喻方式進行表達。聞一多解釋《詩經》時，常將其中諸多意象與繁育儀典扣合，而透過古歌詩的技巧：象徵廋語（symbolism)、諧聲廋語（puns）以串聯整體詩意。[18]所謂「廋語」亦即是隱語，或透過具體物之形象而傳達抽象的觀念，或透過某些意象的相似性進行跨域的想像。而諧聲廋語乃是一種雙關語，透過語音之相諧而進行意象之連結。聞一多此說法實與現今語言學研究中有關隱喻（metaphor）之思維相通：「藉由一類事物去理解並體驗另一類事物」、「隱喻，其實是一種思想的過程，它不但形塑了我們思考的模式，同時也通往人類認知與心靈的一扇窗戶」，而此種隱喻的思維往往以肉身之體驗為基礎，「不僅僅是與身體有關而已；更重要的是，每項經驗都在一個具文化前提的廣闊背景之下發生」[19]。也因為如此，對於歌詩之隱喻研究可以對其時文化背景和思維方式有所理解。聞一多有關歌、詩之隱語的探討，又受到其「古禮俗之核心乃豐產儀典」的前理解影

18 〈風詩類鈔．序例提綱〉，收入《聞一多全集》，冊4，頁456。

19 以上所述詳參雷可夫（George Lakoff）、詹森（Mark Johnson）著，周世箴譯注：《我們賴以生存的譬喻》（臺北市：聯經出版公司，2006年），頁12、114。蘇以文：《隱喻與認知》（臺北市：臺大出版中心，2005年），頁2。

響，故分析《詩經》等諸多古籍文獻時，往往以此角度進行理解。寫作時間較早的〈詩經的性欲觀〉一文指出：魚、笱、風、雨等意象均與性及繁育意象密切相關。如提出「魚」乃男女情欲的隱語，以魚來隱喻「匹偶」、「情侶」或兩性關係，以打魚、釣魚為求偶的隱語、以烹魚或吃魚隱喻合歡或結配，即為顯著之例。[20]

又有以果實隱喻豐產與求偶，如解釋〈摽有梅〉時，認為梅與木瓜、木桃、木李皆果屬，由於「果實為求偶之媒介，亦兼取其蕃殖性能之象徵意義」[21]，因此「初民習俗，於夏日果熟時，有報年之祭，大會族人於果園之中，恣為歡樂，於是時士女分曹而坐，女競以新果投其所悅之士，中焉者或解佩玉以相報，即相與為夫婦焉」[22]。果實為繁育之象，故能交感繁育，成為男女好合之隱喻，於祈年祭中透過果實，以隱喻豐產。此種透過花與果實隱喻生殖、豐產的作品，在《詩經》中保存頗為豐富，如〈桃夭〉、〈椒聊〉、〈東門之枌〉均透過花、果實以隱喻女子之生殖，如解〈椒聊〉：「椒類多子，所以古人常用來比女人。椒類中有一種結實聚生成房的……漢朝人借『椒房』這個名詞來稱呼他們皇后所住的房室，正取其多子的吉祥意義」。〈東門之枌〉中提及的「荍」、「椒」：「椒結實成荍……意思是說你將來定能替我生許多子息」[23]。又如聞一多訓解〈芣苢〉，透過訓詁方式論證芣苡為胚胎之意，為生命之種子，故而與之接觸，往往具有求育、豐產的功能。透過採芣苡的情境化，認為摘取靈驗的種子，能帶來求孕的功能。[24]又於〈東門之枌〉一文中，聞一多還提及「枌」、「栩」乃為社木，子仲子婆娑於枌、栩之下，乃為祭社神之舞。聞一多解釋〈野有蔓草〉則透過《周禮・地官・

---

20 〈詩經編・說魚〉，收入《聞一多全集》，冊3，頁231-252。

21 《詩經通義・召南・摽有梅》，收入《聞一多全集》，冊3，卷3，頁326-332。。

22 《詩經通義・召南・摽有梅》，冊3，頁327。《聞一多全集》，冊3《詩經新義・二南・摽》，頁273-375。亦提及：「古俗於夏季果熟之時，會人民於林中，士女分曹而聚，女各以果實投其所悅之士，中焉者或以佩玉相報，即相約為夫婦焉。」

23 〈椒聊〉、〈東門之枌〉《風詩類鈔甲》，收入《聞一多全集》，冊4，頁477-478。

24 〈匡齋尺牘〉，《聞一多全集》，冊3，頁202-209：「芣苡既是生命的仁子，那麼採芣苡的習俗便是性本能的演出，而芣苡這首詩便是那種本能的吶喊了」。

禖氏》之合男女的豐產儀典，將其解為未婚男女群聚曠野交歡的場景，並推論男女之事可以感應天象，因此求雨儀式往往於充滿生殖意象的社地中進行。其他如《詩經．桑中》之桑，或如螽斯、桃夭、瓠……均以多產動植物、果實來隱喻生殖、豐產。

除此之外，二形交合或陰陽之氣和諧之象，亦能隱喻男女之和合。舉「朝隮」為例，聞一多透過文字訓詁，將「隮」視為假借字，其本字為次，象虹之形，而「虹」因為有陰陽交接之象，故為男女性事之隱語。聞一多於〈朝雲考〉一文對〈高唐神女傳說之分析〉進行增補，對於虹、雲、霓與美人、雨、淫行間的關係進行更細部的說明。不只自然之物象可以進行隱喻，身體的感受更是最直接而強烈的隱喻，如從身體饑渴角度著眼，喻情欲之饑渴。也在此視野下，將《詩經》諸多的篇章均理解為與男女情事有關的作品，如將《詩經．曹風．候人》中所提及之「魚」視為性之隱語、「飢」為男女情欲不得其遂、以「食」為男女性事之語，則此首詩不折不扣為描述男女性事之詩。除此而外，如〈周南．汝墳〉：「惄如調飢」[25]、〈陳風．衡門〉：「可以樂飢」、〈唐風．有杕之杜〉：「中心好之，曷飲食之」、〈陳風．株林〉：「朝食于株」均將「飢」與「食」從男女情欲之滿足得遂與否進行理解。不只《詩經》從此角度進行詮釋，聞一多還舉證《楚辭．天問》禹與涂山女通於台桑之事、《漢書．外戚傳》之「對食」，認為「食」之意涵均應置於男女情欲脈絡訓解為宜。

聞一多以古宗教禮俗之豐產背景，透過隱語串聯通篇大意，將《詩經》等古文獻重新置於其時社會、文化的背景中，而有別於傳統透過經學、歷史、文學的三種訓解方式。也因此其訓解《詩經》中之篇章，實可與其關於神話及古宗教、禮俗之論述的篇章如：〈伏羲考〉、〈龍鳳〉、〈姜嫄履大人跡考〉、〈高唐神女傳說之分析〉、〈說魚〉、〈說舞〉、〈端午考〉……相互關聯。聞一多透過隱語及豐產儀式的背景詮解《詩經》，往往有許多往洞見，但亦有部分因為著重於某一意象之隱喻，而忽視其上下文脈，故而某些意象雖可

25 其解釋又見於《詩經通義．周南．汝墳》，收入《聞一多全集》，冊3，頁311-316。

能確曾出現於原始思維或當時的習用隱喻中，然而置於作品的文脈之間，隱喻是否發生滑動、變異則未進一步進行分析和說明。並且一個隱喻往往亦有其時代思潮、文化氛圍作為理解的背景，文化脈絡、情境改變，隱喻之意涵往往發生變化。如「虹」乃透過陰陽相合之象，來隱喻男女之結合。秦漢以後確實有以「虹」隱喻男女淫佚，如〈蝃蝀〉傳：「夫婦過禮則虹氣盛」，《逸周書・時訓》：「虹不見，婦人苞亂……虹不藏，婦不專一。」等眾多例子。但亦反映出當時以虹歸屬陰性，在二氣交接之象下，而隱喻淫邪、陰淫等意涵。此隱喻應置於陰陽思想盛行的背景下，在此思想盛行以前，虹是否還具有陰陽相合等諸多喻意，則似乎不能簡單以「必是根據在他們以前早已存在著的一種觀念而加以理論化」那樣輕易帶過。雖然聞一多解釋古籍中之豐產儀典時，在方法及訓詁上有若干問題[26]，但透過豐產儀典及隱喻的角度解讀古宗教儀式，確實為古禮儀研究開啟了重要的視域和面向。

26 侯美珍：《聞一多詩經學研究》（臺北市：政治大學中國文學系碩士論文，1995年），提及聞一多〈說魚〉之隱喻往往有將「魚」之意象與性過度連結的狀況，使得有些詩句雖有「魚」之出現，但置於上下文之脈絡中，應該不適合以「性欲」等角度進行理解。又如虹的議題，聞一多以陰陽二氣交和之象，並舉了諸多漢代魏晉之文獻，証成以虹隱喻男女之淫亂，婦道有虧。然而陰陽之說盛行於戰國至秦漢，春秋前期，甚至更早，是否能以陰陽之氣等角度理解虹則成疑問，因此虹之隱喻亦將隨文化脈絡而變化。對聞一多解釋《詩經》之〈候人〉、〈蝃蝀〉為性暗喻之相關批評，可參考許瑞誠：《聞一多《詩經》詮釋研究》（臺南市：成功大學中國文學系碩士論文，2008年），頁78-81。此問題實牽涉隱喻之解讀上，有關整體實存情境佈局的變異，如「不同的生活場域中，而有認知側重面向不同的跨領域的整頓與瞭解」、「不同語文生活場域間」解讀、譯述、借用過程，造成認知取景的差異與隱喻之變異、轉化，以及隱喻詮釋所應注意上下文脈等問題，詳參鄧育仁：〈生活處境中的隱喻〉《歐美研究》第35卷第1期（2005年3月），頁97-140。

二　與圖騰崇拜、豐產儀典密切相關的始祖建構

（一）以圖騰崇拜追溯共祖

始祖傳說之建構，與豐產儀典及儀典中男女兩性結合之象徵性運用密切相關。前文已指出聞一多認為女性始祖具有高禖性質，其與族群的繁育緊密相連，禹母所吞的薏苡便是芣苡，而《詩經．芣苢》所述乃是古禮俗中之豐產儀典。聞一多認為始祖神初為母神，與豐產儀典密切相關，而後才逐漸在宗法要求下轉為男神。追溯女始祖的祭儀，與復活族群生命力及豐產繁育有密切關係；至於追溯男性始祖雖亦與豐產有關，但又不同於母始祖而具有更多的政治權力脈絡。因此探討男性始祖的建構，可理解古宗教中由女始祖的豐產崇拜而逐漸權力化、歷史化之歷程，與政治權力、國族共同體的認同型塑密不可分，於此可探討古禮儀之演變。透過國族論述與共同體認同之思考，聞一多努力為族群進行溯源工作，追溯彼此的共同源頭。如將女始祖之總先妣追溯至女媧，認為：「她們（指高唐神女與塗山氏女）以及旁的中國古代民族的先妣，都是從某一位總先妣分化出來的，這位總先妣，我從前想許就是西王母。」[27]而男性共祖即是伏羲。伏羲、女媧神話雖盛行於戰國至東漢時期，往往以兄妹或夫婦的形象出現。聞一多從伏羲、女媧兄妹配偶、洪水遺民等神話角度，論述生民之由來，並將夷夏民族中普遍存在的洪水、生民神話與伏羲女媧神話結合。

由於神話反映初民的心靈、思維方式以及族群制度，故聞一多十分關注神話所傳達的重要訊息，追溯始祖時往往將焦點集中於圖騰。其引杜爾幹（Durkheim）：「始祖之名仍是一種圖騰」，用以說明圖騰與始祖的密切關

27 《聞一多全集》，冊3，〈神話編．高唐神女傳說之分析補記〉，頁34。但在冊3〈伏羲考〉，頁58-131，聞一多有意將生民之女始祖歸之於女媧，二說間的關係，聞一多並未細部詳論。不論女媧或西王母，均被聞一多認為源自於「西」之文化，此態度亦與聞一多對東方文化僵固之反省，以及對於「西」之文化活力的崇慕有關。

係。並以龍圖騰具有統合諸夏與四鄰之夷狄的優勢地位[28]，透過伏羲、女媧人首蛇身而交尾的形象，認為其乃龍圖騰之象徵。據學者研究古圖騰信仰，其時還存在鳥、熊、犬……等諸多圖騰，聞一多為何選擇以龍圖騰為共同信仰的對象？此應與古代社會中龍圖騰曾十分興盛，且為三代之首的夏之圖騰有關。[29]聞一多透過龍圖騰，將遠古如共工、祝融、黃帝，乃至於如匈奴、南越、苗族……等華夏與邊族的血緣聯結起來。如伏羲氏與夏后氏亦均為龍圖騰：「伏羲氏姓風，夏后氏姓姒，褒亦姒姓國，本是龍圖騰的支裔，所以也有先君二龍的傳說」[30]。〈龍鳳〉一文指出：「楚是祝融六姓中芈姓季連之後，而祝融，據近人的說法，就是那「人面龍身而無足」的燭龍，然則原始楚人也當是一個龍圖騰的族團」[31]。又如〈端午考〉一文透過龍圖騰的角度，將吳越、中原文化皆視為龍圖騰信仰的流行地。

值得注意的是，在聞一多的論述下，伏羲、女媧面目並未定於一尊，龍圖騰只是其中的一個面目。聞一多還透過洪水生民等神話，將伏羲、女媧視為葫蘆的化身，且為生民之祖。如〈伏羲考〉後段指出：伏羲與女媧既為龍圖騰之共主，而二人更原始的形象乃為匏瓠的化身。聞一多透過伏羲、女媧與匏瓠的語言訓詁關係，論證：「伏羲、女媧二名字的意義，我試探的結果，『伏羲』、『女媧』果然就是葫蘆」。並透過西南瑤諸神話中所突顯的葫蘆在洪水、避水、造人中的重要地位，再次將西南諸族的洪水神話及造人神話與伏羲、女媧神話密切連結。如此可將伏羲、女媧視為西南洪水神話的源

---

28 〈神話編・伏羲考〉，收入《聞一多全集》，冊3，頁58-131。

29 孫作雲：〈中國古代圖騰研究〉，《孫作雲文集・中國古代神話傳說研究上》（開封市：河南大學出版社，2003年），頁3-126。認為龍圖騰為蚩尤氏族之圖騰，後為夏人之始祖圖騰，故而於宗教信仰、君主權力象徵、禮俗、儀式……等層面多所殘留。龍圖騰於是成為文化中最具有豐厚積累的元素，於神話、宗教儀式、節慶、文學、服飾、建築……中多所展現。孫作雲此說可為聞一多選擇龍圖騰作為共同始祖說的深化和註腳。

30 〈神話編・伏羲考〉，收入《聞一多全集》，冊3，頁104。

31 〈龍鳳〉，收入《聞一多全集》，冊3，頁161。

頭。[32]

除了龍與葫蘆圖騰外，伏羲還與犬圖騰有關。〈姜嫄履大人跡考〉中透過棄為帝嚳子，后稷乃履跡而生，聞一多進一步推論伏羲亦履跡而生，認為伏羲為犬戎之祖，與周本同族[33]，而「伏字從犬，伏羲、盤古、槃瓠本一人，傳說槃瓠為犬，與此祭伏祠，磔狗以禦蠱菑亦合」[34]，伏羲既與槃瓠本為一人，則槃瓠為犬[35]，伏羲亦應為犬無疑。伏羲面目尚不只此，〈東皇太一考〉中伏羲成為首生之人，其與太一密切相關。太一信仰在戰國至漢代十分盛行，其本為道生陰陽之宇宙論的神話化，太一具有形上學之本體意味，在神話表達下，逐漸轉為至高神之神名，其與哲學及宇宙論密切相關[36]。秦漢時於五行說影響下：「東方於五行屬木，四時中屬春，行次皆最先，所謂『帝出於震』，在五行說支配下之宗教，東皇太一焉得不成天神中之的最貴者？」[37]，太一為東皇，而太昊於五行中亦屬東方、春、木等質性，漢人將伏羲與太昊結合，在「伏羲氏以木德王天下」之說下，伏羲與東皇太一便連結在一起。[38]聞一多將伏羲視為東皇與太一相連，結果將帶出其於哲學思考及

32 今所見之〈伏羲考〉本為二篇文章所組成，雖有極多重疊，但亦仍有差異，其中分析詳參林淑娟：《聞一多的原始主義》（新竹市：清華大學中國文學系碩士論文，2005年），頁100-102。

33 然而於同一篇文章中，聞一多又提及：「或疑嚳為殷人之上帝，周、殷異族不當同帝。案殷、周二族最初是否同源，尚為懸案。」則與棄為帝嚳子之說明顯矛盾。詳參〈姜嫄履大人跡考〉，《聞一多全集》，冊3，頁57。

34 〈姜嫄履大人跡考〉，《聞一多全集》，冊3，頁55。

35 有關槃瓠為犬，又可詳參孫作雲：〈盤瓠考——中國古代狗氏族之研究〉，《中國古代神話傳說研究》，頁421-454。

36 詳參楊寬：〈三皇傳說之起源及其演變〉，收入顧頡剛等編：《古史辨》（臺北市：藍燈文化公司，1993年），冊7，頁175-189。

37 詳參〈三皇傳說之起源及其演變〉，《古史辨》，冊7，頁180，引童書業〈三皇考序〉。

38 如安居香山、中村璋八輯：《緯書集成》（石家莊市：河北人民出版社，1994年，以下所引緯書均出於此版本，不再特別註明），《春秋內事》，頁887。有關三皇五帝之配合，以及將大昊與伏羲結合過程，詳參楊寬：〈五帝傳說之起源與組合〉，收入顧頡剛等編：《古史辨》，冊7，頁246-269。

宇宙論中的重要地位。如此看來伏羲形象多變，且其中不無矛盾處存在[39]。但不論其為龍、葫蘆、犬、太一……均意在將華夏、苗、越……等不同族群收納進伏羲、女媧的共同信仰中，使伏羲成為串聯華夏和夷狄血緣與文明的共同象徵符號。

伏羲究竟是龍？葫蘆？犬？還是太一？聞一多透過考古、文化人類學、聲韻學、訓詁學…等方式，企圖將華夏及邊族透過神話等線索熔於一爐，然而古史資料殘缺，使聞一多的論證上有不少過於樂觀的彌合、矛盾之處。學者王孝廉即不贊成聞一多將西南民族的洪水神話與伏羲、女媧神話相連：

> 兄妹經過神占而結婚故事中的兄妹，並不是漢籍神話中的伏羲女媧，伏羲是中原風姓族的祖神，女媧是嬴姓族的母神，與南方諸少數民族中的兄妹神婚神話完全無關。
>
> 避水工具的葫蘆、瓜果等是源於這些少數民族葫蘆生出人類的神話信仰，這種信仰除了西南各少數民族之外，漢籍以及其他如印度等地方也廣泛存在，不必一定是由伏羲女媧二神的神名而產生的。
>
> 盤古是南方苗蠻族群的原始生物之神，其神話的基型是分布於世界各地的「巨人屍化萬物」的類型，與原是中原風姓部族始祖神的伏羲了無相涉。[40]

王孝廉並批評聞一多由伏羲、女媧神名而論證其為葫蘆，以拉近與西南民族神話關係的作法，有其方法上嚴重之缺陷：

---

39 有關此種矛盾之分析，可參看《聞一多的原始主義》，頁102-105，作者以「伏羲是聞一多心目中共祖『原型』的投射對象」進行理解。認為在此追溯情感共主的渴望下，諸多矛盾反而被置於第二序問題。

40 王孝廉：〈伏羲與女媧——聞一多〈伏羲考〉批判之一〉，收入《中國神話世界》（臺北市：洪葉文化事業公司，2006年），上編，第7章〈西南民族創世神話研究的綜合討論〉，頁293-294。

> 如果說後來由於漢族與其他西南諸族的交流而吸收了西南諸族的神話進了漢籍文獻之中，或是西南諸族在長期與漢族交流的情形下吸收了漢族的神話，那自然可能的事情，但這是神話交流、傳播與影響的問題，而不是神話的起源問題，特別是我國的各少數民族的神話，多半仍是十口相傳口誦神話而不是被文字記錄的成文神話，當近年被翻譯的改成漢文的記錄文字的時候，又加上許多記錄者的修改，想要從漢文記錄的少數民族神話中去推察這些神話的起源也是相當困難的一件工作，如果祇從一點神話內容上的相似或從神名與漢字語音的近似，而斷定兩者的淵屬關係，也是相當困難的。[41]

王孝廉透過伏羲、女媧原始神名的訓解認為伏羲神名的原義指：「屈曲著身體的神」，女媧原始神名與「蝸牛」密切相關，因此二者之神容演變為蛇身人首是有脈絡可循的。[42]更何況伏羲與女媧原為各自獨立之大神，其後才逐漸轉為對偶神，其與西南民族之兄妹婚等生民神話並不一致，故而不贊成聞一多以葫蘆化身理解伏羲、女媧，更反對其透過葫蘆象徵而將西南民族之生民及洪水神話納於伏羲、女媧神話之中。

儘管聞一多在詮釋古籍時，時常使用文字訓詁、通轉、假借等方式，又不時發生改字、比附詞語以進行詮釋等情況，[43]但其推斷伏羲女媧神話為西南瑤苗諸族的起源，卻並非獨有的想法，學者如芮逸夫、袁珂、馬長壽、徐旭生、白川靜等亦主此說。[44]而聞一多在〈姜嫄履大人跡考〉又透過伏羲亦

41 〈伏義與女媧——聞一多〈伏義考〉批判之一〉，《中國神話世界》，上編，頁299。

42 〈伏義與女媧——聞一多〈伏義考〉批判之二〉，《中國神話世界》，上編，頁300-305。

43 此部分已有不少學者指出其於訓詁上的缺失，如呂珍玉：《詩經訓詁研究》（臺北市：文津出版社，2007年），第四章〈聞一多的《詩經》訓詁商榷〉，頁226-296。侯美珍：《聞一多詩經學研究》，第五章〈〈詩．新臺鴻字說〉研究——兼論聞一多的治《詩》方法〉，頁127-162。趙制陽：〈聞家驊詩經論文評介〉，《孔孟學報》第42期（1981年9月），頁231-253。許瑞城：〈聞氏對《詩經》的訓詁研究與缺失〉，《聞一多詩經詮釋研究》，頁113-196。

44 芮逸夫：〈苗族的洪水故事與伏羲女媧傳說〉，《中央研究院歷史語言研究所人類學集刊》第1卷第1期（1938年），頁1045-1046。馬長壽：〈苗瑤之起源神話〉，收入馬昌儀

履跡而建構其於農耕儀典、繁育五穀、人畜的始祖形象。可知聞一多在思考伏羲形象時，仍然十分重視前文所述的豐產、生民之背景[45]。匏瓠多子與生殖意象密切相關，具有豐產之象，將伏羲、女媧等始祖神追溯自葫蘆、匏瓜之類，與前文所引始祖感生神話、豐產儀典如出一轍，同時又可與西南諸民族神話中葫蘆等意象的重合。可以看出聞一多希望透過圖騰及豐產意象的角度建構共同祖先。聞一多之所以進行如此宏大的論述，遠遠打破了狹隘的華夷之辨的界限，使伏羲成為華夷共主，其與當時之社會、文化背景，以及其時士人對國族問題的思考密切相關。

（二）國族論述的背景

若追問聞一多為何具有如此高度的熱情，將華夏諸族均追溯至以伏羲為共祖？其與當時實存的生存處境是否有密切關係？又為何是伏羲？而不是其他諸如黃帝、堯舜、孔子……為共祖？此問題應從時代背景，以及聞一多治學的特色著眼進行思考。

聞一多以伏羲為共祖之說，乃是對於晚清以來爭論不休的國族建構與認同問題的思考。當時思考國族問題中，黃帝是一個最為顯眼的符號，透過黃帝型塑以血緣為基礎的共同體。但聞一多為何不由晚清十分被看重的黃帝血緣符號著眼，卻另起爐灶，用了極大的努力去召喚出神話及歷史記憶中伏羲的形象與記憶？黃帝之符號一直具有神話中由混沌過渡到文明、文化英雄、

編：《中國神話學文論選萃》（北京市：中國廣播電視出版社，1994年），頁242。袁珂：《古神話選釋》（北京市：人民文學出版，1996年），頁45-49。徐旭生：《中國古史的傳說時代》（臺北市：里仁書局，1999年），頁237-241。白川靜著，王孝廉譯：《中國神話》（臺北市：長安出版社，1983年），頁70。

45 豐產儀典往往與圖騰崇拜密切結合，如孫作雲認為感生與豐產為圖騰制最核心的精神所在，並指出古東方民族以鳥為圖騰，在祭祀圖騰鳥時含有祈求生子等禖祀制度的特質，為圖騰崇拜所孳生的禮制。詳參〈中國古代圖騰研究〉，《孫作雲文集．中國古代神話傳說研究上》；〈殷先祖以燕為圖騰考——從圖騰崇拜到祈子禮俗〉，《中國古代神話傳說研究》，頁852-869。

兵神、刑神、律法、政治、權力…等濃厚意涵[46]。其壟斷神聖通天的權力，以及具備豐富的刑德特質，使其一直成為統治者爭奪的符號。後來之統治者往往追溯其與黃帝的政治血緣關係，以承繼其神聖性、權力感及刑德的威嚴。[47]以黃帝為始祖之說，由來極早，如《國語．晉語》即透過黃帝為共同血緣始祖而言「姓」，黃帝之子二十五人，得姓者十四人，十四人中有二人同姓，故而有十三姓，諸姓皆出於黃帝之血緣。此後如《世本》、《史記》乃至其後之帝王追溯其祖源的論述，往往追述以黃帝作為始源。透過血緣始祖之追溯，建立自身權力的合法性，以及其於社會中的尊卑、貴賤、嫡庶中之份位。士人亦往往追溯黃帝為其祖源；甚至非漢族者亦直接或間接的將其家族始源與黃帝相連，透過血緣與地緣的關係，形塑其家族集體記憶的神聖性。[48]以黃帝為始祖的論述在晚清至民初積極為國族追溯共主的背景下，被標舉出來。此時黃帝之象徵符號以血緣共同體為基礎，往往以漢族為中心，而有強烈的排他性[49]，並希望透過此種血緣的連續性，以追溯共同先祖，型

46 有關黃帝之文化英雄的功業，以及由渾沌過渡至文明的過程，詳參賴錫三：〈道家的神話哲學之系統詮釋——意識的「起源、發展」與「回歸、圓融」〉，《清華學報》第34卷第2期（2004年12月），頁327-382。黃帝為兵神其與律法密切相關，透過兵刑，以建立律法及秩序，有關此問題，詳參楊儒賓：〈刑——法、冶煉與不朽：金的原型象徵〉，《清華學報》第38卷第4期（2008年12月），頁677-709。楊儒賓：〈黃帝與堯舜——先秦思想的兩種天子觀〉，《臺灣東亞文明研究學刊》第2卷第2期（2005年12月），頁99-136。

47 詳參楊儒賓：〈黃帝與堯舜——先秦思想的兩種天子觀〉，《臺灣東亞文明研究學刊》第2卷第2期，頁99-136。

48 尤其魏晉至唐，任官極重視家族門第，透過官方修訂族譜，此種神聖血統的追溯與記憶之型塑有其迫切性。宋代以後私修家譜，許多家族便追溯黃帝為血緣始祖。甚至清初滿族入侵，士人往往透過黃帝始祖之追溯所型塑的族群共同體之認同感以對抗和區別於滿族，詳參王明珂：〈華夏社會邊緣的英雄祖先記憶〉，《英雄祖先與弟兄民族——根基歷史的文本與情境》（臺北市：允晨文化公司，2006年），頁241-253。

49 黃帝之象徵符號往往為統治者建立帝王譜系時所努力爭奪的政治血緣符號，經歷晚清士人國族論述的脈絡，其形象亦迭經轉變。晚清士人以黃帝為中心的國族建構乃在透過血緣，而奠定共同體認同的強烈基礎，並以此形成邊界，對於非我族類進行區別。詳參沈松僑：〈我以我血薦軒轅——黃帝神話與晚清的國族建構〉，《臺灣社會研究季刊》第28期（1997年12月），頁1-77。

塑強烈的親人、手足的情感。

以黃帝為始祖之論述，往往被詮釋成較狹義的漢族血緣之強調，易引生滿族與漢族或漢族與他族的爭端。於是晚清時又有強調以文化作為共同體認同之中心的文化國族主義，以孔子為象徵符號。但以孔子為始祖，型塑共同體的認同與情感，仍有其濃厚的歷史陳累與包袱。尤其晚清至民初之士人，對於國族積弱、文化生命力不足，往往有極深的痛切感。以孔子為符號的儒教，多少也須擔待此共業，對於聞一多來說此符號象徵著一個禮教僵化，生命力不足的東方文化，而此種形象正是晚清至民初的士人與圖強的氛圍中，極欲擺脫的[50]。更重要的是，晚清士人的國族論述仍以血緣連續性之建構為其核心，其時士人往往透過黃帝以企圖形塑血緣為基礎的國族論述和認同。但也因「黃帝」之符號的豐富性和歧義性，也使得他族亦透過此一符號進行論述的抗衡[51]。於是當時士人又透過孔子所象徵的文化國族主義以取代黃帝為中心的血緣國族主義。但此共祖說亦仍有未解決的問題，且不說以血緣為共同體的基礎為晚清士人根深蒂固的渴望，就連以文化為認同基礎者自身在論述族群認同時，亦難逃脫以血緣為根基的情感挾帶。[52]更何況孔子之隱喻

50 如〈龍鳳〉一篇以龍鳳為夏民族、殷民之原始圖騰，因此視老子為龍圖騰、孔子為鳳圖騰，並提及：「在我們今天的記憶中，龍鳳只是『帝德』與『天威』的標記而已。現在從這角度來打量孔老，恕我只能看見一位『申申如也，夭夭如也』而諂上驕下的司寇，和一位以『大巧若拙』的手段『助紂為虐』」的柱下史。詳參〈神話編・龍鳳〉，收入《聞一多全集》，冊3，頁162。

51 沈松僑：〈我以我血薦軒轅——黃帝神話與晚清的國族建構〉，《臺灣社會研究季刊》第28期（1997年12月）。黃帝之符號所型塑之血緣共同體，其對血緣之認定本身即具有某些程度的開放性。追溯史書記載，黃帝子二十五人中，僅十四人得姓，其餘尚有諸多未得姓者，因此未得姓者亦不能排除其為黃帝後裔的可能性，此為後來族群集體記憶向黃帝靠攏和連結，埋下了許多的可能性，甚至異族亦往往透過姓與地望，努力與黃帝的符號進行連結。有關此種英雄祖先的追溯及其所型塑的族群意識，詳參王明珂：〈華夏社會邊緣的英雄祖先記憶〉，《英雄祖先與弟兄民族——根基歷史的文本與情境》（臺北市：允晨文化公司，2006年），頁241-253，至於夷夏之辨與族群認同問題，可詳參王明珂：《華夏邊緣：歷史記憶與族群認同》（臺北市：允晨文化公司，1997年）。

52 有識之士雖欲透過文化角度形塑更大的認同基礎，但仍不免期盼將諸夷均納入同一血

仍具有意義的模糊性，是不是能跨越以狹隘血緣為共同體基礎仍受到質疑。如古籍文獻中能找到孔子嚴於華夷之辨的論述，此論述為主張漢族血緣共同體認同者所不斷傳述，以對孔子所象徵的文化隱喻進行重設[53]。康有為等欲透過孔子進行文化的國族認同，以鬆解華夷之辨的努力受到嚴重的挑戰。

在民初對國族議題思考的強烈迫切性中，聞一多希望重新摶聚華夏與四裔以對抗西方強權的侵擾，提出以伏羲為夷夏共同先祖之說法，乃是欲建構一個超越華夷之辨而更大的族群認同。此論述雖亦以追溯共同先祖之血緣共同體為其基礎，然而又不同於晚清到民初，以黃帝為族群象徵所具有的高度政治性與權力性，而是以圖騰作為文化與認同的基礎。聞一多認為：「所謂『種族』者嚴格的講，本只是文化和信仰的分野，而不是血緣的分野」。因此，吳太伯仲雍「逃到南方以後，既已改從當地斷髮文身的習俗，便接受了當地先住民的圖騰信仰，所以連太伯仲雍，和仲雍的後人又都也當算作越人」、「越和匈奴都奉龍為圖騰，又都說是夏后氏的苗裔，他們本係同族」[54]。透過圖騰的象徵符號以及文化禮俗的流傳著眼，一方面可以將與伏羲、女媧同性質、同類型的神話涵括在其中，另一方面又與民族起源之神話及豐產儀典等密切結合，且又與聞一多希望透過原始文化、神話、儀式的追溯，以重新灌注和復活文明生命力的努力相結合。

有趣的是，在聞一多的認識裡，以龍圖騰為象徵的聖王很多，為何要選擇以伏羲作為共主？前文已提及，以黃帝為共主含有太多權力與政治的歷史包袱，改造記憶不易；以堯舜、孔子為共主，固然為儒門所喜談，但仍有許多限制有待突破。至於以伏羲為始祖之說亦有其長久醞釀的文化背景。戰國時期的古文獻中如《莊子》、《管子》已提及伏羲之名。《易．繫辭》更指出

緣脈絡中，於是如康有為引述史書論證匈奴等邊族亦為夏后氏之苗裔，即使連滿族亦出於夏禹，故而具備血緣共同體的基礎。詳參康有為：〈南海先生辨革書〉，《新民叢報》第16號（光緒8年8月1日），頁60-69。轉引自沈松僑：〈我以我血薦軒轅——黃帝神話與晚清的國族建構〉，《臺灣社會研究季刊》第28期（1997年12月），頁48。

53 有關隱喻與重設法則，詳參鄧育仁：〈生活處境中的隱喻〉，《歐美研究》第35卷第1期（2005年3月），頁97-140。

54 〈楚辭編．端午考〉，收入《聞一多全集》，冊5，頁36-37。

其創制文明的功業：「仰則觀象於天，俯則觀法於地，觀鳥獸之文與地之宜，近取諸身，遠取諸物，於是始作八卦」。在神話歷史化的過程中，如《管子・封禪》將其列入古帝王譜系中，但就現今所遺留的文獻來看，對於伏羲具體神格及其與三皇間的關係尚不顯豁。至漢儒以古帝王配三皇，雖三皇具體神名仍有差異，且三皇之說並不只有一套，但已將伏羲列為三皇之首[55]，如《春秋運斗樞》以：「伏羲、女媧、神農」為三皇即為一例[56]。緯書中又提及諸多伏羲的異相以及受命等說法[57]。不只如此，伏羲於緯書中還成為「定天地之位，分陰陽之數，推列三光，建分八節，以爻應氣，凡二十四。消息禍福，以制吉凶」[58]的天地律則的擘劃者和體現者，同時成為人類文明的諸多制度，如婚姻制度、熟食、農業、醫藥、天文……的發明者。如《白虎通》所謂：「伏羲仰觀象於天，俯察法於地，因夫婦，正五行，始定人道，畫八卦以治下，下伏而化之」，將諸多文明的創制歸諸於他。若由「伏羲、女媧、神農」為三皇之說來看，三者均具有生民、豐產等特質，而伏羲之創制的諸多制度如婚姻、農業、熟食、醫藥……亦皆與生民密切相關。更重要的是，秦漢以來將五方配五帝，伏羲位於東方、主春、首德為木。[59]木德乃屬宇宙樹之隱喻，與通天意象密切相關，通天之中軸與生生之機、豐沛不絕的生命力相應，春亦與繁育儀典關係密切。[60]因此以伏羲為生

---

55 楊寬：〈三皇傳說之起源及其演變〉，頁185-186，其中提及當時盛行的三皇說有四：（1）伏羲女媧神農。（2）伏羲神農燧人。（3）伏羲神農祝融。（4）伏羲神農共工。諸說均以伏羲為首。

56 《春秋運斗樞》，頁710，又如《春秋元命包》，頁589，亦見此文。

57 如《春秋元命包》，頁589：「伏羲大目，山準龍顏」，《春秋緯・合誠圖》，頁762：「伏羲龍身牛首、渠肩達液、山準日角、奯目珠衡，駿毫鬣巤，龍唇龜齒，長九尺有一寸，望之廣，視之專。」特殊的形貌於漢代的稟氣說下具有稟得異氣的意涵，天命於此異相中得以彰顯。因此漢人對於聖王往往著意描寫其體貌的特殊性。

58 《春秋內事》，頁887。

59 此說法與受命及正統說密切相關，詳參饒宗頤：《中國史學上之正統論》（臺北市：宗青圖書公司，1979年），頁373-380。

60 有關宇宙樹的通天象徵，以及其於神話、儒、道典範人格之象徵、承繼與轉化，詳參楊儒賓：〈太極與正直——木的通天象徵〉，《臺大中文學報》第22期（2005年6月），

民之先祖、婚姻之制定者、文明之擘畫者……亦有長久的文化厚度。

以伏羲為生民之先祖的說法，亦可於一九四二年湖南長沙子彈庫出土的楚帛書中，可以得到進一步的證明。帛書中提及：「雹戲，出……乃取，虞▯□之子，曰女媧，是生子四」，學者論證此處所記乃伏羲、女媧結為夫婦、生子、開創宇宙、制定律則之事。當時「未有日月」，而伏羲、女媧所生之四子為四神，「四神相代，乃步以為歲，是惟四時。長曰青榦，二日朱四單，三日白皇然，四曰溾墨幹」，四神乃四時之木的四木之精，象徵四時。四木之精與四方之色相配，而作為宇宙樹，具有濃厚由通天而來的生命力之象徵。天之神聖性透過此中軸而貫注人間，而四神亦以四時呈現宇宙之律則，四神「參化法兆」，「奠三天，累思保，奠四極」，助成宇宙規律的建立，使得日月、四時之序得以確立。[61]如所學者所謂：「帛書此篇是講日月四時形成的神話，一上來的兩個人物就是伏羲和女媧，這並不是偶然的。我們從漢畫象石和著名的高昌絹繪星圖都可見到伏羲和女媧是與日月星辰畫在一起，這說明伏羲和女媧與星曆家是有密切關係的。」[62]伏羲、女媧於此不只是生民之始祖，實是宇宙律則的生創者，其為文明始祖的形象，至遲於戰國時楚地已有所流傳。而以兄妹關係為配偶的伏羲、女媧形象，學者亦透過較唐代《獨異志》為早的六朝時敦煌遺書所存資料而得其證實[63]。值得注意的是敦煌遺書殘卷中，不但提及伏羲、女媧兄妹結為夫婦，為生民之祖的故事，其與芮逸夫、聞一多等所見西南民族洪水生民神話多所相似外，學者還推測此神話應為本土原有，不待於外傳[64]。此說逐漸發展，如敦煌遺書所存

頁59-98。

61 有關此則之釋文，詳參饒宗頤、曾憲通：《楚地出土文獻三種研究》（北京市：中華書局，1993年），頁230-248。李零：《長沙子彈庫戰國楚帛書研究》（北京市：中華書局，1985年），頁64-73。

62 《長沙子彈庫戰國楚帛書研究》，頁66。

63 此部分相關論述，詳參劉惠萍：《伏羲神話傳說與信仰研究》（臺北市：文津出版社，2005年），頁53-64。

64 劉惠萍：《伏羲神話傳說與信仰研究》，頁61。呂微：《神話何為：神聖敘事的傳承與闡釋》（北京市：社會科學文獻出版社，2001年），頁326。

資料及注提及：伏羲女媧成夫婦後，「懷娠日月充滿，遂生一百二十子，各認一姓，六十子恭慈孝順，見今日天漢也，六十子不孝義，走入藂野之中，羌故六巴蜀是也。」[65]則不但可應合子彈庫楚帛書伏羲、女媧夫婦為文明之祖的說法，同時又可將邊族亦均納入此神聖血統之中；雖然是以不孝義等形象被承認。伏羲之生民與婚姻之神等形象在後代學者中亦有論述，如茅盾以伏羲是神話中的「春之神」[66]。而芮逸夫則將苗族洪水故事與伏羲女媧傳說結合，伏羲、女媧成為西南民族洪水神話與生民之祖[67]。聞一多承芮逸夫之論述脈絡，續論西南民族洪水神話與伏羲、女媧之關係，同時從生民角度拈出「葫蘆」等意象，加強伏羲、女媧生民等特質；並透過匏等意象與西南民族洪水、生民神話相連結。伏羲、女媧於此不只為漢族生民之祖，亦為邊族之共祖。

聞一多以伏羲與女媧的配偶神格局，與諸民族中廣為流傳的生民、洪水神話相連。此說法既應合學者以夏后氏為華夷共同血緣之源頭的說法，同時又透過文化的角度，推究共同體的基礎，避免了當時以黃帝為血緣共同體所具有的高度排他性及政治權力運作的軌跡；以及以孔子為象徵符號所觸及文化包袱等問題。更重要的是，透過豐產神話事蹟之追溯，回歸生生不絕的原始生命力。此原始生命力的歌頌和復活，一直是聞一多所心嚮往之的。

值得一提的是，聞一多就〈九歌〉之文學形式及其祭祀儀典間的關係進行探討，將東皇太一理解為伏羲，此說使得伏羲於文化、祭祀層面的地位大為提高。聞一多認為《楚辭．九歌》與祭祀密切相關，其結構除了前後的迎送神曲外，尚有〈九章〉：〈九章〉中的前八章代表的是日、雲、星、山川等自然神，聞一多認為其發生最古，性質最為猥褻，實與巫術降神的原始信仰

65 黃永武：《敦煌寶藏》（臺北市：新文豐出版公司，1986年），冊132，頁492。

66 茅盾：《神話研究》（天津市：百花文藝出版社，1981年），頁79：「我們且看下面一則舊說：『春皇者，庖犧之別號；所都之國，有華胥之洲，神母游其上，有青虹繞神母……』在原始民族中，春之神是他們最崇拜敬愛的神。」

67 芮逸夫：〈苗族的洪水故事與伏羲女媧傳說〉，《中央研究院歷史語言研究所人類學集刊》第1卷第1期（1938年）。

相關。再次為〈國殤〉的人鬼崇拜，最後才逐漸演變為東皇太一的一神教信仰。聞一多將此信仰的演變過程從人類心靈角度進行理解：

> 宗教史上，因野蠻人對自然現象的不了解與畏懼，倒是自然神的崇拜發生得最早。次之是人鬼的崇拜，那是在封建型的國家制度下，隨著英雄人物的出現而產生的一種宗教行為。最後，因封建領主的逐漸兼併，直至大一統的帝國政府行將出現，像東皇太一那樣的一神教的上帝才應運而生。[68]

聞一多此說法與卡西勒論原始思維的強烈生命參與和震懾的當下論瞬間神階段而漸過渡至職能神階段，眾多的職能神又逐漸摶聚為一神的信仰階段，正相應合。[69]在此基礎上，聞一多對《楚辭．九歌》的諸神及其性質有進一步的瞭解。〈九歌〉就事神樂章來看，其性質與郊祀歌接近，其歌舞樂章中大量人神之戀等場景，應與古宗教背景相關，亦是豐產儀典的呈現[70]。然而〈九歌〉畢竟不純是祭祀歌辭，在文明的演進過程中，原本再現諸神創造與豐產儀典的神聖儀式，透過尸與巫間的媚愛而祈求豐產的儀典，逐漸成為儀式劇，而將祭祀的主角聚焦於東皇太一，諸神淪為對東皇太一「效歡」，東皇太一於是取得祭祀上最崇高的位置。亦由於儀式劇的演化，其文學性逐漸豐富，而非僅祭祀歌辭可以限縮，為至高神之東皇太一的伏羲於宗教、文化的影響層面，可說是既深又廣了。

聞一多希望將原始文化的活水源頭重新引入文化之中，並將其追溯為諸多禮制之源頭，其以龍圖騰信仰的角度解釋漢民族之五行，認為五行實從圖騰信仰中的支族制度演變而來：

---

68 〈楚辭編．什麼是九歌〉，收入《聞一多全集》，冊5，頁345。

69 卡西勒（Ernst Cassirer）著，于曉譯：《語言與神話》（臺北市：桂冠圖書公司，1998年）。

70 〈九歌〉中男神、女神之祭祀戀歌，亦與豐產儀典有密切關係，有關〈九歌〉與巫俗及其人神戀愛儀式之相關研究，詳參青木正兒：〈《楚辭．九歌》之舞曲的結構〉，收入羅聯添編：《中國文學史論文選集（一）》（臺北市：臺灣學生書局，1986年）。藤野岩友著，韓基國編譯：《巫系文學論》（重慶市：重慶出版社，2005年）。

> 五龍用五個色彩來區分，所以龍是五色的名目。由圖騰崇拜演化為祖宗崇拜，於是五色龍也就是五色帝。宗教信仰到了祖宗崇拜的階段，社會組織也由圖騰變為國家，所以五帝是天神，又是人王。

> 五方的龍，用彩色來區分，便有五色……大概是五色離開龍，而成為單純的五種色素之後，太嫌空洞，於是又借五種色彩相近的物質，即所謂五行的木火金水土來象徵青赤白黑黃。並依這五色的方位，又將五行分配給五方。[71]

聞一多認為當時氏族既以五為數，故而以五為神聖數，故端午為五月五日，即為龍圖騰氏族之重大的圖騰祖先祭祀；並將綵絲繫臂視為圖騰制下文身的象徵，龍舟視為圖騰之展現。

與五行思想密切相關的還有神秘數字的運用，聞一多認為：

> 「七十二」是一年三百六十日的五等分數，而這個數字乃是由五行思想演化出來的一種術語。

> 五行思想與農事的關係最密，說不定即淵源於農事，所以「七十二候」、「七十二風」在這數字應用的歷史中，應當產生得較早。[72]

五行說既與圖騰信仰、始祖傳說、豐產儀典密切相關，後來成為宇宙運行的之規律的展現，戰國秦漢後更與統治者之權力論述密切結合，於是由圖騰信仰而追之始祖伏羲不但與豐產儀式密切相關，同時亦為文化之創制者，其於文學、儀式、制度均發生不可磨滅的影響。秦漢以來長久的記憶積澱使得清末民初的國族認同之詮釋過程中，聞一多選擇以伏羲召喚「集體記憶」以進行其歷史之敘事與詮解。[73]

---

71 〈楚辭編．端午考〉，收入《聞一多全集》，冊5，頁38、39。

72 〈七十二〉，收入《聞一多全集》，冊10，頁174、175。

73 戰國以後文獻所追憶之遠古不免受到其時所身處的文化背景、實際的生存需要的影

三　古禮儀中的豐產儀典及隱喻運用

（一）古禮儀中之豐產儀典

聞一多從豐產儀典角度思考古禮俗，並對社、高禖等土地、地母崇拜保持高度的關懷，前文提及其主張：「社與禘本皆出於高禖」，認為禮儀中最核心的部分乃為高禖、豐產之祭。陳夢家亦認為：「以社為體，上巳為用，二事若明，古代禮俗思過半矣。」[74]認為土地崇拜與求育及豐產儀典為古禮俗之核心部分。時至今日，研究古禮俗時，聞一多將歌詩、古籍文獻重新置於其時社會、文化情境的研究方法，不但使得古禮儀研究的文本更形豐富，同時農業豐產儀典及其所展現自然、人文的關係，也成為核心焦點。以《禮記‧月令》中有關一年的施政與儀典為例，通篇對於如何促進土地豐產、自然和諧十分關注，「社」於豐產儀式中一直居於關鍵地位。如孟春時「天氣下降，地氣上騰，天地和同，草木萌動」，天子於社地行籍田禮[75]，〈月令〉

響，而對古史進行選擇的記憶、遺忘、編織、詮釋等工作。有關歷史之敘事與詮釋，詳參海登‧懷特（Hayden White）著，陳永國、張萬娟譯：《後現代歷史敘事學》（北京市：中國社會科學出版社，2003年）。哈布瓦赫（Maurice Halbwachs）著，畢然、郭金華譯：《論集體記憶》（上海市：上海人民出版社，2002年）。

74 陳夢家：〈高禖郊社祖廟通考〉，《清華學報》第12卷第3期（1936年），頁469。

75 於人類學研究中，土地的豐饒與婦女的生育能力有密切的關係，在農業儀典中往往「將婦女比作被開墾的土地……將男性生殖器等同於犁鏵，將田間勞作等同於生產行為。」詳參米爾恰‧伊利亞德（Mircea Eliade）著，晏可佳、姚蓓琴譯：〈大地、女人與豐產〉，《神聖的存在：比較宗教的範型》（桂林市：廣西師範大學出版社，2008年），頁245。《禮記‧月令》記載籍田時透過象徵天的天子與地母的儀式性結合（「天子親載耒耜措之參於保介御之間」），其他參與儀式的官員則「躬耕帝籍」，透過天父與地母交媾的感應巫術而衍生萬物。葉舒憲認為籍田禮為遠古聖婚儀式在後代的象徵變體，「『躬耕帝籍』……是身為天子者代表陽性天父同地母結合，促進大自然生殖力旺盛」由交感巫術角度來看，籍田禮乃天子與地母的象徵性交合，用以促進土地之豐產。此解讀方式與聞一多從人類學及交感巫術角度詮釋豐產儀典，可謂一致。詳參《高唐神女與維納斯》（北京市：中國社科院，1997年），頁146。

依階級不同，而有或繁或簡的籍田儀式，成為勸農及政教上的重要展示。至於仲春則是穀種萌芽的關鍵時刻，此時當務之急是激發穀物的生命力，因此儀式上往往透過社地上合男女等性儀典交感自然生命力之豐饒。《禮記・月令》記載此時「后妃帥九嬪御」於高禖之前，國君與群妃象徵天父、地母，並於祭高禖時進行「御」的交合儀式，以感應自然的繁衍不息。除了天子與群妃的聖婚儀典外，《周禮・地官・禖氏》記載此時令三十之男、二十之女「奔者不禁」，亦是透過集體性的交合儀典，感應土地之豐產。仲春時的男女性儀典於社地舉行，此與土地崇拜及社的地母性質密切相關。春時祭社以祈求穀物豐產，而秋冬時亦祭社，主要為回報、酬謝土地的孕育之功，即所謂：「春祈秋報」[76]，至於冬季則於社地蜡祭與農業有關的百神，以酬謝群臣。不論祈實或報功，均牽涉到社的性質，以及春、秋時節種種相應的繁育巫術。可以顯現土地崇拜在農業生活中具有十分重要的意義，不只關係著農畜的豐產，也交感互滲著人類的婚育，以及整個自然宇宙的和諧和繁育。[77]因此土地崇拜、豐產儀式確實於古禮俗中具有核心的重要意義。

不只是各時令中的土地崇拜儀典具有促進農畜豐產的功效，人間的婚育、合男女儀典亦往往能促成陰陽和諧與豐產；反之男女婚姻失時，則將連鎖感應自然失調，造成水旱災異等現象，故《墨子》指出：「夫婦節而天地和，風雨節而天地和，風雨節而五穀孰」，點出五穀之豐孰與否與男女結合密切相關。[78]西漢大儒董仲舒提及久旱不雨的情況下，「令吏民夫婦皆偶處」來感應天地而求雨[79]。又如《後漢書・周舉傳》記載東漢順帝陽嘉三年（134）時河南發生大旱，周舉認為是男女婚姻失時，陰陽不調所感應的結

76 〔漢〕鄭元注，〔唐〕賈公彥疏：〈春官・肆師〉，《周禮注疏》（臺北縣：藝文印書館，2001年），卷19，頁299，賈疏。

77 有關禮書中土地崇拜及豐產儀典的性質與特色，及其與宇宙循環、再生、土地崇拜的密切關係的細部論述，請參考林素娟：〈土地崇拜與崇產儀典的性質與演變——以先秦及禮書為論述核心〉，《清華學報》第39卷第4期（2009年12月），頁615-651。

78 〔清〕孫詒讓注：〈辭過篇〉，《墨子閒詁》（北京市：中華書局，2001年），卷1，頁38。

79 〔清〕蘇輿：〈求雨〉，《春秋繁露義證》（北京市：中華書局，1996年），頁437。

果。[80]也正因為男女順利結合與自然、農畜之和諧、豐產有密切關係，因此《周禮．地官．禖氏》於仲春合男女，經師對此多所闡述。亦在此背景下，出土的《尹灣集簿》中出現漢成帝時「以春令成戶」的政令。[81]聞一多特別重視豐產儀典及交感巫術的理解角度，於古禮儀中往往從交感巫術之角度探討儀式中諸如法器、食物、衣物之運用。以禮儀文獻來看，婚禮儀式中運用了十分多的交感巫術，以感應自然、家族、個人的繁衍和生育。試舉禮儀中透過蠶與種子來激發豐產為例，據《禮記．月令》所記季春時節為婦女桑蠶的重要時節，此時節「后妃齊戒，親東鄉躬桑」，與帝王籍田禮相對應。春蠶禮中不論季節（春）、舉行儀式的社地、桑樹、桑林、蠶種均與繁育意象密切相關。王后的春蠶禮為春季時重要的繁育巫術，因此《禮記．祭義》天子諸侯之公桑、蠶室得占卜三宮夫人、世婦之吉者而奉蠶種[82]，蠶種與種子同具生命力，因此如《周禮．天官．內宰》提及：「上春詔王后帥六宮之人而生穜稑之種，而獻之于王」，鄭玄認為是：

> 古者使后宮藏種，以其有傳類蕃孳之祥，必生而獻之，示能育之，使不傷敗，且以佐王耕事，共禘郊也。

孔穎達更明白指出：

> 王妃百二十人，使之多為種類，藏種者亦是種類蕃孳之祥，故使藏種也。云必生而獻之，示能育之，使不傷敗者……示於宮內懷孕者亦不傷也。[83]

鄭注、孔疏對後宮藏種，透過種子之生命力而感染滲透與之接觸后妃的繁育

---

80 〔漢〕范曄：〈周舉傳〉，《後漢書》（臺北市：鼎文書局，1978年），卷61，頁2025。

81 邢義田：〈月令與西漢政治——從尹灣集簿中的「以春令成戶」說起〉，《新史學》第9卷第1期（1983年3月），頁1-54。

82 〔漢〕鄭元注，〔唐〕孔穎達疏：〈祭義〉，《禮記注疏》（臺北縣：藝文印書館，2001年，以下簡稱《禮記》），卷48，頁819。

83 《周禮》，卷7，〈天官．內宰〉，頁113。

能力有明確闡釋。種子與宮內懷孕婦女透過交感巫術而產生神秘連結；而經過婦女收藏之穀種，亦能感應其繁育力量，故鄭司農認為當於孟春籍田禮時進行播種，如此種子—婦女—土地之生育力得互滲交感，共成自然之和諧，農畜、人等之豐育。由以上禮儀文本的詮釋中，可以看出聞一多所闡述的春季婚育背景、社地神聖時空、男女交合儀典、樂、舞等感應巫術、儀式之用物、歌詩之隱喻……等研究視域，對古禮俗之研究極具洞見與啟發。

（二）豐產儀典的象徵和隱喻的運用

聞一多分析豐產儀典時，除了透過人類學及交感巫術的背景，其聚焦於隱語之闡釋，使得古禮俗中所反映的文化結構、身體、情感、倫理的關係，可以得到進一步的解釋和發展。其透過《詩經》及民間俗諺中推論「魚」為男女之性愛隱語，或以「食」隱喻男女性事、以「飢」隱喻情慾之飢渴，又或以果實、多產動物隱喻豐產或求偶，均極有洞見。其中不只引用《詩經》、古經典等文獻，亦引用不少民俗材料及歌謠作為例證，雖然有些部分置於《詩經》或古籍的上下文中仍有爭議，但此種從文化人類學及農業豐產的角度審視喻根，同時透過隱喻之方式進行思考，仍對祭典儀式之研究多所啟發。聞一多之後如孫作雲解〈關雎〉篇亦從隱喻之角度進行理解，由魚鷹求魚的行為隱喻男子求女[84]。聞一多的象徵、諧聲之隱語研究，可由當今語言學中之隱喻研究得到理解與進一步發展。隱喻是一種思維方式，是以一具體之事物喻意另一事件，透過不同概念間的映射關係，經由對來源域事物之體會，由之而得到的身體感、情感，透過擷取某些相似的點之聯想，以跨域理解一個較陌生的事物，而此來源域和目標域二者將透過映射作用，融匯為

84 孫作雲：《詩經戀歌發微》（北京市：華夏出版社，2009年）。持此觀點者還如趙國華，認為魚與女陰及生殖的密切關係可於考古出土得出線索，如半坡、姜寨遺址的彩陶魚紋，學者認為很可能與生育及女陰等關係密切，如趙國華：《生殖崇拜文化論》（北京市：中國社會科學出版社，1991年），頁107-125，即認為半坡魚紋是透過魚祭來求得生殖繁盛，甚至可能與吃魚以求子的儀式有關。

一個具有新意義的融合空間。[85]在連類、取象的跨域連結中，原有對事物的前理解，以及某些物象所帶起的身體感和情感經驗將會影響連類的作用。因此由隱喻的連結方式，除了反映一個敘述者的個人情感經驗和心理狀態，同時更反映一個文化情境下的情感模式和心理結構。某物於文化系統中所具有的經驗和意象具有重要的意義；而不同的攝取角度，往往引導出不同的感受和思考方式。[86]

以古禮儀之核心的豐產儀典來看，儀式中所用法器及食物具有高度的隱喻特質。以強調繁育為重要精神的婚禮來看，儀式中所用之物如雁、魚、兔、豚均具有重要的隱喻意涵，透過儀式中隱喻的研究，可以探討自然、身體、倫理、文化結構等禮儀之重要課題。如婚姻六禮中不斷重複出現的雁，即具有重要的象徵意涵，《白虎通．嫁娶》認為納采、問名、納吉、請期、親迎諸儀式以雁為贄，主要考量在於：

> 取其隨時而南北，不失其節，明不奪女子之時也。又是隨陽之鳥，妻從夫之義也。又取飛成行，止成列也。明嫁娶之禮，長幼有序，不相踰越也。[87]

此是由雁隨時節而行之習性以及飛行的樣貌，而隱喻人亦當有信有守。隨陽氣而行，隱喻人妻亦應隨夫（陽）而行。飛行時序秩井然，隱喻婚後倫理關係亦應長幼有序、倫輩不亂。

---

85 雷可夫（George Lakoff）、詹森（Mark Johnson）著，周世箴譯注：《我們賴以生存的譬喻》。鄧育仁，〈生活處境中的隱喻〉，《歐美研究》第35卷第1期（2005年3月），頁97-140。

86 原始的概念往往有其肉身體驗為基礎，並且隱喻在建構的過程中有其局部性和偏愛性，如雷可夫和詹森所指出：「各種文化與宗教的概念系統其本質是譬喻性的，象徵性轉喻是日常經驗與刻劃宗教與文化特色的具整體相合性的譬喻系統之間的重要聯繫。象徵性轉喻立基於肉身體驗，提供了一個了解宗教與文化概念必不可少的手段。」詳參《我們賴以生存的譬喻》，頁70、113-118。

87 〔漢〕班固著，〔清〕陳立疏證：〈嫁娶〉，《白虎通疏證》（北京市：中華書局，1997年），卷10，頁457。

再以魚、兔、豚於婚禮儀式中之象徵性及隱喻的運用來看：

> 初昏，陳三鼎于寢門外，東方、北面、北上。其實特豚合升，去蹄，舉肺、脊二，祭肺二，魚十有四，腊一肫，髀不升。[88]

婚禮儀典中透過「魚」以隱喻男女之情欲與豐產。在古禮儀祭典中，魚亦與陰性、繁育密切相關，根據考古出土如半坡、姜寨遺址的彩陶魚紋，學者認為應是在儀式中使用以象徵女陰與生育之物[89]。禮書記載婚禮中魚亦有豐產意涵，如《儀禮．士昏禮》中提及新婦入門當晚須備置魚十四尾，一般祭祀時用魚正數為十五尾，婚禮為了求雙，達到夫婦敵偶的效果，所以特別減一，用了十四尾。魚數之「十五」用以隱喻月數[90]，魚與月之意象結合，而月與女性豐沛的生育力又密切相關，[91]因此豐產、婚育儀式中透過「魚」、食「魚」等隱喻之運用，帶動起強烈的豐產氛圍。除了魚外，婚禮儀典中使用的「腊」為兔腊，《禮記．曲禮》指祭祀用兔取其「明視」，透過「目精明皆肥貌」，而喻氣血豐沛[92]。

新婚夜的飲食中，最具有強烈合體及生殖象徵的，要算是共牢、合巹的儀式了。「合巹」是將葫蘆、瓜瓢一類果實，由中剖開，作為盛酒之容器，由新婚夫婦各執一半而對飲的儀式。一瓜判剖為二，而實為一，具有很強烈

88 〔漢〕鄭元注，〔唐〕賈公彥疏：〈士昏禮〉，《儀禮注疏》（臺北縣：藝文印書館，2001年，以下簡稱《儀禮》），卷4，頁42。

89 如趙國華：《生殖崇拜文化論》（北京市：中國社會科學出版社，1991年），頁107-125。李荊林認為人面魚紋乃是「嬰兒出生圖」，見〈半坡姜寨遺址人面魚紋新考〉，《江漢考古》第3期（總第32期）（1989年6月）。仰韶文化魚紋的解釋雖然眾多，許多均與魚的生殖意象相關，諸種不同說法詳參劉雲輝：〈仰韶文化「魚紋」「人面魚紋」內含二十說述評——兼論「人面魚紋」為巫師面具形象說〉，《文博》總第37期（1990年8月），頁64-75。

90 《儀禮》，卷46〈特牲饋食禮〉，頁550；「魚十有五」，鄭玄說是因為：「陰中之物，取數於月十有五日而盈。」

91 詳參埃利希．諾伊曼（Erich Neumann）著，李以洪譯：《大母神——原型分析》（北京市：東方出版社，1998年）。

92 《禮記》，卷5，〈曲禮〉，頁98。

的合體意象。在《詩經》中往往以「綿綿瓜瓞」作為豐產或男女婚姻的隱喻。[93]創世神話中亦常出現由瓜判剖而生出初民故事，聞一多對比了許多民族流傳的洪水故事，而發現瓜或葫蘆常在其中扮演著重要的地位，同時還指出男女先祖伏羲與女媧，其實是葫蘆的化身，認為葫蘆與洪水神話或人類始祖發生密切的關係，乃與瓜類豐富的生殖意象，密不可分。[94]以「瓜」來象徵夫婦新婚，婚禮中的「合巹」除了表面上親愛的意思，還具有夫婦「合體」的意涵，同時隱喻夫婦如瓜蒂綿延，生養眾多。至於共牢而食，即「豚」透過「合升」的方式，有別於平時「右胖載之舅俎，左胖載之姑俎」的尊卑之別，而隱喻夫婦「合體」、「同尊卑」。[95]透過夫婦共食一牲，以使彼此產生神秘的滲透和連結，從而確定雙方的一體感。凡此均透過儀式中象徵以及隱喻的運用，而促成行禮者身心的體會和轉化。

以禮書所載豐產儀典來看，儀式中的象徵與隱喻之運用比比皆是，與具體情境及氣氛之體驗密切相關，同時亦可反映文化結構及倫理關係。婚育儀式中所用之動物如雁、魚、兔、豚等，以及雙方往來之禮物[96]，均具有高度隱喻特質，除了反映家庭結構、倫理關係外，還反映當時所期許的倫理及德性內涵。[97]若從婚育儀典的用物、詩歌之象徵及隱喻進行探究，將可以進一步探討古禮俗中之文化結構與情感。透過儀式中隱喻的研究，可以探討自

---

93 〔漢〕毛亨傳，〔唐〕鄭元箋，〔唐〕孔穎達正義：〈大雅．綿篇〉，《毛詩正義》（臺北縣：藝文印書館，2001年，以下簡稱《詩經》），卷16之2，頁545。又如《詩經》，卷8之2，〈豳風．東山〉，頁296。征客透過「有敦瓜苦，烝在栗薪」的景象，而想起了三年前新婚的往事，與下段「倉庚于飛、熠燿其羽，之子于歸，皇駁其馬，親結其縭，九十其儀。」

94 詳參〈伏羲考〉，頁58-131。

95 《儀禮》，卷2，〈士昏禮〉，頁54。《禮記》，卷61，〈昏義〉，頁1000。

96 相關論述詳參林素娟：《神聖的教化——先秦兩漢婚姻禮制中的宇宙觀、倫理觀與政教論述》（臺北市：臺灣學生書局，2011年6月），頁375-378。

97 詳參〔唐〕賈公彥：《儀禮注疏》（臺北縣：藝文出版社，2001年），卷4〈士昏禮〉，頁42。何翠萍透過婚禮之中禮物及其所隱喻的意涵，推論男女雙方所贈禮物反映了雙方對於未來婚姻生活及倫理角色的期許，詳參牟斯（Marcel Mauss）著，康尼申（Ian Cunnison）英譯，何翠萍、汪珍宜中譯：《禮物：舊社會中交換的形式與功能》（臺北市：允晨出版社，1984年）。

然、身體、倫理、文化結構等禮儀之重要課題。

四　始祖傳說中神聖形象的建構與集體記憶之轉化

聞一多透過圖騰崇拜以追溯族群之共同始祖，並建立情感和族群認同。由於圖騰崇拜中：「每一個成員都認為自己與共同尊崇的某種自然物象——通常是動物或植物存在血緣親屬關係。這種動物、植物或無生物被稱為氏族的圖騰，每一個氏族成員都以不危害圖騰的方式來表示對圖騰的尊敬。這種對圖騰的尊敬往往被解釋為一種信仰」[98]。聞一多將圖騰崇拜與禮儀中之特殊姿態、動作、聲調乃至於文飾上的圖案結合，認為在祭典中於「老祖宗面前演習他們本圖騰的特殊姿態，動作與聲調，以便提醒老祖宗的記憶」、「在裝飾上表現著本圖騰的特殊形相，以便老祖宗隨時隨地見面就認識」，此於傜族祭狗王時表現為「扣槽群號」而食和「禹步」，以及越人「斷髮文身」的習俗，凡此均是「一種圖騰主義的原始宗教行為」[99]。古禮儀的圖騰崇拜隨著文明的發展，其宗教形式逐漸消褪，然而圖騰的某些形象，仍帶有族群中長久以來之情感與想像的積澱[100]，此情感和想像於祭儀中不斷透過象徵

---

98 詳參蘇聯人類學家海通（Хайтун）著，何星亮譯：《圖騰崇拜》（桂林市：廣西師範大學出版社，2004年），頁2-4。海通並不贊成如弗雷澤將圖騰崇拜視為半社會、半宗教的制度，也不贊成將圖騰制度視為僅僅是一種社會組織制度，而認為：「圖騰崇拜不是一種獨立的社會組織制度，而僅僅是一種宗教形式」。故而本處引圖騰崇拜之定義，只及於共同接受的信仰層面，而不及於社會制度等相關爭議部分。

99 〈伏義考〉，收入《聞一多全集》，冊3，頁80-82。

100 蘇聯人類學家海通認為圖騰崇拜的起源與其時之對自然、動物、植物之情感性的體驗和想像密切相關，詳參《圖騰崇拜》，頁165-226。此種強烈之情感性、體驗性的表達正是隱喻的表達，古宗教禮俗中隱喻之跨域正以神話自然觀為基礎。故如卡西勒所謂：「人們時而在語言結構中，時而又在神話想像中尋找隱喻的真正源泉；有時它被認作就是言語，後者以其原本就是隱喻的本性生出神話，並且是神話的永恆泉源；與之相反，語詞的隱喻特性有時又被認作是語言從神話那裡繼承而來，並且永遠無條件佔有的一份遺產。」詳參卡西勒（Ernst Cassirer）著，于曉譯：《語言與神話》，頁73。

物或歌、詩中的隱喻等方式出現，而此隱喻之運用又再次型塑共通情感及集體記憶。如聞一多指出：「《三百篇》中以鳥起興者，不可勝計，其基本觀點，疑亦源於圖騰……歷時愈久，圖騰意識愈淡，而修詞意味愈濃，乃以各種鳥類不同的屬性分別代表人類的各種屬性。」[101]聞一多以圖騰崇拜為「興」之本源，並以此解釋《詩經》中之「興」象。圖騰所興發的情感多端，故而其映射之隱喻亦當置於整體之文化情境中進行理解。此種原始思維及信仰之於物的興發和想像，實與前文所謂隱喻思維相通[102]。聞一多探討歌詩中之「興」的運用，與其透過隱語探討古禮俗深層意涵，實為一脈相承。

聞一多對圖騰崇拜及其遺風之於後代文化、文學之興象的探索，對於探討儀典中之物的象徵和隱喻多所啟發。若於儀文的探討來看，統治者往往透過神聖始祖的追溯以及神聖動植物的隱喻，以建構其統治權力的神聖性。以禮儀中所型塑不同階級之身份來看，動、植物所帶起之隱喻以及對身份尊卑之區分，頗為值得關注，如《禮記‧玉藻》：

> 君衣狐白裘，錦衣以裼之。君之右虎裘，厥左，狼裘。士不衣狐白。君子狐青裘，豹褎，玄綃衣以裼之。麛裘，青豻褎絞衣以裼之。羔裘豹飾，緇衣以裼之。狐裘，黃衣以裼之。錦衣狐裘，諸侯之服也。犬羊之裘不裼。[103]

各階級尊卑不同，所服衣裘質材、顏色……均不相同。如（1）值得注意的是儀式法服中運用了豐富的動物意象，如狐、豹、虎、狼、麛、豻、羔。服不同動物的毛皮，有不同的意涵：如君之左右服虎、狼之裘，乃因：「衛尊

---

101 〈詩經通義〉，收入《聞一多全集》，冊3，頁293。

102 如趙沛霖：《興的源起：歷史積澱與詩歌藝術》（臺北市：明鏡出版社，1989年），頁96。認為原始興象與「長期的原始宗教生活中所培育起來的以一定觀念為基礎的聯想」密切相關。此聯想不脫離具體的感性形象，故而原始興象中鳥、魚等動植物均與其時宗教性的體驗和想像密切相關。此原始興象實為神話之隱喻思維的展現。

103 《禮記》，卷30，〈玉藻〉，頁558。

者宜武猛」。虎、狼由於性凶猛，故服其毛皮者亦互滲了其凶猛之性，象徵其為勇猛之士。而狐、豹毛色美麗，又可隱喻君子文章、道業之美。如《易．革卦》之象傳即以虎豹喻大人、君子：「大人虎變，其文炳也」、「君子豹變，其文蔚也」。由虎皮之彪炳，以隱喻為官者功業彪炳。由豹之毛色繁蔚，而隱喻君子之文彩美好。[104]有趣的是虎由其攝取的隱喻角度不同，所隱喻之事物和質性亦不同。如由性情凶猛的角度，或其毛色美麗的角度，所欲表達之喻意截然有別。（2）同樣衣狐裘又因身份階級不同，而顏色有別。如天子衣狐白裘。鄭玄認為：「狐之白者少，以少為貴也。」即因物稀為貴，以顏色進行階級區隔。《白虎通》：「天子狐白，諸侯狐黃，大夫狐蒼，士羔。」亦為此例。（3）所服裘衣之顏色亦因參與典禮性質不同而有別。如年終蜡祭時，由於自然時序處於深冬之時，萬物內斂含藏，為生命交替的死亡時節，此時「皮弁素服而祭，素服以送終也，葛帶榛杖，喪殺也。」此時所服為喪服，象徵著宇宙生命階段的告終。蜡祭後則服黃衣、黃冠。如〈月令．孟冬〉以黃衣為臘祭先祖之服。〈郊特牲〉也以：「黃衣、黃冠而祭，息田夫也。」「野夫黃冠，黃冠，草服也。」[105]此時所服象其時蒼黃之物色。二者一從死亡著眼，故以禮俗中送終之服行禮，以隱喻宇宙生命階段之告終。另一則直接仿效當時自然物色，亦隱喻生命之蕭索、零落。儀典中之「興」、隱喻之探討，有助於理解古文化、禮俗中之自然與倫理觀。

聞一多有關歌詩之興與隱喻的探討，有助於理解古禮儀中如何建構神聖權力，以及如何善用動物之形象、特質以隱喻執禮者之性情、階級。神聖動物之隱喻，往往能牽動長久以來的宗教性情感的積澱，對於建構神聖權力有密切關係。聞一多建構伏羲的共祖地位，即透過神聖動植物如：龍、蛇、犬、匏……之圖騰崇拜所帶起之「興」與隱喻的力量。根據古籍中所記遠古

104 張淑惠：《《詩經》動植物意象的隱喻認知詮釋》（臺中市：東海大學中國文學系碩士論文，2005年），認為《詩經》中之動物往往具有豐富隱喻，如兇猛鬥狠的動物隱喻人之勇猛威武。以繁殖力強之動物隱喻多子多孫，以動物歸巢行為隱喻思歸家園。以動物之捕食行為隱喻人之婚配求愛。

105 《禮記》，卷26，〈郊特牲〉，頁501。

聖王或開國聖君往往亦以神聖動物隱喻其稟賦的不凡。如傳說中「伏羲牛首，女媧蛇軀，皋繇鳥喙，孔子牛唇」[106]、「夏禹蛇身、人面、牛首、虎鼻，而有大聖之德」[107]，均透過動物以隱喻其神聖特質。值得注意的是，即使同一動物，所肖部位不同，喻意有別。如牛腹被喻為貪婪，而牛首、牛唇則被喻為神聖。牛首、牛耳在祭祀上具有特殊的地位，其與「腹」之飲食意象，自然不可同日而語。緯書中尚有十分多聖君、聖王與神聖動物結合的形象，甚至還出現人獸同體的記載：如炎帝「人身牛首」、「蚩尤兄弟八十一人，並獸身人語」、「季子儀馬而產子，身人也，而尾蹄馬」、「孟虧人首鳥身」[108]。以特殊動物與人形的結合，隱喻聖王處於與自然和諧的狀態，以對比於文明發展後統治者所強調禮教威儀的身體形象，以此顯現對神聖無分、圓滿無虧狀態的崇拜。同時，此種不凡還隱喻了神聖的稟賦。秦漢後之統治者在建構神聖血統傳承時，亦往往透過神聖動植物的隱喻，以增加統治權力的神聖性。[109]

不同時代、社會背景乃至於政權之移轉，往往透過隱喻的重新設定，以轉動情感經驗並創造新的文化之體驗，同時型塑集體記憶。聞一多透過豐產儀式、隱喻等面向將族群共同先祖追溯為伏羲，以創造新的情感經驗，此努力彰顯了隱喻之運用與始祖傳說之追溯對於族群認同型塑之重要性。於古禮儀之研究中亦可開啟族群之集體記憶與認同之研究，以及統治權力建構過程中隱喻之研究。

106 《後漢書》，頁1742，注引。又如〔漢〕司馬遷著，〔唐〕司馬貞索隱，張守節正義，裴駰集解：〈五帝本紀〉，《史記三家注》（臺北市：鼎文書局，1979年），卷1，頁4，正義引《帝王世紀》提及：「神農氏……母曰任姒……有神龍首，感生炎帝，人身牛首，長於姜水。」

107 詳參〔宋〕李昉：〈人事・鼻〉，《太平御覽》（北京市：中華書局，1960年），卷367，頁1690。

108 《史記》，卷1，〈五帝本紀・黃帝〉，頁4，正義引《帝王世紀》、《河圖》，頁1220、《河圖括地象》，頁1102-1103。

109 可參考林素娟：〈漢代感生神話的詮釋與建構所傳達的宇宙觀及政教上的意義〉，《成大中文學報》第28期（2010年4月）。

五　結論

聞一多研究古歌詩從文化史、社會史、巫教研究等層面著眼，其受弗雷澤等人類學式的視野，以及功能學派馬凌諾夫斯基、社會學派涂爾幹、心理學如弗洛依德…等視野影響，對於古史、禮俗之研究有別於傳統而另闢蹊徑。其將《詩經》作為社會史料、文化史料進行探討，較傳統由經學、歷史、文學等研讀角度更形豐富，並認為探討古宗教禮俗應聚焦於豐產儀典，對於始祖之追溯亦將之置於豐產儀典及圖騰崇拜的背景，由隱語、興等角度詮解豐產儀典。且由女始祖向男始祖之演變以及政治上對於共主的渴望，探討圖騰崇拜轉為興象及隱語對於集體記憶及共同體認同之重要意義。此研究之視域及取徑對於禮儀、儀式、文化、風俗之研究均有所啟發。

聞一多對古籍詮釋充滿洞見，其詮釋古禮俗以及《詩經》乃以豐產儀典為其核心精神。此種研究路徑後來多有承繼者，或從原始思維、豐產儀典的角度對《詩經》與古代文化進行的探究，或探討土地崇拜、高禖與豐產、農業儀式之關係。如孫作雲《詩經戀歌發微》、周策縱《古巫醫與六詩考》、〈從詩經裡的葛屨論古代的求生祭、高禖與效祀〉、陳炳良《神話、禮儀、文學》、葉舒憲《高唐神女與維納斯》、《詩經的文化闡釋》、楊儒賓〈土的原型象徵〉……均承此視野進行深入探討。聞一多透過隱語、興的角度解釋《詩經》、古禮儀中的諸多豐產意象：於始祖傳說中往往透過「興」以帶起情感與認同；於豐產儀典中，聞一多亦透過隱喻之探討，彰顯儀式之整體情境的力量。其回到原始思維、儀式整體情境的解詩之法，有不少均被認為是妙解，並對古禮儀之探討具有極大的啟發。以隱喻詮釋詩，以隱喻詮釋儀典，以隱喻理解古禮儀之思維結構，確實為詮釋古籍以及禮儀與文化研究開啟重要的視域。

聞一多以圖騰崇拜角度思考古文化禮俗的研究路徑，後繼者如孫作雲透過古代圖騰及氏族制之研究，而於神話、禮俗、儀式乃至於文化制度層面，有深刻的洞見。聞一多對於伏羲此象徵符號投以極大的熱情，以伏羲為原始部落共主、神話中的人物，其具有豐沛的生民之力量，聞一多希望透過伏羲摶合漢族與諸邊緣民族，其承繼芮逸夫將伏羲、女媧視為西南民族洪水生民神話的始祖，開啟了學者對於伏羲、女媧及其與洪水、生民神話的高度興趣，透過此一角度研究的作品為數甚多，本文於此不一一介紹。

一個時代有其型塑認同的共同符號，統治者亦往往運用此符號進行族群共同體的型塑，或階級神聖性的建立。聞一多從圖騰信仰的角度，點出以龍圖騰來凝聚華夷諸族群，重新思考華夷共同先祖，實可超越長久以來以黃帝為政治血統象徵，或晚清以來以黃帝作為凝聚血緣共同體的國族論述所產生的侷限，而創造更大、同時也更具有根源性和動力的認同。此種思考方式與其領會文化人類學、古宗教學有關。聞一多並以此圖騰信仰角度理解文化中的諸多元素，如以龍圖騰支族制之五龍理解五行，以龍圖騰祈年大祭理解端午，雖然不無爭議，但卻十分具有啟發性[110]。此種透過「興」、「隱語」的詮釋方式，一方面對於節慶中的諸多符號元素可以將之置於深厚的文化脈絡中進行思考[111]；另一方面，思考何種象徵、隱喻型塑共同體的認同，往往為其深厚的文化底蘊和存在處境相激盪的結果，在此激盪過程中將對於集體記憶進行再編織和詮釋。而此記憶與詮釋又將再次型塑認同，形成歷史記憶與社會現實、敘事間複雜而密切的關係。在此過程中如何記憶，如何詮釋，以及權力與話語間的關係頗值得關注。聞一多透過始祖傳說對文化進行深度理解，使得思考國族認同、集體記憶之型塑乃至儀式所創造的族群認同等議題更形豐富。其對豐產儀典之隱喻、興的探討，試圖將古宗教、禮俗之活力加以呈現，此努力不但點亮了其對於藝術的本源的探尋，更為文化的溯源和開新找到了源頭的動能和生命力；同時對於古文化、禮儀研究之視域與方法亦多所啟發。

---

110 端午之儀式中的諸多元素，李亦園透過神話儀式與結構關係之分析頗值得參考，詳參《宗教與神話論集》(臺北市：立緒文化公司，1998年)，頁322-346。

111 孫作雲從圖騰制的角度，思考古文化諸問題，以及探討古神話的底蘊，亦承此脈絡而來。詳參《孫作雲文集‧中國古代神話傳說研究》，(開封市：河南大學出版社，2003年)。

田野中的經史學家
——顧頡剛學術考察事業中的古跡古物調查活動[1]

車行健
國立政治大學中國文學系教授

> 有一次斯文赫定告訴中國的科學家說：「李希霍芬在中國調查地質總算有鑿空之功了，他的能力與見識都是不可多得的。但是他卻始終不相信，中國的斯文秀才會放棄蓄長指甲，出門坐騎子並帶一個書童侍侯的習慣。」他的意思，就是「田野工作」是歐洲科學家的法門；中國秀才不但不會學，也學不會的。（李濟：序石璋如撰作之《國立中央研究院歷史語言研究所考古年表》，頁 1。）

1　顧頡剛為史學家，此乃無庸置疑者。然其是否為經學家，則似乎並不是那麼確定。即使稱其為經學家，也往往關聯著對顧頡剛或正面或負面的學術評價。前者如楊向奎（1910-2000）肯定其在經學方面的成就，提醒後學「顧先生也是一位經師。」見吳銳：〈疑古時代是怎樣大膽走出的〉，《古史考》（海口市：海南出版社，2003年），卷5，頁467。後者則如李學勤用帶有貶義的態度直斥顧頡剛「只是一個經學家！」見吳銳：《中國思想的起源》（濟南市：山東教育出版社，2002年），卷1，頁10-11。邵東方態度較持平，他因發覺顧頡剛「晚年研究《尚書》、《周禮》等書又回到經學的路數」，所以認為他「反倒變得像個古文經學家了。」（顧頡剛：《崔述學術考論》〔桂林市：廣西師範大學出版社，2009年〕，頁164）然而不論褒揚或是貶斥，畢竟都是旁人的評論。不如直接回到顧頡剛本人的學術觀點及實際表現，來看看他人究竟是如何自我定位的。大體來說，顧頡剛的學術歸向仍是史學，而其重點則在中國古史。他對經學及經書的看法也主要從史學及史料的角度來看，如其謂「將經書變成歷史」、「把經

一　北平學術圈中的顧老闆

余英時先生在通讀了《顧頡剛日記》後，不禁為顧頡剛（1893-1980）旺盛的事業心感到驚訝[2]，余英時在為《顧頡剛日記》所寫的長序中[3]，首先注意到了顧頡剛在一九四二年五月三十一的日記中所記下的一段自述其心境的話：

書也看成一堆史料」參見顧潮《顧頡剛年譜（增訂本）》（北京市：中華書局，2011年），頁294；「把經學變化為古史學」見顧潮：《歷劫終教志不灰——我的父親顧頡剛》（以下簡稱《歷劫終教志不灰》）（上海市：華東師範大學出版社，1997年），頁264。但他並不因此就不重視經學及經書，他認為欲跳過經學的一重關而直接從經書中整理出古史來，這樣的做法實際上是存著「舍難趨易之心」，他直言是不可能的。參見顧頡剛：〈滬樓月劄〉，《顧頡剛全集》（北京市：中華書局，2010年），冊19，《顧頡剛讀書筆記》卷4，頁346。反之，他對經學的研究一直都是很重視的，如其於一九三九年年底時，寫信給楊向奎，提醒他在經學性質「尚不十分明瞭時，則必須有人專攻，加以分析，如廖平、皮錫瑞然。」而其在一九三九年一至八月任職雲南大學時，亦嘗任雲大文史系「經學史」課程。（以上俱見顧潮：《顧頡剛年譜》，頁331-332、336）他甚至還在一九四九年國民政府風雨飄搖，人心惶惶之際，仍對經學的前途甚為關心，他甚至感歎道：「現在研究經學人士寥寥可數，只沈鳳笙、張西堂數君，予苟不為，則康、崔之緒即斷。故此後研究工作，必傾向經學，庶清代業績有一碩果也。」參見顧頡剛：《顧頡剛日記》（臺北市：聯經出版公司，2007年），卷6，頁401，1949年1月5日記。由他這些實際的學術表現來看，就連傅斯年（1896-1950）也會認為他是經師而非史家。但顧頡剛仍認為其治學之目的在化經學為史史科學，並不以哲學眼光治經典，所以他自承：「稱我為經學研究者則可，稱我為經師則猶未洽也。」（以上均見顧頡剛：〈致楊向奎〉，《顧頡剛全集》，冊41，《顧頡剛書信集》卷3，頁112，1945年12月25日書）。由此可知，即使顧頡剛不能被視做是一位嚴格意義下的經學家或經師，但將其看做是從事經學及經書相關研究的經學研究者應也是恰如其分的。本文主要側重在顧頡剛對傳統的經史學術的研究而且亦考慮到他對經學及經書的研究又往往關聯著史學，因此用「經史學家」這樣的稱號來稱呼他。

2　余英時：《未盡的才情——從顧頡剛日記看顧頡剛的內心世界》（臺北市：聯經出版公司，2007年），頁1-2。

3　即《未盡的才情》一書，因此序文篇幅較長，余先生徵得聯經出版公司同意，另印單行本。

許多人都稱我為純粹學者，而不知我事業心之強烈更在求知欲之上。我一切所作所為，他人所毀所譽，必用事業心說明之，乃可以見其真相。[4]

回顧顧頡剛一生的事跡，除了個人豐富的學術研究及著作外，他還做了大量的與學術有關的行政事務及週邊活動，包括辦學、辦刊物、成立專業性的學術組織、組織研究團隊進行集體研究活動等。學業事業之外，他尚從事文教事業、商業活動，甚至政治活動，難怪余英時會說他的生命型態從一九三〇年代開始，愈來愈接近一位事業取向的社會活動家，流轉於學、政、商三界。[5]

不過顧頡剛的事業心基本上還是表現在學術上，縱使他從事政治活動或商業活動，他的目的還是在支援其學術活動，[6]這點也是余英時所承認的，所以他才會說顧頡剛的事業「都是從學術領域中延伸出來的文化事業。」[7]

顧頡剛的旺盛學術事業心在一九三〇年代展露得最為明顯，而其實際的學術事業成就也在這段期間表現得最為輝煌。一九二九年他結束廣州中山大

4 顧頡剛：《顧頡剛日記》，卷4，頁689-690。案：這段話係顧頡剛於一九四二年六月七日補記於五月三十一日的日記中。

5 余英時：《未盡的才情》，頁2。童書業（1908-1968）之女童教英也有類似的看法，她說：「從某種意義上看顧頡剛，不僅是位學者，還是位社會活動家。」參見童教英：《從煉獄中升華──我的父親童書業》（上海市：華東師範大學出版社，2001年），頁44。

6 在政治活動方面，如顧頡剛曾於一九三六年加入國民黨，但他加入的原因是為禹貢學會募款及為通俗讀物編刊社化解被查封的危機。（以上俱參顧潮：《顧頡剛年譜》，頁277；余英時：《未盡的才情》，頁52-53）直至一九四七年國民黨辦理黨員重登記，顧頡剛因未登記，方始脫離國民黨。（顧潮：《歷劫終教志不灰》，頁227。）余英時因顧頡剛於一九四六年十一月被國府選為國民大會社會賢達代表，因此判斷他在一九四六年必已退出了國民黨。（余英時：《未盡的才情》，頁64。）案：余先生判斷不確。蓋余先生僅依據《顧頡剛日記》，而未參考顧潮《歷劫終教志不灰》一書中所徵引之其他原始史料，以致有此失誤。至於在商業活動方面，則如其於一九四三年與商人合辦大中國圖書公司，目的也是為了推動種種以史學為中心的學術計畫。（余英時：《未盡的才情》，頁6-7。）

7 余英時：《未盡的才情》，頁6。

學的教職，北上就燕京大學聘，正式揮別了「如沸如羹」般的南方教職經驗[8]，終於回到他「狐死首丘」的中國學術中心北平[9]，直到一九三七年七七

8 「如沸如羹」語見顧頡剛：《辛未訪古日記・序》，收入《顧頡剛全集》，冊5，《顧頡剛古史論文集》卷5，頁397。案：顧頡剛因生計所迫，於一九二六年七月一日忍痛接受厦門大學的聘書，南下任厦大國學研究院導師及國文系教授。然因受魯迅（1881-1936）排擠，旋於隔年三月辭職，並於四月應傅斯年邀約，就廣州中山大學聘。不過在廣州中大期間，顧頡剛與傅斯年又因二人性格與做事理念之差異而屢生嫌隙，終至決裂。直至一九二九年二月，顧頡剛方才脫離廣州，並於同年九月正式到燕京大學就職。總計顧頡剛的這一段不愉快的南方經驗一共持續了兩年多。（以上參顧潮：《歷劫終教志不灰》，第四章；顧潮：《顧頡剛年譜》，頁144、155-157、192-193、197）關於顧頡剛與魯迅，除可參顧潮：《歷劫終教志不灰》第四章相關敘述外，另可參汪修榮：〈顧頡剛與魯迅的恩恩怨怨〉，《溫故》（桂林市：廣西師範大學出版社，2005年）第5期。此外，顧頡剛在晚年時由於意識到魯迅已成為「文化界之聖人」，他們兩人的糾紛亦必將成為研究者追索的問題，於是便在其日記中有系統地補記了他當年與魯迅交惡的始末。除了有留下忠實的歷史紀錄的目的外，大概也希望能取得類似新聞媒體「平衡報導」的用心在。這段敘述見《顧頡剛日記》，冊1，頁832-836。至於他與傅斯年交惡事，則請參顧潮：《歷劫終教志不灰》第四章相關敘述；顧潮：〈顧頡剛先生與史語所〉，《新學術之路》（臺北市：中央研究院歷史語言研究所，1998年），上冊，頁91-92；杜正勝：〈無中生有的志業——傅斯年與史語所的創立〉，《新學術之路》，上冊，頁16-22；施愛東（1968-）：〈顧頡剛傅斯年與民俗學〉，《紀念顧頡剛先生誕辰110週年論文集》（北京市：中華書局，2004年）；余英時：《未盡的才情》，第一節，〈事業心與傅斯年〉。

9 傅斯年一九二八年四月二日致胡適（1891-1962）信中的戲語，原文為「頡剛望北京以求狐死首丘。」（見傅斯年：〈致胡適〉，《傅斯年全集》〔歐陽哲生主編，長沙市：湖南教育出版社，卷7，頁56〕）。顧頡剛對北平的深厚情感與依戀之情，確實達到了令人動容的地步，在一九二十九年五月初，他回到暌違將近三年的北平後，再也不欲去廣州了，在一封致中山大學同學的信中，他說到：「一到北平舊宅，開了我的書箱，理了我的舊稿，我實在不忍再走了。諸君，這不是我的自私自利，甘於和你們分離，只因北平的許多東西是我的精神所寄託的，我失去了三年的靈魂到這時又找著了，我如何捨得把他丟掉了呢？」（見顧頡剛：〈致中山大學同學〉，《顧頡剛全集》冊40，《顧頡剛書信集》卷2，頁350，1930年10月13日記）而在一九三五年十二月一日出版的《禹貢半月刊》第四卷第七期的「通訊一束」的編者案語中，顧頡剛亦用深富感情的口吻說到：「一離開北平，歷史材料即有無從接觸之苦，雖是大學林立，而依然文獻無徵；回過頭來看北平，這地方實在太可愛了！可是，北平呀，你肯永遠讓我們愛嗎？你能永遠受我們的愛嗎？幾年來，幾月來，自從四十萬年前的『北京人』頭

事變發生，方又逼使得他倉皇離開北平城。[10]這段期間可以說是他個人學術事業與聲望達於頂峰的階段，在那短暫的八、九年中，他在當時的北平學術圈中獲得「顧老板」的戲稱。據他自述：

> 抗戰前，北平流行著一句話：「北平城裏有三個老板，一個是胡老板胡適，一個是傅老板傅斯年，一個是顧老板顧頡剛。」[11]

顧頡剛這個說法為他當時燕京大學的學生王鍾翰（1913-2007）給證實了，他說：

> 三〇年代中，當時學術界流行的教授知名度高的，地位也高的，像胡適稱胡老板，顧師稱顧老板。先生既稱老板，學生像我自然是小伙計了！[12]

在當時的北平學術圈中，一位學人之所以能被稱為「老板」，最主要的因素就在於他身邊能夠聚集一班人馬。此所以顧頡剛自己在評論「三個老板」這個說法時也說：「從形式上看，各擁有一班人馬，好像是勢均力敵的三派。」[13]當時顧頡剛不但擁有自己的人馬，而且他還同時擁有三套人馬：燕大歷史系（1936 年他出任主任）、北平研究院歷史組（1935 年他出任主任，任用了不少門生），以及禹貢學會。[14]由此可知，他這個學術圈中的「老

骨起，以及仰韶陶器，商周甲骨鍾鼎石鼓，漢代竹木簡，晉唐經卷書畫，宋元圖籍，明清檔案，直到近數年的社會調查，眼看它裝箱上車，盈千累萬地南遷了，這個文化中心是被拆散了！」(《顧頡剛全集》冊34，《寶樹圖文存》卷2，頁40。)

10 顧頡剛在《西北考察日記‧序》曾自云：「……蘆溝橋戰事突起，敵人以通俗讀物之宿憾，欲致予於死地，遂別老父孱妻而長行。」(《顧頡剛全集》，冊36，《寶樹圖文存》卷4，頁408）據顧潮所述，顧頡剛是在七月二十一日晚與家人匆匆道別後上路，但他卻不曾料到，這一去竟是八年多不得返北平。(參顧潮：《歷劫終教志不灰》，頁184）

11 見顧潮：《歷劫終教志不灰》，頁179引。

12 《王鍾翰清史論集》(北京市：中華書局，2004年)，冊3，頁1926；冊4，頁2584。

13 見顧潮：《歷劫終教志不灰》，頁179引。

14 參王學典主撰：《顧頡剛和他的弟子們（增訂本)》，(北京市：中華書局，2011年)，頁

板」稱號不但實至名歸[15]，而且與當時的學術霸主胡適和傅斯年相較量，亦毫不遜色。[16]從今天的角度來看的話，顧頡剛這種表現與作為或許可以稱之為「學術企業家」。[17]

55。

15 顧頡剛廣納人才的作為又為他博得「廣大教主」與「通天教主」的謔稱，參劉惠孫（劉厚滋，1909-1996）：〈顧頡剛先生與冀察古迹考查團〉，《顧頡剛先生學行錄》（北京市：中華書局，2006年），頁166。案：據《顧頡剛日記》所記，「通天教主」之號當是傅斯年所加諸給他的，不過就顧頡剛本人的認知，這樣的稱號是帶有敵意的，為此他感歎的說：「北大老同學如此嫌忌我，真無法對付。」（卷4，頁217，1939年4月4日記）

16 當然從顧頡剛的角度來看，他可不會那麼認為，因為在實質的學術資源和經費上，他自認為是遠不如胡、傅二人的。何以然？他說：「胡適是北大文學院長，他握有中華教育文化基金董事會（美庚款），當然有力量網羅許多人；傅斯年是中央研究院歷史語言研究所所長，他一手抓住美庚款，一手抓住英庚款，可以為所欲為。我呢，只是燕大教授，北平研究院歷史組主任，除了自己薪金外沒有錢，我這個老板是沒有一點經濟基礎的。」也正因為如此，這個光棍老板還得常常倒貼自己的薪金、版稅，甚至妻子的私房錢來維持他這些個「學術班子」的運作。（以上俱見顧潮：《歷劫終教志不灰》，頁179。）

17 一般來說，這類學術企業家本身須具備相當的學術聲望以及一定程度的奇理斯瑪（Charismatic）人格特質，如此才能吸引追隨者，從而達成聚集人馬的效果。此外還要有爭取學術資源的本事、規劃及執行研究計畫的長才，以及組織人馬從事大規模或集體研究的作為等條件。環視現代人文學界，以筆者淺見，除顧頡剛外，傅斯年與郭廷以（1904-1975）以及西方的布勞岱爾（Fernand Braudel, 1902-1985）與費正清（John King Fairbank, 1907-1991）等人，大概都是堪稱學術企業家的學人，或至少也可稱做是學術企業家型的學人。關於布勞岱爾的部分，可參彼得・柏克（Peter Burke）撰，江政寬譯：《法國史學革命：年鑑學派1929-89》（臺北市：麥田出版公司，1997年），第三章；費正清的部分請參余英時：〈費正清與中國〉，《現代學人與學術》（桂林市：廣西師範大學出版社，2006年）；傅斯年的部分可參杜正勝：〈無中生有的志業——傅斯年與史語所的創立〉；郭廷以的部分則請參張朋園：《郭廷以、費正清、韋慕庭——臺灣與美國學術交流個案初探》（臺北市：中央研究院近代史研究所專刊，1997年）。何炳棣（1917-2012）就曾用「學術企業家」稱呼過費正清。參氏撰：《讀史閱世六十年》（臺北市：允晨文化公司，2004年），頁297。不過有時「學術企業家」跟「學閥」的界限頗難做嚴格的區分，顧頡剛也曾被人罵做「學閥」。但據余英時的分析，顧頡剛對「學閥」的稱號並不反感，因為「他所追求的不是權力由此或許可以稍為澄清顧頡剛所謂不擅辦事的誤解。長久以來，人們一直對顧頡剛的辦事能力並沒有太多的肯定，尤其在和傅斯年相較量之下，這種印象似乎更顯得突出。甚至在顧頡剛自己學生的心目中也是如此看的，如楊向奎就曾比較顧、傅二人，認為「就辦事的能力說，多謀善斷，長於在亂中求治，頡剛先生遠不如孟真先生。」[18]當然，在他早期的文字敘述中確曾流露出「怕管事」、「對於辦事雖有勇氣，卻無興趣」的話語[19]，但這不表示他缺乏辦事的幹才。其實顧頡剛若真如楊向奎所說的，辦事能力「遠不如」傅斯年，那又怎麼解釋顧頡剛可以在一九三〇年代的北平史學界中，在沒有任何固定經費奧援的情況下，隻力獨撐起三套史學班子，更別說他還辦了許多救亡圖存與啟迪民智的民眾教育事業。[20]而且這個印象也與顧頡剛的自我認知不同，在一九四三年八月三十一日的日記中，他追記了同年八月十三日與好友賀昌群（1903-1973）的談話感想：

> 渠謂予古史工作已告一段落……至於此後歲用，渠以為宜致力於事業，蓋予有氣魄，能作領導也。[21]

這個看法原是賀昌群對顧頡剛所作的評價，顧頡剛本人不但認可了賀的看法，而且還進一步深入地分析反省自己的缺點在於「開端時規模太大，以致

（power）顯赫的『學閥』，而是具有廣泛影響力（influence）的『學術界之重鎮』。」（余英時：《未盡的才情》，頁10-11。）案：余英時的分析，其根據見顧頡剛：《顧頡剛日記》，卷5，頁58。

18 見楊向奎：〈史語所第一任所長傅斯年老師〉，《新學術之路》，上冊，頁74。

19 前者係顧頡剛於一九二七年二月二十日致馮友蘭（1895-1990）信中之語，後者則是他在一九二八年八月四日致胡適信中語，二者分是《顧頡剛全集》，冊40，《顧頡剛書信集》卷2，頁229；《顧頡剛全集》，冊39，《顧頡剛書信集》卷1，頁452。這些都是說給別人聽的話，在私下裡他卻說他自己「興奮多而抑制少，故不畏任事。」（1934年7月31日記，見《日記》，卷3，頁218）

20 童教英對顧頡剛的辦事能力就給予高度的評價，其云：「顧頡剛精力旺盛，活動能力、組織能力極強，其活動範圍廣，……。」（見氏撰：《從煉獄中升華——我的父親童書業》，頁44。）

21 顧頡剛：《顧頡剛日記》，卷5，頁139。

根柢不能充實。」[22]持平來論，若從事後成敗論英雄的話，則或許顧頡剛所創辦及推動的學術事業（非個人學術成就）對當代中國人文學界的影響不如傅斯年所謂「無中生有的志業」（杜正勝語）來得顯赫，但其最主要的關鍵不完全在兩人的辦事能力的高下差別，而是在於顧頡剛始終無法掌握一長期穩定的學術資源（包含公部門的行政支援及公私部門的經費奧援）。他所創立的禹貢學會是純民間的學術組織，而傅斯年所創的歷史語言研究所則是公家的學術機關，在動亂不休及民生凋弊的年代中，一私一公的性質就決定了二者或亡或存的命運。[23]

二　顧頡剛的學術考察事業

在顧頡剛的眾多學術事業中，其學術考察事業的表現是極為活躍及突出的，粗略地來看，他所參與的學術考察活動大致包含了一，民俗考察；二，古跡古物調查；三，邊疆史地與社會現狀的考察等三個面向。

民俗考察的面向主要集中在一九三〇年代以前，也就是他於一九二四至一九二六年間任職北大研究所國學門及一九二七年至一九二九年擔任廣州中

---

22 顧頡剛：《顧頡剛日記》，卷5，頁139。其實顧頡剛的問題不在有無辦事之能力，而是在於性格及人和，其日記中屢有其自我分析反省之語，如云：「予之不能任事，即以予太急切，在予眼中，他人總不能十分努力也。」（1927年12月31日記，見《日記》，卷2，頁117。）又如：「予作事太銳，招人之忌，自在意內。」（1928年5月22日記，見《日記》，卷2，頁166）又如：「予之為人，在討論學問上極能容忍，而在辦事上竟不能容忍如此。」（1930年10月1日記，見《日記》，卷2，頁444。）又如：「予之性質，亦甚剛愎，故任事以來，對於上司皆感不滿，僅朱騮先先生為例外耳。」（1930年11月20日記，見《日記》，卷2，頁461。）由此可知，他不是沒有辦事之能力，也不是不願任事或畏懼任事，而是太有任事之作為，以致招人嫌忌，再加上個性剛強耿介，「嫉惡若仇」（1935年1月20日記語，見《日記》，卷3，頁299），所以才會遭致不少人事上的阻逆與無端的口舌是非。

23 余英時亦就顧頡剛和傅斯年的學術事業的成就作了相當持平客觀的比較，其云：「傅的史語所是國家機構，基礎鞏固；顧的種種『事業』則是私人結合，非有外面的援助便不能長久維持。」（余英時：《未盡的才情》，頁65）

山大學教職的期間。在北大工作期間，雖然當時研究所國學門底下有編輯室、歌謠研究會、方言調查會、風俗調查會、考古學會，但顧頡剛作得最多，成績也最突出的還是歌謠研究會和風俗調查會的工作。[24]而他所參與的民俗考察活動就是在一九二五年春，承風俗調查會之囑托，與容庚（1894-1983）、容肇祖（1897-1997）、孫伏園（1894-1966）、莊嚴（1899-1980）等人赴妙峰山所進行的歷時三天的社會民俗調查。不過，當時因受著財力的束縛，正式的調查工作似乎只有這一次。[25]而在中大時期，他除開設民俗學傳習班，訓練學員從事民俗調查及研究之外，也組織團體去雲南考察少數民族生活。[26]

古跡古物調查和邊疆史地考察都主要集中在一九三〇年代。雖然古跡古物調查在一九三〇年前就已有進行，但主要仍是在一九三〇年代中大放異彩。（詳參第三節）而邊疆史地考察事業則與他在一九三〇年代以後的「歷史地理學的轉向」有著密不可分的關係。鄭良樹認為顧頡剛和地理學結上因緣，是他開展第二學術生命的契機。而這一切始於一九三一年初，當時他甫與朱士嘉（1905-1989）合撰成〈研究地方志的計畫〉一文。到了次年秋天，他在燕京大學及北京大學開設「中國古代地理沿革史」課程，主講〈禹貢〉，從此就正式涉入這個領域。而他之所以涉足古代地理，在開始的階段，主要還是為了解決古史的問題。但他逐漸由「玩票」、「客串」的性質，

24 顧頡剛：〈古史辨第一冊自序〉，《顧頡剛全集》，冊1，《顧頡剛古史論文集》卷1，頁76；顧潮：《歷刼終教志不灰》，頁83-84。

25 顧頡剛：《妙峰山．自序》，《顧頡剛全集》，冊15，《顧頡剛民俗論文集》卷2，頁322；顧頡剛：〈古史辨第一冊自序〉，《顧頡剛全集》，冊1，《顧頡剛古史論文集》，卷1，頁64；顧潮：《顧頡剛年譜》，頁117；顧潮：《歷刼終教志不灰》，頁86；容肇祖：〈回憶顧頡剛先生〉，《顧頡剛先生學行錄》，頁21；鄭良樹：〈序——論顧頡剛之學術歷程及其貢獻〉，《顧頡剛學術年譜簡編》（北京市：中國友誼出版公司，1987年），頁24。

26 顧潮：《顧頡剛年譜》，頁175；王煦華：〈顧頡剛先生在中山大學〉，《顧頡剛先生學行錄》，頁42-43；張榮芳：〈顧頡剛先生與中山大學〉，《紀念顧頡剛先生誕辰110週年論文集》，頁30。此文又收入氏撰：《秦漢史與嶺南文化論稿》（北京市：中華書局，2005年）一書。

終至正式「下海」。到了一九三四年二月，他聯合了譚其驤（1911-1992）及燕大、北大與輔大的學生共同組織禹貢學會，並出版《禹貢半月刊》。這不但表露出他跨足古代地理研究的雄心壯志，而且也標示了他攀向另一個學術事業的高峰。

由此他再沿著古代地理的風勢，並且結合著現實政治的關懷，終將其興趣及觸角延申至邊疆史地的領域內。[27]

這三個面向的學術考察活動充分表明了顧頡剛對實地考察學風的重視。在一九二六年六月出版的《古史辨》第一冊中，顧頡剛發表了那篇具有自傳性質的著名〈自序〉，其中就已顯露出部分的端倪，他自述在北大研究所中：

> 我始見到商代的甲骨文字和他們的考釋，我始見到這二十年中新發現的北邙明器、敦煌佚籍、新疆木簡的圖像，我始知道他們對於古史已在實物上作過種種的研究。我的眼界從此又得一廣，更明白自己知識的淺陋。我知道要建設真實的古史，只有從實物上著手的一條路是大路。[28]

半年後，當顧頡剛為《廈門大學國學研究院週刊》作〈緣起〉時，他對這種學風又有更進一步的自覺：

> 我們知道學問應以實物為對象，書本不過是實物的紀錄。我們知道如

---

27 以上敘述脈胳主要參考鄭良樹：〈序——論顧頡剛之學術歷程及其貢獻〉，《顧頡剛學術年譜簡編》，頁11-14；相關細節則並參照顧潮：《顧頡剛年譜》，頁215、227、241-242等之記載。案：鄭良樹將顧頡剛的「歷史地理學的轉向」定於一九三一年，然早在一九二八年秋，顧頡剛即已在廣州中山大學開設「古代地理研究」的課程，並作〈古代地理研究課旨趣〉一文。參顧潮：《顧頡剛年譜》，頁180；顧潮：《顧頡剛評傳》（南昌市：百花洲文藝出版社，1995年），頁122。由此可知，至遲在一九二八年，顧頡剛即已將其學術觸角延伸至歷史地理學的領域。關於顧頡剛與禹貢學會及《禹貢半月刊》的關係請另參彭明輝：《歷史地理學與現代中國史學》（臺北市：東大圖書公司，1995年），頁143-214。

28 顧頡剛：〈古史辨第一冊自序〉，《顧頡剛全集》，冊1，《顧頡剛古史論文集》卷1，頁44。

> 果不能瞭解現代的社會，那麼所講的古代社會便完全是夢囈。所以我們要掘地看古人的生活，要旅行看現代一般人的生活。任何骯髒和醜惡的東西，我們都要搜集，因為我們的目的不是求美善，乃是求真。[29]

時隔一年，顧頡剛復為新創立的《國立中山大學語言歷史學研究所週刊》撰寫〈發刊辭〉，在其中他對這種學風又有更加完整清楚的體認：

> 我們要實地搜羅材料，到民眾中尋方言，到古文化的遺址去發掘，到各種的人間社會去採風問俗，建設許多的新學問！[30]

長久以來，臺灣的學術界一直認為這篇〈發刊辭〉是出自傅斯年的手筆[31]，但在顧頡剛的日記中卻清楚地記錄著顧頡剛在一九二七年十月二十一日「作《研究所週刊》發刊詞」[32]，因此該文作者究竟何屬的公案應該是水落石出，無庸再爭辯了。[33]雖然這篇〈發刊辭〉是由顧頡剛所執筆的，但仍有學者認為此文「鮮明地表現了傅斯年的學術理想和目標。」[34]有的甚至武斷地認定其中某些觀念「絕對是『傅斯年式』的，不是顧頡剛的蹤影。」[35]

---

29 此文撰於一九二六年十二月二十八日，引文見顧潮：《顧頡剛年譜》，頁150。相關討論另參顧潮：〈顧頡剛先生與史語所〉，《新學術之路》，上冊，頁88。

30 引文見顧潮：《顧頡剛年譜》，頁162。

31 這個印象是董作賓（1895-1963）所造成的，董氏早在一九五一年所撰就的〈歷史語言研究所在學術上的貢獻——為紀念創辦人終身所長傅斯年先生而作〉一文即持此說。董氏此文刊於《大陸雜誌》第2卷第1期。

32 顧頡剛：《顧頡剛日記》，卷2，頁97。

33 關於該公案的相關討論請參顧潮：《歷劫終教志不灰》，頁120；顧潮：〈顧頡剛先生與史語所〉，《新學術之路》，上冊，頁87；杜正勝：〈無中生有的志業——傅斯年與史語所的創立〉，《新學術之路》，上冊，頁12-13。

34 逯耀東（1933-2006）：〈傅斯年與歷史語言研究所〉，《胡適與當代史學家》（臺北市：東大圖書公司，1998年），頁235。

35 杜正勝：〈無中生有的志業——傅斯年與史語所的創立〉，《新學術之路》，上冊，頁12-13。例如在這篇〈發刊辭〉中所宣示的治學態度是「沒有功利的成見，知道一切學問都不是致用的。」就不能說沒有顧頡剛的蹤影。其實顧頡剛早在一九二二年就曾針對整理國故的問題提出應「研究」，而非「實行」的態度。此外，他在一九二八年這些學者的看法恐都失於一廂情願與片面。學術觀念往往都是相互激盪的，特別是在一個大的時代思潮氛圍感染下，觀念的傳播與流衍尤其迅速，而其在學人圈中所生發的作用與影響亦特別顯著。因此持平來說，與其說〈發刊辭〉中的種種觀念是僅代表顧頡剛或傅斯年某個人的想法，不如說是呈現出了二人的共同立場。[36]

顧頡剛這種重視實地考察的治學態度一直沿續到一九三〇年代在北平的學術事業。在一九三七年四月一日出版的《禹貢半月刊》「三周年紀念號」中，他在經其修改的〈本會此後三年中工作計畫〉一文中，仍一再強調實地考察的重要：

> 語云「百聞不如一見」，誠以尋討事理，書本之誦求不如實際之調查，是以本會對於旅行調查最為重視。[37]

顧頡剛所倡導的這種實地考察的學風在當代學術上的意義，也為當時其他領域的學人所深刻地認知。其時留學英國，師從功能派文化人類學大師馬林諾斯基（Bronislaw Malinowski, 1884-1942）的費孝通（1910-2005）就曾在其函寄顧頡剛的書簡中大力讚揚這種學風：

> 一切知識最可靠者惟有目擊身受，自然科學之實驗可貴在此，社會科

十二月下旬為籌辦中山大學語言歷史研究所展覽會所作的〈說明書〉中的〈卷頭語〉裡，他也明確的指出：「學問必須脫離了應用的束縛纔可望自由的發展，這是我們信仰的第一義。」（以上分別見顧潮：《顧頡剛年譜》，頁78、頁186）由此，如何能說這「絕對是『傅斯年式』的」觀念？又如何能說是「鮮明地表現了傅斯年的學術理想和目標」？相關討論請另參王汎森：《中國近代思想與學術的系譜》（臺北市：聯經出版公司，2003年），頁389-390、頁408。

36 顧潮：《歷劫終教志不灰》，頁120；顧潮：〈顧頡剛先生與史語所〉，《新學術之路》，上冊，頁87。歐陽哲生在其主編的《傅斯年全集》中的意見較持平，其謂：「此文發表時未署名，有關作者現有兩說：一為傅斯年，一為顧頡剛編者以為兩人商議，而由顧頡剛執筆的可能性較大。」（《傅斯年全集》，卷3，頁12，註1「編者云」。）真實情況應該就是經兩人商議後，再由顧頡剛執筆。

37 《禹貢半月刊》，第7卷第1、2、3合期（1937年4月1日），頁14。

> 學之實地研究不可缺少之理亦在此。此風不可不提倡，而尤貴能自身作則。吾師（案：指顧頡剛）處學術前驅，後生所仰，能以辨古察今打成一片，中國社會科學之前途實利賴之。[38]

當然顧頡剛重視實地調查活動，並致力將其發展為學術考察事業，除了有來自上述他對實地考察學風的認識外，其個人好遊歷的個性興趣與嗜好也是不可忽略的重要因素。顧頡剛對遊歷之喜好屢見諸他的筆墨中，如其於〈古史辨第一冊自序〉云：

> 我在學校裏最喜歡做的事情是「修學旅行」，因為史地教員對於經過的名勝和古蹟有詳細的說明，理科教員又能伴我們採集動植物作標本；回來之後，國文教員要我們作遊記，圖畫教員要我們作記憶畫。[39]

又如其於《辛未訪古日記》中亦云：

> 予自幼好遊覽，不知此性之何自來，偶得閒暇，輒涉歷山水以開廣其心。……其後居北方，力所能至，無不往者，近郊遠邑，都作盤桓，匪特賞其風物之美，羅煙霞泉石為吾狎友，亦欲藉以接觸民間生活，識國家之現實情狀，不使欺蒙於現代化之城市外衣。[40]

結合客觀求真的考索精神與個人嗜好遊覽的興趣，以及夾雜其中的憂國憂民的胸懷，顧頡剛的學術之路很自然地朝向實地考察的方向發展，而從此這個方向也就成了他的學術事業的重心之一。

---

38 《禹貢半月刊》，第7卷第1、2、3合期（1937年4月1日），〈通訊一束〉，頁401。

39 顧頡剛：〈古史辨第一冊自序〉，《顧頡剛全集》，冊1，《顧頡剛古史論文集》卷1，頁11。

40 顧頡剛：《辛未訪古日記．序》，《顧頡剛全集》，冊5，《顧頡剛古史論文集》卷5，頁396-397。

三　田野中的古跡古物調查

顧頡剛早年的學生，同時也是當年禹貢學會核心成員之一的史念海（1912-2001）曾針對顧頡剛的實地考察活動有如下的評述：

> 頡剛先生以學術名家，卻並非終日伏處案頭，不出戶庭。頡剛先生亦喜游歷，其游屐所至，可以說是無遠殊居。而最為重要的應為三次：一次是到河北大名，探問崔東壁的故里；一次是到內蒙古後套，訪問王同春所開鑿的渠道；再一次是到甘肅南部和青海東部，考察教育。[41]

其實顧頡剛一生的遊歷與考察活動確實非常頻繁，吾人主要根據顧潮所編的《顧頡剛年譜》，另又參酌沈津（1945-）所編的《顧廷龍年譜》，[42]約略將其從一九一八年初遊甪直保聖寺，參觀楊惠之所塑之羅漢像開始，直至一九四五年抗戰結束止，他在這段期間所從事的學術考察活動以及帶有考察性質的遊歷活動做一整理，並編製了〈顧頡剛考察年表：1918-1945〉（見附錄）。從其中可以發現在這二十八年間，他一共至少參與了六十五次的考察活動或帶有考察性質的旅遊活動，平均一年 2.32 次。這還不包括他藉由外出工作、演講、出差、開會、省親、處理私人事務以及一般性的旅遊等機會所可能同時伴隨的考察活動。

在這六十五次跟他有關的考察活動中，他親身參與的共有五十七次，另外八次則是由他組織了考察團，但他本人並未實際參與考察。[43]從〈考察年

---

41 史念海：〈顧頡剛創立禹貢學會及其以後的二三事〉，收入顧潮編：《顧頡剛學記》（北京市：三聯書店，2002年），頁388。

42 沈津：《顧廷龍年譜》（上海市：上海古籍出版社，2004年）。

43 這八次是一九二八年七月的組織中大研究所赴滇調查少數民族事，派史祿國（S. M. Shirokogoroff，1887-1939）、楊成志（1902-1991）等前往。又派容肇祖赴北路考察古物；一九三五年七月一日任職北平研究院史學研究會歷史組主任後，派吳世昌（1908-1986）、張江裁（1909-1968）帶隊普查北平古跡；一九三六年七月，應王喆之邀，在禹貢學會組織河套水利調查團前往調查；一九三六年十一月，禹貢學會組織張

表〉中也可以清楚的看到，顧頡剛考察事業的高峰是在一九二九年返回北平任教於燕京大學後才開始的。從一九二九年秋至一九三七年七七抗戰前夕的八年間，他所參與及組織的考察活動一共有二十七次，平均一年 3.37 次，這個比例遠高於一九一八年至一九四五年間的考察活動平均值。如果扣除其中七次未親身參與的考察活動，他在這八年中也參與了二十次的考察活動，平均一年也有大約 2.5 次到田野考察遊歷的機會。由此也可以知道，在這些年的忙碌歲月中，顧頡剛確實是經常奔波於鄉野田里間。這也意味著他從事學術研究工作的場域已經從書房或研究室搬移至田野中了。

在顧頡剛活躍於抗戰前的北平學術圈的期間，他的學術考察事業的重心也已由一九二九年之前的民俗考察轉移至古跡古物調查及邊疆史地的考察。由於後者涉及到當時實際的政治、社會及民族的問題，事涉複雜，且亦超出本文的範圍，因此本文的討論將只侷限在古跡古物的調查活動方面。在古跡古物調查及邊疆史地考察二者之間，顧頡剛很早就表現出對古跡古物的關注。從〈考察年表〉中可知，早在一九一八年顧頡剛就已經在一次旅遊蘇州古鎮甪直的活動中，對當地古剎中的唐朝塑像產生興趣，此後在北大研究所期間又有數次親身調查古跡文物的經歷。正是因為有這些實際參與的經歷，也難怪他在一九二九年重返北平校園後，馬上就迫不及待地開展古跡文物的學術考察活動。據《年譜》記載，顧頡剛在來到燕京大學的第一個學期即與容庚合擬〈古跡古物調查計畫書〉，計畫進行河北、河南、山東、山西四省之訪古。[44]而在隔年的夏末，他又與容庚籌備古跡古物調查事。[45]他這個計

維華（1902-1987）、馮家昇（1904-1970）、侯仁之（1911-2013）、陳增敏赴察哈爾省調查蔚縣古石刻；一九三七年四月四至十六日，應綏遠當局邀，在燕大組織綏遠蒙旗考察團，赴綏遠各旗盟調查；一九三七年四月，在燕大歷史學系組織汴洛考古旅行團，去洛陽、開封等地調查古物古跡；一九三七年六月，在北平研究院史學研究會組織燕趙古跡調查團，赴河北邯鄲、定縣、易縣，實地測繪調查趙王城、漢中山王陵寢、燕下都；一九三七年春間，西北移墾促進會、河北移民協會、燕京大學聯合組織暑期西北考察團。

44 《年譜》一九二九年十二月一日條下記，頁199。

45 《年譜》一九三〇年夏末條下記，頁211。

畫直到一九三一年的四、五月間方正式付諸實現，這就是有名的「辛未訪古」。這次訪古之行的緣起據顧頡剛在十餘年後的追憶，係因其來到燕大任教之後，讀書研究「致力過猛」而得到「怔忡之疾」，以致「每一握管，胸濾心浮」。為了排遣這種「不能事筆札」的後遺症，因此遂有這次的旅行訪古之舉。[46]不過，這麼大規模的訪古考察活動，還是應有其來自學術上的動機顧頡剛在旅行的途中，來到青島調查嶗山的藏經，曾應青島大學之邀，於一九三一年五月二十一日在青島大學舉行了一場公開講演，在演講中他就自述此行調查的動機有三項：一是要切實認識中國歷史、二是受到漢學研究古器物的刺激、三是勘查古物損壞的情形。[47]由此可知，這次看似偶發的旅行活動，應該還是有經過長期的思考與縝密的計畫。而且疑行所行經的路線，除了以陝西取代山西外，其他皆大致與一九二九年年底和容庚合擬之〈古跡古物調查計畫書〉相合。

顧頡剛這次的訪古之旅既是有計畫的活動，所以當時為了實踐此計畫，還特別組了一支旅行團，名稱就叫做「燕大考古旅行團」。正式的團員除顧頡剛外，尚包括容庚、鄭德坤（1907-2001）與林悅明（1908-1996）。燕大教授洪業（1893-1980）與吳文藻（1901-1985）則藉春假之機亦同行。團員們的分工是：容庚司會計、顧頡剛司紀錄、鄭德坤司庶務、林悅明司攝影。所到之處有河北之定縣、石家莊、正定、邯鄲、魏縣、大名，河南之彰德、安陽、鄭州、洛陽、陝州、開封、鞏縣，陝西之潼關、西安，山東之濟寧、嘉祥、曲阜、泰安、濟南、龍山、臨淄、益都、青島等。四月三日出發，五月二十九日返抵北平，共「歷時兩月」。其中去魏縣、大名，則為專訪崔述（1740-1816）故里。[48]史念海所說的三次重要考察之一的河北大名崔東壁

46 見顧頡剛：《辛未訪古日記・序》，《顧頡剛全集》，冊5，《顧頡剛古史論文集》卷5，頁397。案此篇序寫於一九四六年五月十五日。

47 顧頡剛：〈顧頡剛先生在國立青島大學公開講演盛況〉，《顧頡剛全集》，冊33，《寶樹園文存》卷1，頁337。

48 以上參顧頡剛：《辛未訪古日記》，《顧頡剛全集》，冊5，《顧頡剛古史論文集》卷5，頁396-490；顧潮：《顧頡剛年譜》，頁216。

故里之行僅僅是這「歷時兩月」的訪古活動中的一個行程而已。

此後直至一九三六年，顧頡剛又進一步將古跡古物調查活動延伸至大學中的正規課程。據《年譜》記載，顧頡剛在一九三六年的七月與燕大校方商議增設古物古跡調查實習課。這個構想獲得燕大校方的同意，因此在同年九月的新學期開始，他就與容庚、李榮芳正式在燕大歷史系合開「古跡古物調查實習」課。開設這門課的目的在養成學生自動搜集材料之興趣，俾所學不受書本限制。具體的做法係利用周六下午參觀北平各處古跡，並乘周日之便，到涿州、張家口、宣化參觀。大概這個課程頗受歡迎，因此不久之後清華大學歷史系的師生亦一起加入。[49]此後，這個課程又在一九三七年的一至六月間的學期中開設過，同樣率領學生調查北平城內及四郊之古物古跡，稍遠則至昌平、房山、妙峰山等處，更遠則至洛陽、開封等地。直至抗戰期間，他依然在成都齊魯大學國學研究所開設「古物古跡調查實習」課，並亦曾帶領學生調查新都、新繁等處古跡。[50]

綜觀顧頡剛所從事的古跡古物調查活動，其主要成就與貢獻大致可從以下五個面向來說明。

（一）文物與文獻資料的蒐集與調查

顧頡剛組織辛未考古旅行團的主要目標有二：為燕大校中之圖書館與博物館搜購文物，一也；調查當時飽受天災人禍之歷史文化的遺存之損失及現狀，二也。[51]搜集文物與調查古跡可說是一般古跡文物考察活動最基本的目標。因此，燕大考古旅行團所設定的考察目標本也無甚出奇之處。不過，對顧頡剛來說，辛未訪古之旅卻另有特別的任務，即趁道前往大名調查崔述故

49 以上參顧潮：《顧頡剛年譜》，頁288、290。

50 以上參顧潮：《顧頡剛年譜》，頁300、345。

51 顧頡剛：《辛未訪古日記・序》，《顧頡剛全集》，冊5，《顧頡剛古史論文集》卷5，頁397。

里，並希望能對崔述舊稿有所新發現。[52]據顧頡剛云，這趟大名之行是洪業發起的。[53]雖然此行對此沒有什麼收獲，[54]但卻也憑弔了崔氏墓地和家宅遺址，參觀崔氏門人陳履和（1761-1825）於嘉慶二十四年（1819）所書的墓碑以及崔氏遺物（崔氏家譜及存疑的崔東壁像），並且還瞻仰了崔述的讀書之堂。邵東方曾如此評論他們此行的收穫：

> 這次的實地考察給他們的崔述研究增加了感性的知識（如目睹了崔氏的墓志銘等），糾正了以前的某些誤解，並發現了一些新的材料，如借抄到崔述的筆記《荍田賸筆》殘稿、崔述夫人成靜蘭（1740-1814）的《二餘集》以及崔槤之弟崔邁（1743-1781）的遺著四種等。[55]

除此之外，他們一行人還曾徘徊於被漳水湮沒的魏縣故城[56]，「想見他自幼至壯的生活狀態」。[57]這些不完全是書面文獻資料的考察收獲，其學術價值不一定會比純粹文獻資料來得低，至少可以幫助吾人更親切地認識崔述其人其學。

除了調查崔述故里之外，顧頡剛此行在調查文物文獻方面也有不錯的收穫。例如，他在五月十日那天，由張維華陪同，來到山東省會濟南的山東省立圖書館參訪。這座圖書館位於大明湖畔，當時主持館務的是知名文獻學家王獻唐（1896-1960）。王獻唐帶他參觀了館內珍藏的二十石漢畫像、馬國翰

52 參洪業、顧頡剛：〈崔東壁先生故里訪問記〉，《崔東壁遺書》（臺北市：世界書局，1963年），冊1，前編，頁1；洪業：〈崔東壁荍田賸筆之殘稿〉，《洪業論學集》（北京市：中華書局，1981年），頁112。

53 顧頡剛：〈崔東壁遺書序〉，《崔東壁遺書》，冊1，前編，頁3。

54 洪業：〈崔東壁荍田賸筆之殘稿〉，《洪業論學集》，頁112。

55 邵東方：《崔述學術考論》，頁130。

56 以上俱參洪業、顧頡剛：〈崔東壁先生故里訪問記〉一文及顧頡剛：《辛未訪古日記》《顧頡剛全集》，冊5，《顧頡剛古史論文集》卷5，頁410-412。相關敘述另參鄧雲鄉（1924-1999）：〈顧頡剛與崔東壁〉，《雲鄉話書》（石家莊市：河北教育出版社，2004年），頁253-255；鄧雲鄉：〈顧頡剛大名訪古〉，《雲鄉漫錄》（石家莊市：河北教育出版社，2004年），頁211-213。

57 顧頡剛：〈崔東壁遺書序〉，《崔東壁遺書》，冊1，前編，頁3。

（1794-1857）玉函山房所藏古錢、漢代畫像題字、殘墓甎、封刻石，以及珍貴的善本書（如李文藻〔1730-1778〕的手稿、桂馥〔1736-1805〕《晚學集》底稿及海源閣舊藏黃丕烈〔1763-1825〕所校書）等。王獻唐主持館務雖僅二年，然搜羅昔人著作底稿已近百種，顧頡剛對王獻唐「勇猛精進」的作為大表嘉賞，稱頌此館不出數年必將巍然為北方文化重鎮。[58]

（二）考察成果的展示與公佈

顧頡剛的古跡古物調查活動不但極有計畫，而且也對考察所得之展示與公佈頗為講求。在辛未訪古活動中，顧頡剛一行人攝影了二百幀照片，歸來後即與旅行團同人編此行所攝照片目錄，並於六月間在燕大校內舉辦照片展覽會。[59]顧頡剛也沒忘記紀錄的職責，在那年的暑假中將考察紀錄「排日作記」、「兼旬始訖」，此即《辛未訪古日記》一書之作也。此外，此行同去的鄭德坤回校後，亦將收集得的文物整理陳列，並與人合著《中國明器》一書，為其師顧頡剛編入《燕京學報專刊》第一冊。鄭德坤又就各地見聞筆記，寫成英文報告，亦為其師洪業選刊為《燕京學報附錄》。[60]

顧頡剛對考察成果之刊佈極為有效率，除其自作之《辛未訪古日記》與《西北考察日記》二書外，他於一九三五年任職北平研究院史學研究會歷史組時，曾組織吳世昌、張江裁帶隊普查北平古跡，以大小廟宇為重點，後來分別編成《北平歲時志》、《北平史跡叢書》、《北平廟宇通檢》等書，均由北平研究院出版。又於一九三五年九月間與北平研究院考古組主任徐炳昶（1888-1976）到河北磁縣南北響堂寺及邯鄲、邢臺、曲陽等處，為該院搜集拓片。後來不但在年底時舉辦響堂拓片展覽，而且參與考察同人也編成

58 顧頡剛：《辛未訪古日記》，《顧頡剛全集》，冊5，《顧頡剛古史論文集》卷5，頁459-461；

59 顧頡剛：《辛未訪古日記・序》，《顧頡剛全集》，冊5，《顧頡剛古史論文集》卷5，頁397；顧潮：《顧頡剛年譜》，頁216-217。

60 鄭德坤：〈紀念顧頡剛師〉，《顧頡剛先生學行錄》，頁102。

《南北響堂寺及其附近石刻目錄》一書。[61]

（三）有意識地將古跡古物調查提升為一門專業的課程

顧頡剛這麼做的目的除了前述之養成學生自動搜集材料的興趣，俾所學不受書本限制之外，應該還有將調查活動予以理論化、學術化與專業化的企圖，如此才可以達到更好的經驗傳承效果。關於這門在當時堪稱別開生面的課程，那時曾經擔任顧頡剛助教的侯仁之是如此評述的：

> 從一九三六年九月到一九三七年六月，顧頡剛教授別出心裁地開設了一門課，叫做「古跡古物調查實習」，每兩個星期的星期六下午，要帶學生到他事先選定的古建築或或重要古遺址所在地，或在北京城內，或在城外近郊，進行實地考察。[62]

又說：

> 按規定，每兩個星期就要利用周末的時間進行一次現場實習，主要是在北平城內和郊外，有時還利用假期較長的時間（如國慶節和春假）有目標地奔赴外地。我的主要任務是每次確定調查目標之後，如某處的古建築、某處的古園林以及某處的考古發現或古跡古物等，頡剛師就向我提供一些必要的參考資料，再加上我自己搜集所得，先寫成一篇簡要的介紹書，事前要鉛印出來，在出發前發給學生，人手一份，作為到現場調查時的參考。……可是僅憑文字記載，常常出現錯誤，來到現場對比實跡實物的時候，往往會發現我所根據的資料不盡可靠，也有時是調查對象本身已經發生了變化。……這使得我深深體會

61 以上分別參顧潮：《顧頡剛年譜》，頁262-267、頁238；吳豐培（1909-1996）：〈記1935-1937年的北平研究院史學研究會〉，《顧頡剛先生學行錄》，頁164-165。

62 侯仁之：〈我從燕京大學來（代序）〉，收入燕京研究院編：《燕京大學人物誌》（北京：北京大學出版社，2001年），第一輯，頁4。

> 到現場考察是多麼重要。[63]

這樣的教學效果肯定是良好的，因為不但吸引了清大的師生加入，而且這門課還於次年持續開設下去，甚至直到抗戰內遷至成都時，他依然在物質條件遠遜戰前北平的情況下，在齊魯大學國學研究所開設這門課。

（四）喚醒社會對古蹟文物的重視

顧頡剛在《開明書店二十週年紀念文集》中曾用不署名的方式寫下一段簡介《辛未訪古日記》內容的文字，其云：

> 黃河流域為東方文化之搖籃地，地面之堆積與地下之蘊藏多至不可勝計，……作者此文，足為游者嚮導。至於破壞之後如何保存，各種材料如何整理，則更為國人應負之使命，此文亦可為此種工作之前奏曲也。[64]

顧頡剛對於古蹟之遭受破壞，珍貴的文物遭到盜賣的情況是極感痛心疾首的，他嘗感歎先民之遺產，「或建築之偉，或雕刻之細，或日用器皿之製造，或文字圖書之記錄」，莫不使其睹之而驚心動魄，由此更歎服「祖宗貽我之厚如此」！但他對這些古蹟文物在民初以來的二、三十年間所受到的急劇破壞，卻深懷著「及我之身將淪胥以鋪」的恐懼心情。他批判當時「主軍政者方假破除迷信之名以行其聚斂掊克之術」，從而使「一、二千年之古剎古物不為黃巢李闖及遼金胡元所摧毀者乃悉銷散於民國。」以致使顧頡剛不禁心生「我寧畢世不見新出土之古物，以待太平之世我曾孫玄孫之發掘，不

---

63 侯仁之：〈師承小記〉，《顧頡剛先生學行錄》，頁131。相關敘述又參侯仁之：〈山高水長何處尋——追憶頡剛師二三事〉，《顧頡剛先生學行錄》，頁134；李固陽：〈顧頡剛先生在燕京大學〉，《顧頡剛先生學行錄》，頁92。

64 顧頡剛：《辛未訪古日記》，《顧頡剛全集》，冊5，《顧頡剛古史論文集》卷5，頁390。

願其今日顯現而明日澌滅也」的憤懣念頭。[65]面對這種情況，身為一位知名的學者，顧頡剛也只能透過他的筆來喚醒社會各界重視古蹟文物保存的問題。如其於《辛未訪古日記》中提及河北正定隆興寺（俗稱大佛寺），其大佛殿中之佛像與塑壁，莊嚴燦爛，懾人心目。大佛金身七丈二尺，殿高逾八丈，然顧頡剛等人造訪時，殿頂已塌。此大佛殿既無頂，於是便出現了當顧頡剛等人坐殿外石階進午餐時，「此大佛乃似探首屋外窺觀我輩飲食然者」的滑稽場面。顧頡剛由是沈痛的呼籲：「倘更不修葺，數年後四壁盡倒，則此佛將為獨立荒郊之翁仲矣！」[66]

雖然不易評估顧頡剛的努力究竟收到多少實質的成效，但顧頡剛早年投注在蘇州保聖寺唐朝楊惠之塑像的保存工作，卻獲得頗為不錯的成果。他曾於一九二三年作文投《努力周報》，為楊惠之塑像之保存向社會各界大聲呼救，後來得到蔡元培（1868-1940）、胡適、高夢旦（1870-1936）、任鴻雋（1886-1961）、葉恭綽（1881-1968）及地方人士之響應。一九二八年獲蔡元培支持，允由大學院助款來保存修繕塑像。[67]不久之後，大學院改為教育部，部裡組織「保存甪直楊塑委員會」，聘蔡元培、葉恭綽、陳萬里及顧頡剛等十八人為委員，辦理保存事宜。一直到一九三二年底，保護楊惠之塑像的工作終於得到落實，該年十月底，顧頡剛接獲葉恭綽的來信，得知甪直保聖寺古物館將於十一月十二日開幕。歷經十年的努力，顧頡剛不禁欣喜地在十月三十一日的日記中寫下如此的字句：「保存舊塑竟成功了！」[68]

---

65 顧頡剛：《辛未訪古日記》，《顧頡剛全集》，冊5，《顧頡剛古史論文集》卷5，頁390，頁389-399。

66 以上俱見顧頡剛：《辛未訪古日記》，《顧頡剛全集》，冊5，《顧頡剛古史論文集》卷5，頁389-399。

67 以上參見顧潮：《顧頡剛年譜》，頁89、187-188。

68 以上敘述參顧潮：〈顧頡剛先生與角直保聖寺塑像〉，收入錢理群、嚴瑞芳主編：《我的父親與北京大學》（北京市：北京大學出版社，2006年），頁333-334。又相關研究請參王汎森：〈什麼可以成為歷史證據〉，《近代中國的史家與史學》（香港：三聯書店，2008年），頁206-209。

（五）與經史古籍記載相印證

顧頡剛在《開明書店二十週年紀念文集》對《辛未訪古日記》之簡介又有一段話頗能道出其考察古蹟文物的重要意義：

> 欲瞭解中國歷史與其文化之演進者必須親蒞其處，乃得有親切之認識。[69]

顧頡剛的學術專業在古史，於經史古籍的相關記載尤為敏感。他在考察古蹟古物的同時，也會不斷地將考察聞見所及與經史古籍相互印證，今茲舉數例以略見一斑。

如其在辛未訪古行程中，離開潼關，來到河南靈寶，見其西門外大道旁有石碑二座，一書「老子著經處」，一書「猶龍真窟」，均為明人所題。顧頡剛對此頗不以為然地反詰道：「明人好事，必指實其地以為快；然何以不在關門而在城門外乎？」他認為與其在靈寶城門外題此二碑，不如在潼關關門更來得合理。[70]

又例如他從山東濟寧往返嘉祥的途中，因天雨以致地面泥濘不堪，「泥土黏力甚強，足拔起時，鞋常不能與之同起，一步一頓，有如蒼蠅之在蒼蠅紙上然。」及至某村，道上又多油垢，「滑甚，常欲傾跌，念一跌便爬不起矣。」由此忽讓他聯想到《史記》記載陳勝、吳廣赴役驪山，天雨失期，秦法當斬，遂起叛秦之事。顧頡剛由己之切身經驗省悟到「彼輩既有叛秦之勇氣何以更無冒雨之勇氣，今乃知冒雨之難有過於叛秦」的道理。[71]

又如其至山東臨淄，發現當地農產不茂，人煙稀少，城垣周僅三四里，其四分之三盡為田畝而非住宅，城中居民亦只數百戶，渾不似《戰國策》蘇

69 顧頡剛：《辛未訪古日記》，《顧頡剛全集》，冊5，《顧頡剛古史論文集》卷5，頁396。

70 顧頡剛：《辛未訪古日記》，《顧頡剛全集》，冊5，頁437。

71 顧頡剛：《辛未訪古日記》，《顧頡剛古史論文集》卷5，頁451。

秦向秦王遊說時所說的：「臨淄市中，車擊轂，人摩肩，連袂成帷，揮汗成雨」的繁華景像。撫今追昔，不禁讓顧頡剛為之惘然。[72]

又例如他到山東東部的嶗山遊覽，他觀察嶗山「周二百七十里，為海濱大山。」於是就乘便結合經史，為此山的名稱及意義做了一番考證。他首先舉出《史記・秦始皇本紀》「始皇登勞盛山以望蓬萊」語來證明「嶗山」本作「勞山」，「今俗加山旁作嶗耳」。復又引用《詩經・小雅・漸漸之石》「山川悠遠，維其勞矣」鄭玄（127-200）《箋》語來考釋勞字之意。鄭玄釋此詩云：「勞勞，廣闊」。顧頡剛認為鄭玄是高密人，距此地甚近，由此可知以廣闊為勞是當時當地之言。然何以勞山稱勞？顧頡剛又引晏謨《齊地記》「泰山自言高，不如東海勞」之語來做證明，他的結論是：在民眾情感上，「此山且有奪泰山尊嚴之勢矣。」[73]也就是說，從當地民眾情感的角度來看，他們可是認為嶗山是極廣闊雄偉的，一點也不輸給自以為高大的泰山。頗有登嶗山而小泰山的氣慨！一座山的得名之由不但牽涉到繁複的考證，而且也關聯到當地民眾複雜微妙的情感因素。顧頡剛這個結合實地考察與經史古籍的有趣考證，看似信筆拈來，非刻意為之。但其中所涵蓄的學術義蘊卻極深遠綿長，值得細細咀嚼，反覆玩味。[74]

---

72 顧頡剛：《辛未訪古日記》，《顧頡剛古史論文集》卷5，頁469-470。

73 顧頡剛：《辛未訪古日記》，《顧頡剛古史論文集》卷5，頁482。

74 類似精彩考證的例子在他從事西北邊疆史地與民族社會考察所寫的相關筆記中亦屢見不鮮，如其在1937年因避日寇而西走甘肅、青海一帶時所撰寫的《臯蘭讀書記》，及其一九三八年秋至雲南後所寫的《浪口村隨筆》中就有好幾條筆記討論到〈禹貢〉的作者未親至隴西的問題。顧頡剛的根據是〈禹貢〉只記載「導河積石，至於龍門」，而不言「導河積石，東會于洮，又東會于湟」。因為洮水與湟水皆遠在伊、洛、瀍、澗之上，如果〈禹貢〉作者真的有到過積石的話，便不會不知道洮水與湟水了。（參《臯蘭讀書記》，頁9-10；《浪口村隨筆》（一），《顧頡剛全集》，冊19，《顧頡剛讀書筆記》卷4，〈禹貢作者未至洮、湟〉條，頁74；及〈河源〉條，頁77）又如其在一九四九年由上海合眾圖書館油印出版的《浪口村隨筆》（與《讀書筆記》卷4中的不同，內容較為豐富，字數近二十萬字），其中的〈梁州名義〉一文亦是他在實地考察的親身經驗基礎上，從而對經史古籍的記載有全新的體悟，如此所做出來的考證，自然有令人倍覺親切的信服感。其云：「予比年北遊秦隴，南歷蜀滇，徘徊于梁境者久矣，

四　結論

顧頡剛在抗戰時期曾在一封致雲南大學校長熊慶來（迪之，1893-1969）的信中向他吐露了自己的治學願望：

> 甚望以監禁方式施之于研究室，以充軍方式施之於旅行考察，使我胸中久蓄之問題得告解決，而系統之著作亦可完成，此生便無憾矣。[75]

顧頡剛一生中無時無刻不為他的學術事業焦慮著，其學術事業表面看來繁複龐雜，多彩多姿，說到底，其核心就是他的著述。他的著述看似豐富，但他卻始終以未能寫出系統性的著作而感到若有所憾。[76]這種焦灼感在他步入中年之後益發顯得強烈。正因為他的事業太過龐雜，而社會活動又多，常使得他無法靜下來好好讀書作學問。因此他才會異想天開的想出用監禁及充軍的方式來迫使自己專心致志的作研究，好早日完成系統性的著作。這雖是帶有玩笑性質的自我惕勵的話語，但從中卻不難看出旅行考察在顧頡剛的學術研究中所佔據的重要地位。

顧頡剛雖然如此強調實地考察在學術研究上的重要性，但他的學術背景和訓練仍不免令人對他從事田野工作的專業性感到好奇。當代中國考古學的奠基者李濟（1896-1979）曾對其從事的田野考古工作是如此嚴肅看待的：

深以為此州名義一經揭破，實極簡單。蓋梁有兀然高出之義：水際以堤與橋為最高，故稱堤與橋曰梁；屋宇以脊為最高，故名承脊之木曰梁；山以顛為最高，故山顛亦曰梁，梁轉聲而為嶺，今言嶺古言梁也。」（《浪口村隨筆》，《顧頡剛全集》，冊31，《顧頡剛讀書筆記》卷16，頁28）

75 顧頡剛：《西北考察日記》，《顧頡剛全集》，冊36，《寶樹圖文存》，卷4，頁434；又見於顧潮：《歷劫終教志不灰》，頁193。回信時間在一九三七年十二月。

76 顧頡剛在《浪口村隨筆》的〈序〉中曾自述其這方面的心境，云：「嗚呼，予自畢業大學，立志從事古史，迄今垂三十年，發表文字已不止百萬言，而始終未出一整個系統，匪不欲為，懼學力未至，徒欺人也。然而起人期望，受人責備，為日久矣。」（《顧頡剛全集》，冊31，《顧頡剛讀書筆記》卷18，頁12。）

> 田野考古工作，本只是史學之一科，在中國，可以說已經超過了嘗試的階段了。這是一種真正的學術，有它必需的哲學的基礎，歷史的根據，科學的訓練，實際的設備。田野考古者的責任是用自然科學的手段，搜集人類歷史材料，整理出來，供史學家采用。[77]

他又說：

> 田野工作是一門獨立的科學訓練，……科學的田野考古工作，所需要的這一項訓練，應該是如何的嚴肅、堅實、透徹了。這決不是一種業餘的工作，可以由玩票式的方法能辦理的。……現代科學所要求的，只是把田野工作的標準，提高到與實驗室工作的標準同等的一種應有的步驟。[78]

按照李濟如此嚴格的標準，顧頡剛的學術考察作為，無論是民俗考察、古跡文物調查，或邊疆史地考察，恐都不免淪於「業餘」、「玩票」的性質。其實傅斯年在剛成立史語所時，便曾要求所中派遣出的「川康民俗調查團」的成員不能只停留在隨聞隨錄，或風俗軼話的層次，而應該注意發掘問題、要多照相。其目的也就是想將其提升到現代學術的層次，而不只是傳統文人「記遊」類作品的延續。[79]有趣的是，傅斯年所反對的記遊式的考察作品，卻正是顧頡剛所優而為之的表現方式。當年二人在廣州中山大學決裂，以致破口相罵的導因之一便恰好是傅斯年鄙薄顧頡剛所主導出版的《民俗學會叢書》，傅譏評其所出的書不是「這本無聊」，就是「那本淺薄」。[80]不知若傅

---

77 李濟：〈田野考古報告編輯大旨〉，《李濟文集》（上海市：上海人民出版社，2006年），卷1，頁332。

78 李濟：〈中國古器物學的新基礎〉，《李濟文集》，卷1，頁336。

79 王汎森：〈容肇祖與歷史語言研究所〉，《新學術之路》，上冊，頁350。這次的考察成果在一九二九年由黎光明（1901-1946）和王元輝執筆寫出，原題作《川康民俗調查報告》，然一直未曾正式出版。直至二〇〇四年方由中央研究院歷史語言研究所刊佈，改題作《川西民俗調查記錄一九二九》。

80 參顧潮：《歷劫終教志不灰》，頁124-128。

斯年看到顧頡剛《辛未訪古日記》或《西北考察日記》等不免多少仍帶有「隨聞隨錄」、「風俗軼話」性質的記遊類作品時，他會作何反應？

當然，用深受當代西方學術影響的傅斯年、李濟等人所揭櫫的田野考察方法來看待顧頡剛的考察工作未必公允，因為他所從事的既非考古學，亦非人類學，而這兩門純粹來自西方的學問，其最主要的研究方法就是田野工作。[81]顧頡剛所專精的是傳統的以經史為核心的人文學術，故其研究方法仍是以文獻資料之探索為主。對考古學者與人類學者來說，田野工作是他們從事學術研究必須要使用的方法，非如此不能進行研究工作。但對於像顧頡剛這樣以經史古籍為專業領域的學者，田野考察就非必要不可的研究方式。顧頡剛願意跨出書齋及研究室，遠離繁華舒適的城市生活，來到鄉間野外去從事艱苦的考察工作，就這點而言，他的學術見識與研究熱忱確實超越當時人文學界中的許多學人遠甚。因此，持平來說，顧頡剛的學術考察工作或許較不具備考古學與人類學的田野工作所要求的專業與科學性，但對一般經史學術甚或某些人文學術的研究來說，其考察成果並不因不經專業田野工作方法所獲得而減損其學術價值。

---

81 參李亦園（1931-）：《田野圖像：我的人類學生涯》（臺北市：立緒文化公司，1999年），頁48-49。

附錄：〈顧頡剛考察年表：1918-1945〉

本年表據顧潮《顧頡剛年譜》編製，又據沈津《顧廷龍年譜》增補。凡引用《顧頡剛年譜》者一概只標頁碼，不標書名，以省篇幅。本年表儘可能地收錄所有與顧頡剛考察活動有關之資料，其中包含五十七次顧氏親自參與的考察活動、八次由顧氏所規畫、組織但他本人未親自參與的考察活動，以及其他屬於開會、著述、出版與展示性質等非實際考察的活動，這類的活動一共六次，三者合計共七十一項。凡顧氏未親自參與以及非實際考察之活動一律在備註欄內註明。

	時　間	考　察　內　容	備　註
1	1918年9月23日	遊甪直保聖寺，見唐朝楊惠之所塑之羅漢像。（頁45）	
2	1919年10月9至12日	與陳萬里遊西山，至檀柘寺、戒壇寺、觀音洞、滴水岩、妙峰山、仰山、八大處，行程二百里。（頁52）	
3	1919年10月19日	與蔣仲川遊八達嶺（頁52）	
4	1920年3至6月	其間與蔣仲川、郭紹虞遊白雲觀、琉璃廠，與吳維清去安定門外黃寺看「打鬼」儀節，遊小湯山，又與郭紹虞遊西山各處、乘船遊護城河，又與陳萬里遊豐臺及西直門外五塔寺、極樂寺、大佛寺等處。（頁53）	
5	1922年6月12日	與陳萬里至甪直，次日遊保聖寺，陳萬里帶得攝影機將僅存的塑像攝了下來。（頁76）	
6	1922年6月14日	到昆山慧聚寺訪楊惠之所塑之天王像，然「片椽不存，悼嘆而歸。」（頁76）	

7	1923年年底至1924年1月	與陳萬里赴河南作考古參觀。三十一日，在開封見到出土古物的全份。一九二四年一月，與陳萬里遊河南開封龍亭、鐵塔、相國寺、洛陽龍門、魏故城、白馬持、鞏縣石窟寺、鄭州、石家莊、正定隆興寺、太原晉祠、天龍山等處，十八日進京。（頁96-97）	
8	1924年2月5日（春節）	與潘家洵到朝陽門外東嶽廟遊覽。（頁98）	
9	1924年3月14日	與容庚等人前往調查北京西山碧雲寺古建築，17日歸城。十八日，與容庚合作《研究所國學門調查西山陸謨克學院發見建築物報告》。（頁98）	
10	1924年5月11日	與吳維清遊石景山、三家店，看見了幾千名去妙峰山進香的香客，進了幾個茶棚。自此以後，方始注意到在常走的幾條街巷中的牆上貼著無數香會會啟。（頁101）	
11	1924年5月31日	與北大研究所同事胡文玉、劉澄清去東嶽廟參觀。（頁101）	
12	1924年12月13日	與陳萬里及北大研究所拓碑人到圓明園，調查文源閣碑。十七日，與陳萬里合作《調查文源閣報告》。（頁108）	
13	1925年4月30日至5月2日	承北大研究所國學門風俗調查會之囑託，與容庚、容肇祖、莊嚴、孫伏園到妙峰山調查進香風俗。（頁117）	
14	1926年2月13日（春節）	與孫伏園、孫福熙、陳學昭及妻殷履安同遊東嶽廟；午夜兩點，看財神廟燒香，一夜不眠，次日天明遊覽一周方歸。（頁138）	
15	1926年2月27日	與妻殷履安及駝群社諸先生（陳垣、沈兼士、徐炳昶等）同遊天寧寺、白雲觀。次日，又與潘家洵夫婦同遊白雲觀、白塔寺。（頁138）	
16	1926年8月17日	與孫伏園同遊杭州清華山老東嶽廟，並鈔錄材料。	

		（頁144）	
17	1926年11月	與林幽、孫伏園、容肇祖發起成立風俗調查會。（頁149）	非實際考察
18	1926年12月15至24日	與陳萬里遊泉州，此行進了不少鋪神祠，使其對泉州的土地神有一個淺近的觀察。（頁149）	
19	1927年1月17日	與容肇祖、潘家洵等離廈門，18日抵福州，遊左公祠、玉皇殿、呂祖祠等處。（頁152）	
20	1928年上半年	與中山大學同人及家人多次遊廣州各寺廟。到光孝寺、六榕寺、張良廟、安子期廟、懷聖寺、濠畔寺、華陀廟、華林寺等處。（頁174）	
21	1928年7月	組織中山大學研究所赴滇調查少數民族事，派史祿國、楊成志等前往。又派容肇祖赴北路考察古物。（頁175）	未親自考察
22	1928年9月22至25日	與容肇祖遊彼家鄉東莞，到城隍廟、天后廟、象塔、何真廟、袁督師祠、孔廟等處，畫〈東莞城隍廟圖〉。（頁179）	
23	1928年12月8至9日	與妻殷履安、容肇祖一家、余永梁遊佛山，到袁家莊、李家莊、城隍廟、祖廟等處，始識廣東家族之組織。（頁185）	
24	1929年3月30日至4月3日	陪同徐炳昶及瑞典人斯文赫定遊蘇州、甪直保聖寺。（頁194）	
25	1929年5月17至19日	與魏建功、徐炳昶、朱自清、周振鶴、羅香林、葛毅卿、容媛等組織「十八妙峰山進香調查團」，遊妙峰山、天太山，由白滌洲導遊。（頁195）	
26	1929年8月10至11日	陪吳維清等遊甪直保聖寺及昆山。（頁197）	
27	1929年8月21至27日	遊甪直。（頁197）	
28	1929年12月1日	與容庚合擬〈古跡古物調查計畫書〉，欲進行河	非實際

		北、河南、山東、山西四省之訪古。（頁199）	考察
29	1930年6月10至14日	與常惠、魏建功等遊易縣。參觀燕故城、清西陵、臥佛寺、開元寺、清真寺、龍興觀。（頁209）	
30	1930年夏末	與容庚籌備古跡古物調查事。（頁211）	非實際考察
31	1930年10月25至28日	與徐炳昶、徐森玉、李書華、馬廉、魏建功、常惠、莊嚴遊房山。眾人以經歷事作回目，共得七十餘回，名《房山游記》，顧頡剛作十分之七。（頁212）	
32	1931年4月3日至5月29日	與容庚、鄭德坤、林悅明組成之燕大考古旅行團出發，洪業、吳文藻藉春假之機亦同行。所到之處有河北之定縣、石家莊、正定、邯鄲、魏縣、大名，河南之安陽、洛陽、陝州、開封、鞏縣，陝西之潼關、西安，山東之濟寧、曲阜、泰安、濟南、龍山、臨淄、益都、青島等。四月三日出發、五月二十九日抵平，歷時兩月。其中去魏縣、大名，則為專訪崔述故里。（頁216）	
33	1931年6月	與旅行團同人編此行所攝照片目錄，並在校舉辦照片展覽會。（頁216-217）	非實際考察
34	1931年11月5日	與裴文中、傅斯年等遊周口店「北京人」遺址。（頁221）	
35	1932年1月3日	與顧廷龍、商承祚、錢穆、王庸等同遊孔廟、國子監、東岳廟。（《顧廷龍年譜》，頁24。）	
36	1933年4月2至9日	參加燕京大學哈佛燕京社考古團，藉春假作正定隆興寺（即大佛寺）考古。同行者：博晨光、許地山、容庚等，從建築、佛像、金石、壁畫、寺史等各方面調查該寺。（頁234）案：同行者尚有顧廷龍，見《顧廷龍年譜》，頁30。	

37	1933年4月29日至5月1日	與潘由笙、顧廷龍遊妙峰山。（頁234）	
38	1933年5月	應洪業邀遊雲崗石窟。同行者還有容庚、馬鑑等。（頁234）	
39	1934年4月6至15日	與顧廷龍赴包頭。遊包頭、綏遠、大同雲崗。（頁246）	
40	1934年5月5至6日	與顧廷龍、向達、賀昌群、王振鐸、侯仁之、李安宅、容媛等遊周口店龍骨山，觀洞穴，由裴文中、賈蘭坡等導遊。（頁247；《顧廷龍年譜》，頁33。）	
41	1934年5月12至13日	與王振鐸、侯仁之、張全恭遊通縣。（頁247）	
42	1934年5月19至20日	與燕大同學吳世昌、于道源等遊妙峰山。（頁247）	
43	1934年7月	因平綏鐵路局長沈昌欲編該路旅行指南，邀冰心任撰述，遂組織旅行團，由路局備專車，供食宿，隨處可停留遊覽。冰心夫婦約顧頡剛、鄭振鐸、陳其田、雷潔瓊等前往。七日啟行，遊土木堡、宣化、張家口、大同、口泉、豐鎮、平地泉等處。平地泉以西因水災阻隔交通，只得返轅，十八日回平。（頁248）	
44	1934年8月8日	旅行團又登程，此次同行者除上次諸人，還有容庚。十七日因繼母病篤，與同人作別，乘車東返，十八日抵平。（頁250）	
45	1935年7月1日	始到北平研究院上班。北平研究院史學研究會歷史組正式成立，主要工作有：派吳世昌、張江裁帶隊普查北平古跡，以大小廟宇為重點，編輯《北平廟宇通檢》等書；派劉厚滋任金石編纂工作；派吳豐培負責邊疆史地研究。（頁262）	未親自考察
46	1935年9月12至29日	與北平研究院考古組主任徐炳昶到河北磁縣南北響堂寺及邯鄲、邢臺、曲陽等處，為該院搜集拓片。	

		參加工作者有何士驥、劉厚滋等。年底在懷仁堂舉辦響堂拓片展覽。後編成《南北響堂寺及其附近石刻目錄》一書出版。（頁267）	
47	1935年11月	禹貢學會出版遊記叢書，第一種是李書華《黃山游記》，後陸續出版謝國楨《兩粵游記》、李書華《房山游記》、《天臺、雁蕩游記》、譚惕吾《新疆之交通》。（頁272）	非實際考察
48	1936年4月19日	與燕大同人遊居庸關。（頁283）	
49	1936年5月27日	與燕大同人遊妙峰山。（頁284）	
50	1936年7月	應王喆之邀，在禹貢學會組織河套水利調查團前往，成員有李榮芳、張維華、侯仁之、蒙思明、張瑋瑛。該團在二十餘天調查中所獲報告書、調查表及關於河套渠道之繪圖甚多，後編為「河套水利調查專號」，在《禹貢》半月刊發表。（頁287）	未親自考察
51	1936年7月	與燕大校方商議增設地理課、古物古跡調查實習課，並請史界名人講演等。（頁288）	非實際考察
52	1936年9月	於燕大歷史系新開「古跡古物調查實習」課，與容庚、李榮芳共同擔任，目的在養成學生自動搜集材料之興趣，俾所學不受書本限制。不久清華大學歷史系師生亦加入，利用周六下午參觀北平各處古跡，並乘周日之便，到涿州、張家口、宣化參觀。（頁290）	
53	1936年10月4日	與顧廷龍、聞一多、劉壽民、容庚、聶崇岐、侯仁之、張偉瑛、張西堂等以及清華學生遊涿州。（《顧廷龍年譜》，頁55。）	
54	1936年11月	禹貢學會組織張維華、馮家昇、侯仁之、陳增敏赴察哈爾省調查蔚縣古石刻。及至察省教育廳，乃知石刻散在各處，即改道赴懷安觀漢代漆器，陳增敏又獨赴大同、宣化考察盆地。（頁296）	未親自考察
55	1937年1至6月	仍任燕大歷史學系「古物古跡調查實習」課，清華	

		歷史系亦加入。率學生調查北平城內及四郊之古物古跡，稍遠則至昌平、房山、妙峰山等處，更遠則至洛陽、開封等地。（頁300）	
56	1937年4月4至16日	應綏遠當局邀，在燕大組織綏遠蒙旗考察團，由歷史、社會、新聞三系學生參加，社會學系教授李安宅率隊，赴綏遠各旗盟調查，清華亦有數人加入。（頁309）	未親自考察
57	1937年4月	在燕大歷史學系組織汴洛考古旅行團，去洛陽、開封等地調查古物古跡。（頁309）	未親自考察
58	1937年6月	在北平研究院史學研究會組織燕趙古跡調查團，成員有吳世昌、劉厚滋、王振鐸等。赴河北邯鄲、定縣、易縣，實地測繪調查趙王城、漢中山王陵寢、燕下都。十一日，到火車站為調查團送行。（頁311-312）	未親自考察
59	1937年春間	西北移墾促進會、河北移民協會、燕京大學聯合組織暑期西北考察團。七月一日，考察團出發，以病發燒未得同行。（頁313-314）	未親自考察
60	1937年8月21日	得管理中英庚款董事會杭立武來電，囑往甘、青、寧三省考察教育。9月29日抵蘭州（頁316），1938年9月9日離蘭州。（頁327）	
61	1938年11月15日	與費孝通至祿豐，參觀學校、寺廟，調查趕街及夷人村落。（頁329）	
62	1939年7月22至24日	與徐炳昶、方國瑜、方臞仙遊盤龍山、天女山、金砂山等處。（頁335）	
63	1940年1月上旬	與黎光明等至灌縣遊青城山及都江堰。（頁337）	
64	1940年5月6至10日	在四川郫縣遊望帝叢帝陵、劉公墓、何武墓等處。（頁342）	
65	1940年9月至年底	在成都齊魯大學國學研究所開設「古物古跡調查實習」課；九、十月間，與諸生調查新都、新繁等處	

		古跡。（頁345）	
66	1940年11月3日	與錢穆等遊郫縣望帝叢帝陵、何武墓、郫筒井、溫公誕生地、子雲故里等處。（頁346）	
67	1940年12月	應四川省政府古物保存委員會邀到外縣視察古物古跡。十九日，至雙流，遊蠶叢祠、文昌宮等處。二十一日，至新津，遊觀音寺、木魚山漢墓等處。二十四日，至邛崍，遊天慶寺、鶴林寺等處。（頁347）	
68	1941年1月初	在大邑遊普陀庵、文昌宮、老君殿、城隍廟等處。（頁347）	
69	1941年3月	遊新都、新繁、彭縣等處。（頁350）	
70	1943年3月底至4月初	與中國史學會同人遊北碚、合川、釣魚城等處。（頁362）	
71	1945年4月	參加楊家駱主持之大足石刻考察團，二十四日出發，先後至合川、銅梁、大足，觀漢墓及唐宋造像。歸途經壁山。五月八日返北碚考察團。成員還有馬衡、何遂、莊嚴等十餘人。（頁371）	

香港南來學者的經學思想
——以陳湛銓及其交遊圈為中心

黃偉豪
香港浸會大學文學院語文中心講師

一　弁言

香港經學自民國（1912-1949）以來具有至少兩個重要標誌：一是民國前期以陳伯陶（1855-1930）、賴際熙（1865-1937）、朱汝珍（1870-1943）、岑光樾（1876-1960）、區大典（1877-?）、區大原（?-?）等為代表的清末廣東翰林，南下香港鑿空、拓荒，奠定香港經學的基礎；一是民國後期以後的夏書枚（1892-1984）、梁寒操（1899-1975）、朱子範（1902-1958）、黃維琩（1901-1993）、陳湛銓（1916-1986）、吳天任（1916-1992）、饒宗頤（1917-）等人，以南來學者的身分講學上庠，弘揚經學、張皇幽眇。就經學思想而論：民國前期南下香港的經學學者，直接遠紹清代經學傳統；至於民國後期以後南迻香港的經學學者，則因師承各異，而新說紛呈。這些經學學者將經學思想延伸香港，在香港經學史上，殊具貢獻。[1]

民國以來經學論著本已星散，要考察香港經學全貌，實非易事。[2]如是

1　香港南來學者並不限於這兩段時期。例如廣東順德人伍憲子（1881-1959），曾於萬木草堂隨康有為（1858-1927）學習，並於光緒三十年南遷香港；又如廣東順德人蘇文擢（1921-1997），為廣東國學名宿蘇若瑚（約1851-1917）裔孫，曾隨錢基博（1887-1957）治學，於五〇年代來港。

2　學者林慶彰先生曾專文探討與民國時期經學相關的考察問題。詳見林氏：〈研究民國

者，筆者擬據本人的研究基礎，[3]以香港國學宗師陳湛銓及其交遊圈為中心，藉此按圖索驥，管窺民國以來的香港經學面貌。

二　陳湛銓的經學思想

陳湛銓，字青萍，號修竹園主人，廣東新會人。其經學師承階段有二：第一階段是少時隨鄉宿陳景度（？-？）受經學；另一階段是弱冠考入中山大學，得以親炙李笠（1894-1962）等經學家。[4]一九四九年南遷香港，受李景康（約 1892-1960）介紹，一九五〇至一九八四年於學海書樓講學，並於一九六一年創辦有「國學少林寺」之稱的經緯書院。[5]陳氏來港以後，先後任教珠海書院、聯合書院、華僑書院、經緯書院、浸會書院、嶺南書院等學府，其治經範圍主要為經學通論、《周易》及《詩經》，著有〈群經通義講義〉、《周易繫辭傳講義》、《周易乾坤文言講疏》、《周易六子講義》、〈周易坎離二卦〉、〈卜子夏毛詩序〉等經學論著。

陳氏的經學思想，可以歸結為以下四點：

（一）經為群書之原，應以治經為先

陳氏指「經」是群書，以至中國文化之源，[6]甚至漢前已經存在。陳氏

時期經學的檢索困難及應對之道〉，《河南社會科學》第15卷第1期（2007年1月），頁21-24。

3 本人曾初步擬出陳湛銓的交遊圈，並就治學範圍、詩作質量、弟子群體及其他文教貢獻，推論陳氏為香港國學宗師。詳見拙文：〈學貫四部，詩逾萬首——香港國學宗師陳湛銓〉，《國文天地》總284期（2009年1月），頁101-105。

4 詳見〈陳湛銓先生事略〉，《陳湛銓教授追思大會》（1987年5月3日）。現館藏於香港中文大學之大學圖書館。

5 陳氏指「謂經緯書院是『國學少林寺』，曾希穎是第一人。當年諸生，今看紛紛有所成就，覺尚無愧此錫號也」。陳湛銓：《修竹園近詩》（香港：問學社，1978年），頁29。

6 同前註，頁26。

舉出大量例子：《國語》有「挾經」之兵書，《管子》有「經言」，有《詩》、《書》、《禮》、《樂》之「四經」，《墨子》有「墨經」、「經說」，《莊子》有「《詩》、《書》、《禮》、《樂》、《易》、《春秋》六經」，《荀子》有「誦經」，《韓非子》有「古經」，《呂氏春秋》明引《孝經》。[7]進一步說：道家中的老子、莊子出於《易》；法家中的李斯、韓非出於《書》、《禮》的典章制度；名家的惠施、公孫龍出於《禮》的形名義數；縱橫家中的張儀、蘇秦、鄒陽之屬則出於《詩》、《春秋》之修辭聘會；陰陽家中的鄒衍出於《書》、《春秋》之歷象日月星辰；史家中的陸賈、司馬遷出於《書》、《春秋》的記言記事；兵家中的孫武、吳起出自《周禮》；辭賦家中的屈原、宋玉、司馬相如出於《詩》；儒家中的荀子、董仲舒、劉向、揚雄則兼該六學。[8]陳氏由此帶出：第一，「書之稱經，自古在昔，由來久矣」；[9]第二，經學是「義理之總匯」，屬於「本」、「源」，理應居先，子、史、理學，則為其「別流」，屬於「葉」、「流」。[10]

陳氏進一步提出「先明經後讀子」，認為四部之中，經與子的關係相當密切。為了易於理解，陳氏舉了以下比喻：

> 舉譬言之：經是人身之整體；諸子者，猶人身四肢五官百骸之任一端耳。以樹木言之，經猶百圍大木之本根；諸子者，其枝葉花果也。以水言之，經猶長江、大河、滄海；諸子則江河所分流之百川也。明經猶中庸之至誠，理本而末齊，循源而流暢矣；讀子，猶中庸之其次致曲，由末返本，沿波討源，學之而當，亦達道；然周而無漏，中而不倚者希矣。[11]

以上所指的經是「人身之整體」、「百圍大木之本根」、「長江、大河、滄

7 同註5，頁13。

8 陳湛銓：〈諸子學講義〉，《經緯講義》，頁29。

9 陳湛銓：〈群經通義講義〉，頁13。

10 陳湛銓：〈三學治要講義〉，《經緯講義》，頁4-5。

11 陳湛銓：〈諸子學講義〉，頁27。

海」，子是「人身四肢五官百骸之任一端」、「枝葉花果」、「江河所分流之百川」，旨在說明：經是源頭。如是者，則應先讀經，子書只屬群經的羽翼而已。[12]「智者先務之急」便在於「明經」：

> 諸子既乃六經之支與流裔，天下豈有無本無原之學哉！故明經為智者先務之急矣。諸君子若經義已明，大本既立；則順讀諸子，宜可以益智廣才，無相奪倫矣。若經教未通，根源未具，宜即抖擻精神，黽勉從事，循次而疏通之，內本外末，發原通流，先立乎其大者，則其小者不能奪，斯可以由義居仁，旁行而不流矣。[13]

值得一提的是：偏重經部，不等於偏廢子、史、集三部。陳氏認為，對於四部「所必宜會通，博而後約之，庶可以致廣大而盡精微矣」。[14]換言之，治學應該以經為先。

（二）經部分類應從內容而定

《四庫全書總目》經部共十類，依次為易類、書類、詩類、禮類、樂類、春秋類、五經總義類、四書類、孝經類及小學類。筆者認為，在經部目錄分類上，陳氏的衡量標準有部分與《四庫全書總目》相同。他指斥某些專書納《論語》、《孟子》入子部：

> 近世界書局編印《諸子集成》（中華版在後），《論語》、《孟子》在焉；雖冠其首，於義乖矣！《論語》紀大聖及七十子之言行，由漢迄清，皆入經，不容貶損！《孟子》入經，自五代蜀主孟昶始（石刻十一經，不列《孝經》、《爾雅》而入《孟子》）；至二程子而益彰；至朱文公集註《四書》，而《孟子》已成實（案，應作「寶」）典，亦不得

12 同前註，頁26。

13 陳湛銓：〈諸子學講義〉，頁27。

14 陳湛銓：〈三學治要講義〉，頁1。

> 邏精金於礦沙中，使與諸子並也。[15]
>
> 《論語》、《孟子》亦然，既已視同六籍，義尊為經，不得復列諸「子部」也。[16]

筆者認為：從目錄學史來看，目錄分類直至《四庫全書總目》，始為圭臬。例如《論語》，自劉歆《七略》已歸入「六藝略」之一，直至《七錄》、《隋書・經籍志》、《古今書錄》、《新唐書・藝文志》、《崇文總目》、晁公武（？-？）《郡齋讀書志》、尤袤（1124-1194）《遂初堂書目》、陳振孫（？-約1262）《直齋書錄解題》、《文獻通考・經籍考》、《宋史・藝文志》、《明史・藝文志》，以至《四庫全書總目》，都納入經部；至於《孟子》，北宋《崇文總目》，雖然未入經部，而南宋《郡齋讀書志》亦然；然而南宋《遂初堂書目》也將之附於「論語類」，《直齋書錄解題》也合《論語》、《孟子》為「論孟類」，《文獻通考・經籍考》更將之獨立為「孟子類」，《宋史・藝文志》無「孟子類」，《明史・藝文志》有「四書類」，直到《四庫全書總目》，則定為經部。準此，在經部分類上，陳氏尚算恪守《四庫全書總目》傳統分類方法。

另一方面，陳氏對於《韓詩外傳》納入經部的目錄分類，卻不苟同，反而認為應入子部「儒家類」：

> 此書（案，《韓詩外傳》）舊入經部「詩類」，然與內傳異；全書是儒家「傳記類」，略與劉向之《列女傳》、《新序》、《說苑》同，故可入子部「儒家」。[17]

考《四庫全書總目》，《韓詩外傳》歸入經部「詩類」。這反映陳氏根據典籍的內容性質，對傳統的目錄分類加以取捨，進而衡量孰入經部。

---

15 陳湛銓：〈諸子學講義〉，頁26。

16 同前註，頁27。

17 同註15，頁31-32。

（三）以小學、目錄學為治經門檻

經部既定，治經應從小學入手，尤其宜先治許慎《說文解字》。陳氏指「小學，即文字聲訓之學，考據之柄也」、[18]「許君《說文解字》一書，尤須精讀」、[19]「入學之途，則治《說文》，通小學」。[20]究其原因，在於「今群經之字，自漢至唐，疊經俗儒變改，非其本來如是也。許君《說文解字》一書，本於壁中書真古文，其自敘云『群經所載，略存之矣』，治古學者許書必宜深究也」。[21]

陳氏亦能付諸實踐。譬如《周易》坎卦「六三：來之坎坎，險且枕，入于坎窗，勿用」的「枕」字。陸德明（556-627）《經典釋文》云「古文作沈」。陳氏則指「《說文》『沈，陸上滈上也』（滈，久雨也），『湛，沒也』，故『沈』字亦當作『湛』，『湛』始是真古文也，謂豈徒險哉，將且湛身也」；[22]又如《周易》繫辭傳「聖人有以見天下之賾」的「賾」字。徐鉉（916-991）指「賾，《周易疏義》云深也。案此亦叚借之字。當通用嘖」，陳氏則認為「《說文》『嘖，大呼也』，非《易》義，大徐說未是」。[23]

不過，從小學治經，也不宜強求一字的義訓。陳氏在《周易》乾卦「文言曰：元者，善之長也」的繫辭「元、亨、利、貞」四字後，謂：

> 長，生長也；元即善之開端。天地之道廣大，難盡其言，故聊假四字以喻其德，學者宜深加體會，勿強求一字之義訓也。[24]

換句話說，所謂「入學之途，則治《說文》，通小學」只是治經的基本操作

18 陳湛銓：〈三學治要講義〉，頁4-5。

19 同前註，頁2。

20 同註18，頁5。

21 陳湛銓：《周易繫辭傳講義》（廣州市：出版者缺，年分缺），頁20b。

22 陳湛銓：《周易六子講義》（出版地缺：出版者缺，年分缺），頁4a。

23 陳湛銓：《周易繫辭傳講義》，頁11b。

24 陳湛銓：《周易乾坤文言講疏》（出版地缺：出版者缺，年分缺），頁7。

方法，但不代表要過分咬文嚼字、不知變通。「深加體會」才是最重要的。

目錄學也是陳氏所強調的治經方法。陳氏云：

> 夫欲知讀書門徑，不可不知精注精校本，則目錄之學為不可廢。[25]

這可從他反駁「經之稱藝及六經之為六藝」源於《孔叢子》之說，可以一斑：

> 經之稱藝及六經之為六藝，殆無早於陸氏《新語》矣。〔……〕或舉《孔叢子・儒服》篇之「平原君曰：『儒為名，何取爾。』子高曰：『取包眾美，兼六藝，動靜不失中道耳。』」以為前乎陸氏，斷乎不可也！蓋《孔叢子》一書，《漢書・藝文志》不著錄，自宋洪邁、陳振孫、朱熹、高似孫，明宋濂，清姚際恆、紀昀、惠棟、王謨，以至近人顧實、羅根澤等，皆謂為偽書，論已定矣。吾人雖好古旁求，不欲輕棄其言，但可以東漢以後人語視之耳。[26]

筆者認為：考陳湛銓曾親炙李笠，李笠則師事孫詒讓（1848-1908），而孫詒讓屬於清代經學中的皖派，與戴震（1724-1777）、段玉裁（1735-1815）、王念孫（1744-1832）、俞樾（1821-1906）同樣重視小學。孫詒讓本身更為目錄學家，著有《溫州經籍志》。單就以小學、目錄學治經來看，陳氏與清代皖派孫詒讓的經學理念，頗相脗合。

小學、目錄學既為治經「登門」之學，那麼，治《說文解字》後，應該再治哪一經？陳氏並無放諸四海皆準之論，只說「入學之途，則治《說文》，通小學，熟讀四子書，明詩禮後，徑由詞章之入，亦未始非計」而已。[27]

---

25 陳湛銓：〈諸子學講義〉，頁31。

26 陳湛銓：〈群經通義講義〉，頁17-18。

27 陳湛銓：〈三學治要講義〉，頁5。

（四）經、子、集互相發明

陳氏主治《周易》、《詩經》二經。尤其闡釋《周易》經義，間以經部的《孟子》，子部的《莊子》、《管子》、佛籍，以至集部互相發明。他說：

> 群書不能盡引，且未必盡洽易義，聊供省覽耳。錄及諸子者，以其皆得聖人之一體，班孟堅所謂「合其要歸，亦六經之支與流裔」也。[28]

具體來說：第一，經部方面。對於《周易》繫辭傳「乾以易知，坤以簡能」，陳氏引《孟子》之言，指「易簡同意，易知簡能，即孟子所謂良知良能也」；[29]第二，子部方面。為了闡發《周易》乾卦「初九曰：潛龍勿用。何謂也，子曰：龍德而隱者也」，徵引《莊子》、《管子》，指「亦猶莊子所謂才全而德不形者也。《莊子．庚桑楚》：『鳥獸不厭高，魚鱉不厭深，夫全其形生之人，藏其身也，不厭深眇而已矣。』又《管子．侈靡》：『魚鱉之不食咡，不出其淵，樹木之勝霜雪者，不聽於天，士能自治者，不從聖人』」；[30]再如為了闡發《周易》艮卦，引用佛典：「艮取象於背面，目不見心，心不動之至矣。〔……〕佛說四十二章經云『吾視王侯之位如過隙塵，視金玉之寶如瓦礫，視紈素之服如敝帛，視大千界如一訶子，視阿耨池水如塗足油』」；[31]第三，集部方面。陳氏引陸機（261-303）〈豪士賦序〉發明《周易》坤卦六四「括囊，旡咎旡譽」：「士衡不能括囊旡譽，入仕亂朝，履尾攖鱗，身厭荼毒，雖倩殊可憫，而明非自知矣。但其此論，激昂痛快，智亦知人，齊王禍敗，驗如響影，故引述諸子外，特錄此條，不嫌破列，亦支公畜馬，重其神駿意也」。[32]

---

28 《周易》乾卦「爻義略證」，陳湛銓：《周易乾坤文言講疏》，頁13。

29 陳湛銓：《周易繫辭傳講義》，頁3a

30 同前註，頁12。

31 陳湛銓：《周易六子講義》，頁13a。

32 陳湛銓：《周易乾坤文言講疏》，頁32。

至於治《詩經》，陳氏在〈卜子夏毛詩序〉一文，透過經、子二部，除互相發明經義外，也考證毛詩之作者共三十多首（詳見下文），可見陳氏頗能貫徹「所必宜會通」的治經理念。

《周易》、《詩經》既然是陳氏主治的經籍，如是者，以下分說陳氏對此二書的經學見解。

（一）《周易》

陳氏認為《易》是群經之源。他在《周易乾坤文言講疏》指：「《易》為群經之源，與天地為終始」，[33]並認為「學者能通乎《周易》，則恐生窮通之數，往來興替之道，靡不畢見，可以贊天地之化育，可以與天地參矣」。[34]

陳氏也論及《易》的作者與分卷的問題。作者方面，《易》是由象卦（包括重卦）、卦辭、爻辭、十翼（包括〈繫辭傳〉）所構成。陳氏認為四者作者，分別是羲皇、文王、周公和孔子，[35]子夏更可能傳易；[36]分卷方面，「上經者，自乾坤至坎離；下經者，自咸恒至既未濟」，[37]此與現代出土文獻馬王堆《易》卦，以及饒宗頤之說不同（詳見下文）。

《易》之研摩，蓋分三途，包括象、理、數，陳氏特重三者中的「象」。他說：

> 然學易者，象如不明，則無以見易，故明象實學易者先務之急也〔……〕然則象之於易，何可廢哉！學者玩易能明乎象，則理自存乎

33 同前註，頁11。

34 陳湛銓：〈周易坎離二卦〉，收入鄧又同編：《香港學海書樓前期講學錄彙輯》（香港：學海書樓，1990年），頁225。

35 詳見陳湛銓：《周易繫辭傳講義》，頁27b、〈群經通義講義〉，頁18-21。

36 詳見〈卜子夏毛詩序〉，收入鄧又同編：《香港學海書樓陳湛銓先生講學集》（香港：學海書樓，1989年），頁110。

37 陳湛銓：〈群經通義講義〉，《經緯講義》，頁21。

其中，而卦爻辭皆有所繫著矣。[38]

綜觀《易》自王弼（226-249）「得意忘象」之論出，乾坤之義漸晦。正如四庫館臣在《四庫全書總目》評王弼「全廢象數，又變本加厲耳」、「祖尚虛無，使《易》竟入於老莊者〔……〕亦不能無過」。[39]陳氏也指「夫子經緯乾坤，作為文言，援後學幾聖域，猶舟航之濟乎瀆，惜王輔嗣得意忘象，其注《易》也，語焉不詳」、[40]「自輔嗣之論出，而《易》蘊沈翳逾千年，則未始非其忘象之過也」。[41]陳氏直指《易》中之象，不可謂沒有匡正《易》學之功。

就《易》之用途而言，陳氏認為是「卜筮」及「喻人事」：

第一，卜筮。陳氏稱「卜筮者，易之一用耳」，[42]曾詳述卜筮方法。[43]陳氏指「凡占所本卦，是自今以往之事，變卦是未來之事」、「至於判斷吉凶，則神而明之，存乎其人矣」。[44]

不過，卜筮有兩個前設：一是占筮者「若人非正人，事非正事，尤不可妄用占筮也」；[45]一是占筮者就算「原夫正人正事，心誠求之，本萬發萬靈」，但所謂「占筮之法易為，判斷之驗難準」、「揲蓍有驗有不驗者，最主要是在其學易所得之深淺，其次則在乎占者之聰明才智矣。學易勤則所得深，聰明才智，似關稟賦，然深於易學者，其本然之聰明才智雖凡庸，可高度增長，所謂變化氣質者是」。[46]雖然如此，陳氏坦言「卜筮是聖道四者之

---

38 陳湛銓：〈周易坎離二卦〉，頁226。

39 〔清〕永瑢、紀昀等：《武英殿本四庫全書總目提要．經部》（臺北市：臺灣商務印書館，2001年），冊1，〈周易注十卷〉提要，頁58。

40 陳湛銓：《周易乾坤文言講疏》，頁5。

41 同前註，頁6。

42 同前註。

43 詳見陳湛銓：《周易繫辭傳講義》，頁18a-19a。

44 同前註，頁19a-19b。

45 同註43，頁19b。

46 同註43，頁20a-20b

末事耳」。[47]

第二，喻人事。陳氏指《周易》對於人事具有既深且廣的指導作用：

> 羲皇立象設卦，文周繫辭於卦爻，孔子復為之傳，彌綸天地，屬引萬類，窮極精微，以喻人事，其旨遠矣，其為教深且廣矣，豈徒為卜筮作哉。[48]

另一點值得注意的是：陳氏認為，無論如何，「脫遇亂世，不逢真儒」的時候，應讀《周易》。[49]

至於《周易》一以貫之的核心思想，陳氏認為有以下幾點：

第一，扶陽剛而抑陰柔：「大抵易道扶陽剛而抑陰柔，即遏惡揚善之意」；[50]

第二，旡咎：「大抵易之要義，總在旡咎，立於無過之地，則吉不待言，若危不知悔，極不思反，則凶禍固常酷也」；[51]

第三，中正：「中位〔……〕代表無過無不及，最確最當，至中至正（二爻與五爻是）。聖賢君子居之，在朝則為聖君明主，在野則為大宗師。所謂作之君作之師也。〈中庸〉一篇，不外闡此道」。[52]又如闡發乾卦「九二曰：見龍在田，利見大人。何謂也？子曰：龍德而正中也」，指「正中有二義：一、初（一）三五爻為陽位，二四上（六）爻為陰位，陽爻居陽位，陰爻居陰位為正，二五居兩卦之中為中。此爻中而非正，不取此義；二、正中，猶言正居其中，亦可謂之行中道甚正也」。[53]

筆者認為：陳氏指《周易》具有「扶陽剛而抑陰柔」、「旡咎」及「中

---

47 同註43，頁19b。

48 陳湛銓：《周易乾坤文言講疏》，頁6。

49 陳氏曾謂「脫遇亂世，不逢真儒，唯讀《易》、《庸》，不可涉《莊》」，陳湛銓：〈莊學述要〉，鄧又同編：《香港學海書樓前期講學錄彙輯》，頁279。

50 陳湛銓：《周易六子講義》，頁2a。

51 陳湛銓：《周易乾坤文言講疏》，頁19。

52 同前註，頁7。

53 同註51，頁16。

正」的核心思想，正與其「喻人事」的易學理念相通。

《周易》既然如此複雜，讀者應從何入手？陳氏舉了以下方法：

第一，先讀乾坤，後讀六子。陳氏認為，乾坤為《易》之內緼：「《易》之入門是乾坤，內緼亦是乾坤，治《易》之道，不精識乾坤之義緼，為無所得矣」、[54]「如契其旨，則於餘卦，如剖竹節，迎刃而解矣」，[55]因為「六十二卦皆乾坤之發揮」。[56]掌握乾坤之後，則可溯遊「六子」。所謂「六子」，即由乾坤所生的六純卦，包括震、巽、坎、離、艮、兌：「學易者浸淫乎乾坤，溯游乎六子，而得其要義之所在，斯之全禮大用，無不明矣。乾坤之外，有六純卦，即震、巽、坎、離、艮、兌，所謂六子者是也。六子乃由乾坤所生」。[57]

第二，讀〈繫辭傳〉。〈繫辭傳〉是十翼之一，如上所述，陳氏指〈繫辭傳〉為孔子所著，為其讀《易》心得，當中雖間有重疊相見者，卻闡發《周易》卦爻辭的微言大義，故可謂治《易》之鑰：「〈繫辭傳〉是孔子治《易》之心得，猶後人之讀書札記，與乾坤文言同是治《易》之鑰也。學者幸究心焉」、[58]「〈繫辭傳〉是孔子讀《易》之心得，非一時之作，故間有重疊相見者，義益發明，非煩亂也」。[59]

（二）《詩經》

陳氏認為，治《詩經》之門徑包括：

第一，細讀〈考槃〉、〈十畝〉、〈伐檀〉、〈衡門〉。他指「詩之〈考槃〉、〈十畝〉、〈伐檀〉、〈衡門〉等篇，宜細讀也」；[60]

---

54 陳湛銓：《周易繫辭傳講義》，頁28a。
55 陳湛銓：《周易乾坤文言講疏》，頁5。
56 同前註，頁35。
57 〈周易坎離二卦〉，頁221。
58 陳湛銓：《周易繫辭傳講義》，頁1b。
59 同前註，頁29a。另見《周易乾坤文言講疏》，頁42。
60 陳湛銓：《周易乾坤文言講疏》，頁12。

第二，讀〈毛詩序〉。陳氏云「毛詩實優於齊魯韓三家，而讀詩不讀序，尤為治是經者之大謬也」；[61]

第三，以毛詩為主，齊魯韓三家詩為輔。陳氏謂「今三家遺說，只可參考，以補毛之未足，然不可據以非毛也」。[62]

對於治《詩經》，陳氏尤為推舉〈毛詩序〉。就現有資料所見，陳氏僅有〈卜子夏毛詩序〉一文專論《詩經》。陳氏認為〈毛詩序〉「總論全詩大旨，發源通流陳義警闢，而辭氣灝汗，精純深切，與《易傳》、《中庸》相近」。[63] 正因如此，陳氏認為此序「非漢人所能為，必子夏所作也」。[64]

除了推定〈毛詩序〉為子夏所作之外，陳氏更從〈毛詩序〉、《詩經》文本、《尚書》、《左傳》、《國語》等，考證詩之作者共三十多篇。[65]筆者茲排比如下：

四始	篇名	作者	考證根據
風	邶風・綠衣	衛莊公夫人莊姜	《毛詩序》
	邶風・燕燕	衛莊公夫人莊姜	《毛詩序》
	鄘風・載馳	衛戴公妹許穆夫人	《左傳》
	鄘風・柏舟	衛僖侯之世子共伯之妻共姜	《毛詩序》
	衛風・河廣	宋桓公夫人、宋襄公母、衛文公之妹	《毛詩序》
	鄭風・清人	鄭公子素	《毛詩序》
	秦風・渭陽	秦康公	《毛詩序》
	豳風・鴟鴞	周公	《尚書・金縢》篇
	豳風・七月	周公	《毛詩序》

61 陳湛銓：〈卜子夏毛詩序〉，頁103。

62 同前註，頁105。

63 同註61，頁92。

64 同註61，頁103-104。

65 同註61，頁137-145。

小雅	常棣	周公	《左傳》、《國語》
	節南山	周幽王時大夫家父	詩之本文
	小弁	周幽王時太子宜臼之傅	《毛詩序》
	何人斯	周幽王時卿士蘇成公	《毛詩序》
	巷伯	周幽王時宦者孟子	詩之本文
大雅	公劉	召康公奭	《毛詩序》
	卷阿	召康公奭	《毛詩序》
	民勞	召穆公虎	《毛詩序》
	板	周厲王時卿士凡伯	《毛詩序》
	蕩	召穆公虎	《毛詩序》
	抑	衛武公	《國語・周語上》；韓詩（陳氏指「此說最是，與《國語》及《毛詩序》同」）
	桑柔	周厲王時以諸侯入為卿士之芮良夫	《左傳・文公元年》
	雲漢	周宣王時大夫仍叔	《毛詩序》
	崧高	宣周王時鄉士尹吉甫	詩之本文
	烝民	尹吉甫	詩之本文
	韓奕	周宣王時卿士尹吉甫	《毛詩序》
	常武	召穆公虎	《毛詩序》
	召旻	凡伯	《毛詩序》
頌	周頌・時邁	周公	《國語・周語上》
	魯頌・馬同	魯文公時魯史官史克	《毛詩序》
	魯頌・閟宮	魯公子奚斯頌魯僖公而作	齊、魯、韓三家詩

對於《詩經》中的《毛詩序》，陳氏論及「大小序之分」、「風雅」（包括變風變雅）及「〈關雎〉之旨」的問題：

第一，大序小序之分。對於大序小序之分，前人眾說紛紜。其中一種是陸德明《經典釋文》以篇首至「用之邦國焉」為「小序」，以「風，風也」至篇末為「大序」。清初姚際恆（1647-約 1715）《古今偽書考》也因循此說，並認為發端數語，因字數少而稱「小序」，其後文字則因字數多而稱「大序」。陳氏對此不表認同，認為〈國風〉、〈小雅〉至少有三十二篇皆只一句，並無申之語。由此推論陸、姚二人「割裂每一篇之序分為大小者，極無理也」，並指「故於此除釋〈關雎〉之作意外，並總論全詩之大義，發源通流，申論特長，故不分大小序則已，如分，則應以全篇為詩大序，其餘為小序，於理方合，清代通儒，莫不如是也」。[66]易言之，陳氏認為〈關雎序〉全文，因總論全詩之旨，故為「大序」，而其餘各篇之序則為「小序」。

第二，風雅。對於風雅之分，或云國風為平民文學，以大、小雅為貴族文學。陳氏並不苟同，認為「風雅之分，即今之所謂地方性與中央性之異也」。[67]至於變風變雅，後人強分風雅之正變，陳氏認為甚為無謂，指變風變雅的真義是「王道衰，禮義廢，政教失，國異政，家殊俗」及「國史明乎得失之跡，傷人倫之廢，哀刑政之苛，吟詠情性以風其上，達於事變而懷其舊俗」。[68]

第三，〈關雎〉之旨。陳氏認為〈關雎〉是周人歌頌后妃之詩，冠於十五國風之首，旨在「風化天下而使夫婦之道得其正。用之鄉人，用之邦國，朝野皆以此篇為正夫婦之道也」。[69]《毛詩序》末有「〈關雎〉樂得淑女以配君子，憂在進賢，不淫其色。哀窈窕，思賢才，而無傷善之心焉。是〈關雎〉之義也」，陳氏指「此序末數語至重要，一以釋〈關雎〉之義」，[70]可見

66 同註61，頁116-117及94。

67 同註61，頁130。

68 同註61，頁126。

69 同註61，頁117。

70 同註61，頁137。

陳氏認為〈關雎〉之旨是風教天下。

除了《周易》、《詩經》之外，陳氏尚有若干經學方面的吉光片羽，散見著作之中。例如《論語．八佾》孔子「繪事後素」一語，朱熹（1130-1200）《論語集註》以為先鋪素，後施五采。陳氏認為此句自漢迄今，不得正解。究其原因，在於「誤以為素為白色也。《說文》『素，白緻繒也』，是用以為繪畫之物，非白色也。〈考工記〉前云白，後云素（案，『繪畫之事，後素功』），則白與素是兩事，白是白粉色，素是素絲布也。後素功者，謂女工先製素絲布，而後用五采績畫於其上也」。[71]

綜合上文有關陳湛銓的經學思想來看，筆者認為：由於陳氏偏向從訓詁考釋、考鏡源流與典籍比較的角度，闡發經籍意義，故此可以說，陳氏的經學思想比較傳統，與清人治經方法相近。

三　陳湛銓酬酢詩作及詩集序跋中的南來經學學者

香港南來經學學者，除了陳湛銓之外，尚有若干代表人物。我們可從陳湛銓的酬酢詩作及詩集序跋，按圖索驥，檢索陳湛銓交遊圈中的南來經學學者。據陳氏現已結集出版的詩集，有《修竹園詩近稿》、《修竹園近年詩》、《修竹園近詩》、《修竹園近詩二集》、《修竹園近詩三集》，根據當中的詩題及序跋，曾與陳氏相過從、輩分相若或較年長的同時期者，至少包括香翰屏（1890-1978）、李景康、夏書枚（1892-1984）、何曼叔（1896-1955）、穆濟波（1895-？）、熊潤桐（1899-1974）、馮康侯（1899-1983）、陳伯祺（1902-1993）、黃文寬（1910-1989）、傅子餘（1914-1998）、吳天任、饒宗頤、勞天庇（1917-？）等人。[72]其中曾從事經學研究的前輩或同輩，有李景康、[73]

71 同註61，頁106。

72 詳見拙文：〈學貫四部，詩逾萬首——香港國學宗師陳湛銓〉，頁103。

73 李景康為賴際熙於香港大學課經史的門生。賴際熙〈與軒頓院長書四通〉，曾提及李景康的考試表現，其中經學八十五分，史學九十五分。參考賴際熙：〈與軒頓院長書四通〉，收入羅香林輯：《荔垞文存》（香港：學海書樓，2000年再版），頁69-72。李夏書枚、穆濟波、[74]吳天任、饒宗頤，而屬於南來香港經學學者的，則是夏書枚、吳天任、饒宗頤。以下分述三人的經學思想。

夏書枚，原名承彥，後名叔美，字書枚，江西新建人，為江西書香世家。父夏敬忠（？-？），從叔為經學家皮錫瑞（1850-1908）高足夏敬觀（1875-1953），故夏書枚少時得以涵濡國學。[75]一九五八年曾南來香港，以詩文教授於珠海書院、經緯書院、新亞書院、聯合書院等院校。夏氏間涉經學通論，主治董仲舒（179-104 B.C.）《春秋繁露》，著有〈春秋董氏說考逸〉。[76]

夏氏的經學思想與陳湛銓的同異之處在於：

（一）相同方面，二人認為諸子源於孔子。夏氏認為，孔子為提出「正名」的第一人。誠然，「言正名自孔子始，但孔子之言，係對當時目見或本身遭遇或答問者而言，並非整有系統之理論」，[77]可是諸子皆肇始自孔子，孔子佔開山地位：「是則諸子學之興，孔子實佔開山地位。其時雖無子學名稱，戰國時天下紛亂，關心世道或利祿之徒，群起著書，於是專家之學興而諸子起，要皆源於孔子也」。[78]

（二）相異方面則有二：

第一，夏氏將《孟子》納入子部討論。例如〈略論諸子學之興起及其要歸〉一文，論及孟子、墨子處理「厚葬」的分別，指孟子提出「厚葬」旨在「盡於人心」，無反功利之言；[79]反觀陳湛銓，如上所述，他認為《孟子》「既已視同六籍，義尊為經，不得復列諸『子部』也」，甚至在〈諸子學講

氏著有《孟子牽牛章評注》、〈儒家學說提要〉等經學論著。

74 穆濟波著有《學術思想論文集》等經學論著。

75 詳見何敬群序，夏書枚：《夏書枚詩詞集》（香港：出版者缺，1984年），頁1。

76 夏書枚：〈春秋董氏說考逸〉，《新亞書院學術年刊》第3期（1961年9月），頁1-26。

77 夏書枚：〈略論諸子學之興起及其要歸〉，《夏書枚詩詞集‧附錄論著雜記文輯存》，頁56。

78 同前註，頁48。

79 同註77，頁56

義〉一文介紹重要參考書目時，也不把《孟子》納入子部討論。[80]

第二，夏氏似乎偏向認為《春秋繁露》屬於經部。考《四庫全書總目》，董仲舒《春秋繁露》納入經部。[81]誠然，夏氏一方面坦言有人「對董子的談五行災異，則以為無關經義，擯之於經解之外。這一點非本文範圍」，[82]但另一方面，指孔子作《春秋》的微言大義，卻被董仲舒以扼要數語道破。[83]加上董仲舒說陰陽、五行，不取漢人的《洪範・五行傳》，一本於《易》、《書》、《春秋》，反映其擇術之正。[84]如是者，夏氏對於近人所指「董說之於《春秋》，不啻易傳之於《周易》」之論，並不置疑。[85]筆者由此推測，夏氏偏向認為《春秋繁露》屬於經部；反觀陳湛銓，其〈諸子學講義〉重要參考書目中，則將《春秋繁露》納入子部「儒家類」。[86]

夏氏推尊《春秋繁露》，其說有以下幾點：

（一）《春秋繁露》為董仲舒之說。夏氏認為，《春秋繁露》是原書散失後，經後人輯錄而成的一部新書。至於〈玉杯〉、〈竹林〉等篇，既不可能另立，故併入這部新書中。這部新書的輯錄者採用五種原書的一種名稱「蕃露」，並增「春秋」二字。[87]另一方面，夏氏駁斥南宋程大昌（1123-1195）有關「《春秋繁露》非董氏之說」之論。[88]

（二）《春秋繁露》闡發春秋微言大義。夏氏指「孔子作《春秋》的動機，被董子扼要地數語道破」、[89]「《春秋》之學，得董子附會引申，使它的微言大義，越加著明，不能不說是春秋的功臣」。[90]至於當中的「陰陽五行

80 陳湛銓：〈諸子學講義〉，頁30-32。
81 〔清〕永瑢、紀昀等：《武英殿本四庫全書總目提要・經部》，冊1，頁602。
82 夏書枚：〈春秋董氏說考逸〉，頁24。
83 同前註，頁26。
84 同註82，頁25。
85 同前註。
86 陳湛銓：〈諸子學講義〉，頁32。
87 夏書枚：〈春秋董氏說考逸〉，頁3-4。
88 同前註，頁2-3。
89 同註87，頁26。
90 同註87，頁25。

災異」之說，夏氏認為：退一步說，是漢代整體風氣所使然；[91]進一步說，卻具有鑑戒人君修省之用，故具有一定價值，[92]可見夏氏對《春秋繁露》予以肯定。

（三）諸家解詁春秋兼存董子之言。一方面，夏氏辨識董仲舒闡發春秋，與劉向（？-？）、京房（77-37 B.C）說的相異之處在於：前者繫於「人事」，後二者則解釋為「災異」。例如「成公七年、正月。鼷鼠食郊牛，皆養牲不謹也」，夏氏指：

> 案劉向用〈洪範〉五行說，以為近青祥，亦牛禍。何休解詁，引京房傳言災。仲舒則不以為災異，而以為人事之不謹。他所以和劉向、京房不同者在此。[93]

另一方面，夏氏從日食、殿廟災、星、雷、雪、霜、雹災異、大水、無冰、大旱、求雨、山崩、地震、隕石、蟲災、鳥獸異、草妖，指出何休（129-182）、劉向部分之言，兼存董仲舒之說：[94]例如「桓公十四年、八月壬申。御廩災」一條，指何休「解詁云，依胡母條例，而不及董生，但他注桓十四年御廩災，卻襲用董說，足證解詁兼存董子之言」；[95]又如「襄公二十八年、春。無冰」一條，指劉向「末言與董仲舒指略同，則知文中僅有仲舒一部分意見，大部分為劉向之言，凡言略同者皆如此」。[96]

另一位與陳湛銓相過從的南來經學學者是吳天任。

吳天任，號荔莊，南海人，曾從康有為（1858-1927）萬木草堂弟子鄉

91 同註87。

92 同註87，頁4、5。

93 同註87，頁23。

94 誠然，並非全部存董仲舒之說。夏氏在「文公九年、九月、癸酉。地震」一條，指「按文末所記，與說諸震同，包括諸蝨而言。但仲舒不言洪範五行傳。凡文中涉及五行傳旨的，當然就不是仲舒所說。如此段：介蟲之孽，屬言不從。很明顯與仲舒無關」。同註87，頁22。

95 同註87，頁11。

96 同註87，頁18。

宿曹毅（字宏道，？-？）受春秋公羊之學。[97]一九四九年來港，歷任葛量洪教育學院、經緯書院、學海書樓、樹仁學院等文史教席共數十年。經學涉及經學通論、《大學》及《孟子》，唯只有若干零散的單篇經學論著，包括〈經學今古文辨〉、〈樸學與辭章〉、〈大學新論序〉、〈孟子荀卿論〉。

吳氏的經學思想，蓋有以下數端：

（一）《春秋》是六經之首，宜以《公羊傳》、《穀梁傳》、《春秋繁露》及何休之書治之。他說「夫孔子之道在六經，《春秋》為六經之首，孔子外王大義傳焉，當取《公》、《穀》、《繁露》何休之書治之，始得入其門而登其堂奧」。[98]

（二）劉歆之古文學為偽學。吳氏指劉歆「以其偽學詭託魯恭王壞孔子它取出，其文別為一體，人鮮能識，謂之古文學，而以當世流行之隸書孔子真經，謂之今文學，實非孔子之學云。顛倒是非，篡亂聖道，欺天下；欺後世是學風大變，人心日偷」。[99]其餘波所及，包括「後漢賈馬杜鄭傳之，然鄭康成兼傳今學，雜糅今古，而披沙鍊金，實難其人」，由此斷定他們是「劉歆之功臣，孔學之蟊賊」。[100]

（三）清代樸學家拙於辭章。吳氏認為，言樸學者多拙於辭章，清乾隆（1736-1795）、嘉慶（1796-1820）經學家，大多拙於為詩。饒是如此，他們根抵深厚，為文尚算質樸雅正。至於乾嘉擅於辭章的經學家，則推許孫星衍（1753-1818）、汪中（1745-1794）、淩廷堪（1755-1809）、洪亮吉（1746-1809）、孔廣森（1752-1786）、董祐誠（1791-1823）。近代則推許章太炎（1868-1936）和黃侃（1886-1936）。[101]

（四）重估經書價值。吳氏認為，古代與現代事異勢殊，今人如仍效法

97 詳見吳天任：〈曹宏道師與萬木草堂口說〉，《牧課山房隨筆》（臺北縣：藝文印書館，1973年），頁9。

98 吳天任：〈經學今古文辨〉，《牧課山房隨筆》，頁21。

99 同前註，頁20。

100 同註98，頁21。

101 吳天任：〈樸學與辭章〉，《牧課山房隨筆》，頁219、221。

古人屏絕世務，窮究原經，既違先哲研經致用之旨，亦非時勢所許。因此，進一步提出：

> 自宜加之別擇，選其理論之可久可常，足以培養品德，砥礪人格，改正社會風氣，激發國族意識，與夫較切實用，近於時務者，分類編輯為中小學課本，普遍頒行，其他訓詁名物制度，歸入專門研究。如是則大或足以濟群利物，小亦不失修己淑身之效歟。至於每種經書，凡經先儒注釋而為後人聚訟詬病者，亦應有整理重訂之必要。[102]

此一觀點，與饒宗頤後來所提出的「新經學」觀念十分相近（詳見下文）。

吳氏《大學》、《孟子》的經學思想如下：

（一）《大學》

吳氏指《大學》為學者不可不讀之書。究其原因，《大學》不僅為道德、心性之書，還兼有「我國道德哲學與哲學共冶一爐而兼具內聖外王之大學問」，他認為《大學》「既為孔氏遺書，且為大人之學，則其所以代表先聖之道德思想、政治思想，與其影響振發今後學者，關係至大」，並且希望有更完備詳明而協於時中的新注，以取代朱子之注。[103]

（二）《孟子》

《孟子》是否屬於經部，吳氏並無探究，只指《孟子》為治經入門：

> 二子（案，孟子、荀子）譬猶孔子之門，學者欲觀孔子宗廟之美，百官之富，非由孟荀入門，則宮牆外望已耳。[104]

102 吳天任：〈大學新論序〉，《牧課山房叢稿》（臺北：出版者缺，1983年），頁37。
103 同前註，頁36。
104 吳天任：〈孟子荀卿論〉，《牧課山房叢稿》，頁1。

吳氏更以「公羊之學」比喻孟子的性善說。[105]至於「公羊之學」與孟子的性善說有何相似，吳氏則語焉不詳。

筆者認為，吳天任經學論著固然甚少，但「重估經書價值」此一點，則比陳湛銓與夏書枚更具批判性與前瞻性。這種經學思想，與另一經學學者饒宗頤頗相脗合。

饒宗頤，廣東潮安人，父親為潮州著名學者饒鍔（？-？），家有天嘯樓，藏書過萬，故饒宗頤得以幼承家學。一九四九年左右來港，[106]後來講學於學海書樓，並任教於香港大學、香港中文大學等院校。治經範圍包括小學、《周易》、《尚書》、《詩經》、《左傳》、《大學》等，其經學論著中的《經學昌言》輯錄論文三十四篇。[107]

饒氏經學理念中最值得注目的是「新經學」。他在〈新經學的提出——預期的文藝復興工作〉提出「新經學」的概念：

> 我們現在生活在當前充滿進步、生機蓬勃的盛世，我們可以考慮塑造我們的新的經學。[108]

筆者可歸納饒氏「新經學」的大前提為三點：第一，不限於文字上的校勘解釋工作；第二，批判古代文獻，並對過去經學的材料和著作，重新檢討；第三，推陳出新，與現代接軌，予以新的詮釋。[109]具體來說，饒氏「新經學」的特點如下：

---

105 同前註。

106 例如饒宗頤一九六一年自序《長洲集》「南來十年，久輟吟咏」。案，其中「十來」為約數。詳見饒宗頤：《長洲集》（出版地缺：出版者缺，1961年），頁1。

107 饒宗頤：《經學昌言》，收入《饒宗頤二十世紀學術文集》（臺北市：新文豐出版公司，2003年），頁1-498。

108 同前註，頁8。

109 同註107，頁8及11。

（一）重新訂立經部範圍

清代至今，經學學者大致上以《四庫全書總目》的經部分類奉為圭臬，前文的陳湛銓便是例子之一。與此相反，饒氏卻認為經部範圍有重訂之必要，並初步擬出經部範圍：

第一，訓詁書像《爾雅》，不得列作經書。

第二，長篇而重要的銅器銘辭，選取二、三十篇。《逸周書》可選部分入於此類。此二者作為彌補《尚書》的文獻。

第三，《國語》一類的古代史家記言著述可以入經。

第四，選取馬王堆的「經法」、「五行」等思想性重要的出土文獻入經。

第五，道家典籍如《老子》、《莊子》等，可列入經。[110]

筆者應當說明：此說係饒氏二〇〇一年提出。準此，饒氏能夠比前人掌握更多出土文獻。反觀陳湛銓、夏書枚、吳天任，則因時代限制，未能全面提出「新經學」的觀念。準此，饒氏當然比陳湛銓、夏書枚、吳天任更具批判性與前瞻性。這是可以理解的。

（二）利用出土文獻，結合訓詁舊疏

對於這一點，饒氏曾指：

> 清代經學的成就，在方法與考證當然有它獨到的成績，但他們研究的對象，仍然是舊的材料，周仍舊邦，難以維新，和今天出土林林總總的文物，萬萬不能相比。[111]

例如按照陳湛銓與清代或以前的經學家所根據的《周易》，都以「既濟」、

110 同註107，頁9。
111 同註107，頁11-12。

「未濟」二卦作結。不過，據出土文獻馬王堆《易》卦的排列，最後的巽宮，以益卦為結束全局，作為最後一卦。兩者大有迴異。饒氏解釋：「以『未濟』收場，表示保留『有餘』，這是中國文化一大特色。『益』，是積極而富建設性的觀念」；[112]又如饒氏於一九八三年所撰的〈殷代易卦及有關占卜諸問題〉，指從周原甲骨、四盤磨的卜骨、殷墟遺址所出的陶器、山東宋家橋陶罐上面的契數，推測「重卦非始於文王，殷時六十四卦卦名已經存在」；[113]再如饒氏從楚簡推論孔門說詩「賦詩斷章，余取所求焉」的問題：「斷章取義以說詩，從楚簡引詩句的情形看來，孔門和儒家無不如此」。[114]諸如此類，都是以出土文獻治經的例子，大大增強經學觀點的說服力。

與此同時，饒氏強調治經還須另一方面結合舊疏，甚至清人的治經成果。譬如對於經部「五經總義類」之一的《經典釋文》，饒氏指：

> 我曾建議我們應該利用簡帛的新材料，參考清代學者對異文的研究成果，去重編一部新的《經典釋文》。[115]

究其原因，饒氏在一九五四年的〈釋儒——從文字訓詁學上論儒的意義〉早已指出「清儒訓詁精覈，其為可從」，[116]就算到了一九八三年的〈殷代易卦及有關占卜諸問題〉一文，也一再強調「我們不能不兼讀舊疏」。[117]例如饒氏〈「貞」的哲學〉一文，便是結合出土文獻與訓詁學闡發「貞」的涵義，他也坦言：

112 同註107，頁12。

113 饒宗頤：〈殷代易卦及有關占卜諸問題〉，《經學昌言》，收入《饒宗頤二十世紀學術文集》，頁13。

114 饒宗頤：〈詩言志再辨——以郭店楚簡資料為中心〉，《經學昌言》，收入《饒宗頤二十世紀學術文集》，頁196。

115 饒宗頤：〈新經學的提出——預期的文藝復興工作〉，《經學昌言》，收入《饒宗頤二十世紀學術文集》，頁7-8。

116 此文原刊於《東方文化》第1卷第1期（1954年1月），頁111-122。後收入《經學昌言》，收入《饒宗頤二十世紀學術文集》。

117 饒宗頤：〈殷代易卦及有關占卜諸問題〉，《經學昌言》，收入《饒宗頤二十世紀學術文集》，頁34。

「貞」的涵義從《詩・文王有聲》的「維龜正之」說之，融貫《書》、《禮》、《春秋》、《左傳》，合以卜辭、彝銘與新出楚簡，方能講得透澈，貞之為正，這一觀念的理解，主要是要倚賴訓詁學的幫助。[118]

如果要比較陳湛銓與饒宗頤的經學思想，筆者認為：除經部目錄分類外，最顯著的不同之處是：陳氏從小學、目錄學，考證、分析經籍，接近清代經學家的治經路數，固然相當札實；不過，饒宗頤更進一步主張用簡帛新材料治經。蓋文獻載體由甲骨、金石、竹木、帛，再到紙的卷軸裝、旋風裝、經摺裝、胡蝶裝、包背裝、線裝，清代經學家所依據的多為以紙為載體的線裝宋刻本。然而，先秦經籍以竹帛為文字載體。從根本上說，利用出土文獻治學，採用原始資料，這無疑更具科學性與客觀性。

四　陳湛銓在學海書樓講學期間的南來經學學者

陳湛銓自一九五〇年為李景康介紹於學海書樓講學，至一九八四年因病輟講。[119]據筆者所見，陳氏在學海書樓講學期間的南來經學學者，除夏書枚、吳天任、饒宗頤外，可考的前輩或同輩者，至少包括伍憲子、梁寒操、黃維琩和朱子範。他們與陳湛銓同時在學海書樓講學，應該起碼是彼此聞知的。現簡介他們的經學思想如下：

伍憲子，廣東順德人，先後從同邑簡朝亮（1851-1933）、南海康有為遊。一九〇四年南遷香港，晚歲居於香港。曾應李景康、俞叔文（1874-1959）之邀到學海書樓講學，曾執教聯合書院中文系，著有《孟子讀法》、《論語讀法》、《尚書源流》、《講易記》、《經學通論》、《國學概論》等。其部分經學觀點包括：（一）六經為孔子編定；[120]（二）漢儒「三綱」說曲解孔子

118　饒宗頤：〈「貞」的哲學〉，《經學昌言》，收入《饒宗頤二十世紀學術文集》，頁159。

119　伍步剛序，鄧又同編：《香港學海書樓陳湛銓先生講學集》。

120　伍憲子〈六經為孔子所作〉（《國學概論》，香港：出版者缺，1934年，頁26）及〈孔子〉（鄧又同編：《香港學海書樓前期講學錄彙輯》，頁3）。

之意；[121]（三）經部與經部之間互相發明。[122]

梁寒操，名翰操，號均默，廣東高要人，廣東高等師範學校畢業。一九四九年曾赴香港，後赴臺灣。著有《孔孟學說與三民主義》[123]等。梁氏曾經提出：《四書》是中國傳統文化的精粹，但其背後理論，則可以《禮記．禮運》大同篇為代表。[124]

黃維琩，字子實，廣東順德人，幼承庭訓，頗獵國學。南來香港後，歷任香港官立文商專科學校及各大專院校教席，著有〈孝道淺說〉[125]等。其《孝經》經學思想主要有：(一)《孝經》作為經部之一，全書頗有系統；[126]（二)《孝經》的主要精神不外「愛」與「敬」；[127]（三）經籍與經籍之間可互相發明。[128]

朱子範，字澹園，廣東番禺人，少受經學於陳澧（1810-1882）弟子，即朱氏表叔清代翰林楊裕芬（1857-1914)、楊松芬（？-？）昆仲門下。一九四九年南來香港，任教於中華文化學院、廣大書院，並乘課餘之暇，在學海書樓及其他學術文化場所講學。論《詩經》推許陳澧，[129]著有〈毛詩十

121 伍憲子：〈孔子〉，頁4-5。

122 同前註，頁6。

123 梁寒操：《孔孟學說與三民主義》(臺北市：中央文物供應社，1980年)。

124 梁寒操：〈孟子的人性論〉，收入鄧又同編：《香港學海書樓前期講學錄彙輯》，頁11。

125 黃維琩：〈孝道淺說〉，《學海書樓講學錄第四集》(出版地缺：出版者缺，1964年)，頁1-28。

126 黃維琩：〈孝道淺說〉，《學海書樓講學錄第四集》，頁4、3。

127 同前註，頁10。

128 黃氏曾以《禮記．祭統》篇，闡發《孝經．紀孝行章》「居則致其敬，養則致其樂，病則致其憂，喪則致其哀，祭則致其嚴。五者備矣，然後能事親」之意，他說：「《禮記．祭統》篇也有幾句與《孝經》互相發明的。它說：『是故孝子之事親也，有三道焉：生則養，沒則喪，喪畢則祭。養則觀其順也，喪則觀其哀也，祭則觀其敬而時也。』所謂『養則觀其順』，已包括《孝經》所謂居則致其敬，養則致其樂的意義了」。同前註，頁15。

129 朱氏論《詩經》，偏向認同陳澧《東塾讀書記》，詳見〈毛詩十五國風述義〉，收入鄧又同編：《香港學海書樓前期講學錄彙輯》，頁68、71。

五國風述義〉[130]等經學論著。其經學思想主要為：（一）治《詩經》以毛詩為主，三家詩為輔；[131]（二）讀詩當舉大綱；[132]（三）詩的正變之分在於世道之升降隆替；[133]（四）風雅之分在於：風為風俗之言，與閭巷歌謠有關，偏向短章疊句，寄興無端；雅則政事之言，與卿大夫諷詠有關，偏向鋪陳終始，意深辭重；[134]（五）比興之分在於：興隱而比顯，興婉而比直，興廣而比狹；[135]（六）風之所以以〈關雎〉始，為王道興廢所由始，非以其次第列之於篇首而謂之始；[136]（七）十五國風之次第，依次為二南、邶鄘衛風、王風、鄭風、齊風、魏風、唐風、秦風、陳風、檜風、曹風、豳風。[137]

筆者就現存資料所見，單就治經之廣、治經之精，以上四人，當推伍憲子、朱子範二人。

五　陳湛銓及其交遊圈中的南來經學學者之經學特點

儘管陳湛銓、夏書枚、吳天任、饒宗頤、伍憲子、梁寒操、黃維琩、朱子範治經各有廣狹、深淺，但都屬於南來經學學者。他們或本清儒師說，或承清代家學，或靠自學，並在民國以後南逐香港，將經學的經脈伸展到香港。香港自一八四一年清廷與英國簽訂〈穿鼻條約〉起，到一八四二年〈南京條約》、一八六〇年〈北京條約〉，以至一八九八年《展拓香港界址專條〉，已經淪為英國殖民地。香港在英國的「文化殖民」下，傳統國故可謂蕩然無存。準此，在經學史上，上述民國以來的南來經學學者，任重而道

130 同前註，頁68-78。
131 同註129，頁78。
132 同註129，頁68。
133 同註129，頁69。
134 同註129，頁70。
135 同註129，頁69。
136 同前註。
137 同註129，頁70。

遠，發潛德之幽光，傳承經學，實在居功至偉。他們部分更曾彼此交往，例如夏書枚與饒宗頤曾相過從，吳天任也與饒宗頤彼此相識。姑勿論他們在治經方面有否彼此切磋、交流，但不容置疑的是：他們大多以傳承經學為己任，一方面在香港上庠執教鞭，擢育香港的知識分子，另一方面在學海書樓、市政局圖書館「國學講座」、香港電臺等廣播渠道，向香港大眾灌輸經學知識。[138]這無疑等於擴大他們的經學「弟子群體」。

陳湛銓及其交遊圈中的南來經學學者，其經學思想還至少有兩個特點：

（一）不滿民國以來的經學思潮。當中的伍憲子認為其時經學之所以式微，可歸咎於政治動亂及新文化運動；[139]又如吳天任有感當時邪說暴行盈於天下，認為復倡讀經是匡救世道的方法；[140]陳湛銓更攻訐甚力，強調「尊聖宗經」：

> 宗師之謂何？吾國晚近五十年來，妖人邪說已不可勝誅，而以師道自任，宏揚國故者亦復如是，又何怪於滄海橫流，生人之道盡哉！故欲救平亂風，丕張正教，必自尊聖宗經，明恥立義始矣。[141]

陳氏本著「非好己勝，好己之道勝；非好己之道勝，己之道，夫子孟軻揚雄所傳之道耶」[142]的宗旨，不但批評宋儒歐陽修（1007-1072）、朱熹，[143]清代經學家章太炎、皮錫瑞，[144]甚至痛斥蔡元培（1868-1940）廢止讀經、[145]胡適（1891-1962）非聖毀經、[146]馮友蘭（1895-1990）「十翼非孔子作」之

138 香港《華僑日報》等報刊多次報道有關消息，詳見鄧又同編：《香港學海書樓歷史文獻、歷年講學提要彙輯、藏廣東文獻書籍目錄》（香港：學海書樓，1995年）。

139 詳見〈孔子〉，頁3。

140 詳見〈大學新論序〉，頁37。

141 陳湛銓：〈諸子學講義〉，頁27。

142 陳湛銓：《周易乾坤文言講疏》，頁12。

143 詳見〈群經通義講義〉，頁22及《周易繫辭傳講義》，頁18b。

144 詳見〈諸子學講義〉，頁27、〈群經通義講義〉，頁13-14，21。

145 詳見〈群經通義講義〉，頁14。

146 詳見〈諸子學講義〉，頁28。

說，[147]尤其狠批錢穆（1895-1990）誣謗五經、詆毀《周易》。[148]

（二）提倡經學經世致用。例如伍憲子認為道德愈下，社會需要孔子；[149]黃維琩《孝經》「不敢毀傷」、「夫孝，始於事親，中於事君，終於立身」等語還適用於世；[150]朱子範指《詩經》具有修養身心等作用；[151]陳湛銓更認為應以《孝經》、《四書》等涵育少年，家庭與學校應著重經籍，以移風易俗，消除邪風戾氣：

> 今之惡少年，非天生其性惡也，只以無禮義正善之教，故放縱胡為，以至於不可收拾耳。若其自小在家時有家法之教〔……〕入學教有《孝經》、《四書》等涵育之以激發其善心正氣，則雖中人，亦不有為非，若其才質美者，且將成賢士君子矣。故欲消除邪風戾氣，移風俗，非家庭與學校皆著重我國聖賢之經教不可。[152]

諸如此類，莫不認為經藉具有現代意義。

六　結語

本文嘗試從陳湛銓及其交遊圈為切入角度，勾勒民國以來香港南來學者之經學思想，當中不可謂沒有侷限：

（一）由於民國以來香港的經學研究論著星散，除了學海書樓整輯《學海書樓講學集》及《香港學海書樓藏書目錄》之外，似乎並無更為全面的經學論著集目，以便辨章學術、考鏡源流。

---

147 詳見《周易乾坤文言講疏》，頁8。

148 陳氏一方面同情地理解錢穆（詳見《周易乾坤文言講疏》，頁12），另一方面狠批錢穆誣謗五經、詆毀《周易》（詳見〈群經通義講義〉，頁22-23及《周易乾坤文言講疏》，頁11）。

149 伍憲子：〈孔子〉，頁3。

150 黃維琩：〈孝道淺說〉，頁5及7。

151 朱子範：〈毛詩十五國風述義〉，頁78。

152 陳湛銓：〈卜子夏毛詩序〉，頁137。

（二）本文無法窮究陳湛銓、夏書枚、吳天任、饒宗頤、伍憲子、梁寒操、黃維琩、朱子範彼此之間，於哪個時期，與哪位經學學者交往。

（三）本文尚有不少的香港經學學者並未論及，故仍有大片園地亟俟其他經學專家進一步開採。

要探究民國以來香港經學學者的經學思想，筆者認為，線索至少有二：

（一）以學海書樓為切入點。學海書樓是南來學者，以至本港學者講學之地，自然匯集不少經學學者。我們可循此條線索，查考何者涉及經學。例如一九七八年十二月二十二日，報刊刊登香港電臺國學節目消息，報道由學海書樓的溫中行（？-？），撰講「論語選講」；[153]又一九七九年十月二十三日，刊登市政局圖書館與學海書樓、香港中文大學校外部及香港電臺合辦「國學講座」消息，報道由學海書樓的李巽仿（？-？），主講「孝經」。[154]另一方面，據《香港學海書樓藏書目錄》，經部藏書凡二百七十四種，合共三千三百六十三冊，[155]其中有晚年來港的經學學者陸費逵（1886-1941）曾說勘《尚書》。[156]準此，我們可進一步探究溫中行、李巽仿、陸費逵等人的經學思想。

（二）《廣東文獻》等文獻資料。譬如稽考《廣東文獻續編》，得悉尤列（1865-1936）為廣東順德人，曾經南來香港，本身著有《四書章節易解》、《四書新案》等經學論著。[157]我們可據此考察尤列等人的經學思想。

無論方法如何，筆者綜合以上初步的研究資料，可以推論：上述經學學者對香港經學貢獻甚多，他們標誌著民國以來的香港經學尚在推進，燦然一新。

——原載《中國學術年刊》第三十四期（春季號）
（2012 年 3 月），頁五七～八六

153 鄧又同編：《香港學海書樓歷史文獻、歷年講學提要彙輯、藏廣東文獻書籍目錄》，頁61。

154 同前註，頁90。

155 鄧又同編：《香港學海書樓藏書目錄》（香港：出版社不詳，1988年），頁1-30。

156 同前註，頁11。

157 許衍董編：《廣東文獻續編》（出版地缺：廣東文徵編印委員會，1986），冊1，頁326。

民國時期香港的經學
——李景康與《儒家學說提要》的啟示

許振興
香港大學中文學院副教授

一　導言

一九一二年一月一日中華民國的建立不僅標誌著中國政治發展的新里程，也開啟了香港經學發展的新紀元。一眾避亂南來的廣東籍前清遺老在香港積極從事文教活動，設館講學、舌耕筆耘，對香港日後的學術與教育發展貢獻良多。[1]南海區大典（1877-1937）先後任教於香港大學、皇仁書院、尊經學校等官私學校，講授經學二十多年，對經學教育的推動著實不遺餘力。[2]

1　有關前清遺老的研究，林志宏（1970-　）《民國乃敵國也：政治文化轉型下的清遺民》（臺北市：聯經出版公司，2009年）與周明之《近代中國的文化危機：清遺老的精神世界》（濟南市：山東大學出版社，2009年）二書論析頗詳，可參考。有關廣東籍前清遺老在香港的活動，《民國乃敵國也：政治文化轉型下的清遺民》一書曾作概括介紹（參看頁57-63），而程美寶《地域文化與國家認同：晚清以來「廣東文化」觀的形成》（北京市：生活·讀書·新知三聯書店，2006年）一書更以嶺南學術與「學海堂」發展為綱略作探索（頁190-211），兩者俱可參考。

2　參看拙稿〈區大典《孝經通義》考論〉，香港嶺南大學中文系、臺灣中央研究院中國文哲研究所合辦「經學國際學術研討會」宣讀論文（香港：嶺南大學，2009年5月29-30日）。區大典的生平，主要參看孫甄陶：《清代廣東詞林紀要》（臺北市：臺灣商務印書館，1971年），頁149；鄧又同編：《清代廣東翰林考》，載氏編：《香港學海書樓前期講學錄彙輯附清代廣東翰林考》（香港：學海書樓，1990年），頁620；鄧又同輯錄：〈區大典太史事略〉，《學海書樓主講翰林文鈔》（香港：學海書樓，1991年），頁33。

增城賴際熙（1865-1937）受聘於香港大學，講授史學二十多年；又致力創辦學海書樓，廣邀寓港名儒講經授史；並四出奔走籌款，成立香港大學中文學院，設置經學、史學、文詞學等科目，對確立「經學」的學科地位盡力不少。[3]他們的努力，究竟對香港的經學教育產生多大影響？民國時期香港的經學，除了倚靠前清遺老的推動外，可還有其他賣力者？本文即擬借助南海李景康（1890-1960）與《儒家學說提要》一書試作申析。

二　李景康與香港的經學教育

李景康是民國時期寓港前清遺老培養的第一批學生，也是香港大學文學院的第一批畢業生。他的一生跟香港的經學發展結下多層面的不解緣。他出掌香港漢文師範學校時的學生黃兆鈐（1907-？）撰寫的〈李校長傳略〉記述他的生平最為詳盡，稱：

> 李校長景康先生，字鳳坡，粵之南海人，生於一八八九年。自幼在其珂里松溪鄉私塾肄業，專心致志，言笑不苟，問難質疑，出語每驚其長輩，咸歎為非童稚所能道；稍長負笈香江，就讀聖士提反中學。民國元年（1912），考獲英國牛津大學高等試文憑，中文科特著優異，值香港大學創辦伊始，乃入校攻讀文科。民四（1915），以第一屆首名畢業，膺學士銜。民六（1917），朱慶瀾任廣東省省長，創辦全省保衛團總局，以維治安，且通民隱，先生被徵任參議。朱氏去粵，先生來港就母校聖士提反中學教席，蟬聯五載。民十一年（1922），因

3　賴際熙為首的前清遺老對香港經學發展的努力，拙稿〈民國時期香港的經學：1912-1941年間的發展〉，「變動時代的經學和經學家（1912-1949）」第一次學術研討會論文（臺北市：中央研究院中國文哲研究所，2007年7月12日）嘗作介紹。賴際熙的生平，主要參看《清代廣東詞林紀要》，頁149；《清代廣東翰林考》，頁620；《學海書樓主講翰林文鈔》，〈賴際熙太史事略〉，頁47-48；羅香林〈故香港大學中文學院院長賴煥文先生傳〉，收入賴際熙著、羅香林輯：《荔垞文存》（香港：學海書樓，2000年），頁165-167。

> 邑中紳商推轂，復返廣州任南海中學兼縣立南海師範學校校長，……。民十三年（1924），應香港教育司之聘，任本港教育司署漢文視學官兼英文視學官，港中人士，深慶得人。民十五年（1926），本港政府徇紳商之請，亟思提倡國學，遂有官立漢文中學（原註：即本校之前身。案：「本校」即「金文泰中學」），暨官立漢文師範學校之創設，先生奉調兼長二校，迄民國三十年（1941）太平洋戰事爆發時止，在校凡十四載。……抗戰時期，先生返國，……；而粵省當局，以先生學養深粹，德尊望隆，特聘任軍官訓練團教席，主講《大學》、《中庸》，儒雅雍容，絃歌遍及軍旅；而先生仍以其餘暇，兼任國民大學講席，作育英才，不遺餘力。嗣投余漢謀將軍麾下，掌理文書，隨軍轉戰贛南；繼任衢州綏署上校參議官。光復後返港，即息影寓齋，間與碩果詩社諸君子相唱和，優遊文酒，意興灑然。先生凡遇文教設施，與社團職務，無不樂於贊勷，勉任艱鉅，如民十三年在粵被選為廣東全省教育會評議員，又歷充廣州南海中學校董，創辦南海石門中學，膺選校董，倡建馮平山圖書館及香港孔聖堂，兼任幹事值理，膺選僑港南海商會董事，創辦港大中文學院，任起草委員，及香港大學中文學會（案：原誤作「香港中文學會」，逕改）名譽會員，港大歷屆考試委員，此其卓著者也。居恆潛心國學，著述甚豐，擅詩文，工繪事，嘗著《披雲樓詩草》、《七言律法舉隅》、《抗戰游草》；及與區大典、岑光樾兩太史，陳煜庠進士等，合編《國文模範讀本》三冊；與張谷雛先生合編《陽美砂壺圖考》，葉譽虎先生為之序。近著有《儒家學說提要》。[4]

他不單於入讀香港大學（University of Hong Kong）文學院（Faculty of Arts）後一直追隨出任漢文講師（Lecturer in Chinese）的兩位前清遺老賴際熙與區大典修習經史學問，更在保存、推動與發揚傳統經史學問上成為他們

4　黃兆鈴：〈李校長傳略〉，收入《金文泰中學新校舍落成紀念特刊》（香港：金文泰中學，1962年），頁125。

終生不渝的夥伴。官立漢文中學（Government Vernacular Middle School）與香港大學中文學院（School of Chinese）的創設更是他著力推動香港經學教育的重大貢獻。

李景康肄業鄉間私塾時，已初習經學。一九一三年香港大學剛設文學院，他便成為首批入學的文科學生。其實，香港大學於一九一二年成立時[5]，校方只是將校董會委員何啟（1859-1914）[6]於一八八七年成立的香港西醫書院（College of Medicine for Chinese, Hong Kong）改稱為大學的醫學院（Faculty of Medicine）[7]，配合新成立的工學院（Faculty of Engineering）[8]，

5 有關香港大學的成立，主要參看 George Endacott: "The Beginnings", in Brian Harrison (ed.): *University of Hong Kong : the first 50 years, 1911-1961*(Hong Kong: Hong Kong University Press, 1962), pp.23-37.

6 有關何啟的生平、思想與貢獻，主要參看 Chiu Ling-yeong（趙令揚）: *The life and thought of Sir Kai Ho Kai*, Ph. D. Thesis, University of Sydney, 1968；Jung-fang Tsai（蔡榮芳）: *Comprador ideologists in modern China : Ho Kai (Ho Ch'i), 1859-1914, and Hu Li-yuan, 1847-1916*, Ph. D. Thesis, University of California, 1975；G. H. Choa（蔡永業）: *The life and times of Sir Kai Ho Kai : a prominent figure in nineteenth-century Hong Kong*, Hong Kong: Chinese University Press, 2000；張禮恒著：《何啟・胡禮垣評傳》（南京市：南京大學出版社，2005年）。

7 有關香港西醫書院的創設、發展與影響，參看羅香林：〈香港早期之西醫書院及其在醫術與科學上之貢獻〉，收入《香港與中西文化之交流》（香港：中國學社，1961年2月），頁135-178；David Meurig Emrys Evans(compiled): *Constancy of purpose: an account of the foundation and history of the Hong Kong College of Medicine and the Faculty of Medicine of the University of Hong Kong, 1887-1987*, Hong Kong: Hong Kong University Press, 1987；The University of Hong Kong, Li Ka Shing Faculty of Medicine(ed.): *Shaping the health of Hong Kong: 120 years of achievements*, Hong Kong: The University of Hong Kong, Li Ka Shing Faculty of Medicine, 2006.

8 有關香港大學工程學院的創設、發展與影響，參看 University of Hong Kong(introduced by C.A. Middleton Smith): *Details concerning the Faculty of Engineering*, Hong Kong: Noronha & Co., 1913；C. H. Middleton Smith: *The University of Hong Kong : the work and equipment of the Engineering Faculty*, Hong Kong: Far Eastern Review, 1922；Faculty of Engineering, University of Hong Kong(ed.): *75 years of engineering : 75th anniversary commemorative publication*, Hong Kong: Faculty of Engineering, University of Hong Kong, 1988；Faculty of Engineering, University of Hong Kong(ed.): *Engineering at HK : 90 years*

組成大學的核心學院。當時，校董會成員何啟曾倡議於大學設立以中文作主要教學語言的附屬學院（affiliated college），可惜遭到香港的第十四任總督、同時也是香港大學首任校長（Chancellor）的盧押（Frederick John Dealtry Lugard，1858-1945，1907-1912 擔任香港總督）堅決反對。[9]盧押除將香港大學的教學語言確定為「英語」，著力強調大學的「實用性」外，更揚言教習「中國語言及文學知識的課程（knowledge of the Chinese language and literature）」絕不會成為香港大學吸引世人的特色（an attractive feature in the University）。[10]促成香港大學成功開設文學院，主要是校董會委員何啟與聖士提反書院（St. Stephen's College）創辦者 Archdeacon E. J. Barnett 連番爭取的成果。[11]由於「〈香港大學條例〉第十三則，規定文科須注重教授中國語言文學」[12]，同登光緒二十九年（1903）癸卯榜進士的前清翰林賴際熙與

---

of dedication, Hong Kong: Faculty of Engineering, The University of Hong Kong, 2002；Faculty of Engineering, The University of Hong Kong(ed.): *Engineering the future*, Hong Kong: Faculty of Engineering, The University of Hong Kong, 2007.

9 何啟曾以委員的身分向籌劃設立香港大學的委員會建議在英語作為主要教學語言的同時，另設一所以中文作主要教學語言的附屬學院（affiliated college），學生只要成功完成課程的要求，便可獲發證書或文憑。但此建議遭盧押斷然否決。相關的資料，參看 C.P. Carter: *Report of Sub-committee: Hongkong, 25th September, 1908*, in Hong Kong, Committee for the establishment of a university for Hong Kong: *Papers relative to the proposed Hongkong University* (Hong Kong: Noronha & Co., 1908), pp. 4-5. 何啟的建議，參看 Ho Kai: "Scheme proposed by the Hon. Dr. Ho Kai, C.M.G.", Enclosure 8 of *Report of Sub-committee: Hongkong, 25th September, 1908*, pp. 12-16.

10 參看 F.D. Lugard: "Memo. By His Excellency the Governor", Enclosure 8 of *Report of Sub-committee: Hongkong, 25th September, 1908*, pp. 16-19.

11 有關文學院成立的概況，可參看 Brian Harrison: "The Faculty of Arts", in *University of Hong Kong : the first 50 years, 1911-1961*, pp.127-128.

12 《荔垞文存》，附錄〈香港大學文科華文課程表〉，頁169。「《香港大學條例》第十三則」是〈一九一一年香港大學堂憲章〉（*The University Ordinance, 1911, No. 10 of 1911*）的第十三則，該則第一條有關大學學院（The Faculties）的設置，清楚列明 "There shall be Faculties of Medicine and Engineering, and such others as maybe constituted by the Court, priority being given to Science and Arts Faculties, in the latter of which due provision shall be made for the study of the Chinese language and literature."(in

區大典遂得以雙雙獲聘為該院的漢文講師（Lecturer in Chinese）[13]，分別負責講授「傳統漢文」（Classical Chinese）課程的「史學（History）」與「文學（Literature）」科目。[14]他們對西方現代學術分科的認識相當有限，自然難以講授具有現代學術分科意識的「中國語言及文學」。賴際熙教授「史學（History）」一科時，便只採用傳統「經史之學」的「史學」講授方式，利用二十四史、《資治通鑑》、《續資治通鑑》、《通典》、《通考》、《通志》、《通鑑輯覽》與宋、元、明的歷史載錄，闡述三代至明朝的歷史；而區大典教授「文學（Literature）」一科時，亦是以傳統「經史之學」的「經學」講授方式，選授朱熹（1130-1200）與其他學者對《四書》與《五經》的評註。[15]校方願意在《香港大學條例》強調注重教授「中國語言及文學」的前提下，容許他們以含混的手法處理「傳統漢文」（Classical Chinese）課程的講授，歸根究柢，實緣於校方既無法否定中國經、史學的傳統，又不能漠視「經學」與「史學」都不屬於源自西方現代學術分科的事實。[16]傳統的「經學」教育

Frederick J. D. Lugard: *Hong Kong University: present position, constitution, objects and prospects, with photo, plans, and appendices containing the University Ordinance, 1911, speeches, statements of accounts, and estimates of revenue and expenditure*, reprinted March 30th, 1912, with agreement with the Hongkong College of Medicine and speeches at the opening ceremony. Hong Kong: Noronha & Co. 1912, p.14)《香港大學條例》的中文譯本，可參看馮秉華譯：〈一九一一年香港大學堂憲章〉，《香港大學中文輯識》第1卷第1號（1932年），頁1-4。

13 參看 University of Hong Kong: *University of Hong Kong Calendar, 1913-14*(Hong Kong: The Newspaper Enterprise Ltd., 1914), p.58.

14 參看 *Ibid.*, p.60.

15 參看 *University of Hong Kong Calendar, 1913-14*, pp.60&63; University of Hong Kong: *University of Hong Kong Calendar, 1914-15*(Hong Kong: The Newspaper Enterprise Ltd., 1915), pp.73&77.

16 傳統「經史之學」的「史學」與現代學術分科的「歷史」、「歷史學」並不完全相同，相關論析可參看李紀祥（1957-　）的〈以「史」為學與以「歷史」為學〉（載氏撰：《時間・歷史・敘事——史學傳統與歷史理論再思》，臺北市：麥田出版公司，2001年，頁43-63）一文與參看劉龍心（1965-　）《學術與制度：學科體制與現代中國史學的建立》（臺北市：遠流出版公司，2002年）一書。「經學」與現代學科分類的關係，可參看陳以愛：〈《國學季刊發刊宣言》：一份「新國學」的研究綱領〉，收入黃清連

便是藉著香港大學校方採用權宜的方法虛應英國對殖民地大學學術分科的要求，從而出人意表地得以廁身於香港的高等教育。李景康正是在此情況下因緣際會成為香港大學首批接受傳統「經學」教育的學生。

其實，香港大學校方一直只視文學院設置「傳統漢文」（Classical Chinese）課程為履行〈香港大學條例〉的責任，以便對曾捐款協助創校的華人作象徵式的「報答」。根據當時大學的規定，四年學制被區分為首兩年的中期課程（Intermediate Course）與末兩年的終期課程（Final Course）兩階段。由於他們既不鼓勵、亦不推廣漢文的教習，亦極少願意批准學生在終期課程（Final Course）階段修習漢文課程，是以修讀的學生人數一直寥寥可數。一九一六年時，各年級修習漢文課程的學生總數只得七人。[17]李景康便是個中一人。他修習「傳統漢文」（Classical Chinese）課程的成績相當理

編：《結網編》（臺北市：東大圖書公司，1998年），頁519-571。有關現代學術分科與傳統學科的相互關係，左玉河（1964-　）的《從四部之學到七科之學——學術分科與近代中國知識系統之創建》（上海市：上海書店出版社，2004年）與《中國近代學術體制之創建》（成都市：四川人民出版社，2008年）二書分析入微，頗便參考。

17 賴際熙向當時的文學院院長軒頓（Professor W. J. Hinton）呈交修讀漢文課程諸學生的「經學」與「史學」考試成績，修讀者計有林棟（Lam Tung, B.A. 1916）、李景康（Li King Hong, B.A. 1916）、梁乃晉、李作聯（Li Tsok Lun, B.A. 1916）、曹善芬、楊巽行與羅顯勝（Lo Hin Shing, B.A. 1919）七人（參看《荔垞文存》，卷1，〈與軒頓院長書四通〉〔第一通〕，頁69-71）。查林棟、李景康與李作聯三人於修畢一九一六學年課程後獲文學士畢業，羅顯勝則於修畢一九一九學年課程後獲文學士畢業。其餘三人應未能成功完成文學士課程，故沒有列名畢業生名錄（參看 University of Hong Kong: *University of Hong Kong Calendar, 1923*, Hong Kong: Kelly & Walsh Limited, Printers, 1923, "List of Graduates", p.169）。其實，自一九一二年香港大學創校迄一九一九年間共有四屆畢業生，成功獲取文學院文學士者僅九人，計一九一六學年三人、一九一八學年一人、一九一九學年五人（數字據 *University of Hong Kong Calendar, 1923*的「List of Graduates」整理，同上頁），而修習漢文課程者佔四人，比例實在不低。由於賴際熙的〈與軒頓院長書四通〉沒有註明發函日期，今據第一通內容考證，一九一六學年畢業者與一九一九學年畢業者同時在學，則該函當於一九一六年修成。當時正是軒頓首度擔任文學院院長的最後一年。軒頓曾三度出任文學院院長，任期為一九一四年至一九一六年、一九二〇年至一九二一年、一九二二年至一九二三年。相關記載，參看 *University of Hong Kong : the first 50 years, 1911-1961*, p.134.

想，表現僅次於他的中學與大學同窗好友、日後受聘於中文學院擔任翻譯講師（Chinese Translator）的林棟（1890-1934）。[18]他除於肄業期間跟老師賴際熙與區大典關係和洽，時相往還外，更深深認同林棟不滿「世俗馳騖西文，敝屣國學，莘莘之徒類皆虐古榮今，數典忘祖」[19]的看法，是以彼此為增進個人的經史學養，自香港大學畢業後，即雙雙「謝徵聘，買舟歸羊石，同執贄於丁閣學伯厚太史之門。」[20]此「丁閣學伯厚太史」正是前清翰林、光緒九年（1883）癸未榜本科二甲第三名進士番禺丁仁長（1861-1926）。[21]他原是香港大學最初屬意徵聘的漢文講師人選，可是他以母老不願離開廣州為辭婉拒，校方才打算改聘另一前清翰林番禺吳道鎔（1853-1936）[22]；可是吳道鎔則以年老不便來港為辭謝絕禮聘，校方才再根據吳道鎔的推薦改聘他的兩名學生賴際熙與區大典。[23]李景康師從丁仁長研習經史，使他在賴際熙與區大典外，跟前清遺老增添了另一重密切的關係。

李景康繼而在任教母校聖士提反書院五年後，於一九二二年北返廣州擔任南海中學兼縣立南海師範學校校長，直至一九二四年才應香港教育司聘，回港出任教育司署漢文視學官兼英文視學官。一九二六年，香港政府徇眾華

---

18 根據賴際熙於一九一六年向文學院院長軒頓呈交諸修讀漢文課程學生的「經學」與「史學」考試成績，最佳者林棟的「經學」成績為「九十五分」、「史學」成績為「一百分」；次佳者李景康的「經學」成績為「八十五分」、「史學」成績為「九十五分」（參看《荔垞文存》，卷1，〈與軒頓院長書四通〉〔第一通〕，頁70）。有關林棟的生平，參看李景康：〈香港大學講師林棟君墓誌銘〉，《李景康先生詩文集》（香港：學海書樓，2003年），頁2-4。

19 《李景康先生詩文集》，〈香港大學講師林棟君墓誌銘〉，頁2。

20 同前註。

21 丁仁長的生平，主要可參看《清代廣東詞林紀要》，頁136-137；《清代廣東翰林考》，頁615。

22 吳道鎔的生平，主要可參看《清代廣東詞林紀要》，頁135-136；《清代廣東翰林考》，頁615。

23 聘任的經過，參看《香港舊事見聞錄》，頁205-207；陳謙撰：《香港舊事見聞錄》（廣州市：廣東人民出版社，1989年），頁205-207。

人紳商的請求[24]，創辦官立漢文中學，委任他擔任校長，並同時出掌早於一九二〇年已成立的官立漢文師範學校。這使他得以罕有地同時擔任兩所官立漢文學校的校長。一九四一年十二月，香港被日本軍侵佔，他毅然投筆從戎，返國擔任軍隊的文書、文教、參謀工作，「奔馳國事，戎馬粵北」[25]，轉戰多地，直至戰事結束才重回香港，「流連詩酒，用遣生涯」。[26]

官立漢文中學與官立漢文師範學校最重要的特點便是在授課語言上摒棄當時香港各中學或偏重漢文（中文）、或偏重英文的慣常安排，同時採用漢文與英文為主要的教學語言。兩校的學制與課程安排為：

> 畢業年限，中學定四年、師範定二年、高小定三年。凡考驗及格畢業，由教育司獎給證書。中學科目，為經學、中史、外史、中文、作文、英文、算術、代數、幾何、三角、簿記、自然科、地理、經濟、法制、圖畫等；師範科目，為經學、中史、外史、中文、作文、英文、算術、代數、地理、論理學、心理學、管理法、教授法、教育學實習等；高小科目，為經學、歷史、中文、作文、英文、算術、自然科、地理、修身、習字、圖畫等；皆依照內地學科支配，與原日畸輕畸重者，略有不同。[27]

李景康除確定兩所學校「以內地中學之課程為根本」[28]外，還特別在高小、

---

24 《香港華字日報》一九二五年十二月十日〈創設漢文中學之動議〉一文載：「前日（12月8日）下午，有紳商多人，假座華人行六樓華商俱樂部開一敘會，係商議欲請求政府在香港撥出一地段，創立一漢文中學。其中教授科學，以中文為主，務將中國文學大為發展，免久居於香港之僑民，連中國文字都不懂，有數典忘祖之誚。聞是日與會者，有周壽臣（1861-1959）、羅旭和（當作「羅旭龢」，Robert Hormus Kotewall，1880-1949）、李石泉、曹善允（1868-1953）、尹文楷、李景康、俞叔文（1874-1959）、馮平山、劉子平、李亦梅諸君，討論極有頭緒云。」（第2張第3頁）

25 《李景康先生詩文集》，李鴻烈〈重印《李景康先生詩文集》序〉，書首不標頁碼。

26 同前註。

27 〈港政府開辦漢文中學續聞〉，載《香港華字日報》，1926年1月30日，第2張第3頁。

28 〈香港漢文中學來春開辦〉，載《香港華字日報》，1926年1月21日，第2張第3頁。

中學與師範鄭重加入「經學」一科，並敦聘區大典、區季海（區大原）、岑敏仲（岑光樾）、陳壎伯、羅憩棠（羅汝楠）、黃國芳、何家誌、陳雪翹、白直甫等前清遺老與香港大學畢業生任教。[29]由於兩校的運作迅速踏上軌道，紳商們遂乘時要求香港政府於香港大學創設中文部（華文部）以銜接漢文中學的課程、取錄漢文中學的畢業生。[30]

香港大學的漢文教學在一九一七年曾因文學院准許成功修畢原四年制課程的學生增修一年由賴際熙與區大典共同負責講授的科目──「傳統漢文：史學與文學（兩科目）」（「Classical Chinese, History and Literature (Two subjects)」）以獲取新設的五年制榮譽學位而呈現前所未有的生機。[31]但這五年制榮譽學位課程未及推廣，已在一九二三年因文學院進行課程更革，將原有四年的經史教學內容壓縮為兩年[32]而頓成鏡花水月。一九二六年底前，校方更大不願意批准學生主修漢文課程，是以每年憑藉修習漢文課程獲取文學士學位者屈指可數。[33]一九二六年任職教育司的活雅倫（A. E. Wood）便嘗針對香港大學開辦以來唯文科中漢文一科無甚足觀的事實，要求校方將按時薪聘任的賴際熙與區大典改聘為專任漢文講師。這使他們得免於為生計而四出

29 參看〈港政府開辦漢文中學續聞〉，載《香港華字日報》，1926年1月30日，第2張第3頁；黃兆鈴：〈李校長傳略〉，頁125；王齊樂（1924- ）：《香港中文教育發展史》（香港：三聯書店，1996年），頁263-269。區大原的生平，主要參看《清代廣東詞林紀要》，頁150；《清代廣東翰林考》，頁621。岑光樾的生平，主要參看《清代廣東詞林紀要》，頁150；《清代廣東翰林考》，頁621。

30 參看〈關於大學中文重要之談話──馮平山熱心教育、李景康解釋詳明〉，《香港華字日報》，1927年7月6日，第2張第2頁。

31 此科目由區大典講授《十三經》基本原理與內容、精讀《十三經》一種；並由賴際熙概述歷代治亂興衰與探討歷代經典有關管治、稅收、教育、地理等的記述。相關資料，可參看 University of Hong Kong: *University of Hong Kong Calendar, 1917-18*(Hong Kong: Noronha & Co., 1917), p.70.

32 參看 University of Hong Kong: *University of Hong Kong Calendar, 1923*(Hong Kong: Kelly & Walsh Limited, Printers, 1923), pp.126-127.

33 參看 Anthony Sweeting: "The University by Report", in Chan Lau Kit-ching & Peter Cunich(eds.): *An impossible dream : Hong Kong University from foundation to re-establishment, 1910-1950* (New York: Oxford University Press, 2002), p.220.

兼職，從而可以專心致意提升香港大學學生的漢文水準。[34]此時適逢眾紳商倡議在香港大學設立中文部，賴、區二人遂把握機會，化被動為主動，上書校方，力陳原有的漢文課程僅得「經學」與「史學」兩科目，實不足以充實學生的相關知識。他們明確要求香港大學的漢文課程須增設「文詞學」一科。當時擔任香港第十七任總督的香港大學校長金文泰（Cecil Clementi，1875-1947，1925-1930 擔任香港總督）正深受香港大罷工[35]以來劍拔弩張的中、英關係困擾，賴、區二人的建議無疑適時地為他提供了改變香港華人社會對港英政府負面觀感的良機。他毅然挺身表態積極支持香港大學設立中文部、充實漢文課程的內容，目的除了向居港的華人示好外，更藉此塑造港英政府與香港大學重視華人傳統學問的形象。這使香港大學成功獲得分配部分英國退還中國的庚子賠款。校方便是藉著挪用此筆賠款解決了不少創校以來經費捉襟見肘的難題，而設立中文部一事反而受著經費匱乏的折騰。由於設立中文部已是校方騎虎難下的燙手山芋，金文泰幸好得到賴際熙的體諒與協助，傾力籌劃，才能主要倚靠南洋華僑的踴躍捐款成功創立中文學院。[36]李景康不僅擔任中文學院的章程起草委員[37]，更在賴、區二人被聘為專任漢文講師、中文學院的成立、中文學院的課程規劃與教員聘任[38]、商人馮平山（1860-1931）捐款建立中文學院圖書館與鄧志昂（1872-1939）捐款建立中

---

34 參看 University of Hong Kong: *University of Hong Kong Calendar, 1926*(Hong Kong: The Newspaper Enterprise Ltd., 1926), pp.122-124；《香港中文教育發展史》，頁270。

35 參看蔡榮芳撰：《香港人之香港史1841-1945》（香港：牛津大學出版社，2001年），頁102-171。

36 參看李廣健：〈鉅觀與微觀因素對早期香港大學中文教學的影響（1912-1935）〉，載《臺南師院學報》第27期（1994年），頁237-258；程美寶：〈庚子賠款與香港大學的中文教育——二三十年代香港與中英關係的一個側面〉，載《中山大學學報》1998年第6期（1998年12月），頁60-73；區志堅：〈香港大學中文學院成立背景之研究〉，載《香港中國近代史學報》第4期（2006年），頁29-57。

37 李景康自稱「香港大學擬創中文學院，予隨區徽五（區大典）、賴荔垞（賴際熙）兩太史之後，忝膺起草之實。」（《李景康先生詩文集》，〈香港大學講師林棟君墓誌銘〉，頁3）

38 李景康自稱「學院告成，爰招君（林棟）旋港入繙譯講師。」（同前註）

文學院教學大樓諸事上竭力奔波。[39]他便是藉著自己在官、商、學三方面廣結的人緣，積極促進香港的中文教育——特別是經學教育的發展。

李景康出任創校校長的官立漢文中學，第一屆畢業生馮秉華（1911-1981）、馮秉芬（1911-2002）與李幼成同於一九二七年畢業後立即入讀新成立的香港大學中文學院。[40]這正好體現了香港大學中文學院與官立漢文中學間密不可分的關係。經學教育既是官立漢文中學著意標榜的學校特色，而「經學」一科的設置尤屬一時盛舉；學生們耳濡目染，自然容易深受薰陶。一九二八年出版的《漢文中學戊辰年刊》與一九三三年出版的《漢文中學年刊》便分別載錄了該校學生撰寫的〈經義〉二十八篇[41]與〈經義〉十三篇。[42]香港大學中文學會於一九三二年出版的《香港大學中文輯識》更刊登了官立漢文中學畢業生馮秉華撰寫的〈禹貢貢道略言〉與〈讀《四書》劄記〉、李幼成撰寫的〈讀《書》劄記〉與〈讀《詩》劄記〉、馮秉芬撰寫的〈讀《四書》劄記〉。[43]這些論著的內容容或有待充實，卻都是他推動經學教育的纍纍碩果。儘管他身居校長要職，他對經學教育的推動一直秉持身體力行、親力親為的態度。檢視他的《儒家學說提要》，印證他的師長與學生們的著述，無疑已能窺見他在香港經學發展史上不容取代的承先啟後地位。

三　李景康的《儒家學說提要》

《儒家學說提要》一書載錄於李景康辭世後門人等編集付梓的《李景康先生詩文集》。全書篇幅不少，定稿本以李景康的手寫本為依歸。[44]由於此

39 參看《香港中文教育發展史》，頁275-279。

40 參看《漢文中學年刊》(1933年)，〈本校歷屆中學畢業生一覽表〉。

41 參看〈經義〉，《漢文中學戊辰年刊》(1928年)。

42 參看〈經義〉，《漢文中學年刊》(1933年)。

43 參看《香港大學中文輯識》，馮秉華〈禹貢貢道略言〉頁1-6；李幼成〈讀《書》劄記〉，頁1-6；李幼成〈讀《詩》劄記〉，頁6-11；馮秉華〈讀《四書》劄記〉，頁13-17；馮秉芬〈讀《四書》劄記〉，頁18-21。

44 參看〈校後語〉，《李景康先生詩文集》，頁353。

書不附目錄，故先據全書各篇簡目及內容表列每篇細目如下：

	篇	目
一	學[45]	（一）學之範圍 （二）學之次序 （三）學無智愚 （四）為學方法 （五）學貴知行 （六）孔顏好學 （七）孔子之學
二	性[46]	（一）概說：說性 （二）性善之說 1.《尚書》言性 2.《周易》言性 3.《中庸》言性 4.《孟子》言性 5. 程子言性 6. 朱子言性 （三）兼氣質言性 1. 告子言性 2. 楊子言性 3. 董子言性 4. 韓愈言性 （四）性惡之說 1. 荀子言性 （五）性情之別 （六）養性率性 （七）盡性順性
三	心[47]	（一）人心道心

45 同註44，頁171-191。

46 同註44，頁193-217。

		（二）正心誠意 （三）存心養心 （四）不忍之心 （五）不動心 1. 北宮黝之不動心 2. 孟施捨之不動心 3. 曾子之不動心 4. 告子之不動心 5. 孟子之不動心 （六）不失本心 （七）動心忍性 （八）得民心 （九）心所同然
四	德[48]	（一）概說：德 （二）明明德於己 （三）明明德於人 1. 德化 2. 德政 3. 好德 （四）至德要道 （五）天地鬼神之德
五	仁[49]	（一）概說 （二）仁之解釋 1. 鄭康成釋仁 2. 韓愈釋仁 3. 朱子釋仁 （三）諸賢未仁 1. 不以仁許仲弓

47 同註44，頁219-244。

48 同註44，頁245-255。

49 同註44，頁257-278。

		2. 不以仁許子路 3. 不以仁許冉求 4. 不以仁許公西赤 5. 不以仁許令尹子文 （四）弟子問仁 （五）廣義之仁 （六）仁包眾德 （七）狹義之仁 （八）其他要義 1. 自修 2. 行仁
六	義[50]	（一）概說：說義 （二）以體言義 （三）以用言義 1. 義發為情 2. 義在必行 3. 義利之辨 4. 辭受取予 （四）其他要義
七	禮[51]	（一）概說：禮 （二）禮之質 1. 天理 2. 誠敬 （三）禮之文 1. 政制 2. 儀式 3. 禮貌 （四）禮之經權 （五）其他要義

50 同註44，頁279-292。

51 同註44，頁293-314。

		1. 禮貴得宜 2. 儒言禮治
八	恕[52]	（一）概說：恕 （二）修己之恕 （三）治人之恕 （四）其他要義
九	命[53]	（一）概說：命 （二）天命原理 （三）盡性至命 （四）義理之命 （五）氣數之命 （六）盡義理以俟氣數
十	才[54]	（一）概說：才 （二）以質言才 （三）以氣言才 （四）以能言才 （五）以力言才 （六）其他要義
十一	情[55]	（一）概說：情 （二）情之善者 （三）情之惡者 （四）情與才別 （五）治人不外治情 （六）情實之情
十二	中[56]	（一）概說：中 （二）《尚書》言中

52 同註44，頁315-318。

53 同註44，頁319-324。

54 同註44，頁325-328。

55 同註44，頁329-335。

56 同註44，頁337-343。

		（三）《中庸》言中 （四）《論語》言中 （五）《孟子》言中 （六）程子言中 （七）朱子言中
十三	庸[57]	（一）概說：庸 （二）《尚書》言庸 （三）《周易》言庸 （四）《中庸》言庸 （五）程子言庸 （六）朱子言庸

黄兆鈐的〈李校長傳略〉概述此書的特點，稱：

> （李景康）近著有《儒家學說提要》，剔取《四書》中之言道德性情、仁義禮智、孝悌忠信諸條，分類臚列，融會錯綜，以求貫通，推尋天人性命之旨，闡發倫常道德之要，尤為有裨於世道人心，豈獨規規於詞章詩賦之緒餘而已哉。[58]

根據黄兆鈐的介紹，細審前列全書各篇的細目，印證李景康親自在〈學〉篇〈緒言〉的申析：

> 昔年嘗就儒家之綱領要義，用分析綜合之法，加以研求，結果得其基本學說二十餘字；以每字為綱，以內容分析為目，根據《四書》，參以《五經》，概守「引經證經樸實說理」之原則，使每說綱舉目張，一線穿成，以求具本旨之所在。蓋學術為天下之公器，最重平實，始能傳之久遠，不容後世之曲解與臆說也。[59]

---

57 同註44，頁345-347。
58 黄兆鈐：〈李校長傳略〉，頁125。
59 《李景康先生詩文集》，頁172。

全書最重要的特色便是作者根據儒家學說的綱領要義，採用分析綜合的方法，以儒學的「關鍵概念」為綱，就「學」、「性」、「心」、「德」、「仁」、「義」、「禮」、「恕」、「命」、「才」、「情」、「中」、「庸」等十三項各立篇目，以分門別類的形式，摘取《四書》、《五經》的相關材料，逐一羅列，使讀者能一目了然，而作者又能就每一「關鍵概念」作融會錯綜的闡釋。書的〈性〉篇與〈仁〉篇便最能突顯此種形式的特點。〈性〉篇全文分為七部分，作者開章明義先在〈概說〉「說性」，再舉述《尚書》言「性」、《周易》言「性」、《中庸》言「性」、《孟子》言「性」、程子（程頤，1033-1107）言「性」、朱子（朱熹，1130-1200）言「性」以說明「性善之說」，接著列出告子言「性」、楊子言「性」、董子（董仲舒，176-104 B.C）言「性」、韓愈（768-824）言「性」以「兼氣質言性」諸說，然後條示荀子言「性」的見解以突顯「性惡之說」；作者再在讀者已對此等基本材料具有相當認識的基礎上逐一闡釋「性情之別」、「養性率性」與「盡性順性」的深義。〈仁〉篇全文分為八部分，作者除率先就「仁」略作「概說」外，便首列鄭康成（鄭玄，127-200）釋「仁」、韓愈釋「仁」、朱子釋「仁」等「仁之解釋」，再舉「不以仁許仲弓」、「不以仁許子路」、「不以仁許冉求」、「不以仁許公西赤」、「不以仁許令尹子文」諸項論證「諸賢未仁」的原委，然後逐一闡釋《論語》「弟子問仁」、「廣義之仁」、「仁包眾德」、「狹義之仁」與「自修」、「行仁」等要義。李景康曾解釋採用此種以「關鍵概念」為本的方式研究經學的原因：

> 自西漢獨尊孔子（孔丘，551-479 B.C），排斥百家以來，儒家學說影響我國之學術思想，至深且巨。後世治經者更有漢學、宋學之分：漢學務求徵引繁博，以闡述訓詁制度之證佐；宋學務求義理精微，以窮究天人性命之奧蘊；亦有融和漢宋，不立宗派一流，以示兩派不容偏廢者。因而經生家歷代蔚起，著述叢出，源源不絕，循致註釋之異同，理論之聚訟，使學者有望洋興歎之苦。非將儒家精粹之說提要鉤元，有所整理，則著述愈多，立說愈眾，而群經之本旨愈晦。然整理

> 國學，貴有自然系統，且須以研求真理為堅定不移之宗旨，故須以不標奇、不立異、不武斷，為要歸。[60]

但這背後更深層的原因卻應是「經學」教育在二十世紀講求西方現代學術分科的學校教育體制下，已難覓得生存的空間。李景康出掌的官立漢文中學能在緊湊的課程編排中擠出時間設立「經學」一科，已是極度難能可貴。現實的掣肘，已不容許教師採用昔日講求專精深入、逐經細讀、先通一經再通群經的教育模式進行教學。他們必須適應時空的限制，抓緊有限的教時傳授最多的知識。以儒學的「關鍵概念」為綱、以儒家思想的內容分析為本從事教授的方式，無疑有助學生最具效率地掌握經書的精粹。他強調自己主要以《四書》為據，輔以《五經》，闡釋儒學諸「關鍵概念」的要義。這不禁令人相信他仍是致力於延續明清以來士子讀經先《四書》、後《五經》的傳統。

李景康特別針對歷代解經者眾說紛紜、莫衷一是的現象，提出經學思想「貴有自然系統」[61]、「須由廣博歸於簡約」[62]的見解。他認為：

> 夫學術繁博，學說紛歧，不加研究，則不明其得失；不慎抉擇，則散漫無歸，昧於取捨。文者，前人之遺文也。禮者，天理也。雖博覽前人之遺文，仍須認定範圍，知所抉擇。[63]

朱熹等宋儒注解、闡釋的《四書》、《五經》便因具備了前後一貫、自成體系的思想系統[64]而受到他的青睞。這種思想的淵源，當然跟他的老師區大典在香港大學講授「經學」時專以選授朱熹與其他學者對《四書》、《五經》的評註[65]有著密不可分的關係。他力主自博反約的經學思想，令他首先著重開列

60 同註59，頁171-172。

61 同註59，頁172。

62 同註59，頁180。

63 《李景康先生詩文集》，頁180。

64 參看孔慶茂：《八股文史》（南京市：鳳凰出版社，2008年），頁56-60。

65 參看 *University of Hong Kong Calendar, 1913-14*, pp.60&63; *University of Hong Kong*

各經書的要點：

> 《大學》一書，三綱八目，可以明明德約之。《中庸》性、道、教三大支，可以一誠約之。夏、殷、周三代之《禮》，可以忠、敬、文約之。《戴禮》一經，可以敬字約之。《周易》六十四卦，可以元、亨、利、貞約之。《毛詩》三百篇，可以「思無邪」約之。《尚書》可以大道常道約之。《論語》、《孟子》，可以仁義約之。所謂一本化為萬殊，萬殊亦歸一本。故博學固須約之以禮，詳說亦須歸納於約也。[66]

他解釋全書首列〈學〉篇的原因為：

> 儒家言學，具見於《大學》首章，所論為學之範圍次第，精微博大，系統釐然，中外先哲，罕有其匹，申述於左，足見儒家論學之精粹。[67]

此後各篇，他都援用此體例，將各篇的主題扼要勾勒，如〈性〉篇稱：

> 《中庸》三綱領，不外性、道、教，而性本於天，道本於性，教本於道。《中庸》曰：「天命之謂性，率性之謂道，修道之謂教。」蓋謂人性得自天賦，稟賦自天謂之命，存之於人謂之性，率循天性謂之道，修此率性之道謂之教。五常百行，與群經學說，分析言之，雖屬萬殊，綜合言之，實為一本。一本者何？天性而已（案：原誤作「己」）。可惜後世體悟未真，互逞臆說，人各有性，而竟向外求，罔知自行體驗，遂致性善性惡之說，聚訟紛紜，循至孟子性善之說，亦遭疑問，良可慨也。抑知「天命之性」，無有不善，茲特綜合各說而分析之，以待學之者明辨。[68]

他除重視綱張目舉地列示各篇的重點主題外，更重視一清二楚地羅列用以闡

Calendar, 1914-15, pp.73&77.

66 《李景康先生詩文集》，頁180-181。

67 同註66，頁173。

68 同註66，頁193-194。

釋主題與重點的資料。他為了深入淺出地闡明主體，甚或不惜採用簡單的圖示表解方式，如〈禮〉篇稱：

> 禮者本乎天理，出於誠敬，節於無過不及，此禮之大旨也。故朱子曰「禮者天理之節文，人事之儀則。」若達於人事，則分而為政制，為儀式，為禮貌，而濟之以守經行權，使無悖於天理。《周禮》言設官分司之制，政制之禮也。吉、凶、軍、賓、嘉五禮，儀式之禮也。視、聽、言、動之禮，禮貌之禮也。天理者，禮之質；誠敬者，禮之意；政制、儀式、禮貌者，禮之文。「禮」字賅括甚廣，有體有用。其體者質，其用者文。故儒家言禮治，而法在其中，是以俗言禮法。茲用表解如次：
>
> 禮之質－根據－天理－出於－誠敬→禮之文┬政制（政治制度）┐
> 　　　　　　　　　　　　　　　　　　　├儀式（吉凶軍賓嘉）┼無過無不及
> 　　　　　　　　　　　　　　　　　　　└禮貌（視聽言動）┘[69]

因此，全書各篇多採「茲特綜合各說而分析之」[70]、「茲將言心各說分析如左」[71]、「茲將各說分析如左」[72]、「茲舉各說如次」[73]、「茲舉述各說以證之」[74]作引語，逐一帶出各項相關的資料。

四　李景康《儒家學說提要》的價值

李景康一生致力於推動香港的經學教育。他在出任官立漢文中學與官立漢文師範學校校長時為各級學生特設「經學」一科最受時人矚目。《儒家學

69 同註66，頁293-294。

70 同註66，頁194。

71 同註66，頁220。

72 同註66，頁246。

73 同註66，頁338。

74 同註66，頁346。

說提要》雖是他辭世後門人編校付梓的遺著，是書實際上卻是他在儒學與經學教育上身體力行的傑作。他曾在學海書樓公開宣講〈說仁〉與〈說義〉，又曾在《金文泰中學校刊》公開發表〈說禮〉與〈說性〉[75]。這都證明了是書正是他親身驗證個人經學教育心得的力作。細讀全書內容，他最重要的貢獻便是先本《大學》要旨確定儒家學說以「學」為首、再本《中庸》要旨確定儒家學說以「性」為次，然後援據二者，結合《論》、《孟》的申析，再雜採《五經》的論說，藉闡釋儒家的重點學說，從而整理出簡明的儒學思想系統。儘管他在書中未有確切提出真正具創意、甚或劃時代的經學觀點，他在書中已成功勾勒了儒家學說的大要。全書貫徹始終的組織結構，正好印證了他堅信此種以儒學「關鍵概念」為綱、羅列資料、再分析主題的教學方法應是最具效率的「經學」傳授方式。他雖然不是偉大的經學家，卻毫無疑問是極具心思的經學教育家。

其實，《儒家學說提要》各篇採用按主題分類、逐一分析的編排方式，追源溯始，實可溯源於李景康的經學老師區大典講授諸經時編撰的《經學講義》。這等講義共有十二種傳世，計為：《易經講義》、《書經講義》、《詩經講義》、《儀禮禮記合編講義》、《周官經講義》、《春秋三傳講義》、《孝經通義》、《大學講義》、《中庸講義》、《論語講義》、《孟子通義》與《論語通義》。當中以「講義」命名者多達九種，而以「通義」命名者亦佔三種。[76]「通義」的特點，他嘗在解釋《孝經通義》一書的命名時稱：

---

75 參看李景康：〈說仁〉，《香港學海書樓前期講學錄彙輯附清代廣東翰林考》，收入《學海書樓講學錄（第2集，1955年出版）》，頁79-86。〈說義〉，收入《金文泰中學校刊》，1956年7月，頁68-72；又載《香港學海書樓前期講學錄彙輯附清代廣東翰林考》，《學海書樓講學錄（第3集，1959年出版）》，頁133-138。〈說禮〉，收入《金文泰中學校刊》，1957年7月，全文不標頁碼，共13頁。〈說性〉，收入《金文泰中學校刊》，1959年7月，頁47-54。

76 參看遺史輯：《經學講義》（又稱《香港大學中文學院經學講義》）（香港：奇雅中西印務，1930？年）。「遺史」即區大典，說詳拙稿：〈民國時期香港的經學：1912-1941年間的發展〉與〈區大典《孝經通義》考論〉。

> 茲編《孝經》講義，每章之末，特博舉群經以通釋之，故曰「《通義》」。[77]

「通義」與「講義」的分別則可以《論語講義》與《論語通義》兩書作指標。因為《論語》是區大典在十二種《經學講義》中唯一同時撰有「講義」與「通義」的經書。他解釋自己分別編撰兩書的用意為：

> 《論語》者，孔子應答弟子、時人及弟子相與言而接聞於夫子之語也。當時弟子各有所記。夫子既卒，門人相與輯而論撰，故謂之「論語」。《論語》一書，聖賢學說之最精粹者也；然弟子紀述聖言，不無先後與詳略，其編次未可執也。予既循章附注，為《論語講義》。然要未會其通，爰仿朱子（朱熹）《孟子要略》之體，又成《論語通義》一書上下卷。[78]

「通義」的重點在於匯集諸義、會通眾說，以求薈萃於一書。因此，它對經書的闡釋便不只停留於句剖字釋的層面。他編撰《孝經通義》時便先針對《孝經》只有不足二千字篇幅的特點，將全書各章細分為若干段落逐一加以闡釋，然後於每段末端附錄採自群經的相關資料，再將它們跟《孝經》原文一併會通分析。這樣的闡釋經義方法，無疑給予李景康極大的啟示。一九二七年畢業於官立漢文中學後立即進入香港大學中文學院肄業的李幼成既曾受業於李景康、又有緣聆教於區大典。他在一九二八年以畢業生身份在官立漢文中學出版的《漢文中學戊辰年刊》發表〈《四書》劄記附錄〉一文，便分別採錄《四書》的相關資料，就「學」、「孝」、「仁」、「政」、「君子小人」五項進行論析。[79]這正好從另一層面顯示了區大典「通義」式講經、治經的方法與李景康主題為本的經學教育方式都是為了適應當時社會需求而變通求存的經學教育新嘗試。《儒家學說提要》正是此項嘗試的實證與記錄。

---

77 遺史輯：《孝經通義》（香港：奇雅中西印務，1930？年），頁1下。

78 遺史氏輯：《論語通義》（香港：奇雅中西印務，1930？年），上卷，頁1上。

79 參看李幼成：〈《四書》劄記附錄〉，收入《漢文中學戊辰年刊》（1928年），頁25-37。

五　結語

李景康不是出類拔萃的經學家，卻是承先啟後的經學教育家。他的《儒家學說提要》雖初刊於一九六三年六月初版的《李景康先生詩文集》[80]，卻是香港經學發展的主導者從前清遺老向本土學生過渡的印記。他既是香港培育的第一代經學教育產品，又是香港培育的第一代經學教學者。他受香港教育司聘擔任視學官與官立中學校長，自然深知西方現代教育體制主導下，經學已極難在學校教育中佔一席地。因此，《儒家學說提要》的重要價值便在於它為香港的經學教育展示了新的發展路徑。單憑此點，是書一向被忽略的地位便已具備重新被審慎評估的價值了。從區大典、歷李景康、迄李幼成與馮秉華兄弟，香港的經學發展在民國首三十年間經歷了教學內容與形式上的大改變，而李景康與他的《儒家學說提要》正是個中承先啟後的賣力者。

80 《李景康先生詩文集》，頁354。

圖一　《李景康先生詩文集》封面

圖二　《儒家學說提要》首頁

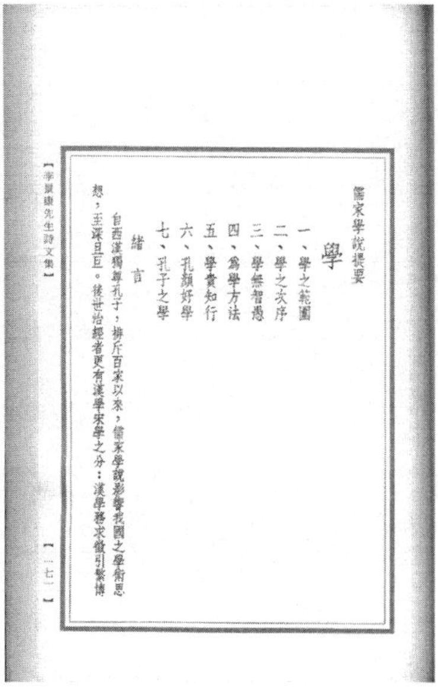

儒家學說提要

學

一、學之範圍
二、學之次序
三、學無智愚
四、爲學方法
五、學貴知行
六、孔顏好學
七、孔子之學

緒言

自西漢獨尊孔子，排斥百家以來，儒家學說影響我國之學術思想，至深且巨。後世治經者更有漢學宋學之分：漢學務求徵引繁博

【李景康先生詩文集】　【一七一】

民國時期香港的經學
——兩種《大學中文哲學課本》的啟示

許振興
香港大學中文學院副教授

一　導言

一九一二年一月一日中華民國建國[1]的同年，統治香港已七十年的英國殖民地政府[2]在三月十一日正式宣告成立香港大學（University of Hong Kong）。[3]這不僅是香港教育發展的標誌點，也是香港高等教育發展的起始

---

1 有關中華民國建國的經過，論著纍纍，不作贅述。「中華民國」一名的由來與意義，可參考蔣永敬（1922-　）：〈從三個名詞的微觀角度透視辛亥革命〉，收入林啟彥（1947-　）等主編：《有志竟成——孫中山、辛亥革命與近代中國》（香港：香港浸會大學人文中國學報編輯委員會、香港中國近代史學會，2005年12月），頁25-35。

2 有關香港被英國侵佔及淪為英國殖民地後百年間發展的梗概，主要可參看丁新豹（1948-　）：〈歷史的轉折：殖民體系的建立和演進〉，收入王賡武（1930-　）主編：《香港史新編》（香港：三聯書店，1999年7月），頁59-130。

3 香港大學的成立典禮在一九一二年三月十一日舉行，個中詳情，可參看報刊 *Hongkong Daily Press* 於一九一二年三月十二日題為"Opening of the Hongkong university"的報導。有關香港大學的發展，主要參看 William Woodward Hornell(1878-1950): *The University of Hong Kong: its origin & growth*, Hong Kong: Ye Olde Printerie, Ltd., 1925；University of Hong Kong: *The University of Hong Kong, 1912-1933: a souvenir*, Hong Kong: Newspaper Enterprise Ltd., 1933；Brian Harrison(ed.): *University of Hong Kong: the first 50 years, 1911-1961*, Hong Kong: Hong Kong University Press, 1962；Bernard Mellor: *The University of Hong Kong: an informal history*, Hong Kong: Hong Kong University Press, 1980；Susan Y. Y. Lam（林亦英）& Jane Sze（施君玉）:

點。[4]由於促成此事的香港第十四任總督、同時也是香港大學首任校長（Chancellor）的盧押（Frederick John Dealtry Lugard, 1858-1945）將香港大學的教學語言確定為英語[5]，並特別強調大學的「實用性」[6]，是以大學開辦首年便只設醫學院（Faculty of Medicine）[7]與工程學院（Faculty of

Past visions of the future : some perspectives on the history of the University of Hong Kong《學府時光：香港大學的歷史面貌》, Hong Kong: University Museum and Art Gallery, The University of Hong Kong, 2001；Chan Lau Kit-ching & Peter Cunich(eds.): *An impossible dream: Hong Kong University from foundation to re-establishment, 1910-1950*, New York: Oxford University Press, 2002； The University of Hong Kong: *Growing with Hong Kong : the University and its graduates — the first 90 years*, Hong Kong: Hong Kong University Press, 2002.

4 參看 Ng Lun Ngai-ha（吳倫霓霞）: *Interactions of East and West : development of public education in early Hong Kong*(Hong Kong: Chinese University Press, 1984), pp.124-129；吳倫霓霞：〈教育的回顧（上篇）〉,《香港史新編》，頁444-446。

5 參看 Frederick J. D. Lugard: *Souvenir presented by Sir Hormusjee N. Mody and the Committee of the Hongkong University to commemorate the laying of the foundation stone of the Hongkong University building by His Excellency Sir F. J. D. Lugard, K.C.M.G., C.B., D.S.O., Governor of the Colony on Wednesday, 16th March, 1910*, reprinted with speeches at the ceremony, and illustrations, Hong Kong: Noronha & Co., 1910, pp.4-5.有關盧押擔任香港總督時的各項施政，可參看 Bernard Mellor 的專著 *Lugard in Hong Kong: empires, education and a Governor at work 1907-1912*(Hong Kong: Hong Kong University Press, 1992).

6 參看 Frederick J. D. Lugard: *Some notes for readers in England*, in Hong Kong, Committee for the establishment of a university for Hong Kong: *Papers relative to the proposed Hongkong University*, Hong Kong: Noronha & Co., 1908, pp. i-ii.

7 香港大學得以成功設立，緣於盧押獲得籌建大學的校董會委員何啟（1859-1914）支持將他在一八八七年開辦的香港西醫書院（College of Medicine for Chinese, Hong Kong）併入新成立的大學，成為大學的醫學院（Faculty of Medicine）。事件的梗概，可參看 *University of Hong Kong: the first 50 years, 1911-1961*, pp.19-20. 有關香港西醫書院與香港大學醫學院的創設、發展與影響，參看羅香林：〈香港早期之西醫書院及其在醫術與科學上之貢獻〉,《香港與中西文化之交流》（香港：中國學社，1961年2月），頁135-178；David Meurig Emrys Evans(compiled): *Constancy of purpose: an account of the foundation and history of the Hong Kong College of Medicine and the Faculty of Medicine of the University of Hong Kong, 1887-1987*, Hong Kong: Hong Kong

Engineering）[8]。次年（1913）校方才增設文學院（Faculty of Arts）。[9]儘管盧押曾揚言教習中國語言及文學知識的課程（knowledge of the Chinese language and literature）絕不會成為香港大學吸引世人的特色(an attractive feature in the University）[10]，可是礙於「〈香港大學條例〉第十三則，規定文科須注重教授中國語言文學」[11]，大學仍得在文學院聘任教授中國語言文學的教師。因「辛亥革軍興，寇攘藉姦宄，人心既瓦解，天命豈顧諟，大盜總師干，移國不旋跬」[12]而「避亂寓港」[13]的前清翰林、晚清遺老賴際熙

University Press, 1987；The University of Hong Kong, Li Ka Shing Faculty of Medicine(ed.): *Shaping the health of Hong Kong: 120 years of achievements*, Hong Kong: The University of Hong Kong, Li Ka Shing Faculty of Medicine, 2006.

8 有關香港大學工程學院的創設、發展與影響，參看 C. H. Middleton Smith: *The University of Hong Kong: the work and equipment of the Engineering Faculty*, Hong Kong: Far Eastern Review, 1922；Faculty of Engineering, University of Hong Kong(ed.): *75 years of engineering: 75th anniversary commemorative publication*, Hong Kong: Faculty of Engineering, University of Hong Kong, 1988；Faculty of Engineering, University of Hong Kong(ed.): *Engineering at HKU: 90 years of dedication*, Hong Kong: Faculty of Engineering, The University of Hong Kong, 2002；Faculty of Engineering, The University of Hong Kong(ed.): *Engineering the future*, Hong Kong: Faculty of Engineering, The University of Hong Kong, 2007.

9 參看 *University of Hong Kong: the first 50 years, 1911-1961*, p.127.

10 參看 Frederick J. D. Lugard: "Memo. By His Excellency the Governor", Enclosure 8 of *Report of Sub-committee: Hongkong, 25th September, 1908*, pp. 16-19.

11 賴際熙著，羅香林輯：《荔垞文存》（香港：學海書樓，2000年），附錄〈香港大學文科華文課程表〉，頁169。「《香港大學條例》第十三則」正是〈一九一一年香港大學堂憲章〉(*The University Ordinance, 1911, No. 10 of 1911*)的第十三則，該則第一條有關大學學院(The Faculties)的設置，清楚列明"There shall be Faculties of Medicine and Engineering, and such others as maybe constituted by the Court, priority being given to Science and Arts Faculties, in the latter of which due provision shall be made for the study of the Chinese language and literature."(*Hong Kong University: present position, constitution, objects and prospects, with photo, plans, and appendices containing the University Ordinance, 1911, speeches, statements of accounts, and estimates of revenue and expenditure*, p.14)

12 陳伯陶（1855-1930）：《陳文良公集》（香港：學海書樓，2001年），〈七十述哀一百三

（1865-1937）、區大典（1877-1937）遂因緣際會獲聘為香港大學的漢文講師。[14]一九二七年香港大學中文學院成立[15]後，賴際熙被委任為學院的中國史學教授（Reader in Chinese History）、區大典獲委為學院的中國文學教授（Reader in Chinese Literature），而他們兩人的學生、香港大學文學院首屆文學士（1916 年畢業生）林棟（1890-1934）則擔任學院的翻譯講師（Chinese Translator）。[16]太史溫肅（1879-1939）與朱汝珍（1870-1943）、舉人羅悳棠、秀才崔伯樾等亦相繼被聘為兼任講師。[17]傳統經、史學的傳授自是成了學院的主要課程。如此安排幾與校方要求「其中文課目，雖不宜廢止經史，

十韻〉，頁282。

13 溫肅撰：《溫文節公集》（香港：學海書樓，2001年），卷3，《檗庵文集》，〈陳子丹墓誌銘〉，頁164。

14 賴際熙的生平，主要可參看孫甄陶：《清代廣東詞林紀要》（臺北市：臺灣商務印書館，1971年10月），頁149；鄧又同輯錄：《學海書樓主講翰林文鈔》（香港：學海書樓，1991年11月），〈賴際熙太史事略〉，頁47-48；羅香林：〈故香港大學中文學院院長賴煥文先生傳〉，載《荔垞文存》，頁165-167。區大典的生平，則主要可參看《清代廣東詞林紀要》，頁149；《學海書樓主講翰林文鈔》，〈區大典太史事略〉，頁33。

15 有關香港大學中文學院（中文系）的創設與發展，可參看羅香林：〈香港大學中文系之發展〉，載氏撰：《香港與中西文化之交流》，頁223-256；Ferderick S. Drake（林仰山，1892-1974）:"Chinese and oriental studies", in *University of Hong Kong: the First 50 years, 1911-1961*, pp.142-147； *The University of Hong Kong : an informal history*, pp. 70-87；李廣健：〈鉅觀與微觀因素對早期香港大學中文教學的影響(1912-1935)〉，載《臺南師院學報》第27期（1994年），頁237-258；王齊樂（1924- ）：《香港中文教育發展史》（香港：三聯書店，1996年9月），頁270-283。有關香港大學成立中文系的緣由，參看程美寶：〈庚子賠款與香港大學的中文教育——二三十年代香港與中英關係的一個側面〉，載《中山大學學報》（社會科學版）1998年第6期（1998年12月），頁60-73。

16 參看 University of Hong Kong: *University of Hong Kong Calendar, 1928*(Hong Kong: The Newspaper Enterprise Ltd., 1928), p.148.有關林棟的生平，參看李景康：〈香港大學講師林棟君墓誌銘〉，載氏撰：《李景康先生詩文集》（香港：學海書樓，2003年），頁2-4。香港大學校方編纂的畢業生名單列明林棟於一九一六年畢業於香港大學，獲授文學士（B.A.）學位（參看 University of Hong Kong: *University of Hong Kong Calendar, 1917-1918*, Hong Kong: Noronha & Co., 1917, "List of Graduates", p.93）

17 參看羅香林：〈香港大學中文系之發展〉，《香港與中西文化之交流》，頁229。

但大學之中文教育，不以造就中國舊式學者為鵠的，而另有其現代意義」[18]的初衷背道而馳。校方一方面於一九三一年四月二十七日由大學的諮議會（University Court）成立特別委員會，委任當時的輔政司（Colonial Secretary）修頓（Wilfred Thomas Southorn, 1879-1957）擔任主席，負責審視大學過去與當時的中文教育情況，並於一九三二年三月十一日完成〈香港大學特別委員會關於中文教育之報告〉（*Report of the Special Committee Appointed to Advise on the Teaching of Chinese*），為日後的中文教育發展提供導向[19]；一方面又於一九三四年夏天聘請北京大學陳受頤（1899-1977）、輔仁大學容肇祖（1897-1994）兩教授親臨香港考察，為大學的中文教育提供改革方案。[20]一九三五年一月，校方雖未能成功邀請來港接受香港大學頒授名譽法學博士學位的胡適（1891-1962）出掌中文學院，卻得到胡適的推薦，於該年七月聘得原燕京大學教授許地山（1893-1941）為學院的教授（Reader），負責領導和策劃學院的課程改革。[21]學院沿用至今，「中國哲

18 同前文，頁223。原文見一九三二年〈香港大學特別委員會關於中文教育之報告〉(*Report of the Special Committee Appointed to Advise on the Teaching of Chinese*) 引錄的一九二六年英國威靈頓代表團(Willingdon Delegation)報告，稱："It was recognized that Chinese classics would of course have to be taught but the idea was that the efforts of the University should not be confined to the production of old-fashioned Chinese scholars. The intention was that the University should undertake the comparative study of Chinese and western history, philosophy, law and some day perhaps, art. A scheme for the comparative study of Chinese and Roman law was also outlined. It was also considered desirable that a School for teaching the Chinese language should be established. It was hoped that in this way the Faculty of Chinese would do something towards helping modern China in the tackling of the problem of a unified language for the whole of China."(University of Hong Kong, Special Committee Appointed to Advise on the Teaching of Chinese ed., *Report of the Special Committee Appointed to Advise on the Teaching of Chinese,* Hong Kong: Newspaper Enterprise Ltd., 1932, p.3) 羅香林援用時只酌量意譯。

19 參看單周堯編：《香港大學中文學院歷史圖錄》（香港：香港大學中文學院，2007年），頁39。

20 陳、容兩教授的改革建議，可參看《華僑日報》一九三五年十月十六日的報導，後收入《香港大學中文學院歷史圖錄》，頁42。

21 參看胡適：〈南遊雜憶〉，載盧瑋鑾（1939-　）編：《香港的憂鬱——文人筆下的香港

學」（Chinese Philosophy）、「中國文學」（Chinese Language and Literature）、「中國歷史」（Chinese History）與「翻譯」（Translation）四科並立的課程體制便是許地山在該年八月上任後因應校方要求改革而最終確定的成果。[22]隨著賴際熙、區大典相繼退休[23]，羅沛棠（憩棠）、崔伯樾又不獲續聘[24]，學院

（1925-1941）》（香港：華風書局，1983年12月），頁55-61；盧瑋鑾：〈許地山與香港大學中文系的改革〉，載《香港文學》，第80期（1991年8月），頁61-62；余思牧撰：《作家許地山》（香港：利文出版社，2005年5月），頁218-229。

22 參看羅香林：〈香港大學中文系之發展〉，頁230；盧瑋鑾：〈許地山與香港大學中文系的改革〉，頁62。

23 《清代廣東詞林紀要》以賴際熙於一九三五年退休（可參看頁149）。但香港大學出版的 *University of Hong Kong Calendar* 記載，一九三二年時中文學院的中國史學教授(Reader in Chinese History)為賴際熙（參看 University of Hong Kong: *University of Hong Kong Calendar, 1932*〔Hong Kong: The Newspaper Enterprise Ltd., 1932〕, pp.66&158），而此職位連同賴際熙的名字自一九三三年始便不再出現（參看 University of Hong Kong: *University of Hong Kong Calendar, 1933*〔Hong Kong: The Newspaper Enterprise Ltd., 1933〕, p.70）。因此，賴際熙應在一九三三年已自香港大學離任。《華僑日報》一九三五年十月十四日報道「港大中文部之目下情形，係由許地山碩士任教授，區太史任經學講師、羅芾棠舉人任歷史講師、崔百越秀才任國文講師、陳君葆任翻譯講師，學生則祗得數人。區、羅、崔、陳各講師將於本學期末滿職，屆時各講師留任與否，將有多少變動。」（載《香港大學中文學院歷史圖錄》，頁44）當時學院的翻譯講師陳君葆嘗於日記記載他在一九三六年一月十一日「找許先生（許地山）商量定後，一年級增『經學通論』乙門，由區大典先生擔任」（陳君葆撰，謝榮滾主編：《陳君葆日記》香港：商務印書館，1999年4月，頁192），又於同年七月十八日載「增聘徽師（區大典）任國文講師一學期乙事已為許先生草函致副監督」（同前書，頁237），並在同年九月二十四日記「徽師的鐘點訂好了，但學生卻討厭了經學，只得改請他講授漢魏古詩，這原是過渡辦法。關於區先生的去留問題直覺真點難為情，我已盡我的能事挽留他多擔任一年，往後恐不能另有甚麼方法了。下午我想起了要徽師到中文學院上課去，他年事已老，實有點不方便，因改擬請他就近在平山圖書館設講席。」（同前書，頁249）這清楚顯示許地山負責推動的學院課程改革本已將經學剔除於課程外，只是嘗受業於區大典的陳君葆對驟然革去老師的職事感到難於啟齒，才致力斡旋，設法以兼任形式留任區大典繼續講授經學。無奈學生已對經學興趣索然，區大典遂只得改為講授漢魏古詩。次年（1937年）一月，區大典正式自中文學院退休，學院於一月十一日晚在學生會所設歡送茶會（參看同前書，頁274-275）。香港大學出版的 *University of Hong Kong Calendar 1936-1937*只記載區大典擔任兼任中文講師（Part－time Staff, Lecturer in Chinese）相信應是最佳的印證（參看 University of Hong Kong:

的課程遂得以全面擺脫前清翰林、晚清遺老以講授傳統經、史學為主的模式。

其實，早在許地山全面推行學院的課程改革前，賴際熙為滿足校方的要求已曾在課程安排上盡力作出相應的更革與增益。他在一九二九年始先後聘任兩位前清翰林溫肅、朱汝珍為兼任講師，專責講授「中國哲學」，便是最佳的證明。本文將藉溫肅與朱汝珍各自編成的一種《大學中文哲學課本》探討香港大學建校首三十年間「經學」教育逐步淡出授課課程的歷程。

二　一九一二至一九四一年間香港大學的經學課程

香港大學的經學教學始於一九一三年賴際熙、區大典同時被委任為文學院的漢文講師（Lecturer in Chinese）。根據當時大學的規定，四年學制被區分為兩階段：首兩年的中期課程（Intermediate Course）與末兩年的終期課程（Final Course）。賴際熙與區大典兩位負責講授的傳統漢文（Classical Chinese）課程由「史學（History）」與「文學（Literature）」兩部分組成，一九一三年與一九一四年時的安排為：

（一）史學（History）：由賴際熙負責，選取二十四史、《資治通鑑》、《續資治通鑑》、《通典》、《通考》、《通志》、《通鑑輯覽》與宋（960-1279）、元（1271-1370）、明（1368-1644）的歷史載錄，講授三代至東晉（中期課程）與南北朝至明朝（終期課程）的歷史。

（二）文學（Literature）：由區大典負責，講授朱熹與其他學者對《四書》（中期課程）與《五經》（終期課程）的評註。[25]

University of Hong Kong Calendar, 1936-1937〔Hong Kong: The Newspaper Enterprise Ltd., 1936〕, p.52）。

24 參看盧瑋鑾：〈許地山與香港大學中文系的改革〉，頁62。

25 參看 University of Hong Kong: *University of Hong Kong Calendar, 1913-14*(Hong Kong: The Newspaper Enterprise Ltd., 1914), p.60; University of Hong Kong: *University of Hong Kong Calendar, 1914-15*(Hong Kong: The Newspaper Enterprise Ltd., 1915), pp.73&77.

一九一七年時，除「史學（History）」的中期課程保留不變外，「文學（Literature）」的中期課程已明確列出區大典講授的經書為《四書》、《春秋三傳》與《周禮》三種。[26]「史學（History）」與「文學（Literature）」兩部分的終期課程則規定由賴際熙與區大典共同負責，講授《十三經》基本原理與內容、精讀《十三經》一種、概述歷代治亂興衰與探討歷代經典有關管治、稅收、教育、地理等記述。[27]這已清楚顯示「史學（History）」的教學內容實際便是傳統「經史之學」的「史學」，而「文學（Literature）」則是傳統「經史之學」的「經學」。此兩者又被視為難以斷然分割，是以終期課程將此傳統「經史之學」合併講授。由於「經學」與「史學」都不是源自西方的現代學術分科門類，校方容許將傳統「經史之學」分隸「史學（History）」與「文學（Literature）」兩科目，明顯是為了切合英國殖民地大學以學術分科而採用的權宜方法。[28]當時，中華民國北京政府教育總長蔡元

---

26 參看 University of Hong Kong: *University of Hong Kong Calendar, 1917-18*(Hong Kong: Noronha & Co., 1917,), p.76.

27 參看同前書，pp.81-82. 原文標目為“Classical Chinese, History and Literature(Two subjects)”，內容為“A series of lectures by Messrs. Lai Chi His and Au Tai Tin on: (a) The fundamental principles and general outlines of the thirteen classics. (b) One of the thirteen classics considered in detail. (c) A general survey of Chinese History, dealing chiefly with the rise and fall of dynasties. (d) The Chinese Classics as dealing with rules of Government-taxation, education, etc. Geography in connection with Chinese History. ”(*Ibid.*, pp.81-82) 這一年的課程還特別標明校長（Vice-Chancellor）會以歐洲人的觀點就中國歷史與文學發表一系列演說，原文為“In 1917-1918 the Vice-Chancellor will deliver a series of lectures on Chinese History and Literature, regarded from the European point of view.”(*Ibid.*, p.82)如此安排，絕非成例。

28 傳統「經史之學」的「史學」與現代學術分科的「歷史」、「歷史學」並不完全相同，相關論析可參看李紀祥（1957- ）的〈以「史」為學與以「歷史」為學〉，《時間．歷史．敘事——史學傳統與歷史理論再思》（臺北市：麥田出版公司，2001年9月），頁43-63。「經學」與現代學科分類的關係，可參看陳以愛的〈《國學季刊發刊宣言》：一份「新國學」的研究綱領〉，收入黃清連編：《結網編》（臺北市：東大圖書公司，1998年），頁519-571。有關現代學術分科與傳統學科的相互關係，左玉河（1964- ）的《從四部之學到七科之學——學術分科與近代中國知識系統之創建》（上海市：上海書店，2004年10月）與《中國近代學術體制之創建》（成都市：四川人民出版社，

培（1867-1940）以「舊學自應保全，惟經學不另立為一科，如《詩經》應歸入文科，《尚書》、《左傳》應歸入史科」[29]的論調，無疑為校方此舉提供了最佳的論據。校方為照顧不諳粵語的學生，特別增設正音班，安排賴際熙負責以官話將「史學（History）」與「文學（Literature）」兩科目的內容重新講授一遍。[30]經、史不分的事實又從校方的課程安排再次得到印證。因此，香港大學文學院成立初期提供「文學（Literature）」科，實際只是有實無名的「經學」科。

香港大學文學院的傳統漢文（Classical Chinese）課程在一九二三年時因文學院進行課程更革而須略作改動，課程被改稱為「漢文（Chinese）」。原屬文學院首兩年中期課程的「史學（History）」與「文學（Literature）」兩科目被改稱為「傳統中國史學（Classical Chinese History）」與「傳統中國文學（Classical Chinese Literature）」，列入首年（First Year）課程；原屬文學院末兩年終期課程的「史學（History）」與「文學（Literature）」兩科合併講授課程則易名為「傳統中國史學與文學（Classical Chinese History and Literature）」，列入次年（Second Year）課程。[31]學生於第三年（Third Year）時可選擇有關倫理學（Ethics）的課題撰寫論文一篇；第四年（Fourth Year）時則可選擇有關歷史（History）、政治學（Political Science）、政治經濟學（political Economy）、哲學（Philosophy）的課題撰寫論文一篇。學生所選題目須於諮詢負責漢文與英文課程的講師後以中、英兩種語文撰寫，並可與考試答卷同時繳交。[32]此等安排無疑已將原本四年的教學內容壓縮為兩

2008年3月）二書分析入微，頗便參考。

29 蔡元培：〈在北京任教育總長與記者談話〉，收入高平叔編：《蔡元培全集》（北京市：中華書局，1984年），卷2，頁159。

30 原文為"Special Classes for Mandarin-speaking Students will be conducted by Mr. Lai Chi Hsi."(*University of Hong Kong Calendar, 1917-18*, p.82)

31 參看 University of Hong Kong: *University of Hong Kong Calendar, 1923*(Hong Kong: Kelly & Walsh Limited, Printers, 1923), pp.126-127.

32 原文為："Facilities are provided in the Third and Fourth Years, under which Chinese students may write an essay in their Third Year on a selected subject in Ethics, and in their

年，學生接觸經學的課時自亦相應減半。一九二六年時，教育司活雅倫（A. E. Wood）因文學院中文科的教學成效長期不彰，緣於課時被校方不斷削減，而個中根源又跟大學十多年來一直只按授課時數計薪聘任賴際熙與區大典息息相關，遂下令校方正式聘用兩位為大學的專任教師、不許他們再兼任其他教席，俾便專心致意於文學院的中文教學。這一轉變雖使人頓感他們的地位日見重要，可是文學院中文教學備受擠壓的情況卻未見明顯改善。[33]

一九二七年香港大學中文學院的成立，實緣於一九二六年自英國東來考察大學教育的威靈頓代表團（Willingdon Delegation）要求香港大學的中文教育除需保留傳統經史外，還得具備新的現代意義。[34]賴際熙與區大典眼見當時經史課程的課時已被校方剝奪殆盡，為挽救形同虛設的漢文科，不惜化被動為主動，上書校方，提出改革方案，要求設立華文部，在原有「經學」

Fourth Year on selected subjects in History or Political Science, or political Economy, or Philosophy. The subject of the essay is chosen in consultation with both the Chinese and the English Lecturers concerned. The essay is written in Chinese and English, and may be submitted with the examination scripts in the Degree Examination."(*Ibid.*, p.128)

33 參看 University of Hong Kong: *University of Hong Kong Calendar, 1926*(Hong Kong: The Newspaper Enterprise Ltd., 1926), pp.122-124. 王齊樂的《香港中文教育發展史》指出一九二五年十二月香港一批紳商要求政府籌辦一所漢文中學時，「教育司庵氏（G. N. Orme）嘗謂：香港大學開辦多年，各科成績卓著，惟有文科中的中文一科，無甚可觀，推其原因，實由於大學當局對中文這一科，不甚注重，只把它做是一種附設的科目之故。因此，他曾經就這問題，和港大中文科的經學講師區大典及史學講師賴際熙磋商，尋求整頓的方法。當時，兩位講師均以每年教授漢文的時間，只得四百餘小時，以這些時間，分配於四班去教授，則每班每年教授的時間無多；其次，又以本港中學的漢文程度過淺，一旦升入大學，便無法銜接。有了這兩個原因，故難求有優良的成績。到了活雅倫（A. E. Wood）任教育司後，為了使大學的漢文程度，獲得整頓，特於一九二六年一月十六日，再度邀請賴、區兩位太史至教育司署，切實商討改革的辦法。結果，決定把大學的漢文講師，改為專任，不得再像從前一樣可以在外面兼任教席，以資專一；其次是增加漢文教授的鐘點；第三是大考時，復以漢文為重，倘若學生的考試成績，英文及格而漢文不及格的，亦不能升級及畢業。」（頁270）有關漢文中學的籌辦與設立、教育司庵氏接手處理不久即因病去職等項，《香港中文教育發展史》一書亦有交代（頁263-269）。

34 參看 *Report of the Special Committee Appointed to Advise on the Teaching of Chinese*, p.3.

與「史學」的基礎上增設「文詞學」。香港總督、同時也是香港大學校長的金文泰（Cecil Clementi, 1875-1947）對他們的建議表示積極支持。他希望以回應香港華人社會重視傳統學問的要求為理由，協助香港大學爭取英國政府退還的庚子賠款，藉以改善省港大罷工形成的中、英兩國緊張關係。賴際熙與區大典便是在此環境下，同時因著南洋華僑的踴躍捐款，終於如願得償。[35]中文學院成立後，課程的安排為：

第一年：

經學：《大學》、《中庸》、《論語》、《孟子》（以《朱子集註》義理為主，參以古註訂詁）；

史學：（甲）注意在歷代治亂興衰：《通鑑輯覽》（自三皇起至秦止）、《史記》（自〈五帝本紀〉起至〈秦始皇本紀〉止），

史學：（乙）注意歷代制度沿革：唐虞至兩漢疆域考（以《九通》為主，參以二十四史〈表〉、〈志〉，有講義）；

文詞學：精選歷代名作。

第二年：

經學：《詩經》、《書經》（以《十三經》註疏為主，參以《欽定七經》）；

史學：（甲）注意在歷代治亂興衰：《資治通鑑》（自西漢起至東晉止）、《漢書》、《後漢書》、《三國志》、《晉書》（擇編講義），

史學：（乙）注意歷代制度沿革：唐虞至隋疆域考、户口考（以《九通》為主，參以二十四史〈表〉、〈志〉，有講義）；

文詞學：歷代名作。

第三年：

經學：《儀禮》、《周禮》、《禮記》（以《十三經》註疏為主，參以

35 參看李廣健〈鉅觀與微觀因素對早期香港大學中文教學的影響（1912-1935）〉與程美寶〈庚子賠款與香港大學的中文教育——二三十年代香港與中英關係的一個側面〉兩文。

《欽定七經》及《五禮通考》)；

史學：(甲)注意在歷代治亂興衰：《資治通鑑》(自南北朝起至五代止)、《通鑑紀事本末》、《南北史》、《隋書》、《唐書》、《五代史》(擇編講義)，

史學：(乙)注意在歷代制度沿革：唐虞至宋疆域考、戶口考、財政考(以《九通》為主，參以二十四史〈表〉、〈志〉，有講義)；

文詞學：歷代駢散文名著。

第四年：

經學：《春秋》、《左氏傳》、《公羊傳》、《穀梁傳》(以《十三經》註疏為主，參以欽定七經)；

史學：(甲)注意在歷代治亂興衰：《續資治通鑑》(自宋起至明止)、《宋史》、《遼金元史》、《明史》(擇編講義)，

史學：(乙)注意在歷代制度沿革：歷代疆域、戶口、財政及其他制度(以《九通》為主，參以二十四史〈表〉、〈志〉，有講義)；

文詞學：歷代詩文名著。

特設正音班：以便學生不嫻粵語者聽受，功課與正班同。

翻譯學四年皆有授課：溝通中外學說，造就通譯人才。[36]

課程除增設「翻譯學」(Translation)及「文詞學」(Literature)兩科目外，「史學」(History)的授課內容跟學院成立前沒有明顯異樣，而「經學」(Classics)的講授內容則較前豐富。「特設正音班」(Mandarin Class)實際便是存在已久、專為不諳粵語學生而設的官話班(Special Classes for Mandarin-speaking Students)；而「文詞學」(Literature)的原名正是校方一貫採用的「文學」(Literature)。是次課程改革只是為「經學(Classics)」與「文學(Literature)」正名，讓「經學(Classics)」課程不必再寄生於「文學(Literature)」名下，而「文詞學」(Literature)亦可以講授真正的「文學

36 University of Hong Kong: *University of Hong Kong Calendar, 1927*(Hong Kong: The Newspaper Enterprise Ltd., 1927), pp.166-170。

（Literature）」。由於中文學院的學生必須修習「翻譯學」（Translation），校方遂增聘專責翻譯講師（Chinese Translator）一名，從而使文學院負責中文教學的教師由兩人增至三人。這中文學院首次確立的課程一直沿用至一九三一年。[37]

一九三二年時，香港大學中文學院的課程有了較多革新，內容亦較前豐富，各年級的課程安排為：

第一年：
經學：《孝經》、《四書》；
歷史：上古至漢；
哲學：古代哲學至孔孟哲學；
文詞學（原文誤作「文學詞」）：古文，選講集部；
翻譯學：英譯漢、漢譯英；
英文：照大學入校試英文教授。
第二年：
經學：《詩經》、《書經》；
歷史：漢至隋；
哲學：孔孟哲學至周末及秦諸子；
文詞學：古文、詩，選講集部；
翻譯學：英譯漢、漢譯英；
英文：照文科一年相同。
第三年：
經學：《周禮》、《儀禮》、《禮記》；

37 參看 *University of Hong Kong Calendar, 1928*, pp.172-176; University of Hong Kong: *University of Hong Kong Calendar, 1929*(Hong Kong: The Newspaper Enterprise Ltd., 1929), pp.126-133; University of Hong Kong: *University of Hong Kong Calendar, 1930*(Hong Kong: The Newspaper Enterprise Ltd., 1930), pp.132-136; University of Hong Kong: *University of Hong Kong Calendar, 1931*(Hong Kong: The Newspaper Enterprise Ltd., 1931), pp.126-130.

歷史：由南北朝起；

哲學：荀子、莊子及漢、魏、晉諸子；

文詞學：唐宋詩文集；

翻譯學：英譯漢、漢譯英，注重外交文件；

英文：照文科二年相同。

第四年：

經學：《春秋左氏傳》、《穀梁傳》、《公羊傳》；

歷史：宋至明；

哲學：近代諸子；

文詞學：文學史，擇講歷朝詩文集；

翻譯學：英譯漢、漢譯英，注重選譯英人詩文集及中國詩古文辭；

西學：在文科內選擇用英語教授之學科（原誤作「科學」）一門而習之。凡經及格文科第二年英文者得選第三年英文而習之。[38]

這次課程增益，「經學」（Classics）與「史學」（History）的教學內容未有改變，而「翻譯學」（Translation）與「文詞學」（Literature）的教學內容則明顯較前具體。新增的「英文」（English）與「西學」（English） 實際並不關涉中文學院的教學[39]；只有講授古代至近代（宋以來）哲學家的「哲學」（Philosophy/ Chinese Philosophy）[40]最具新意，也最能切合校方將中文教學

38 *University of Hong Kong Calendar, 1932*, pp.164-167.

39 中文學院新增的第一、二、三年級「英文」（English）與第四年級「西學」(English) 的教學內容，校方的英文介紹為："(First Year)English – Matriculation English."(*Ibid.*, p.162)"(Second Year)English – English in the First Year of The Arts Faculty."(*Ibid.*, p.162)"(Third Year)English – As taught in the Second Year of The Arts Faculty."(*Ibid.*, p.163)"(Fourth Year)English – Some subject as taught in the Faculty of Arts through the medium of English, which may include English if the student has passed Intermediate Part II in English."(*Ibid.*, p.163)

40 中文學院新增各年級「哲學」（Philosophy）的教學內容，校方的英文介紹為："(First Year)Philosophy – Ancient Philosophers up to and including Confucius and Mencius."(*Ibid.*, p.162) "(Second Year)Philosophy – From and including(as a review), Confucius and

「現代化」的要求。[41]

香港大學文學院於一九三三年進行課程改組，分課程為七系（Seven Groups），文科六系（Group VI）為「中文及英文」（Chinese and English），中文學院提供的課程為：

> 第一年：
> 文詞：明清兩代詩文、作文；
> 翻譯。
> 第二年：
> 文詞：唐宋（原文誤作「宋唐」，逕改）兩代詩文、作文；
> 哲學：五經要義、周秦諸子之一；
> 翻譯。
> 第三年：
> 文詞：兩漢、作文；
> 史學：周末至兩漢；
> 翻譯。
> 第四年：
> 文詞：中國文學史、作文；
> 翻譯。[42]

文科七系（Group VII）為「漢學研究」（Chinese Studies），中文學院提供的課程為：

Mencius to philosophers of the closing period of the Chow and the Tsin Dynasty."(*Ibid.*, p.162) "(Third Year)Chinese Philosophy – The Philosophers Suen Tsz, and Chuang Tsz. The Philosophers of the Han, the Wei, and the Chin Dynasties."(*Ibid.*, p.162) "(Fourth Year)Philosophy – Philosophers since the Sung Dynasty."(*Ibid.*, p.163)

41 參看 *Report of the Special Committee Appointed to Advise on the Teaching of Chinese*, p. 13.

42 *University of Hong Kong Calendar, 1933*, Appendix，no page number.

第一年：
哲學：四書大旨；
史學：上古至周末；
文詞：明清兩代詩文、作文；
翻譯。
第二年：
哲學：五經要義、周秦諸子之一；
史學：周末至兩漢；
文詞：唐宋兩代詩文、作文；
翻譯。
第三年：哲學：周秦諸子通論（原文誤作「通誼」）；
史學：唐宋史；
文詞：兩漢、作文；
翻譯。
第四年：
哲學：宋明儒學案；
史學：明史、清史；
文詞：中國文學史、作文；
翻譯。[43]

其他各系（Groups other than VI&VII）的學生，中文學院提供的課程則有：

第一年：
文詞：明清兩代詩文、作文；
翻譯。
第二年：
文詞：唐宋兩代詩文、作文；

43 *Ibid.* no page number.

翻譯。

第三年：

文詞：兩漢、作文；

翻譯。

第四年：

文詞：中國文學史、作文；

翻譯。[44]

這次課程改組，除保留「翻譯」（Translation）不變外，主要是將「哲學」（Chinese Philosophy）、「史學」（Chinese History）與「文詞」（Chinese Literature）三科目的教學內容進一步釐清。「哲學」（Chinese Philosophy）講授《四書》大旨、《五經》要義、周秦諸子與宋明儒學案；「史學」（Chinese History）講授上古至周末、周末至兩漢、唐宋史、明史、清史諸項；而「文詞」（Chinese Literature）則教授明清兩代詩文、唐宋兩代詩文、兩漢文、中國文學史與作文。文學院始設傳統漢文（Classical Chinese）課程以來長期講授不輟的「經學」（Classics）課程終在中文學院成立的第七年、乘長期出掌學院事務的賴際熙離任而被連根拔起。過往《四書》、《五經》逐一講授的日子已一去不返。孔孟思想、《四書》大旨、《五經》要義統統被安排在「哲學」（Chinese Philosophy）科講授。此次改革的結果，一直沿用至許地山履新才再作變更。[45]

一九三五年八月許地山出掌中文學院後，即向校方提出改革方案，將中文學院改稱為「中國文史學系」（Department of Chinese Studies）。[46]他在原有課程基礎上，以「中國文學」（Chinese Language and Literature）、「中國史」（Chinese History）與「中國哲學」（Chinese Philosophy）為核心，配合

44 *Ibid.* no page number.

45 參看 University of Hong Kong: *University of Hong Kong Calendar, 1934*(Hong Kong: The Newspaper Enterprise Ltd., 1934), pp.110-113；University of Hong Kong: *University of Hong Kong Calendar, 1935*(Hong Kong: The Newspaper Enterprise Ltd., 1935), pp.116-120.

46 參看盧瑋鑾：〈許地山與香港大學中文系的改革〉，頁62。

「翻譯」（Translation and Comparison）及若干新增教學內容，分別列為文學院課程的文科六系（Group VI）、文科七系（Group VII）與文科八系（Group VIII），供學生選讀。文科六系（Group VI）為「中國文學」（Chinese Language and Literature），課程包括：

第一年：
中國文學：明清及現代文、中國文典（Chinese Grammar）、作文（Composition）；
翻譯。
第二年：
中國文學：唐宋元文、中國詞曲小說、作文；
翻譯。
第三年：
中國文學：兩漢六朝文、詩賦駢文、中國文學史、作文；
中國文字學（Chinese Philology）或中國通史（Chinese History）；
翻譯。
第四年：
中國文學：先秦文、文學批評、
中國哲學概論（Chinese Philosophy）；
翻譯。[47]

文科七系（Group VII）為「中國史」（Chinese History），課程包括：

第一年：
中國史：中國通史（General History of China）、論文（Exercises in Composition）；
史乘選讀（Studies of Chinese Historical Writings）；

47 *University of Hong Kong Calendar, 1936-1937*, pp.144-145. 本文援用時，刪去不必借助的英文解說。

翻譯。

第二年：

中國史：上古史及古物學（Ancient Chinese History and Archaeology）、論文；

翻譯。

第三年：

中國史：中古史（Mediaeval Chinese History）、論文；

歷史方法（Historical Method）；

中國文化史（Cultural History of China）；

翻譯。

第四年：

中國史：中國近代史（Modern Chinese History）、中西交通史（History of Communications between China and the West）、中國宗教史（Religious History of China）、中國社會史（Social History of China）；

歷史方法（Historical Method）；

中國哲學概論；

翻譯。[48]

文科八系（Group VIII）為「中國哲學」（Chinese Philosophy），課程包括：

第一年：

中國哲學：中國哲學概論、中國哲學（Chinese Philosophy）、論文；

中國通史；

翻譯。

第二年：

中國哲學：佛學思想史（History of Buddhist Thought）、論文；

---

48 *Ibid.*, pp.145-146.本文援用時，刪去不必借助的英文解說。

翻譯。

第三年：

中國哲學：先秦諸子研究（The Early Masters）、道教思想史（History of Taoism）、中國倫理學（Chinese Moral Philosophy）、論文；

翻譯。

第四年：

中國哲學論著選擇研究（Readings in Chinese Philosophical Treatises）：佛藏（Buddhist Canon）、道藏（Taoist Canon）、漢唐諸家思想（Philosophical Writings from Han to T'ang）、宋明思想（Philosophical Writings from Sung to Ming）、清及近代思想（Philosophical Writings from Ching to the Present Day）；

翻譯。[49]

此外，尚有供其他系（Groups other than VI,VII&VIII）學生選修的課程，包括：

第一年：

甲：文科一系（Group 1, Letters and Philosophy）及四C系（Group 4c, For Teachers of General Subjects）：

中國文學及翻譯（Chinese Language and Literature, and Translation）：明清及現代文、中國文典、作文、翻譯；

乙：文科三系（Group 3, Social Science）及五系（Group 5, Commercial Training）：

中國文學及翻譯：美文（Literary Chinese）、應用文（Practical Chinese）、中國文典、作文、翻譯。

第二年：

---

49 *Ibid.*, pp.146-147.本文援用時，刪去不必借助的英文解說。

甲：文科一系及四C系：

中國文學及翻譯：唐宋元文、中國詞曲小說、作文、翻譯；

乙：文科三系及五系：

中國文學及翻譯：美文、應用文、作文、翻譯。

第三年：

甲：文科一系：

中國文學及翻譯：兩漢六朝文、詩賦駢文、中國文學史、作文、翻譯

或

中國哲學及翻譯；

乙：文科四C系：

中國文學及翻譯：兩漢六朝文或先秦文、中國文學史或中國文學批評、作文、翻譯

或

中國史及翻譯。

第四年：

文科一系：

中國文學及翻譯：先秦文、中國文學批評、翻譯或中國哲學及翻譯。[50]

當時開辦的各年級課程除「翻譯」外，竟多達三十五門，計：「中國文學」（Chinese Language and Literature）有明清及現代文、中國文典、作文、唐宋元文、中國詞曲小說、兩漢六朝文、詩賦駢文、中國文學史、中國文字學、先秦文、文學批評、美文、應用文十三門，「中國史」（Chinese History）有中國通史、史乘選讀、上古史及古物學、中古史、歷史方法、中國文化史、中國近代史、中西交通史、中國宗教史、中國社會史、歷史方法十一門，「中國哲學」（Chinese Philosophy）亦有中國哲學概論、中國哲學、

50 *Ibid.*, pp.142-144.本文援用時，刪去不必借助的英文解說。

佛學思想史、先秦諸子研究、道教思想史、中國倫理學、佛藏、道藏、漢唐諸家思想、宋明思想、清及近代思想十一門。繁重的教學便由許地山與一九三六年三月到任的中國文學講師（Lecturer in Chinese Literature）馬鑑（1883-1959）負責。這將傳統經學完全摒諸門外的課程設計，一直被沿用至一九四一年十二月大學因日本軍隊侵佔而停課時。[51]香港大學文學院自一九一三年始設傳統漢文（Classical Chinese）課程，前後三十年間，傳統經學在大學課程的生存空間終難逃被完全剝奪的命運。

三　溫肅與朱汝珍的兩種《大學中文哲學課本》

香港大學中文學院在許地山確立「中國哲學」（Chinese Philosophy）、「中國文學」（Chinese Language and Literature）、「中國歷史」（Chinese History）與「翻譯」（Translation）四科並立的課程體制前，已在文學院院長（Dean of the Faculty of Arts）擔任主席的管理委員會[52]安排下，繼一九三二年引入「哲學」（Chinese Philosophy）一科後，於一九三三年成功將「經學」（Classics）剔出課程，使學院的教學正式聚焦於「哲學」（Chinese Philosophy）、「史學」（Chinese History）、「文詞」（Chinese Literature）與「翻譯」（Translation）四科。其實，「經學」的淡出與「哲學」的引進早已是當時中國國內不少大學將中國傳統舊學納入西方知識體系的一種方案。中

51 參看 University of Hong Kong: *University of Hong Kong Calendar, 1937-1938*(Hong Kong: The Newspaper Enterprise Ltd., 1937), pp.139-144; University of Hong Kong: *University of Hong Kong Calendar, 1940-1941*(Hong Kong: Ye Olde Printerie, Ltd., 1940), pp.78-80; University of Hong Kong: *University of Hong Kong Calendar, 1941*(Hong Kong: The Newspaper Enterprise Ltd., 1941), pp.67—69.

52 *Report of the Special Committee Appointed to Advise on the Teaching of Chinese* 記載當時中文學院的行政管理由文學院院長擔任主席的管理委員會負責，稱："The administration of the School is conducted by a committee which was appointed by the Senate and consists of the Vice-Chancellor, Mr. A. E. Wood, the Professor of English, Father D. MacDonald, S.J., the Chinese Staff of the School and the Registrar with the Dean of the Faculty of Arts as Chairman."(p.7)

文學院在一九二九年至一九三二年間先後聘請兩位前清翰林溫肅與朱汝珍擔任兼任講師，專責講授「中國哲學」，根本便是為這種形勢較人強的轉變早作準備。他們兩位為課程編撰的兩種《大學中文哲學課本》便是最佳的見證。

溫肅在一九二九年至一九三一年間受聘於香港大學中文學院擔任「哲學」及「文詞」兩科的兼任講師。[53]他的生平，以自訂的〈檗庵年譜〉記載最詳[54]，而同是寓港前清翰林的張學華（1863-1951）[55]為他撰寫的〈都察院副都御史南書房翰林溫文節公神道碑文〉亦頗能勾勒個中梗概。[56]他與賴際熙、區大典同舉光緒二十九年（1903）癸卯榜進士。鄧又同（1915-2003）於一九九一年輯錄《學海書樓主講翰林文鈔》時撰〈溫肅太史事略〉，稱：

> 溫太史，（廣東）順德龍山鄉人。字毅夫，原名聯瑋，號檗庵，生於一八七八年，光緒壬寅（光緒二十八年，1902）順天鄉試舉人，光緒二十九年癸卯科會試，授編修，旋掌湖北道監察御史，在任一年，屢劾親貴重臣及不職之疆臣，疏數十上，於國家存亡得失之故，多所陳述。辛亥後志復故國，勤勞王事，丁巳（1917）復辟，授公都察院副都御史，未到任。甲子（1924）隨扈天津，疏請端主德以恢大業，進《貞觀政要講義》，閩縣陳寶琛（1848-1935）為公題詞，有曰「虎口餘生益倔強」，又曰「講義敷陳即諫章」，皆紀實也。公卒於一九三九年，春秋六十二，予謚文節。公生平於鄉邦文獻多所纂述，著有《德宗（愛新覺羅・載湉，1872-1908，1875-1908 在位）實錄》、《貞觀政

53 參看《溫文節公集》，卷1，〈檗庵年譜〉，頁19；*University of Hong Kong Calendar, 1930*, p.168; *University of Hong Kong Calendar, 1931*, p.158.

54 參看《溫文節公集》，卷1，〈檗庵年譜〉，頁1-24。

55 張學華，廣東番禺人，舉光緒十六年（1890）庚寅進士第一百五十六名，曾獲授翰林院庶吉士，官拜江西提法使，辛亥革命後寓居香港，不問政治。有關他的生平，可參看張學華原編，張澍棠補編：《提法公年譜》，《北京圖書館藏珍本年譜叢刊》（北京市：北京圖書館出版社，1999年據1952年鉛印本影印），冊187，頁205-238。

56 參看同前書，書首，張學華〈都察院副都御史南書房翰林溫文節公神道碑文〉，不標頁碼。

> 要講義》、《陳獨漉（陳恭尹，1631-1700）年譜》、《龍山鄉志》、龍山《文錄》《詩錄》各若干卷、《溫氏族譜》，又輯遺民詩、感舊集各若干卷。所遺《奏議》四卷、《詩》二卷、《年譜》一卷，其子中行為其合刊曰《溫文節公集》。嘗與黎湛枝、歐家廉太史合編《德宗景帝聖訓》，成書一百四十五卷，目錄一卷。曾受聘講學於香港大學中文學院多年，著有《哲學講義》等書。太史旅港期間常臨學海書樓講學，對人倫大道忠孝節義多所闡述焉。[57]

溫肅的〈檗庵年譜〉記載自己於己巳年（1929）五十二歲時「就香港大學聘席，教授『哲學』、『文詞』兩科」[58]，至辛未年（1931）五十四歲時「仍就香港大學教席」[59]。他在該年「十二月回里，於是辭去港大教席，計掌教三年，成《哲學講義》四卷。」[60]。常宗豪（1937-2010）於〈重印《溫文節公集》序〉嘗稱：

> 《講義》（《哲學講義》四卷）者、文節於己巳歲就任香港大學聘席教授哲學、文詞兩科所編撰之課本也，歷時三載至歲辛未十二月始成書。其書闡明性、道二義、實理學也，上卷唐虞三代而以莊學終篇，而持論多以朱子（朱熹，1130-1200）為歸，如論老子曰：「若曰：扶宇宙揮斥八極神氣不變者，是乃莊生（莊周，369-280 B.C.）之荒唐；其曰：光明寂照無所不通不動道場遍周沙界者，則又瞿曇之幻語。」斯皆紫陽之篤論，非時流所能知者。[61]

由於《哲學講義》是溫肅的授課講義，一向印行不多、流傳不廣，是以鮮受論者關注。隨著此書原四卷被合為一卷，題為《檗庵哲學講義》，錄入學海

57 〈溫肅太史事略〉，《學海書樓主講翰林文鈔》，頁69。

58 〈檗庵年譜〉，《溫文節公集》，卷1，頁19。

59 同前註，卷1，〈檗庵年譜〉，頁20。

60 同前註。

61 同註58，書首，常宗豪〈重印《溫文節公集》序〉，不標頁碼。

書樓印行的《溫文節公集》[62]，並經常宗豪的特別提示，相信日後關注者應與日俱增。

《哲學講義》四卷，約十萬字。今傳世的版本除《溫文節公集》外，便只有一九三〇年代香港奇雅中西印務印行的線裝初版本。書的全稱當為《香港大學中文學院哲學講義》[63]，是以書的內頁題「香港大學中文學院哲學講義」(參見圖一)。書的首頁首行與全書的版心上端俱題「大學中文哲學課本」八字[64]；版心上下魚尾中多有「哲學總論」或「哲學講義」字樣，並附頁數；版心下端除首卷首兩頁外，俱標「檗庵輯」三字，而「檗庵」正是溫肅的別號（參見圖二)。由於書首「大學中文哲學課本」的第二行題「哲學總論」四字，故被書的釘裝者採用為書的名稱（參見圖三)。書的內容計可分為：

（一）哲學總論、唐虞三代時哲學、堯、舜、禹、湯、文王、武王、周公。

（二）孔子之哲學：《論語》、《周易》、《孝經》、《春秋》。

（三）孔門之哲學：顏子、曾子、子思、孟子。

（四）周秦諸子之哲學：老子、墨子、荀子、莊子。[65]

---

62 參看同註58，卷5，〈檗庵哲學講義〉，頁305-596。

63 檗庵輯：《香港大學中文學院哲學講義》(香港：奇雅中西印務，1930？年)。此書一套兩冊，香港大學圖書館與香港中文大學圖書館各藏兩套：香港大學圖書館所藏的索書號為「HKP 181.11 W46 v.1-2」與「〔山〕B126 .X536 1930z v.1-2」；香港中文大學圖書館所藏的索書號為「B126 .H654」與「B126 .H654 c.2」。本文主要採用香港大學圖書館所藏「〔山〕B126 .X536 1930z v.1-2」本，而參考《溫文節公集》本。

64 溫肅輯：《大學中文哲學課本》(香港：奇雅中西印務，1930？年)。此書僅香港大學圖書館藏，版式、內容全與《香港大學中文學院哲學講義》相同，只是將原書兩冊合釘為一冊。書名《大學中文哲學課本》為圖書館館方自訂，索書號為「山 120.3 70」。

65 《香港大學中文學院哲學講義》全書沒有標明卷目，如果以每次重新標示頁碼為分卷的準則，則「哲學總論、唐虞三代時哲學、堯、舜、禹、湯、文王、武王、周公」，「孔子之哲學：《論語》、《周易》、《孝經》、《春秋》」與「孔門之哲學：顏子、曾子、子思、孟子」當為第一卷（共34頁，第24頁編碼重出)，「周秦諸子之哲學：老子」當全書的梗概與精華，溫肅開章明義已在書首的〈哲學總論〉清楚道明，稱：

> 中國古籍，無「哲學」之名也。自近人以西哲之學比儗中學，譯為此名。其實「哲」字不足以括中土聖學。欲求其當，不如仍舊稱「理學」。按《說文》:「哲，知也。或從心。」今以「哲」字名學，在吾儒中僅屬致知之事，且易流為佛氏心學。《說文》:「理，治玉也。」《玉篇》:「道也。」《禮樂》記鄭（鄭玄，127-200）注云:「理，猶性也。」是「理」包性、道二義，自較「哲」字為精碻（義烏朱氏云:「自其人所共由言之則曰道，自其事所當然言之則曰理。」)。宋以前多稱「道學」，宋以後多稱「理學」。三代以前，堯、舜、禹相傳心法曰「人心惟危，道心惟微，惟精惟一，允執厥中」，是為理學之祖。由堯、舜、禹而至於湯，由湯至於文王，由文王至於孔子，遂集大成焉。蓋湯執中（〈湯誥〉曰:「惟皇上帝，降衷於下民，若有恆性，克綏厥猷惟後。」)，故道統傳湯。文王演《易》，發元亨利貞之蘊，以明仁義禮智，故道統傳文王。此孟子之言也。唐韓愈作〈原道〉，謂堯以是傳之舜，舜以是傳之禹，禹以是傳之文、武、周公，文、武、周公傳之孔子，中間多一武王、周公。武王蓋因文王而推及之。惟周公作〈易象辭〉，闡太極陰陽之秘，自唐以前，，尊之為「先聖」，其肩道統重任無疑。……孔子接群聖之傳，然罕言「命」，故「性」與「天道」子貢輩且不得聞。惟於贊《周易》之〈繫辭〉，始伸明太極陰陽繼善成性之奧（此濂溪、康節之所本）。所作《孝經》、《論語》則主於仁（孝弟為仁之本，親觀、仁也，是《孝經》一書可以仁括之。《論語》言仁多矣，曰克己復禮，曰見賓承祭，曰先難後獲，曰為難言訒，曰居處恭、執事敬、與人忠，曰恭、寬、信、敏、惠，曰事賢、友仁，皆求仁之方也。曰欲立立人、欲達達人，仁

為第二卷（共35頁)、「墨子」當為第三卷（共31頁)、「荀子」當為第四卷（共29頁)、「莊子」當為第五卷（共16頁)。如此，溫肅自稱是書共四卷，原因待考。由於原書不標卷目，本文為行文方便，則按上所列分為五卷標示，不再逐一覆敘。

> 之量也。二十篇中，雖不盡言仁，而大旨要不外是矣），《春秋》則主於義（《春秋》為明倫紀之書，《春秋》成而亂臣賊子懼，故曰義）。其為學則博文約禮（《禮記》仲尼燕居，禮、理也），其程功則志道、據德、依仁、游藝，其教人則《詩》、《書》執禮，孝弟、謹信、愛眾、親仁、學文，此其所以集大成也。孔門之士，首數顏淵，殆庶之稱，見於〈繫易〉。曾子承一貫之傳，《大學》十章，自格物、致知、誠意、正心至修、齊、治、平，為學之要具矣。子思受業於曾子，上接祖傳，《中庸》一書。其曰天命率性，則道心之謂也；其曰擇善固執，則精一之謂也；其曰君子時中，則執中之謂也（擇朱子〈中庸序〉中語）。他如五達道、三達德，推論誠之理，而歸重於博學、審問、慎思、明辨、篤行，斯直得孔門傳授心法者耳。孟子私淑子思，崇仁義而擴四端，距詖邪以承三聖，衛道之功最大。他如七十子之徒，或有聖人之一體，然千秋論定，終以顏、曾、思、孟為直接聖傳也。夫自堯、舜以至周公，皆得位乘時，修之於身，推之於世，故其道行於天下。孔子則有德無位，雖修明絕學，其道只能傳於其人。道既不行，則邪說誣民、充塞仁義。至於周秦之際，而異端蜂起矣。諸子學說，至為蕪雜，就中以老、墨、荀、莊四家為最著。老陰柔；墨兼愛；荀倡性惡而非儒；莊頗知儒編而肆其巧辨，更詆毀之；皆所謂彌近理而大亂真者也。[66]

他寧以「理學」取代「哲學」的看法，反映了他的「哲學」觀實際便是「理學」觀、「道學」觀、「宋學」觀，而左右士人心術、壟斷官場思維數百年的「朱（朱熹）學」觀更是他持論的主要依據。他的見解多少代表了清末民初一輩科場得意、一度馳騁官場的讀書人如何「被動地」接受西學新知，如何委曲、無奈地將傳統學問——特別是賴以取得功名的經學、朱學併入西方學術分科的不同門類。他力稱戰國（475-221 B.C.）以來「道學榛塞，火於秦

66 《香港大學中文學院哲學講義》，卷1，頁1上-2下；《溫文節公集》，卷5，〈檗庵哲學講義〉，頁305-308。

（221-206 B.C.），黃老於漢（前 206-220），佛於魏（220-265）、梁（502-557）、隋（581-618）、晉（265-316）之間，直至宋代，濂、洛、關、閩諸儒出，而千載不傳之緒乃復遙接而賡之。」[67]他進而闡釋「朱學」的重要，認為：

> 朱子之學，尊德性，道問學，本末兼賅，體用畢備，坐而言，亦可起而行，故前明用之，遂以開二百餘年之基。有清用之，亦致康、乾太平之治。所謂其君用之則安富尊榮，其子弟從之則孝弟忠信。儒者之效於是大彰矣。[68]

他對學問的取態固已昭然若揭，而個人秉持朱學的價值觀則明顯未受新學的實質沖擊。他講學時尤著重宣揚人倫大道、忠孝節義思想[69]。他對遜國的清宣統帝（愛新覺羅溥儀，1906-1967）終生忠心耿耿，專誠於壬戌（1922）「九月起程赴京恭賀大婚慶典」[70]，並響應同是寓居香港的前清遺老陳伯陶（1855-1930）的呼籲，納婚禮賀儀一萬洋圓[71]，更是身體力行的最佳說明。因此，他在香港大學中文學院講授的「哲學」科，本質上只是披著「哲學」外衣的「經學」與「理學」。

溫肅於辛未年農曆十二月辭去香港大學中文學院教席[72]後，校方旋即聘任跟溫肅稔熟、曾一同於清宣統帝遜國後擔任南書房行走的朱汝珍[73]在一九三二年時擔任「哲學」、「文詞」兩科的兼任講師。[74]他的生平，《學海書樓

67 《香港大學中文學院哲學講義》，卷1，頁2下；〈檗庵哲學講義〉，《溫文節公集》，卷5，頁308。

68 《香港大學中文學院哲學講義》，卷1，頁3上；〈檗庵哲學講義〉，《溫文節公集》，卷5，頁309。

69 參看〈溫肅太史事略〉，《學海書樓主講翰林文鈔》，頁69。

70 〈檗庵年譜〉，《溫文節公集》，卷1，頁13。

71 參看〈七十述哀一百三十韻〉，《陳文良公集》，頁285。

72 參看〈檗庵年譜〉，《溫文節公集》，卷1，頁20。

73 參看同前書，〈檗庵年譜〉，卷1，頁14-16。

74 參看 *University of Hong Kong Calendar, 1932*, p.158.

主講翰林文鈔》的〈朱汝珍太史事略〉稱：

> 朱汝珍，（廣東）清遠人，原名倬冠，字玉堂，號聘三，別號隘園，生於一八七零年歲次同治庚戌十月初四日。少孤，家境清貧，激勵勤奮向學，因而在縣學考取優廩生。光緒丁酉（光緒二十三年，1897）考取拔貢，光緒二十四年（1898）朝考一等第十一名，光緒二十九年癸卯（1903）恩科順天鄉試舉人，光緒三十年甲辰（1904）恩科會試，以一甲第二名賜進士及第，授翰林院編修。光緒三十二年（1906）奉派留日，列最優等畢業於法政大學。回國後，任京師法律學堂教授，先後創制民法、商法。一九三一年，香港大學聘為中文學院文史哲講師。一九三二年，香港孔教學院聘為院長，任內曾往南洋各埠宣揚孔教，凡二十餘講，轉移南洋各地社會風氣。一九四三年卒，享年七十四。遺著有《清遠縣志》、《陽山縣志》、《詞林輯略》等書。太史生前常臨學海書樓講學，除課經史外，宣揚孔學不遺餘力，聽眾深受感動。[75]

其實溫肅於辛未年農曆十二月辭職時已是一九三二年的年初，是以朱汝珍的聘任當在一九三二年。創辦香港孔教學院的首任院長陳煥章（1880-1933）於癸酉（1933）九月歸道山後，孔教學院始改聘朱汝珍繼任[76]，當時已是一九三三年末。因此，朱汝珍當在一九三二年初至一九三三年末的整整兩年間受聘於香港大學中文學院。《學海書樓主講翰林文鈔》的記述自是不無更正的需要。

朱汝珍任教香港大學中文學院「哲學」科雖只兩年，卻已編成講義一冊付梓。書的封面題簽為《漢以後之哲學》。由於是書不見錄於中外書目，而香港各大學圖書館亦未見收藏，是以罕為人知。今傳世的版本只有一九三〇

75　《學海書樓主講翰林文鈔》，〈朱汝珍太史事略〉，頁95。

76　參看盧湘父（1868-1970）：〈香港孔教學院述略〉，載吳灞陵編：《港澳尊孔運動全貌》（香港：香港中國文化學院，1955年5月），頁8。原文正文標題誤植為「〈香港孔學教院述略〉」，現據該書目錄更正。

年代香港奇雅中西印務印行的線裝初版本。書的首頁首行題有「漢以後之哲學」與「隘園輯」。「隘園」正是朱汝珍的別號。全書的版心上端俱題「大學中文哲學課本」八字；版心上下魚尾中只列頁數；版心下端俱標「隘園輯」三字。全書篇幅不足二萬字，不標卷目，如以每次重新標示頁碼作分卷的準則，則全書可分為兩卷。[77]今將書的內容依兩卷劃分為：

（一）漢以後之哲學：

董仲舒（董子天人合一說、董子陰陽五行說、董子言性、董子言仁義）、鄭玄

魏晉以來之哲學：

何晏、王弼、虛無論、才性論、崇有論、神仙論、無君論

（二）南北朝隋唐之哲學：

成實宗、三論宗、涅槃宗、地論宗、淨土宗、禪宗、攝論宗、俱舍宗、天臺宗、律宗、唯識宗、華嚴宗、真言宗

（三）宋代之哲學：胡瑗、孫復、石介、司馬光、邵雍、周子（敦頤）、程顥、程頤、張載、朱子（朱熹）、陸九淵、葉適、陳亮、魏了翁、真德秀

他在書首闡釋自己對「哲學」的看法，稱：

> 中國儒學，自漢至今，可大別為「漢學」、「宋學」。漢儒說經，考名物，釋訓詁；宋儒譏其忽於義理。近人胡適謂「自漢至晉的學派，無論如何不同，是以古代諸子之哲學為起點的。」一若漢儒學案，且不能成立，無所謂「哲學」也者。[78]

他與溫肅一樣，飽讀經書，以前清翰林寓居香港、講學上庠，授「哲學」科而力稱中國無所謂「哲學」，個中的矛盾心情自可想見。全書順時序羅列漢

---

77 隘園（朱汝珍）輯：《漢以後之哲學》（香港：奇雅中西印務，1930？年）。此書僅香港大學中文學院中文學會圖書館藏，索書號為「S 120.3 20-34」。本文援用時即據此分兩卷標示。

78 同前註，卷1，頁1上。

以來著名學者的重要學術觀點，充分表現以人為經、思想為緯的特色。書中除偶爾引用胡適的說法[79]，藉以顯示個人對當前學術的掌握外，主要採用《宋元學案》式的論述形式，令讀者對不同時代著名學者的思想一目了然。

綜合溫肅與朱汝珍兩書並觀，二者由同一印行者出版，書的版式相同，版心上端俱題「大學中文哲學課本」八字，而內容絕不重疊，涵蓋自先秦迄宋著名學者的主要思想，編排次序頗與一九三二年時香港大學中文學院首度列入課程、專以講授歷代哲學家「哲學」的「哲學」科內容相吻合。當時擬定的四年授課內容本分為古代哲學至孔孟哲學，孔孟哲學至周末及秦諸子，荀子、莊子及漢、魏、晉諸子，近代（宋以來）諸子四部分。溫肅任教三年後由朱汝珍接替，朱汝珍的講義便似是為續成該科完整的講授內容而設。但事實啟人疑竇處，卻是由香港大學文學院院長擔任主席的中文學院管理委員會何以容許長期出掌學院事務的賴際熙在一九二九年時聘任溫肅講授當時《香港大學校曆》（*University of Hong Kong Calendar*）未有列出的「哲學」科？這究竟是他們高瞻遠矚，還是無法無天？但他們以此課程作試驗，藉以為一九三三年文學院的課程改組預作擘劃，則是不容否認的事實。

四　結語

民國時期香港的經學教育主要依賴寓港的清季翰苑中人大力支持，而香港大學文學院與中文學院的贊翊功績尤不容湮沒。溫肅與朱汝珍的兩種《大學中文哲學課本》無疑宣判了經學教育在香港已陷於萬劫不復的境地。從此，經學便只能寄身於大學的「哲學」或「文學」課程。經學教育的淡出與近代知識體系的轉移[80]已是大勢所趨，香港大學既是大英帝國在遠東的帝國大學，主事者自得盡力配合。溫肅與朱汝珍各自在他們的《大學中文哲學課本》同聲否定「哲學」的舉措，隱然透現了讀書人的無奈心情。

---

79 參看同註77，卷1，頁1上；卷1，頁23上。

80 參看畢苑：〈經學教育的淡出與近代知識體系的轉移——以修身和國語教科書為中心的分析〉，載《人文雜誌》2007年第2期（2007年4月），頁141-149。

圖一　《香港大學中文學院哲學講義》封面

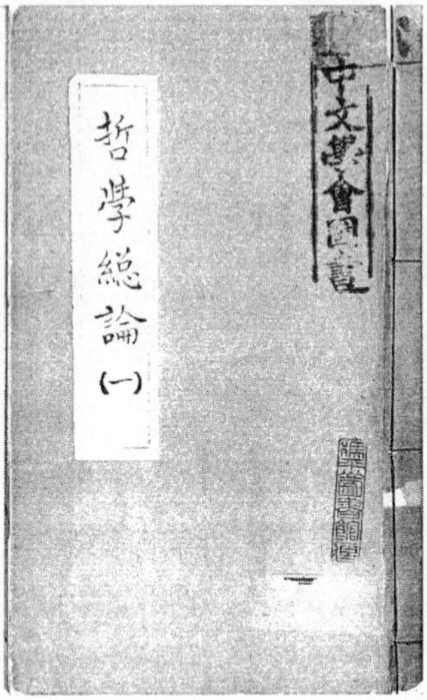

圖二　《香港大學中文學院哲學講義》內頁

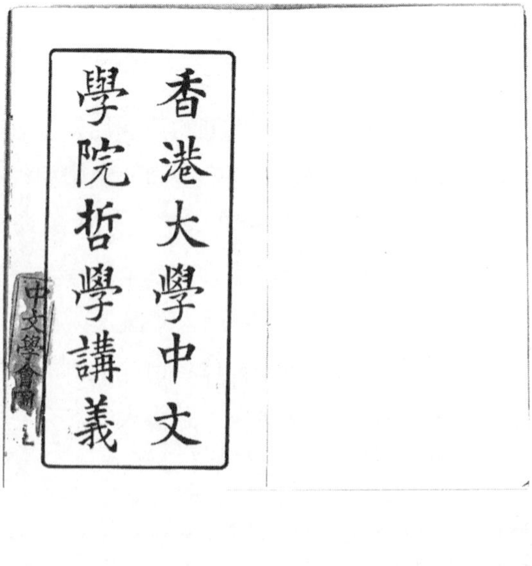

圖三　《香港大學中文學院哲學講義》首頁

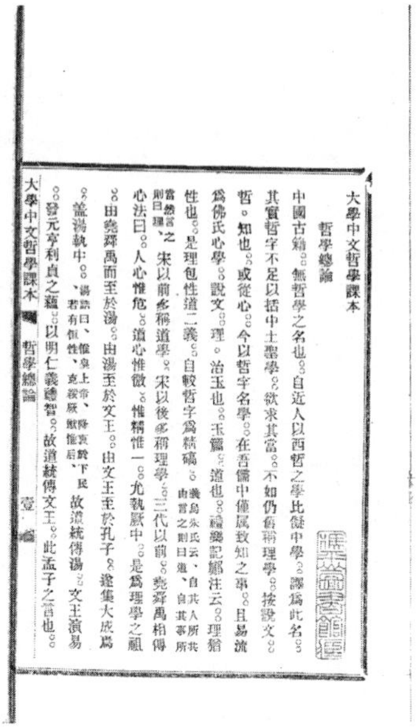
大學中文哲學課本

哲學總論

中國古籍。無哲學之名也。自近人以西哲之學比儗中學。譯爲此名。其實哲字不足以括中土聖學。欲求其當。不如仍舊稱理學。按說文。哲。知也。或從心。今以哲字名學。在吾儒中僅屬致知之事。且易流爲佛氏心學。說文。理。治玉也。玉篇。道也。禮樂記鄭注云。理猶性也。是理包性道二義。自較哲字爲精確。（義烏朱氏云、自其人所共由言之則曰道、自其事所當然言之則曰理、）宋以前多稱道學。宋以後多稱理學。三代以前。堯舜禹相傳心法曰。人心惟危。道心惟微。惟精惟一。允執厥中。是爲理學之祖。由堯舜禹而至於湯。由湯至於文王。由文王至於孔子。遂集大成焉。蓋湯執中。（湯誥曰、惟皇上帝、降衷於下民、若有恒性、克綏厥猷惟后、）故道統傳湯。文王演易。發元亨利貞之蘊。以明仁義禮智。故道統傳文王。此孟子之言也。

大學中文哲學課本　哲學總論　壹

圖四　《漢以來之哲學》封面　　圖五　《漢以來之哲學》首頁

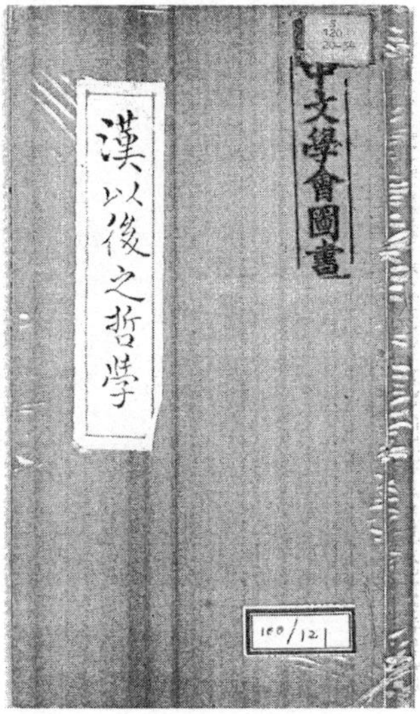

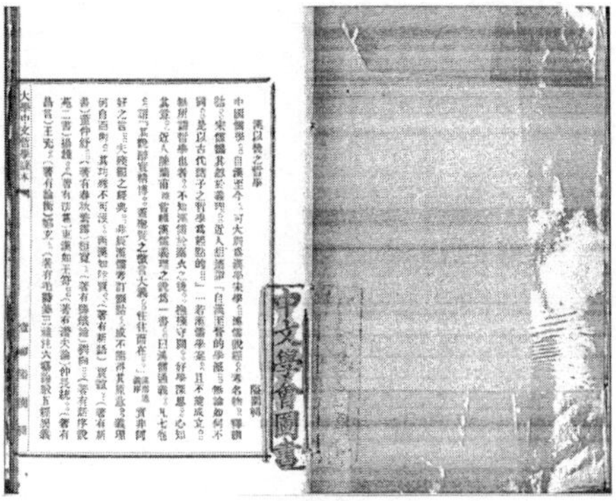

民國時期香港的經學

——一九一二至一九四一年間的發展

許振興
香港大學中文學院副教授

一　導言

香港首百年的「英佔時期」，始於一八四一年一月二十六日英國軍隊侵佔香港島，成於一八四二年八月二十九日清朝與英國簽訂的〈南京條約〉，而終於一九四一年十二月二十五日日本軍隊攻佔香港。由於港日政府在三年八個月的「日佔時期」，將港英政府在「英佔時期」建立的政治、社會、經濟、文化體制徹底摧毀；一八四一年與一九四一年自是都成了香港歷史發展的分水嶺。[1]這「英佔時期」的百年間，中國經歷了一九一二年一月一日中華民國建國[2]與一九一二年二月十二日清宣統帝（愛新覺羅溥儀，1906-1967）宣佈遜位[3]兩大政治要事。一九一二年正是個中重要的轉折點。由於

1　有關香港首百年「英佔時期」的發展，主要可參看丁新豹（1948-　）：〈歷史的轉折：殖民體系的建立和演進〉，收入王賡武（1930-　）主編：《香港史新編》（香港：三聯書店，1999年7月），頁59-130。「日佔時期」香港的情況，可參看謝永光（1928-1998）：《戰時日軍在香港暴行》（香港：明報出版社，1991年11月）一書。

2　有關「中華民國」一名的由來與意義，可參考蔣永敬（1922-　）：〈從三個名詞的微觀角度透視辛亥革命〉，載林啟彥（1947-　）等主編：《有志竟成——孫中山、辛亥革命與近代中國》（香港：香港浸會大學人文中國學報編輯委員會、香港中國近代史學會，2005年12月），頁25-35。

3　清宣統帝的退位詔，由中華民國臨時政府實業部總長張謇（1853-1926）預擬，經清

文化的發展總不免受著同時期政治、社會、經濟等因素的影響，香港處身中、英兩國夾縫間，除房產、貿易、工商業等另闢蹊徑外[4]，文化發展亦不能例外。香港著名史學家羅香林（1906-1978）嘗以一九一二年至一九四一年為香港歷史上「文化建設的階段」[5]，經學的發展自不免亦有一番景象。因此，本文擬根據搜尋得的資料，探尋此三十年間香港的經學發展面貌，以求為民國時期經學發展的整體圖像補上此過往未受研究者充分重視的一筆。

二　晚清時期經學的命運

「經學」是西漢中期開始確立，以研究、闡釋儒家經籍，建構社會人生準則、成己成人、內聖外王的一門學問。由於它在學術上被西漢以後大多數王朝統治者賦予「法定」的「獨尊」地位，又得到統治者在學校、教育、科舉、任官等方面的大力配合，所以能藉「大一統」、「天命」、「五倫」、「禮治」等思想與觀念的規範，在政治、社會、文化等層面將社會各階層的人民

朝內閣總理大臣袁世凱增訂成文。詔書全文，參看中國科學院近代史研究所史料組編輯：《辛亥革命資料》（北京市：中華書局，1961年10月），《南京臨時政府公報》，第15號（中華民國元年二月十四日），〈電報〉，頁118。有關詔書的探討，逯耀東（1932-2006）〈對清帝退位詔書的幾點蠡測〉（收入《中國歷史學會史學集刊》第6期，1974年5月，頁251-276）一文可備參考。

4 香港在鴉片戰爭後約百年間如何倚仗它處身中、英兩國夾縫的獨特身分，依靠在港商人與港英政府的「經營和建設」，從「無關重要的荒島」逐步「繁榮」起來的景象，培淞在一九三五年刊於《粵風》雜誌第一卷第二期的〈香港〉（收入載盧瑋鑾〔1939-〕編：《香港的憂鬱——文人筆下的香港（1925-1941）》，香港：華風書局，1983年12月，頁63-67）一文或許正是當時一眾「文人」的心聲，不妨參看。

5 羅香林於一九七五年撰寫的〈香港史話序〉將一八四二年至一九七五年的香港歷史分為四個階段：從一八四二年至一九一一年為商埠初建的階段，從一九一二年至一九四一年為文化建設的階段，從一九四一年十二月至一九四五年八月為陷入日治的階段，而從一九四六年至一九七五年則為工商發展的階段。他特別強調香港大學的創立與發展是一九一二年至一九四一年此「文化建設的階段」的主要象徵。參看羅香林：〈香港史話序〉，收入林友蘭（1916-1980）：《香港史話》（香港：芭蕉書房，1975年9月），頁4。

融結成密不可分的合成體。[6]它與現實世界息息相關已是不待贅述的事實，而經學的實用價值亦因而長期受到社會各階層的廣泛肯定。但隨著英、法、俄、日等列強相繼壓境，清廷上下禦敵無方；內憂外患紛至沓來，令經學的實用價值遭到前所未有的挑戰。[7]晚清時期不少在朝在野的士人遂自動自覺努力尋求救急解困的良方。由於他們是經學薰陶下成長、仕進的一群，他們順理成章將經學應用到各方面的改革上。這便令他們不得不認真思索經學的價值與實用功效。張之洞（1837-1909）取法廣東著名書院學海堂[8]先後創辦四川尊經書院與廣東廣雅書院的經歷，正是他們意圖本經學以經世的連番嘗試與探索。[9]但嚴峻的現實，亡國滅種的威脅，使不少論者進而思索經學與

6　參看周予同（1898-1981）、湯志鈞（1924-　）：〈「經」、「經學」、經學史〉，載朱維錚主編：《周予同經學史論著選集》（上海市：上海人民出版社，1983年11月），頁656-657；湯志鈞撰：《近代經學與政治》（北京市：中華書局，1989年8月），頁1-7；李威熊（1941-　）：〈明代經學發展的主流與旁支〉，收入林慶彰、蔣秋華主編：《明代經學國際研討會論文集》（臺北市：中央研究院中國文哲研究所籌備處，1996年6月），頁77；許道勛（1939-2000）、徐洪興（1954-　）撰：《中華文化通志．學術典．經學志》（上海市：上海人民出版社，1998年10月），頁1-12、395-400。

7　「經學」與「儒學」在晚清遭到的各式挑戰，頗多類同，參看房德鄰（1945-　）撰：《儒學的危機與嬗變——康有為與近代儒學》（臺北市：文津出版社，1992年1月），頁83。有關「經學」與「儒學」的關係與異同，參看《中華文化通志．學術典．經學志》，頁9-12。

8　有關廣東書院學海堂的創建、建置、規制、學長、專課肄業生、《學海堂集》選取者與學海堂所刻書諸項，容肇祖（1897-1994）的〈學海堂考〉（載《嶺南學報》，第3卷第4期，1934年6月，頁1-147）資料頗豐，可參看。此外，Steven B. Miles（麥哲維，1964-　）以他的博士論文 *Local matters: Lineage, scholarship and the Xuehaitang Academy in the construction of regional identities in South China, 1810-1880*(A dissertation submitted in partial fulfillment of the requirements for the degree of Doctor of Philosophy, University of Washington, 2000)為基礎撰寫的專著 *The sea of learning: Mobility and identity in nineteenth-century Guangzhou*(Cambridge, Mass.: Harvard University Asia Center, 2006)，內容詳盡，頗便參看。

9　有關四川尊經書院與廣東廣雅書院創建與發展的種種啟示，謝放（1950-　）的〈從晚清書院看十九世紀後期中西文化交流的地域差異〉，收入趙春晨〔1942-　〕等主編：《中西文化交流與嶺南社會變遷》（北京市：中國社會科學出版社，2004年3月），頁117-134與拙撰：〈經學與世變：晚清四川尊經書院的見證〉，「四川學者的經學研究

人才的關係。他們甚至認定唐代以來經學賴以傳承繁衍的科舉制度是人才不適時用的罪魁禍首。廢除科舉的議論在二十世紀初日見高唱入雲。一九〇五年九月二日（光緒三十一年八月初四日甲辰），清廷在朝野壓力下，因袁世凱（1859-1916）、趙爾巽（1844-1927）、張之洞等會奏要求停止科舉、推廣學校而飭令「丙午（1906）科為始，所有鄉、會試一律停止，各省歲、科考試亦即停止」[10]，而以張之洞、榮慶、張百熙等共同設計，經清廷於一九〇四年一月十三日（光緒二十九年十一月二十六日丙午）頒令的〈奏定學堂章程〉（即「癸卯學制」）為本[11]，「著學務大臣迅速頒發各種教科書，以定指歸而宏造就。并著責成各該督撫實力通籌，嚴飭府、廳、州、縣趕緊於城鄉各處遍設蒙、小學堂，慎選師資，廣開民智。」[12]這不單為已推行千三百年的科舉制度畫上句號，更徹底瓦解了宋代以來經義取士形成的「經學、科舉、取士三位一體」[13]，共榮共存的相互依存關係。

清廷匆匆廢科舉的影響，絕非當時政策推動者所能輕易預作估量。[14]孫

第一次學術研討會」論文（臺北市：中央研究院中國文哲研究所，2006年7月14日）俱可參考。

10 〈袁世凱、趙爾巽、張之洞等會奏之停科舉推廣學校摺暨上諭立停科舉以廣學校〉（光緒三十一年八月四日），收入楊學為（1937- ）主編：《中國考試史文獻集成》（北京市：高等教育出版社，2003年7月），卷6，頁790。

11 參看課程教材研究所編：《二十世紀中國中小學課程標準・教學大綱匯編：課程（教學）計劃卷》（北京市：人民教育出版社，2001年2月），〈奏定初等小學堂章程〉，頁23-30；〈奏定高等小學堂章程〉，頁31-39；〈奏定中學堂章程〉，頁40-48。

12 〈袁世凱、趙爾巽、張之洞等會奏之停科舉推廣學校摺暨上諭立停科舉以廣學校〉（光緒三十一年八月四日），收入《中國考試史文獻集成》，卷6，頁790。

13 參看王曾瑜（1939- ）訪談、張弘採訪：〈經學、科舉、取士三位一體〉，收入《新京報》主編：《科舉百年——科舉、現代教育與文官制度的歷史審察》（北京市：同心出版社，2006年2月），頁252-253。

14 參看羅志田（1952- ）：〈清季科舉制改革的社會影響〉，收入《中國社會科學》，1998年第4期（1998年8月），頁185-196；何懷宏（1954- ）撰：《選舉社會及其終結：秦漢至晚清歷史的一種社會學闡釋》（北京市：生活・讀書・新知三聯書店，1998年12月），頁416-424；楊天宏（1951- ）：〈科舉制度的革廢與近代軍閥政治的興衰〉，載氏撰：《中國的近代轉型與傳統制約》（貴陽市：貴州人民出版社，2000年8

中山（1866-1925）於一九一〇年二、三月間接受舊金山致公堂主辦的《大同日報》主筆劉成禺訪問時，便嘗力數科舉制度的優點：

> 中國歷代考試制度不但合乎平民政治，且突過現代之民主政治。中國自世卿、貴族、門閥薦舉制度推翻，唐宋厲行考試，明清尤峻法執行，無論試詩賦、策論、八股文，人才輩出；雖所試科目不合時用，制度則昭若日月。朝為平民，一試得第，暮登臺省；世家貴族所不能得，平民一舉而得之。謂非民主國之人民極端平等政治，不可得也！美國考試均由學校教育付諸各省，中央不過設一教育局，管理整齊，故官吏非由考試，而由一黨之推用；唯司法有終身保障。英國永久官吏制度，近乎中國之衙門書吏制度，非考試制度。唯唐宋以來，官吏均由考試出身。科場條例，任何權力不能干涉。一經派為主考學政，為君主所欽命，獨立之權高於一切。官吏非由此出身，不能稱正途。士子等莘莘向學，納人才於興奮，無奔競，無繳（徼）幸。此予酌古酌今，為吾國獨有，而世界所無也。[15]

論者嘗以為「孫中山的觀點導致了後來民國考試院的建立，實際上是科舉制的復活。」[16]但新成立的民國政府一直只著眼於晚清學制的內容更定，而絕無重新推行科舉的意圖。真正的科舉制已一去不返。

科舉制的廢除，令經學喪失了賴以生存的土壤；而民國政府的成立，又令維持經學權威地位的君主集權體制徹底被推翻。面對如此局面，雷海宗（1902-1962）嘗就科舉廢除與帝制被推翻兩事發出無奈的慨歎：

月），頁104-142；劉海峰（1959-　）、李兵（1971-　）：《中國科舉史》（上海市：東方出版中心，2006年1月），頁427-431；楊齊福：〈清末廢科舉的社會效應〉，載劉海峰、張亞群（1961-　）編：《科舉制的終結與科舉學的興起》（武漢市：華中師範大學出版社，2006年10月），頁370-376；王日根（1964-　）：《中國科舉考試與社會影響》（長沙市：嶽麓書社，2007年11月），頁390-431。

15 廣東省社會科學院歷史研究室等合編：〈與劉成禺的談話（一九一〇年二三月間）〉，收入《孫中山全集》（北京市：中華書局，1981年8月），卷1，頁445。

16 劉海峰：《科舉學導論》（武漢市：華中師範大學出版社，2005年8月），頁124。

> 傳統的中國，在制度方面可以帝制為象徵，在文化方面可以科舉為象徵。經過西洋七十年（1842-1912）的打擊之後，自宋以下勉強支持的中國不能再繼續掙扎，傳統中國的兩個古老象徵也就隨著清朝一併消滅。……
>
> 帝制先取消了科舉，象徵傳統文化大崩潰的開始；然後帝制自己也被取消，象徵傳統制度大崩潰的開始。所餘的是一個在政治文化各方面都失去重心的中國，只有一個外表上全新的面孔聊以自慰自娛。積弱不堪的民族文化從此要在新舊的指針一併缺乏之下盲目地改換方向，亂尋方向；前途茫茫，一切都在不可知的數中。[17]

民國政府建立民主共和政體後，根本無法針對「傳統政治文化之總崩潰」[18]的權威真空現象提出有效的統治政策。南京臨時政府教育部標示的國家教育宗旨率先以「忠君」不合於共和政體、「尊孔」有違於信教自由，取消清廷強調的「忠君」、「尊孔」教育；又將清廷訂立的「尚公」、「尚武」、「尚實」諸教育方針改造為注重道德教育、實利教育、軍國民教育與美感教育，以體現受教育者身心和諧發展的教育新路向。袁世凱的北京民國政府雖於一九一四年一月通過「祀孔」法案，令全國恢復尊孔、祀孔，在社會上掀起一陣尊孔讀經的風氣；可是，「壬子──癸丑學制」的落實、洪憲帝制的失敗與袁世凱的病死等事件，令尊孔讀經在新文化運動沖擊下日漸失卻主導的地位。[19]

---

17 雷海宗編著，黃振萍整理：《中國通史選讀》（北京市：北京大學出版社，2006年5月），頁702。

18 雷海宗以一八三九年至一九一二年為「傳統政治文化之總崩潰」的時代，參看同前書，頁677-706。

19 參看李果主編：《二十世紀的中國．教育事業卷》（蘭州市：甘肅人民出版社，2000年6月），頁56-70；董孟懷等撰：《百年教育回眸》（北京市：中國經濟出版社，2000年9月），頁47-53；孫培青（1958-　）主編：《中國教育史（修訂版）》（上海市：華東師範大學出版社，2001年1月），頁357-373；楊東平（1949-　）主撰：《艱難的日出──中國現代教育的20世紀》（上海市：文匯出版社，2003年8月），頁27-38；蘇雲峰（1933-2008）著、吳家瑩整理：《中國新教育的萌芽與成長（1860-1928）》（北京市：北京大學出版社，2007年1月），頁19-39；袁征（1955-　）：〈儒學在中國現代教育中清末民初是中國教育發展的重要時期，更是中國教育現代化的關鍵時期。從一九〇二年〈欽定京師大學堂章程〉到一九一三年的〈公布大學規程〉、一九〇四年的「癸卯學制」到一九一三年的「壬子——癸丑學制」，新學制帶動的學科建設在「分科教學」的設置原則下，自小學至大學均以西方的專門學科分類為主導。過往以經學為中心的知識體系遂被西方學科分類體系分解為不同的學科，「經學」不僅無法成為一門獨立學科的名稱，更因日趨邊緣化而先後被劃歸「國學」或「哲學」等科。中國的「經學時代」已在西方學校教育與學科分類重整的重重沖擊下，步上不歸路。[20]

三　民國成立與香港的經學發展

當清末民初中國的經學發展因科舉制被廢除、帝制被推翻、學校教育制度與學科分類體系被匆匆確立而陷入前所未有的困局時，香港的經學發展竟意外地另創一番前所未有的景象。

香港的經學發展，論者每多稱譽英國倫敦傳道會（London Missionary Society）傳教士理雅各（James Legge, 1815-1897）在一八四八年至一八七二年間藉黃勝、羅祥、王韜（1828-1897）諸人的幫助，將《五經》與《四書》譯成英文的成就。[21]其實「英佔時期」的香港，教育雖以西方的學校制

的地位（1901-1949年）〉，載氏撰：《孔子・蔡元培・西南聯大——中國教育的發展和轉折》（北京市：人民日報出版社，2007年1月），頁137-156。

20 主要參看楊天石（1936-　）：〈儒學在近代中國〉，收入中國現代文化學會編：《東西方文化交流的道路與選擇》（成都市：四川人民出版社，1993年12月），頁311-322；羅志田：〈清末民初經學的邊緣化與史學的走向中心〉，《權勢轉移：近代中國的思想、社會與學術》（武漢市：湖北人民出版社，1999年7月），頁302-341；房德鄰：〈西學東漸與經學的終結〉，載朱誠如（1945-　）等主編：《明清論叢》（北京市：紫禁城出版社，2001年4月），第2輯，頁328-351；左玉河（1964-　）：《從四部之學到七科之學：學術分科與近代中國知識系統之創建》（上海市：上海書店，2004年10月）；張亞群：《科舉革廢與近代中國高等教育的轉型》（武漢市：華中師範大學出版社，2005年3月），頁139-151。

21 有關理雅各翻譯經書的研究，主要參看羅香林：〈香港早期之教會與理雅各、歐德理

度為本，而著意於英語精英教育的推行[22]；經學知識的傳授仍是大多數學塾的主要教學任務。[23]這現象於一九〇四年因創辦宗旨在訓練英語人才的「國家大書院」——香港最大的官辦英文書院——中央書院（Government Central School）[24]於復設停辦八年的漢文課程[25]，教授學生研習《左傳》、《論語》、

等之翻譯中國要籍〉，《香港與中西文化之交流》（香港：中國學社，1961年2月），頁15-42；王齊樂（1924- ）：《香港中文教育發展史》（香港：三聯書店，1996年9月），頁139-143；Wong Man Kong（黃文江）：*James Legge: A pioneer at crossroads of East and West*, Hong Kong: Hong Kong Educational Publishing Company, 1996；Norman J. Girardot: *The Victorian translation of China : James Legge's Oriental pilgrimage*, Berkeley: University of California Press, 2002；王輝（1971- ）：〈理雅各英譯儒經的特色與得失〉，《深圳大學學報》（人文社會科學版）第20卷第4期（2003年7月），頁115-120；李穎姿（1975- ）：〈宗教與文化的雙重使者——理雅各〉，載雷雨田（1944- ）主編：《近代來粵傳教士評傳》（上海市：百家出版社，2004年5月），頁287-291；Lauren F. Pfister: *Striving for 'the whole duty of man': James Legge and the Scottish Protestant encounter with China: assessing confluences in Scottish nonconformism, Chinese missionary scholarship, Victorian sinology, and Chinese Protestantism*, New York: Frankfurt am Main, Peter Lang, 2004. 有關王韜的經學與他協助理雅各翻譯經書的研究，主要參看羅香林：〈王韜在港與中國文化之關係〉，同前書，頁43-75；Lee Chi-fang（李齊芳，1926-2010）: *Wang T'ao (1828-1897): his life, thought, scholarship, and literary achievement*, unpublished Ph.D. Thesis, University of Wisconsin, 1973；李齊芳：〈王韜的文學與經學〉，載林啟彥等主編：《王韜與近代世界》（香港：香港教育圖書公司，2000年），頁190-217。

22 有關港英政府在香港推行英語精英教育的概況，可參看吳倫霓霞：〈教育的回顧（上篇）〉，載《香港史新編》，頁431-444。此外，Carl T. Smith（施其樂）的"English-educated Chinese elites in Nineteenth-century Hong Kong" (in Marjorie Topley ed.: *Hong Kong: the interaction of traditions and life in the towns*, Hong Kong: Hong Kong Branch of the Royal Asiatic Society, 1975, pp.65-96)亦有相關的論述。

23 有關港英政府管治下傳統學塾在香港的發展，可參看《香港中文教育發展史》，頁78-84、177-192；吳倫霓霞：〈教育的回顧（上篇）〉，《香港史新編》，頁423-431。

24 中央書院於一八六二年開始接納學生入學，一八八九年改稱為維多利亞書院（Victoria College），一八九四年再改稱為皇仁書院（Queen's College），並沿用至今。有關中央書院和皇仁書院的歷史，可參看 Gwenneth Stokes（司徒胡君麗）: *Queen's College, 1862-1962*, Hong Kong: Queen's College, 1962；Gwenneth and John Stokes（司徒胡君麗與司徒莊）: *Queen's College: its history 1862-1987*, Hong Kong: Queen's

《孟子》諸書[26]後才漸呈些微的轉變。經學雖未能得到港英政府的特別眷

College Old Boy's Association, 1987；Queen's College (ed.): *Queen's College*, Hong Kong: Queen's College, 2000. 王齊樂於《香港中文教育發展史》指出中央書院成立後，「是當時全港最大的書院，故此也稱為『大書院』；又因為它是政府所設立的，所以又稱為『國家大書院』。」（頁138）

25 理雅各籌辦中央書院時，本意是創設一所以英文教學為主的學校。但開辦初期，為了吸引學生入讀，並不強行規定學生學習英文，教學上只是採用漢文與英文並重的形式。隨著社會環境的改變，書院的教習才因應學生與家長的要求，從漢文與英文並重逐漸轉變為標榜以訓練英文人才為主。一八九五年，書院更在當時港英政府的建議下，決定改變漢文部與英文部並設的編制，停辦漢文部。一九○四年一月始，書院為了加強學生翻譯漢文與英文的能力，方復設漢文教學、添加漢文課程、增聘漢文教習。當時書院的教習吳銘泉、曾達廷於該校校刊（School magazine）《黃龍報》（*The Yellow Dragon*）合撰〈漢文復設〉一文交代個中因緣始末，稱：「天下事相資則有濟，專注則或偏，如英文、漢文是也。英文為當今之要務，非博學不足以擅長；漢文為翻譯之急需，非兼精不足以達用。然則漢文之不可或缺也明矣。我皇仁書院為養育人才之地，開設已歷四十餘年。其中濟濟多士，後先繼起，盡屬英才，亦云盛矣。惟出為世用，其精於英文者固不乏人，而求其華、英文兼擅者，曾不多覯。蓋其心專習英文，故於漢文每多缺略，不知英文與漢文有相資為用者焉，有不可偏廢者焉。有人於此通達漢文，而肄習英文，將見因此推彼，反必悟乎三隅。觸類旁通，理豈分乎二致？心思既明，功效必速，故出所學以應酬。無論職任洋行，席膺衙署，即至為領事、為參贊，無不勝任而愉快。此相資則有益者也。又或英文精矣，而漢文未諳，將見翻譯之間，必多窒礙，語言之際，亦少溫文。即令所學見用於世，遇有涉於漢文者，或遜謝不遑，或潦草塞責，豈不貽訊大雅。此偏廢則有弊者也。是以前任卜制軍（卜力，Henry Arthur Blake，1840-1918，1898-1903任香港總督）離港時，於漢文諄諄致意，梅署督（梅含理，Francis Henry May，1865-1921，1912-1918任香港總督）亦以為。今梅署督暨五值理及黎掌院（黎璧臣，George Henry Bateson Wright，1881-1909任書院院長）知漢文之關係英文甚大也，於是定議於本年復設漢文，更為斟酌盡善，兼用新書，務期於學童有益。已聘定前漢文教習何君務吾、陳君達明、羅君步登；復聘新教習何君奉璋、陳君文俊合共五名，類皆品學兼優，師程可法，堪為後學楷模。行見善誘循循，共被春風之披拂，規模井井，咸沾化雨之涵濡，所願合志同方，知尊函丈則有教無類，賴以成材，無負國家培育人才之至意，是所厚望焉。」（*The Yellow Dragon*, Vol. 5, No.5, May 1904, no page number）

26 吳銘泉、曾達廷合撰的〈漢文復設〉列出各班級的漢文課程為：「第五班：《蒙學七集》、《古文評註》、《秋水軒尺牘》、《左傳句解》、《四書．下．孟》。第四班：《蒙學七集》、《論說入門》、《古文亭評註》、《寫信必讀》、《四書．上．孟》。第三班：《蒙學

顧，卻已名正言順擠身官辦教育的正規課程。

自〈南京條約〉以來，政府、商人與民眾間相互結合的三角關係成了維繫香港社會穩定的關鍵力量。當時數目不少、主要擔任洋行買辦與轉口貿易行商的華人紳商（簡稱「華商」）都在支持政府與安定基層民眾方面發揮極大的影響力。[27]由於「英國佔領香港的主要目的，並不是為了征服土地、或擴張領域，而是為了推進貿易。因此，只要能夠維持社會秩序，以促進國際貿易，港英政府對華人並無興趣採取同化政策，而是任他們依照自己的生活方式、風俗習慣，謀生過日；在華商的領導下，華人組織各種職業行會、文化社團，形成一個華人社會。」[28]這些華商大多藉著港英政府推行的自由貿易政策，為外國商人、洋行企業提供金融、航運、倉儲等服務，從而獲取巨利。他們都不願意看到有利的營商環境因政治與社會的動盪而受到損害。這使他們致力爭取成為華人社會的領袖、基層民眾的代表，以便一方面代表基層民眾向港英政府爭取更大的權益，另一方面也協助港英政府維持更有效的管治。他們不僅需要重視港英政府強調的英語教育，也得尊重華人社會長期珍視、以廣義儒家思想為主體的中國傳統文化。[29]但香港一直缺乏足以號召社會群眾的中國傳統文化代言人。華商如何塑建自己尊重中國傳統文化的形象便成了頗費周章的難題。一九一一年辛亥革命的爆發不單改變了中國的政治生態，也改變了香港的文化生態。華商尋找中國傳統文化代言人的難題竟出人意表地藉此迎刃而解。

五、六集》、《訓蒙捷徑》、《故事瓊林》、《寫信必讀》、《四書・上・孟》。第二班：《蒙學三、四集》、《通文便集》、《四書・上・論》、《婦孺釋詞》。第一班：《蒙學一、二集》、《婦孺淺史》、《通問便集》、《四書・上・論》。至於各班功課之餘，兼及字學，此其大略也。」（同上）

27 有關香港華商在清末民初的發展狀況，可參看張曉輝（1953- ）：《香港近代經濟史（1840-1949）》（廣州市：廣東人民出版社，2001年10月），頁177-240。

28 蔡榮芳：《香港人之香港史1841-1945》（香港：牛津大學出版社，2001年），頁37。

29 參看同前書，頁42-43、50-52。此外，John M. Carroll 的 *Edge of Empires: Chinese elites and British colonials in Hong Kong* (Cambridge, Mass. : Harvard University Press, 2005)，亦嘗作論析。

香港一向是人口流動頻繁的地方，每當中國內地出現政治、社會紛爭時，人口數目便會出現幅度不小的變動。自戊戌政變、歷八國聯軍入侵，再經辛亥革命、以至五四運動短短二十二年間，香港的人口數目自二十五萬四千多人增至六十三萬多人，激增差不多一倍半。[30]這數目龐大的南來人口正好為二十世紀初的香港經濟、教育與文化發展注入新的營養素。[31]不少原籍廣東、本為「避禍」而蟄居香港的「晚清遺老」便因他們早在前清科場獲取的顯赫功名、鄉里間樹立的尊貴形象與社會上確立的獨特地位而備受眾多華商重視。他們一一成為華商爭相延攬、優禮厚待，藉以標榜自己酷愛中國傳統文化與儒家文化思想的「活標本」。這些「晚清遺老」的特點，程美寶曾作概括的介紹：

> 「晚清遺老」是辛亥革命的產物，他們不肯改易朝服，不事新朝。站在革命者的立場看來，遺老死守滿清舊室，無疑屬落後迂腐，背叛漢種之輩；站在遺老的立場看，他們的做法只不過是不事二主，忠心耿烈。有趣的是，辛亥革命以「反清復明」為口號，奉明室為正統，革命人士或同情革命者極力追尋明遺民足跡，以表現自己抗清之志；晚清遺老亦以明遺民自況，儘管他們在現實上支持的是清朝政權。革命之後，部分遺老一方面參與復辟，期望擁立清帝，光復舊物，惟屢起屢敗；另一方面，又透過進行各種文化教學活動，繼續編織他們的遜清殘夢。然而，當時中國一片更新冒進的氣象，主要城市的文教活動，不少已為新派人士把持，廣東遺老因地利之便，得以避居香港。在英人的統治下，香港不論是社會或文教政策，皆比中國保守，這片

30 根據香港政府出版的 *Historical and statistical abstract of the Colony of Hong Kong 1841-1930*(Hong Kong: Noronha & Company, government printers, 1932)，香港的人口在一八九八年時為254,400人、一九〇一年時為300,660人、一九〇六年時為329,038人、一九一〇年時為435,986人、1912年民國成立當年為467,777人、一九一九年五四運動發生當年為598,100人、一九二〇年五四運動發生後一年已突破六十萬為630,307人。自一八九八年至一九二〇年短短二十二年間，人口激增幾達三十八萬人。

31 參看《香港中文教育發展史》，頁11-15、222。

殖民地反成遺老的樂土。[32]

華商們不論本身的學歷、出身如何，對於稍具文望與學識者皆異常重視，「四方名流至者，必殷勤款洽；而於騷人墨客、謫宦遺民，尤加禮重；或遇有急，必稱量周之；聞遠近有義舉，必竭力協助。」[33]遺老們正是倚靠華商提供的華衣美食、瓊漿曼舞，終日詩酒唱酬、吟哦諷誦、自得其樂。鄭德能的〈胡適之（胡適，1891-1962）先生南來與香港文學〉指出：

> 他們（遺老們）的作品不多見，大概不外些序跋之類。他們既不是學先秦，學漢魏，學六朝；又不是學唐宋八大家的古文；更不像清代駢文家，桐城派，樸學家，所作的文章的體格。他們的作品的特徵可說是脫不了八股的氣味。[34]

儘管如此，他們卻成了促進香港經學發展的新動力。友生的〈香港小記〉說：

> 香港為商業之地，文化絕無可言，英人之經營殖民地者，多為保守黨人，凡事拘守舊章，執行成法，立異趨奇之主張，或革命維新之學說，皆所厭惡。我國人之知識淺陋，與思想腐迂者，正合其臭味，故前清之遺老遺少，有翰林、舉人、秀才等功名者，在國內已成落伍，到香港走其紅運，大顯神通，各學校之生徒，多慕此輩，如吾國學校之慕博士、碩士焉。彼輩之為教也，言必稱堯舜，書必讀經史，文必

32 程美寶：《地域文化與國家認同：晚清以來「廣東文化」觀的形成》（北京市：生活．讀書．新知三聯書店，2006年6月），頁192。

33 賴際熙、羅香林輯：《荔垞文存》（香港：學海書樓，2000年），卷1，〈誥授光祿大夫子丹陳公（陳步墀，1870-1934）行狀〉，頁142。溫肅（1879-1939）亦有相類的親身經歷，稱：「余曩以從亡在外，資用常不給，公（陳子丹）時濟其困。」收入氏撰：《溫文節公集》（香港：學海書樓，2001年），卷3，《檗庵文集》，〈陳子丹墓誌銘〉，頁164。

34 《香港的憂鬱——文人筆下的香港（一九二五—一九四一）》，頁69-70。鄭德能：〈胡適之先生南來與香港文學〉原刊載於一九三五年六月一日出版的《香港華南中學校刊》創刊號。

> 尚八股。蓋中英兩舊勢力相結合，牢不可破，一則易於統治，一則易於樂業也。[35]

他們影響的層面更由華商社群擴展至學校教育，陳謙於《香港舊事見聞錄》憶述自己的見聞：

> 辛亥革命後，晚清的舉人、秀才和在廣州城畢業於中學及法政學堂者，紛紛湧至港九，一時新開設的學校如雨後春筍，分班教授，將蒙館式初步擴大為學校式，課程學科有所改變。教員人數每校亦有增多，不只一人。雖然仍為迎合那時社會風氣，對《四書》、《五經》的講授，未能全廢，但已改稱「經學科」，每星期不過三數節課，而且做到逐句解釋，使學生容易接受。[36]

華商對設館授課者的遺老們每多青睞，紛紛選送子弟入學就讀[37]，而社會上尊經、崇儒的風氣亦漸見濃烈。當時中國國內政治形勢瞬息萬變，不少香港居民對一九一九年的五四運動、一九二二年的海員大罷工、一九二五年至一九二六年的省港大罷工均表現了前所未有的激動與投入。[38]這使港英政府領導層深切體會利用香港華商與晚清遺老的特殊關係，藉尊孔、讀經以增強控制港人思想的重要。蔡榮芳（1936-　）分析他們的心態，認為：

> 港英政府的文化政策，一向獎勵華民保存國粹、維護傳統儒家舊道德，強調社會秩序。港府忌憚五四運動以來科學與民主的新文化思潮。因此殖民當局加強對公立學校和私立漢文學校之管理，並鼓勵華商提倡讀經尊孔，宣揚傳統禮教。華人殷商與港府攜手合作，刻意維

35　《香港的憂鬱——文人筆下的香港（一九二五——一九四一）》，頁51。友生：〈香港小記〉原刊載於1934年5月1日出版的《前途》第2卷第5號。

36　陳謙：《香港舊事見聞錄》（廣州市：廣東人民出版社，1989年8月），頁187-188。

37　參看同前書，頁189-190。

38　參看《香港人之香港史1841-1945》，頁102-171。

持半封建之殖民體系。[39]

自民國成立以來，「清季翰苑中人、寓港者無慮十餘輩，或以文鳴，或以學顯。」[40]他們本因「辛亥革軍興，寇攘藉姦宄，人心既瓦解，天命豈顧諟，大盜總師干，移國不旋跬」[41]而「避亂寓港」。[42]但緣於政局的改變，他們竟在此特定的環境下成為長期炙手可熱的人物。[43]隨著香港大學（University of Hong Kong）、學海書樓與香港大學中文學院的相繼創立，他們都因緣際會成為推動香港經學發展舉足輕重的關鍵人物。

四　前清翰林與香港大學的成立

一九一二年三月十一日正式宣告成立的香港大學是香港教育發展的標誌點，也是香港高等教育發展的起始點。[44]〈一九一一年香港大學堂憲章〉記

39 同前書，頁164。

40 羅香林：〈故香港大學中文學院院長賴煥文先生傳〉，收入《荔垞文存》，頁165。

41 陳伯陶（1855-1930）撰：〈七十述哀一百三十韻〉，《陳文良公集》（香港：學海書樓，2001年），頁282。

42 《溫文節公集》，卷3，《檗庵文集》，〈陳子丹墓誌銘〉，頁164。

43 晚清遺老對香港社會、文化的影響，一九二七年二月魯迅（周樹人，（1881-1936）到香港來演講時已有體會（參看魯迅：〈略談香港〉，載《香港的憂鬱——文人筆下的香港（一九二五——九四一）》，頁3-10），而一九三五年一月胡適到香港接受香港大學頒授的名譽法學博士學位時情況似更變本加厲（參看胡適：〈南遊雜憶〉，載同前書，頁55-61；鄭德能：〈胡適之先生南來與香港文學〉，載同上書，頁69-74）。

44 香港大學的成立典禮在1912年3月11日舉行，個中詳情，可參看報刊 *Hongkong Daily Press* 於1912年3月12日題為"Opening of the Hongkong university"的報導。有關香港大學的發展，主要參看 William Woodward Hornell(1878-1950): *The University of Hong Kong : its origin & growth*, Hong Kong: Ye Olde Printerie, Ltd., 1925；University of Hong Kong: *The University of Hong Kong, 1912-1933 : a souvenir*, Hong Kong : Newspaper Enterprise Ltd., 1933；Brian Harrison: *University of Hong Kong : the first 50 years, 1911-1961*, Hong Kong : Hong Kong University Press, 1962；Bernard Mellor: *The University of Hong Kong : an informal history*, Hong Kong: Hong Kong University Press, 1980；Susan Y. Y. Lam（林亦英）& Jane Sze（施君玉）: *Past visions of the future : some perspectives on*

載香港大學設立的目的，稱：

> 茲擬於香港內設立大學一所，其目的在促進文學、科學與研究，提供高等教育，使學生畢業後得受大學學位；而對於來學各生，不分種族、國籍、宗教、信仰，一律與以身心之訓練；而於我友邦中華，彼此更得深切之了解。[45]

由於香港的第十四任總督、同時也是香港大學首任校長（Chancellor）的盧押（Frederick John Dealtry Lugard，1858-1945，1907-1912 擔任香港總督）將大學的教學語言確定為英語[46]，且特別強調大學的「實用性」[47]，是以大學開辦

the history of the University of Hong Kong《學府時光：香港大學的歷史面貌》, Hong Kong: University Museum and Art Gallery, The University of Hong Kong, 2001；Chan Lau Kit-ching & Peter Cunich(eds.): *An impossible dream : Hong Kong University from foundation to re-establishment, 1910-1950*, New York: Oxford University Press, 2002；The University of Hong Kong: *Growing with Hong Kong : the University and its graduates— the first 90 years*, Hong Kong: Hong Kong University Press, 2002.

45 馮秉華譯：〈一九一一年香港大學堂憲章〉，載《中文學會輯識》，第1卷第1號（1932年），頁1。原文為"Whereas it is desirable to establish a University within the Colony of Hongkong for the promotion of Arts, Science and Learning, the provision of higher education, the conferring of degrees, the development and formation of the character of students of all races, nationalities, and creeds, and the maintenance of the good understanding with the neighbouring Empire of China."(*The University Ordinance, 1911, No. 10 of 1911*, in Frederick J. D. Lugard: *Hong Kong University: present position, constitution, objects and prospects, with photo, plans, and appendices containing the University Ordinance, 1911, speeches, statements of accounts, and estimates of revenue and expenditure*, reprinted March 30th, 1912, with agreement with the Hongkong College of Medicine and speeches at the opening ceremony. Hong Kong: Noronha & Co. 1912, p. 11) 馮秉華將"for the promotion of Arts, Science and Learning"譯為「促進文學科學研究」，現據原文本意改譯為「促進文學、科學與研究」。他又將"the provision of higher education" 譯為「供應高深教育」，現據原文本意改譯為「提供高等教育」。

46 參看 Frederick J. D. Lugard: *Souvenir presented by Sir Hormusjee N. Mody and the Committee of the Hongkong University to commemorate the laying of the foundation stone of the Hongkong University building by His Excellency Sir F. J. D. Lugard, K.C.M.G., C.B., D.S.O., Governor of the Colony on Wednesday, 16th March, 1910*, reprinted with speeches at

首年便先將校董會委員何啟（1859-1914）[48]於一八八七年成立的香港西醫書院（College of Medicine for Chinese, Hong Kong）改稱為大學的醫學院（Faculty of Medicine）[49]，配合新成立的工學院（Faculty of Engineering）[50]，組成大學的核心學院。當時，校董會成員何啟曾倡議於大學設立以中文作主要教學

---

the ceremony, and illustrations, Hong Kong: Noronha & Co., 1910, pp.4-5. 有關盧押擔任香港總督時的各項施政，可參看 Bernard Mellor 的專著 *Lugard in Hong Kong : empires, education and a Governor at work 1907-1912*(Hong Kong : Hong Kong University Press, 1992).

47 參看 Frederick J. D. Lugard: *Some notes for readers in England*, in Hong Kong, Committee for the establishment of a university for Hong Kong: *Papers relative to the proposed Hongkong University*, Hong Kong: Noronha & Co., 1908, pp. i-ii.

48 有關何啟的生平、思想與貢獻，主要參看 Chiu Ling-yeong（趙令揚）: *The life and thought of Sir Kai Ho Kai*, Ph. D. Thesis, University of Sydney, 1968；Jung-fang Tsai（蔡榮芳）: *Comprador ideologists in modern China : Ho Kai (Ho Ch'i), 1859-1914, and Hu Li-yuan, 1847-1916*, Ph. D. Thesis, University of California, 1975；G. H. Choa: *The life and times of Sir Kai Ho Kai : a prominent figure in nineteenth-century Hong Kong*, Hong Kong : Chinese University Press, 2000；張禮恆：《何啟．胡禮垣評傳》（南京市：南京大學出版社，2005年12月）。

49 有關香港西醫書院的創設、發展與影響，參看羅香林：〈香港早期之西醫書院及其在醫術與科學上之貢獻〉，載《香港與中西文化之交流》，頁135-178；David Meurig Emrys Evans(compiled): *Constancy of purpose: an account of the foundation and history of the Hong Kong College of Medicine and the Faculty of Medicine of the University of Hong Kong, 1887-1987*, Hong Kong: Hong Kong University Press, 1987；The University of Hong Kong, Li Ka Shing Faculty of Medicine(ed.): *Shaping the health of Hong Kong : 120 years of achievements*, Hong Kong: The University of Hong Kong, Li Ka Shing Faculty of Medicine, 2006.

50 有關香港大學工程學院的創設、發展與影響，參看 C. H. Middleton Smith: *The University of Hong Kong : the work and equipment of the Engineering Faculty*, Hong Kong: Far Eastern Review, 1922；Faculty of Engineering, University of Hong Kong(ed.): *75 years of engineering : 75th anniversary commemorative publication*, Hong Kong: Faculty of Engineering, University of Hong Kong, 1988；Faculty of Engineering, University of Hong Kong(ed.): *Engineering at HKU : 90 years of dedication*, Hong Kong: Faculty of Engineering, The University of Hong Kong, 2002；Faculty of Engineering, The University of Hong Kong(ed.): *Engineering the future*, Hong Kong: Faculty of Engineering, The University of Hong Kong, 2007.

語言的附屬學院（affiliated college），可惜遭到盧押的堅決反對[51]。盧押更曾揚言教習中國語言及文學知識的課程（knowledge of the Chinese language and literature）絕不會成為香港大學吸引世人的特色（an attractive feature in the University）。[52]但緣於「〈香港大學條例〉第十三則，規定文科須注重教授中國語言文學」[53]，大學於一九一三年增設文學院（Faculty of Arts）時仍不可避免地需要聘任教授中國語言文學的教師。陳謙的《香港舊事見聞錄》載述：

> 香港大學中文課教師最初由教育當局提議，將皇仁書院漢文教習陞任，但香港議員、英國大律師何啟提出異議，認為皇仁書院漢文教習最高學歷是前清秀才，不符合大學教師資格，應聘請前清翰林為宜。其始屬意於前越華書院山長丁仁長（1861-1926），丁氏以母老不能離省城為辭，又屬意於前應元書院山長吳道鎔（1853-1936），吳氏亦以年老不便遷港為辭，但介紹他的學生賴際熙（1865-1937）、區大典（1877-1937），賴、區都是晚清翰林院編修，賴任漢文總教習，並授

51 何啟曾以委員的身分向籌劃設立香港大學的委員會建議在英語作為主要教學語言的同時，另設一所以中文作主要教學語言的附屬學院（affiliated college），學生只要成功完成課程的要求，便可獲發證書或文憑。但此建議遭盧押斷然否決。相關的資料，參看 C.P. Carter: *Report of Sub-committee: Hongkong, 25th September, 1908*, in *Papers relative to the proposed Hongkong University*, pp. 4-5. 何啟的建議，參看 Ho Kai: "Scheme proposed by the Hon. Dr. Ho Kai, C.M.G.", Enclosure 8 of *Report of Sub-committee: Hongkong, 25th September, 1908*, pp. 12-16.

52 參看 F.D. Lugard: "Memo. By His Excellency the Governor", Enclosure 8 of *Report of Sub-committee: Hongkong, 25th September, 1908*, pp. 16-19.

53 《荔垞文存》，附錄〈香港大學文科華文課程表〉，頁169。「《香港大學條例》第十三則」正是〈一九一一年香港大學堂憲章〉（*The University Ordinance, 1911, No. 10 of 1911*）的第十三則，該則第一條有關大學學院（The Faculties）的設置，清楚列明 "There shall be Faculties of Medicine and Engineering, and such others as maybe constituted by the Court, priority being given to Science and Arts Faculties, in the latter of which due provision shall be made for the study of the Chinese language and literature."(*Hong Kong University: present position, constitution, objects and prospects, with photo, plans, and appendices containing the University Ordinance, 1911, speeches, statements of accounts, and estimates of revenue and expenditure*, p.14)

> 史學，區則專授經學，以「易」義教學生，賴氏就職後，即為港大購買圖書，除了《十三經》、《二十四史》、《九通》、《百子全書》等等外，大率是叢書，高文冊府，學生閱覽者少。[54]

前清翰林們便因何啟的建議，頓時成為聲價十倍的「奇貨」。大學最初屬意的丁仁長是光緒九年（1883）癸未榜進士，孫甄陶的《清代廣東詞林紀要》稱：

> （丁仁長）番禺人，字伯厚，號潛客。本科二甲第三名進士，授編修，充國史館協修。通籍後，閉門讀書數年，法其鄉陳澧（1810-1882），學兼漢宋，制行甚嚴。平居不苟言笑，文章亦雅飭。旋先後充貴州、順天鄉試考官。光緒廿二年（1896）補侍講，轉充日講起居注官。上疏請開講筵，力崇節儉，歷陳內務府積弊。奏入，留中。因父病歸里，丁艱後不復出。粵督譚鍾麟雅重之，聘主越華書院，以經史實學親為講授。及學制變更，書院改為學堂。仁長乃創議撥惠濟義倉款辦教忠學堂。尋兼大學堂、存古學堂監督，造就甚重。鼎革後，杜門奉母。母卒，居喪三年，未嘗脫縗絰。服闋，赴天津謁遜帝溥儀請安。逾年，卒於旅次，年六十六。相傳宣統初年，清帝就學，有薦仁長於朝者，以其稱疾不起，遂命陳寶琛（1848-1935）授帝讀云。遺著有《中興金鑑》、《先正讀史法》、《無逸齋十二思表》各乙卷，《毛詩傳箋義例考證》若干卷。門人輯其詩曰《潛客先生遺詩》、《續遺詩》、《文鈔》各一卷。[55]

吳道鎔則為光緒六年（1880）庚辰榜進士，《清代廣東詞林紀要》的記載為：

> （吳道鎔）番禺人，原名國鎮，字玉臣，號用晦，晚號澹庵。本科

54 《香港舊事見聞錄》，頁205-207。

55 孫甄陶：《清代廣東詞林紀要》（臺北市：臺灣商務印書館，1971年10月），頁136-137。

> （光緒六年庚辰榜）進士，授編修。旋歸不復出，講學終身。歷主韓山、豐湖、肄江、應元等書院，博綜經史，尤樂獎掖人才。在潮主韓山書院，潮人敬愛之如父兄。晚清學制初更，廣雅書院改為高等學堂，道鎔受聘為監督，在任八年，成就甚眾。歷充學部諮議官，廣東學務公所議長。鼎革後閉戶著述，發憤為古文學，卓然成家。道鎔生於咸豐三年，卒於民國二十四年，年八十有四。著有《明史樂府》八卷；續修番禺縣志，手定條例，成書四十四卷；《澹庵文存》二卷，《廣東文徵》若干卷，自漢迄清，凡六百餘家，人系一傳，遺稿未及寫完，經張學華（1863-1951）接董其事，續得一百餘人，以次編入，合七百一十二家，文三千餘篇。蓋鉅輯云。[56]

丁仁長與吳道鎔同是廣東番禺人，相繼舉進士，均曾被朝廷委任擔當編修、國史館修撰等職事，又具有主講書院的豐富經驗。幫助吳道鎔整理完成《廣東文徵》[57]遺稿的張學華亦是廣東番禺人，舉光緒十六年（1890）庚寅進士第一百五十六名，曾獲授翰林院庶吉士，官拜江西提法使，辛亥革命後寓居香港，不問政治。香港大學曾於一九一七年邀聘他擔任中文教習，但遭到他斷然拒絕。同年，他的兒子張樹芝迎娶吳道鎔的女兒，張、吳兩家自是締結秦晉。吳道鎔辭世後，他遂義不容辭成為整理親家遺稿的理想人選。[58]由於丁仁長、吳道鎔先後以親老、年老婉拒香港大學的邀聘，賴際熙、區大典兩人遂因吳道鎔的舉薦成為香港大學的漢文講師。

賴際熙與區大典同是光緒二十九年（1903）癸卯榜的進士，《清代廣東詞林紀要》簡介二人的事蹟為：

---

56 同前註，頁135-136。

57 吳道鎔原稿，張學華增補，李棪（1906-1996）改編，《廣東文徵》編印委員會校刊：《廣東文徵》（香港：香港中文大學出版部，1973-1978年）。

58 張學華的生平，參看張學華原編，張澍棠補編：《提法公年譜》，《北京圖書館藏珍本年譜叢刊》（北京：北京圖書館出版社，1999年據1952年鉛印本影印），冊187，頁205-238。《提法公年譜》載：「（丁巳五十五歲）十一月為子樹芝受室娶翰林院編修吳道鎔公女，十一月杪與任夫人挈子媳赴港。」（頁222）

（賴際熙）增城人。字煥文，號荔垞。本科進士，授編修。充國史館纂修，旋晉總纂。民國後，僑居香港，應香港大學之聘，為漢文講師。民國十年（1921），旅港崇正總會成立，被推為會長，連任六屆。民國十二年（1923），倡設學海書樓，專以藏書及講學為務。民國十六年（1927），香港大學中文系正式成立，受聘為專任講師，民國二十四年（1935）退休。二十六年（1937）二月卒，年七十三。所編纂有《清史大臣傳》若干卷，《崇正同人系譜》十五卷，《增城縣志》、《赤溪縣志》各若干卷。[59]

（區大典）南海人，字慎輝，號徽五。本科二甲第廿五名進士，授編修。鼎革後，移居香港。民國十六年，應聘為香港大學中文系專任講師。[60]

鄧又同（1915-2003）於一九九一年輯錄的《學海書樓主講翰林文鈔》，記載兩人在香港的活動遠較孫甄陶豐富。書的〈賴際熙太史事略〉稱：

賴太史，增城人，字煥文，號荔垞，晚歲注籍羅浮酥醪觀，道號圓智。公生於同治四年（1865）乙丑歲，少歲以增生就讀廣雅書院。光緒十五年（1889）已丑舉孝廉，光緒二十九年癸卯科會試，賜進士出身，派進士館習法政，畢業授編修，充國史館纂修，旋晉總纂。辛亥後移居香港，矢志保存國粹，弘揚聖學為己任。公於一九一五年籲請香港政府劃地數畝永作宋皇臺遺址，以保存歷史古跡，俾供後人憑弔。當時港紳李瑞琴贊襄其事，捐建石垣圍繞宋皇台榜書巨石，今遊九龍宋皇臺公園，見宋皇臺巨石屹立其中。兩旁綠柳成蔭，坐椅排列，供游人休憩。園前兩旁矗立九龍宋皇臺遺址碑記，中英文碑石，分置左右，碑文詳敘其事。該兩石乃香港政府一九五九年所立者。一九二三年，賴公創立學海書樓於香港般含道（Bonham Road）二十

59 《清代廣東詞林紀要》，頁149。
60 同前註。

> 號，以保存國粹，聚書講學，弘揚聖道，宏振斯文為主旨。時值辛亥國變後，清季儒林翰苑中人，僑居香港者不下十人，賴公先後分別邀請各太史在書樓講學，或課經史，或授詞章。其後各太史先後棄世，則敦聘國學名宿主講。書樓創立迄今垂六十八年，除日寇侵港數年外，國學講座從未間斷，發揚國粹，嘉惠後學。此賴公創學海書樓之功，不可歿也。港督金文泰（Cecil Clementi，1875-1947，1925-1930擔任香港總督）主政時期，雅好漢學，當時賴公已受聘為香港大學中文學院教授多年，公乃應邀襄贊港督金文泰於大學首創中文學系，又為大學圖書館籌置中文藏書。其後值馮平山（1860-1931）公七十壽辰，賴公請其捐建中文圖書館。今日香港大學馮平山圖書館實出自賴公經始焉。一九五〇年，香港大學中文系主任羅香林教授，為紀念賴公創立港大中文系功績，集其詩文遺稿，編印《荔垞集》以志念之。公於一九三七年二月十五日辭世，享年七十三。遺著有《清史大臣傳》若干卷，《崇正同人系譜》十五卷，《荔垞文存》、《增城縣志》、《赤溪縣志》各若干卷。[61]

由於區大典的事蹟鮮見傳述，同書載錄頗為詳盡的〈區大典太史事略〉便益見珍貴：

> 區太史，南海人，字慎輝，號徽五。一八七七年生，光緒丁酉（光緒二十三年，1897）科舉孝廉，光緒廿九年癸卯科會試，賜進士出身，授翰林院編修。辛亥後移居香港，先後在皇仁書院等官校授中文，其後受聘香港大學中文學院授經史多年，曾任尊經學校校長，致力發揚經學，保存國粹，與增城賴際熙太史同其旨趣。課餘恆研《易》學，私淑漢管寧（158-241）之行誼。著有《易經要義》、《經學講義》等書。常臨學海書樓講經學，弘揚儒學，青年學子獲益良多焉。[62]

---

61 鄧又同輯錄：《學海書樓主講翰林文鈔》（香港：學海書樓，1991年11月），頁47-48。

62 同前註，頁33。

他們憑藉擔任香港大學教職的特殊地位，身價立時飆升。賴際熙更迅速躍升為寓居香港諸遺老的領袖，成為華商爭相交結的要人。羅香林輯錄的《荔垞文存》便保留了賴際熙〈送檗老（溫肅，1879-1939）副憲同年奉召入直南齋序〉[63]、〈誥授朝議大夫戴芷汀（1871-1938）太守老弟六秩開一壽序〉[64]、〈戴芷汀大兄六十壽序〉[65]、〈馮平山先生七秩榮慶序〉[66]、〈誥授奉政大夫楊宜齋先生暨德配藍宜人八秩雙壽序〉[67]、〈江瑞英先生六十開一榮壽序〉[68]、〈陳世伯母張太夫人（陳承寬母）九秩開一榮壽大慶序〉[69]、〈敕封孺人郭母劉太孺人（郭德修、郭喬村兄弟母）七秩晉九榮壽大慶序〉[70]、〈梁伯母羅太夫人（梁克堯母）八秩開一榮壽大慶序〉[71]、〈誥封通奉大夫竹芝親家大人（李海東父）暨德配誥封夫人冤媚嫂謝太夫人無量壽序〉[72]、〈與陳子丹（陳步墀，1870-1934）書〉[73]、〈戴賓日明經墓表（代戴鴻〔1853-1910〕)〉[74]、〈清誥授朝議大夫香港定例局議員少岐周府君（周少岐，1863-1925）墓表〉[75]、〈誥授榮祿大夫特旨分省補用道檳榔嶼領事官星嘉坡總領事官戴公府君（戴欣然，1849-1919，1907-1911 任檳榔嶼領事）墓表〉[76]、〈利公希慎（1879-1928）墓表〉[77]、〈有清貤封奉政大夫竹君梁公（梁堅芳，1843-

63 《荔垞文存》，頁34-35。
64 同註63，頁35-39。
65 同註63，頁39-42。
66 同註63，頁42-46。
67 同註63，頁46-50。
68 同註63，頁50-52。
69 同註63，頁52-57。
70 同註63，頁57-61。
71 同註63，頁61-65。
72 同註63，頁65-68。
73 同註63，頁72-80。
74 同註63，頁111-114。
75 同註63，頁114-118。
76 同註63，頁118-122。
77 同註63，頁122-125。

1916）墓表〉[78]、〈弼良廖公（廖幹，1869-1934）府君墓志銘〉[79]、〈清誥封恭人李母（李炳榮母）成太恭人墓志銘〉[80]、〈誥授光祿大夫子丹陳公行狀〉[81]、〈東蓮覺苑（何東〔1862-1956〕妾張靜蓉〔1875-1938〕建於 1935 年）祖堂記〉[82]、〈周埈年（1893-1971）先生大廈落成頌〉[83]諸作，都是他與殷商交往的記錄。他交結的華商，既有戴芷汀、楊宜齋、郭德修、郭喬村、梁克堯等南洋華僑，又有馮平山、江瑞英、陳承寬、李海東、陳子丹、梁堅芳、廖幹、李炳榮、何東等香港殷商。他正是倚仗自己與眾商人良好而密切的人際關係，成為推動學術發展的籌款能手。學海書樓、香港大學中文學院與香港大學馮平山圖書館的成立，捐款者都是跟他交往密切的巨商。憑藉此獨特的社會地位與人際網絡，港英政府對他自然另眼相看。總督金文泰願意支持香港大學成立中文學院，正是緣於他與賴際熙的私交甚篤。副校長韓理和（William Woodward Hornell, 1878-1950）在金文泰表態支持成立香港大學中文學院後立即偕同賴際熙等赴南洋籌款，則是緣於他充分了解賴際熙對南洋華商的號召力與影響力。[84]前清翰林對香港文教發展的影響自是可見一斑。

---

78 同註63，頁126-130。

79 同註63，頁130-133。

80 同註63，頁137-140。

81 同註63，頁140-144。

82 同註63，頁148-151。

83 同註63，頁153-155。

84 參看羅香林：〈香港大學中文系之發展〉，《香港與中西文化之交流》，頁223-224。有關香港大學中文學院成立的詳情，可參看程美寶：〈庚子賠款與香港大學的中文教育——二三十年代香港與中英關係的一個側面〉，《中山大學學報》1998年第6期（1998年12月），頁60-73；區志堅：〈香港大學中文學院成立背景之研究〉，載《香港中國近代史學報》第4期（2006年），頁29-57。賴際熙與金文泰的私交，緣於他每星期需往山頂總督府教授金文泰研習經書一小時半。參看賴際熙：〈與陳子丹書〉，載《荔垞文存》，頁74。

五　學海書樓與香港大學中文學院的創立

學海書樓的創辦，「實仿道光間（1821-1850）廣州學海堂講學之意，所藏書特供講者聽者研究耳，非如一般圖書館專以閱覽群書為務也。」[85]它是賴際熙擔任香港大學中文講師後為保存國粹、發揚傳統文化，而糾集寓居香港的前清翰林、結合香港華商的財力，於提倡推廣經史諸學的同時，為香港大眾提供的一處兼具講學與圖書館功能的去處。它的名稱原擬命名為「崇聖書堂」。[86]鄧又同的〈香港學海書樓之沿革（上）〉載：

> 在未建立書樓前，賴際熙太史與熱心愛護國粹人士，有感於當時香港社會風氣，忽視國學，道德日下，為保存國粹，發揚傳統文化，有益世道人心起見，爰於一九二〇年至二十二年之間，先租賃香港中環半山堅道廿七號樓下，設壇講學，聘何翹高（何藻翔，1865-1930，1892進士）先生主講，每周講課二次。何氏乃清代遺老，曾隨張蔭桓（1837-1900）出使西藏，國學湛深，極有志於宏揚中華文化。兩年以來，主講國學，闡揚孔孟學說、四書五經，旁及諸子百家，詩詞歌賦，聽課者眾，座為之滿。及至一九二三年，賴際熙太史有感聽眾踴躍，乃建議成立學海書樓，致力於保存古籍，發揚國粹，並達成其常謂「宏振斯文，宜聚書講學」之志願，於是熱心人士積極贊助，般商名流踴躍捐資，遂購香港中區般含道二十號房屋作為藏書及講學之用。當時書樓初期所庋藏之書籍，承本港紳商何東、郭春秧、利希慎、李海東四君捐資購買暨各方人士送贈與自購，日積月累，蔚為大觀。其時香港政府及市政局尚未設立公共圖書館，而當時學海書樓庋藏圖書，設有閱覽室備供眾覽借閱，成為當時香港有史以來民間設立最早之公開圖書館，復在書樓設壇講學。本書樓創辦人賴際熙太史其

85 羅香林：〈香港大學中文系之發展〉，《香港與中西文化之交流》，頁207。

86 參看賴際熙：〈籌建崇聖書堂序〉，《荔垞文存》，頁30-32。

> 時常臨主講經學，並主持書樓事務。[87]

賴際熙不僅傾力倡導學術，還盡心擔任書樓的義務行政工作。他長期出任書樓的主任，對香港、粵港、以至粵港澳（澳門）文化的推動與經史諸學的傳揚確實貢獻不少。[88]許晉義於一九九一年為《學海書樓主講翰林文鈔》一書撰序介紹擔任書樓講者的一眾晚清遺老時，稱：

> 香港學海書樓創立於一九二三年，垂六十八載。其始也，賴公煥文倡議宏振斯文，保存國粹，聚書講學，兼而有之。辛亥國變，清季翰苑中人，僑居香港者有陳伯陶（1855-1930）、區大典、賴際熙、溫肅、區大原、朱汝珍（1870-1943）、岑光樾（1876-1960）等太史，其文章道德、亮節高風，士林景仰。此七人者，除陳公伯陶為光緒十八年（1892）壬辰科一甲進士外，其餘乃最後兩科光緒廿九年癸卯及三十年（1904）甲辰翰林，均與賴公稔交，或為同年、或為前後輩，其志趣與賴公相同，因而響應和議，熱心贊助，輪值在書樓講學，風雨無間，循循善導，啟迪後昆，嘉惠士林，有足多矣。[89]

這股力量不僅成為當日社會上傳揚經史學問的中流砥柱，也成為有志問學者的指路明燈。

---

87 鄧又同：〈香港學海書樓之沿革（上）〉，《香港學海書樓歷年講學提要彙輯，學海書樓歷史文獻，學海書樓藏廣東文獻書籍目錄》（香港：學海書樓董事會，1995年冬月），頁7。原載《華僑日報》，一九九〇年七月二十一日。有關學海書樓的創建，另參看學海書樓刊〈誌學海書樓之原起及今後之展望〉，《香港與中西文化之交流》，頁207-208。

88 參看曾漢棠：〈香港學海書樓與粵港文化的承傳關係〉，《學海書樓七十五週年紀念特刊》編輯小組：《學海書樓七十五週年紀念特刊》（香港：香港學海書樓，1998年4月），頁13-24；彭海玲：《汪兆鏞與近代粵澳文化》（廣州市：廣東人民出版社，2004年7月），頁52-62，105-113。

89 《學海書樓主講翰林文鈔》，許晉義〈序一〉，頁1。該書〈陳伯陶太史事略〉（頁1）、〈區大典太史事略〉（頁33）、〈賴際熙太史事略〉（頁47-48）、〈溫肅太史事略〉（頁69）、〈區大原太史事略〉（頁91）、〈朱汝珍太史事略〉（頁95）與〈岑光樾太史事略〉（頁107）俱可參看。

賴際熙擔任香港大學中文講師期間更借助省港大罷工後中國與英國在國際關係、省港關係上微妙的互動形勢、藉英國退回庚子賠款的機會，促成香港大學中文學院於一九二七年正式成立。當時，賴際熙被委任為學院的中國歷史教授（Reader in Chinese History）、區大典獲委為學院的中國文學教授（Reader in Chinese Literature），而他們兩人的學生、香港大學文學院首屆文學士（1916 年畢業生）林棟（1890-1934）則擔任學院的翻譯講師（Chinese Translator）。[90]此外，「溫肅、朱汝珍二太史，及羅憩棠、崔伯樾二先生皆先後應聘為兼任講師。林棟先生後於一九三四年逝世，其翻譯助理講師則由陳君葆（1898-1982）先生繼任。」[91]據〈香港大學文科中文課程表〉的介紹，課程除「特設正音班」（Mandarin Class）及「翻譯學」（Translation）外，還包括「經學」（Classics）、史學（History）及文詞學（Literature）三大類，而「經學」課程計有：

> 第一年：經學：《大學》、《中庸》、《論語》、《孟子》（以《朱子集註》義理為主，參以古註訂詁）。[92]
>
> 第二年：經學：《詩經》、《書經》（以《十三經》註疏為主，參以《欽定七經》）。[93]
>
> 第三年：經學：《儀禮》、《周禮》、《禮記》（以《十三經》註疏為主，參以《欽定七經》及《五禮通考》）。[94]
>
> 第四年：經學：《春秋》、《左氏傳》、《公羊傳》、《穀梁傳》（以《十三經》註疏為主，參以《欽定七經》）。[95]

---

90 參看 University of Hong Kong: *University of Hong Kong Calendar, 1928*〔Hong Kong: The Newspaper Enterprise Ltd., 1928〕, p.148.有關林棟的生平，參看李景康：〈香港大學講師林棟君墓誌銘〉，《李景康先生詩文集》（香港：學海書樓，2003年），頁2-4。

91 羅香林：〈香港大學中文系之發展〉，載《香港與中西文化之交流》，頁229。

92 *University of Hong Kong Calendar, 1928*, p.172.

93 *University of Hong Kong Calendar, 1928*, p.173.

94 *University of Hong Kong Calendar, 1928*, p.174.

95 *University of Hong Kong Calendar, 1928*, p.175.

這樣的課程規劃，催生了一批二十世紀三〇年代初由香港奇雅中西印務刊行、「遺史輯」、或封面題上「經學講義」、或書的首頁刊印「香港大學經學講義」，而被香港各大學圖書館或稱為《香港大學中文學院經學講義》、或只稱為《經學講義》的經學課講義。[96]由於這批講義流通量極少、流通範圍又大抵主要限於修習相關經學課程的學生，一般外人等閒自然難得一見；所以學界知者不多、識者更是寥寥。但它們正是當時香港經學發展的最重要證物。

六　區大典的經學講義

香港大學中文學院經學課程催生的這批經學講義，存世數量確實屈指可算。香港各大學圖書館收藏者計有：

（一）香港大學圖書館藏十三冊本《香港大學中文學院經學講義》一套（代號為★），收錄講義十三種，包括經學講義十二種十二冊（《易經講義》一冊、《書經講義》一冊、《詩經講義》一冊、《儀禮禮記合編講義》一冊、《周官經講義》一冊、《春秋三傳講義》一冊、《孝經通義》一冊、《大學講義》一冊、《中庸講義》一冊、《論語講義》一冊、《孟子通義》一冊及《論語通義》一冊）及子學講義一種一冊（《老子講義》一冊），是目前所知最完備的版本。全書曾經前馮平山圖書館館長李直方檢核，館方標示書的編撰者為「區大典」。[97]細核全書十三冊，各冊封面均題「經學講義」、「遺史輯」。但各冊版心及首頁首行載錄的編撰者則為：

---

96 遺史輯：《香港大學中文學院經學講義》（香港：奇雅中西印務，1930？年）。此書名據香港大學圖書館、香港嶺南大學圖書館與香港中文大學圖書館藏書目錄。

97 香港大學圖書館索書號為「特020.7 916 v.1-13」。

講義名稱╲編撰者名稱	版心	首頁首行
《易經講義》	遺史輯	遺史氏輯
《書經講義》	遺史氏輯	遺史氏輯
《詩經講義》	遺史氏輯	遺史氏輯
《儀禮禮記合編講義》	遺史氏輯	遺史氏輯
《周官經講義》	遺史氏輯	遺史氏輯
《春秋三傳講義》	遺史氏輯	遺史氏輯
《孝經通義》	遺史輯	遺史輯
《大學講義》	遺史輯	遺史氏輯
《中庸講義》	遺史輯	遺史氏輯
《論語講義》	遺史輯	遺史氏輯
《孟子通義》	遺史輯	遺史氏輯
《老子講義》	遺史輯	遺史輯
《論語通義》	遺史輯	遺史氏輯

這又可知「遺史」與「遺史氏」原是一人兩稱。

（二）香港大學圖書館藏四冊本《香港大學經學講義》一套（代號為▲），收錄經學講義四種，計有：《書經講義》一冊、《周官經講義》一冊、《儀禮禮記合編講義》一冊及《春秋三傳講義》一冊。此書原屬香港大學中文學會藏書，年前由該學會送贈香港大學圖書館。各冊封面分別題上「書經講義」、「周經官講義」（當作「周官經講義」）、「儀禮禮記合編」、「春秋三傳講義卷一」，並各鈐上「中文學會圖書」及「馮平山圖書館藏」印（參見圖一）。館方標示書的編撰者為「遺史〔賴際熙〕輯」。[98]由於此書四冊的內頁都題上「香港大學經學講義」、「遺史輯」（參見圖二），香港大學中文學院出版的《香港大學中文學院歷史圖錄》載錄此書的書名頁時，便逕稱為「賴際

98 香港大學圖書館索書號為「〔山〕PL2461.Z7 X53 1930z v.1-4」。

熙太史《香港大學經學講義》書名頁」。[99]

（三）香港嶺南大學圖書館藏一冊本《香港大學經學講義》一套（代號為◆），只收錄《詩經講義》一種。館方標示書的編撰者亦為「遺史〔賴際熙〕輯」。[100]

（四）香港中文大學圖書館藏四冊本《香港大學經學講義》一套（代號為▼），收錄經學講義四種，計有：《書經講義》一冊、《儀禮禮記合編講義》一冊、《周官經講義》一冊及《孟子通義》一冊。館方標示書的編撰者同樣是「遺史〔賴際熙〕輯」，而此書四冊的內頁都題上「香港大學經學講義」、「遺史輯」。各冊的版式、特點與香港大學圖書館藏四冊本《香港大學經學講義》完全相同。[101]

（五）香港中文大學圖書館藏一冊本《香港大學經學講義》一套（代號為●），只收錄《周官經講義》一種。館方標示書的編撰者亦是「遺史〔賴際熙〕輯」。[102]。

（六）香港中文大學圖書館藏六冊本《經學講義》一套（代號為■），共收錄經學講義四種五冊（《易經講義》一冊、《大學講義》兩冊、《中庸講義》一冊、《孝經通義》一冊）及子學講義一種一冊（《老子講義》一冊）。《大學講義》兩冊內容、版式完全相同。各冊的封面均題「經學講義」、「遺史輯」（參見圖三），而每冊的特點與香港大學圖書館藏十三冊本《香港大學

99 單周堯編：《香港大學中文學院歷史圖錄》（香港：香港大學中文學院，2007年），頁19。

100 嶺南大學圖書館索書號為「831.1 2347」。

101 香港中文大學圖書館索書號為「PL2461.Z7 H7 v.1-4」。《書經講義》、《儀禮禮記合編講義》、《周官經講義》三書的首頁與《孟子通義》卷一的首兩頁均遭缺德者肆意惡意撕毀。各書內亦有數量不一的若干頁同遭撕去。《周官經講義》一書蟲蛀尤為嚴重。其實，這情況亦見於香港大學圖書館藏賴際熙編的《香港大學中文學院史學課本》（香港：奇雅中西印務，1930？年）第一、二冊。第一冊的書首〈序言〉共六頁全遭肆意惡意撕毀。

102 香港中文大學圖書館索書號為「PL2461.Z7 H7 v.1 c.2」。根據索書資料顯示，此書被誤標為四冊本第一冊的覆本。查香港中文大學圖書館藏四冊本第一冊為《書經講義》。

中文學院經學講義》相同。館方標示書的編撰者為「遺史輯」。[103]此藏本的物主是香港大學文學院一九一六年中文科畢業生李景康（1891-1960）。[104]他曾追隨賴際熙、區大典研習經、史學問。賴際熙的〈與軒頓院長（香港大學文學院院長）書四通〉便錄有林棟、李景康、梁乃晉、李作聯、曹善芬、楊巽行、羅顯勝六位文學院首屆文學士的「經學」與「史學」考試績分。李景康的績分僅次於第一名的林棟。[105]此藏本於一九六九年十月二十九日入藏香港中文大學崇基書院圖書館，現已改歸香港中文大學新亞書院錢穆圖書館。

（七）香港中文大學圖書館藏《論語通義》一冊（代號為◣）。館方標示書的編撰者亦為「遺史輯」。[106]

（八）香港中文大學圖書館藏《孟子通義》一冊（代號為◢）。館方標示書的編撰者同樣是「遺史輯」。[107]

根據上述資料，藉表列各種講義，以代號顯示各藏本，並於各藏本代號側標示數字（如★1、★2 各為香港大學圖書館藏十三冊本《香港大學中文學院經學講義》的第 1、2 冊，▼1、▼2 為香港中文大學圖書館藏四冊本《香港大學經學講義》第 1、2 冊等）以確示各藏本不同冊數的實際內容，

---

103 香港中文大學圖書館索書號為「PL2461.Z6 C58 v.1-6」。

104 香港大學校方編纂的畢業生名單列明李景康於1916年畢業於香港大學，獲授文學士（B.A.）學位（參看 University of Hong Kong: *University of Hong Kong Calendar, 1917-1918*, Hong Kong: Noronha & Co., 1917, "List of Graduates", p.93），鄒穎文編的〈《李鳳坡先生年譜》輯要〉亦據以指出李景康於「一九一六年（歲次丙辰），二十七歲。香港大學畢業，與林棟及 Li Tsok-lun 獲頒授首屆文學士。（*University of Hong Kong Calendar, 1917-1918*）」參見《李景康先生百壺山館藏故舊書畫函牘》（香港：中文大學出版社，2009年，頁370）。但黃兆鈐（1907-？）撰寫的〈李校長傳略〉誤以他畢業於一九一五年（載載氏編：《金文泰中學新校舍落成紀念特刊》，香港：金文泰中學，1962年，頁125），而李鴻烈撰寫的〈重印李景康先生詩文集序〉則誤以他畢業於一九一七年（載李景康：《李景康先生詩文集》，香港：學海書樓，2003年，書首，不標頁碼）。

105 參看《荔垞文存》，卷1，〈與軒頓院長書四通〉，頁70-71。

106 香港中文大學圖書館索書號為「PL2471.Z6 I2」。

107 香港中文大學圖書館索書號為「PL2474.Z6 I2」。

俾便察知各種講義的存世情況。表為：

	香港各大學圖書館藏本							
講義名稱＼收藏處	香港大學		嶺南大學	香港中文大學圖書館				
《易經講義》	★1					■1		
《書經講義》	★2	▲1		▼1				
《詩經講義》	★3		◆					
《儀禮禮記合編講義》	★4	▲3		▼2				
《周官經講義》	★5	▲2		▼3	●1			
《春秋三傳講義》	★6	▲4						
《孝經通義》	★7					■5		
《大學講義》	★8					■2 ■3		
《中庸講義》	★9					■4		
《論語講義》	★10							
《孟子通義》	★11			▼4				◢
《老子講義》	★12					■6		
《論語通義》	★13						◣	

這批被稱為《香港大學中文學院經學講義》或《經學講義》的著述，以香港大學圖書館藏十三冊本最為完備。當中「經學」類諸書的講義十二種，計有「五經」類六種：《易經講義》、《書經講義》、《詩經講義》、《春秋三傳講義》、《儀禮禮記合編講義》與《周官經講義》（《儀禮禮記合編講義》與《周官經講義》兩種又可歸屬為「三禮」類）；「四書」類五種：《大學講義》、《中庸講義》、《論語講義》、《論語通義》與《孟子通義》；「孝經」類一種：《孝經通義》。其餘一種，便是歸屬「子學」，每頁版心均題「子書課本」、絕無理據歸類為「經學」的《老子講義》。這可見編撰者明顯採用《四庫全書》相對寬鬆的「經」學準則。《四庫全書總目》的〈經部總敘〉稱：

經稟聖裁，垂型萬世。刪定之旨，如日中天，無所容其贊述。所論次者，詁經之說而已。自漢京以後，垂二千年。儒者沿波，學凡六變。其初專門授受，遞稟師承，非惟詁訓相傳，莫敢同異，即篇章字句，亦恪守所聞。其學篤實謹嚴，及其弊也拘。王弼（226-249）、王肅（195-256）稍持異議，流風所扇，或信或疑。越孔（孔穎達，574-648）、賈（賈公彥）、啖（啖助，724-770）、趙（趙匡）以及北宋孫復（992-1057）、劉敞（1019-1068）等，各自論說，不相統攝，及其弊也雜。洛、閩繼起，道學大昌，擺落漢、唐，獨研義理。凡經師舊說，俱排斥以為不足信。其學務別是非，及其弊也悍。原註：如王柏（1197-1274）、吳澄（1249-1333）攻駁經文，動輒刪改之類。學脈旁分，攀緣日眾，驅除異己，務定一尊。自宋末以逮明初，其學見異不遷，及其弊也黨。原註：如《論語集註》誤引包咸「夏瑚商璉」之說，張存中《四書通證》即闕此一條以諱其誤。又如王柏刪〈國風〉三十二篇，許謙（1270-1337）疑之，吳師道反以為非之類。主持太過，勢有所偏，才辨聰明，激而橫決。自明正德（1506-1521）、嘉靖（1522-1566）以後，其學各抒心得，及其弊也肆。原註：如王守仁（1472-1508）之末派，皆以狂禪解經之類。空談臆斷，考證必疏，於是博雅之儒引古義以抵其隙。國初諸家，其學徵實不誣，及其弊也瑣。原註：如一字音訓，動辨數百言之類。要其歸宿，則不過漢學、宋學兩家互為勝負。夫漢學具有根柢，講學者以淺陋輕之，不足服漢儒也。宋學具有精微，讀書者以空疏薄之，亦不足服宋儒也。消融門戶之見，而各取所長，則私心祛而公理出，公理出而經義明矣。蓋經者非他，即天下之公理而已。今參稽眾說，務取持平，各明去取之故，分為十類：曰《易》，曰《書》，曰《詩》，曰《禮》，曰《春秋》，曰《孝經》，曰《五經總義》，曰《四書》，曰《樂》，曰小學。[108]

108 永瑢（1743-1790）等撰：《欽定四庫全書總目》（臺北市：臺灣商務印書館，1986年3月據文淵閣《四庫全書》影印），卷1，〈經部．經部總敘〉，頁1上-2下。

香港大學中文學院的經學課程既以前清翰林擔任主講，他們的「經學」準則以清代敕編的《四庫全書》為據自亦順理成章。此等講義的編撰，大抵跟當時香港大學中文學院提供的經學課程相配合：

年級	經學課程	講義名稱
第一年	《大學》	《大學講義》
	《中庸》	《中庸講義》
	《論語》	《論語講義》
		《論語通義》
	《孟子》	《孟子通義》
第二年	《詩經》	《詩經講義》
	《書經》	《書經講義》
第三年	《儀禮》	《儀禮禮記合編講義》
	《周禮》	《周官經講義》
	《禮記》	《儀禮禮記合編講義》
第四年	《春秋》	《春秋三傳講義》
	《左氏傳》	《春秋三傳講義》
	《公羊傳》	《春秋三傳講義》
	《穀梁傳》	《春秋三傳講義》

這顯示香港大學圖書館藏十三冊本經學講義的《孝經通義》、《易經講義》與《老子講義》並非當時學生修習相關經學課程的用書。如此，則這些講義又是為了配合甚麼課程而編撰？這會否跟編撰者的其他經歷有關？這些都值得研究者探討。

香港大學圖書館既將館藏的十三冊本《香港大學中文學院經學講義》的編撰者確指為「區大典」，又與香港嶺南大學圖書館、香港中文大學圖書館分別將它們各自藏有的《香港大學經學講義》定為「遺史〔賴際熙〕輯」。這遂使人頓時懷疑「遺史」究竟應是賴際熙？還是區大典？其實，香港大學於一九一三年成立文學院時已聘賴際熙、區大典講授中文經史。[109]中文學院成立後，區大典便專掌經學課程的講授，直至退休。[110]賴際熙的哲嗣、學海書樓的主席賴恬昌曾指出：

> 我先父是教授史學的，區大典是教授經學的，經史兩個大系，由兩人負責。[111]

今檢香港大學中文學會出版的《中文學會輯識》，〈目錄〉列有〈區大典序〉[112]一目，而正文則是「遺史氏」的〈博文雜誌前序〉。[113]這可見《中文

---

109 參看羅香林：〈香港大學中文系之發展〉，《香港與中西文化之交流》，頁223。

110 《華僑日報》一九三五年十月十四日報道「港大中文部之目下情形，係由許地山碩士任教授，區太史任經學講師、羅芾棠舉人任歷史講師、崔百越秀才任國文講師、陳君葆任翻譯講師，學生則祇得數人。區、羅、崔、陳各講師將於本學期末滿職，屆時各講師留任與否，將有多少變動。」（載《香港大學中文學院歷史圖錄》，頁44）當時香港大學聘請南來出任中文學院教授，並負責領導和策劃學院課程改革的原燕京大學教授許地山已於一九三五年八月履新。學院的翻譯講師陳君葆嘗於日記記載他在一九三六年一月十一日「找許先生（許地山）商量定後，一年級增『經學通論』乙門，由區大典先生擔任」（陳君葆撰、謝榮滾主編：《陳君葆日記》香港：商務印書館，1999年4月，頁192），又於同年七月十八日載「增聘徽師（區大典）任國文講師一學期乙事已為許先生草函致副監督」（同前書，頁237），並在同年九月二十四日記「徽師的鐘點訂好了，但學生卻討厭了經學，只得改請他講授漢魏古詩，這原是過渡辦法。關於區先生的去留問題直覺真點難為情，我已盡我的能事挽留他多擔任一年，往後恐不能另有甚麼方法了。下午我想起了要徽師到中文學院上課去，他年事已老，實有點不方便，因改擬請他就近在平山圖書館設講席。」（同前書，頁249）這清楚顯示許地山負責推動的學院課程改革本已將經學剔除於課程外，只是嘗受業於區大典的陳君葆對驟然革去老師的職事感到難於啟齒，才致力斡旋，設法以兼任形式留任區大典繼續講授經學。無奈中文學院的學生已對經學興趣索然，區大典遂只得改授漢魏古詩。次年（1937年）一月，區大典正式自中文學院退休，學院於一月十一日晚在學生會所設歡送茶會（參看同前書，頁274-275）。

111 亞洲電視新聞部資訊科編著：《解密百年香港》（香港：明報出版社，2007年12月），頁112。

112 《中文學會輯識》，第1卷第1號（1932年），〈目錄〉，頁1。

113 同上註，遺史氏〈博文雜誌前序〉，缺頁碼。

學會輯識》原擬稱為《博文雜誌》，而「遺史氏」正是區大典。香港大學馮平山圖書館於一九四〇年二月二十二至二十六日舉辦廣東文物展覽會時出版的一冊《廣東文物展覽會出品目錄》，內附〈廣東名人小史〉，載：

> 區大典（清），字徽五，晚號遺史。南海人。光緒癸卯翰林，著有《四書講義》、《老子》、《荀子》。[114]

當時距區大典辭世未足三年[115]，展覽會的執行委員許地山（宣傳組主任）、陳君葆（保管組主任）、李景康（編目組主任）等跟區大典稔熟的編纂者[116]自不會容許展覽會的出品目錄將「遺史」一號張冠李戴。同是前清翰林的岑光樾於區大典逝世後嘗親撰〈輓區徽五前輩〉聯語，稱：

> 下筆輒千言，遺史每多憂世論；知交齊一慟，尊經誰續等身書。[117]

他已清楚將「遺史」一號嵌入聯中，藉與區大典曾任尊經學校校長的「尊經」相對。嚴靈峰（1903-1999）編輯的《無求備齋老子集成續編》收錄嚴氏所藏、據民國《經學講義》排印本影印的區大典《老子講義》二卷。書的版式、內容跟香港大學圖書館藏十三冊本《香港大學中文學院經學講義》與香港中文大學圖書館藏六冊本《經學講義》載錄的《老子講義》完全相同。三者首頁首行俱列「老子講義」、「遺史輯」等字；書的版心上端皆列「子書課本」四字；上下魚尾中刊「老子講義卷一」或「老子講義卷二」，另附頁數；版心下端則標「遺史輯」三字（參見圖四及圖五）。嚴靈峰在書的封面標此書為「區大典老子講義」（參見圖六），又在書的內頁列此書為「區大典

114 中國文化協進會主辦：《廣東文物展覽會出品目錄》（香港：中國文化協進會，1940年2月），〈廣東名人小史〉，頁24。此資料承駱為孺先生提供，不敢掠美，特致謝忱。

115 據區大典家人發佈的訃文，區大典於一九三七年七月二十三日（夏曆六月十六日）寅時辭世（《香港工商日報》，1937年7月24日，第1張第1版）。《陳君葆日記》記載亦同（頁296）。此資料亦承駱為孺先生提供，不敢掠美，謹致謝忱。

116 參看《廣東文物展覽會出品目錄》，頁8-9。

117 岑光樾著，岑公焴編：《鶴禪集》（香港：自印本，1984年），頁116。此資料亦是駱為孺先生提供，不敢掠美，亦致謝忱。

撰」(參見圖七),足見他確知「遺史」即區大典。[118]區大典為一九二四年十月出版的《預科季刊》封面題寫刊名後鈐上「遺史」刻章又是「遺史」即區大典的另一證據(參見圖八)。[119]鄒穎文出版的《李景康先生百壺山館藏故舊書畫函牘》載有〈區大典與李景康書〉一封,信箋印有「述古」、「遺史」二詞(參見圖九)[120],足見「遺史」一稱已是區大典的專用代號。由於區大典一直在香港大學中文學院負責講授經學,是以《香港大學中文學院經學講義》自應是他的授課用書。《孝經通義》、《易經講義》與《老子講義》等溢出學院經學課程範圍的講義則極可能是中文學院成立前區大典擔任文學院中文科講師時的用書,又或是他任尊經學校校長、甚或在學海書樓講授經學時的講義。他的〈區大典與李景康書〉嘗自稱:

> 近日銳志編輯之學,思藉綿力以為提倡。擬假學海書樓設一講學會,學科務求其備,功課益求其密。只酌收講義費,亦從至廉,以期普及,且藉費挹注,而所編輯講義,亦可用活版印排印,庶耐久存。此會若成,教學相長,兼可督促自修。計今年兄窮日力為之,已編成講義《大學》、《中庸》全部,《論》、《孟》半部,《老子》半部,《書・禹貢》一冊。循此以往,當有可觀。……在學海書樓講學,未審於大學專聘有抵觸否,又未知荔垞兄意如何?[121]

鄒穎文判斷這封失繫年月的信箋當寫於一九二八年七月以後[122],而當時區大典正擔任香港大學中文學院的專任講師。後人藉著此批講義,大體應可窺察民國成立至抗日戰爭前香港經學教育的若干面貌。

118 嚴靈峰編:《無求備齋老子集成續編》(臺北縣:藝文印書館,1970年),冊98。

119 香港預科書院同學會編:《預科季刊》,第1卷第1期(1924年10月),封面。

120 參看《李景康先生百壺山館藏故舊書畫函牘》,頁226。

121 同前註,頁227上。

122 參看同註120,頁227下。

七 結語

香港本是學術的荒蕪地，一向經學不振。自鴉片戰爭後，因〈南京條約〉的簽訂，香港被割讓給英國。由於它的獨特角色，它意外地成為一時人物薈萃的地方。晚清遺老於辛亥革命後南來避居，在華商龐大的財力支援下，本於保存國粹、發揚中國文化傳統的使命感，竟出人意表地帶動了香港的學術文化發展。學海書樓與香港大學中文學院的成立，大大增強了當時年輕人習經的信心。但隨著晚清遺老的相繼謝世，兼以香港大學委任原燕京大學教授許地山（1893-1941）出任中文學院的教授，負責領導和策劃學院的課程改革，正式確定學院沿用至今的「中國哲學」（Chinese Philosophy）、「中國文學」（Chinese Language and Literature）、「中國歷史」（Chinese History）與「翻譯」（Translation）四科並立的課程體制。[123]經學從此在教育體制內失卻了昔日的生存土壤，發展自然難復舊觀。但關涉經學研習的核心人物——孔子（孔丘，551-479 B.C.）卻在一九一二年至一九四一年間藉著華商大力支持的民間尊孔團體孔聖會（創立於 1909 年）、中華聖教總會（創立於 1921 年）、孔聖支會（創立於 1917 年）、孔聖堂（創立於 1928 年）、孔聖學院（創立於 1930 年）等的大事宣揚[124]，迅速成為風靡香港華人的精神寄托。民間的尊孔活動自是連年不輟，而規模亦日見宏大。每年孔誕日萬人空巷、熱烈慶祝的場面早已司空見慣。[125]但民間熾盛的尊孔風氣，似對經學在香港的推廣裨益不多。因此，區大典能利用教學的契機，為後人留下十二種經學講義，無疑已是民國時期香港經學發展難得一見的荒漠奇葩！

---

123 參看盧瑋鑾：〈許地山與香港大學中文系的改革〉，《香港文學》第80期（1991年8月），頁60-64。

124 參看盧湘父（1868-1970）：〈香港孔教團體史略〉，收入吳灞陵（1905-1976）編：《港澳尊孔運動全貌》（香港：香港中國文化學院，1955年5月），頁1-4。

125 參看〈港人祝孔熱烈情形（節錄）〉，載鄭樹森（1948- ）、黃繼持（1938-2002）、盧瑋鑾編：《早期香港新文學資料選：(一九二七——九四一年)》（香港：天地圖書公司，1998年），頁66-72。原載《華僑日報》，1927年9月24日。

附圖九幀

圖一　香港大學圖書館藏四冊本《香港大學中文學院經學講義》封面

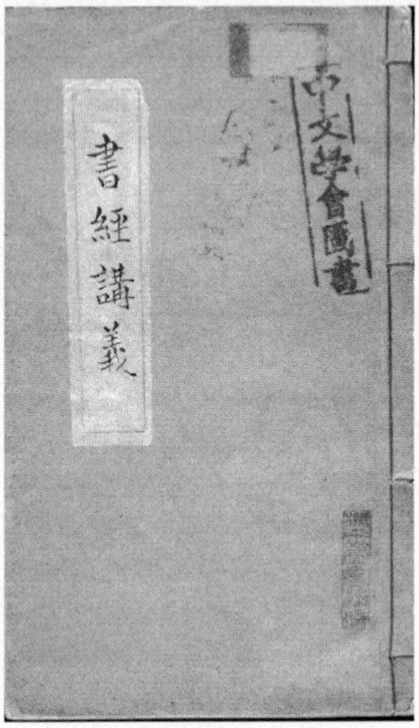

圖二　香港大學圖書館藏四冊本《香港大學經學講義》內頁

圖三　香港中文大學圖書館藏六冊本《經學講義》封面

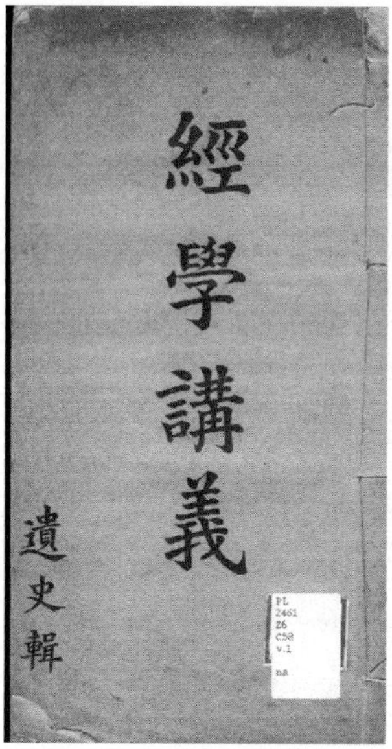

圖四　香港中文大學圖書館藏《經學講義》本《老子講義》版式

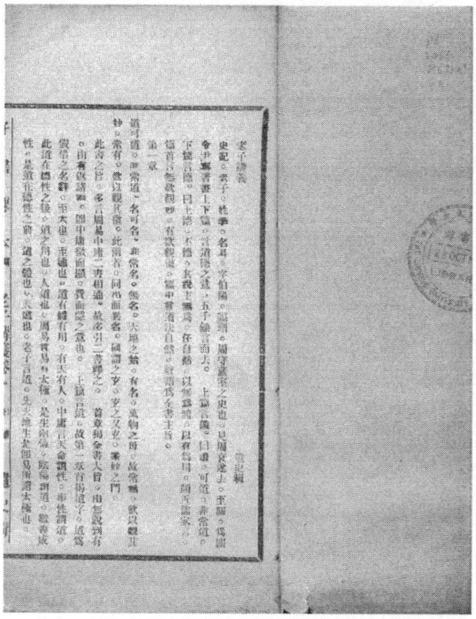

圖五　《無求備齋老子集成續編》本《老子講義》版式

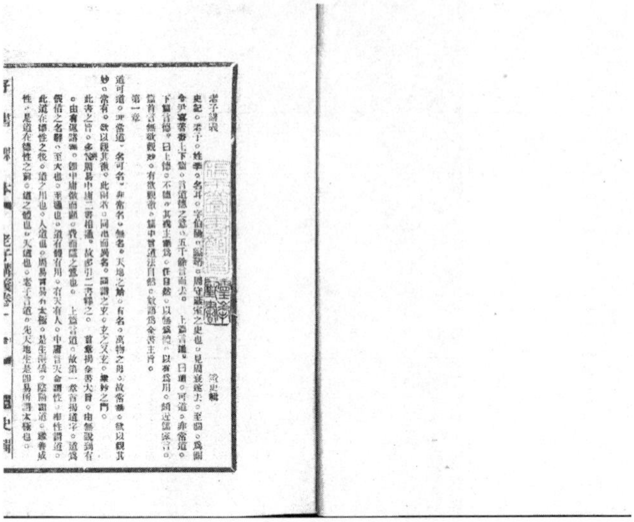

老子講義

史記。老子。姓李。名耳。字伯陽。謚聃。周守藏室之史也。見周衰遂去。至關。為關令尹喜著書上下篇。言道德之意。五千餘言而去。　上篇言道。曰道。可道。非常道。下篇言德。曰上德。不德。其義主靜為。任自然。以恬淡為。以柔為用。頗近儒家言。篇首言無欲觀妙。有欲觀徼。措中實通法自然。數語為全書主旨。

第一章

道可道。非常道。名可名。非常名。無名。天地之始。有名。萬物之母。故常無。欲以觀其妙。常有。欲以觀其徼。此兩者。同出而異名。同謂之玄。玄之又玄。衆妙之門。

此書之旨。多與周易中庸二書相通。故多引二書釋之。　首章揭全書大旨。由無說到有。由有復歸無。即中庸微而顯。費而隱之意也。　上篇言道。故第一章首揭道字。道為假借之名辭。至大也。至通也。道有體有用。有天有人。中庸言天命謂性。率性謂道。此道在德性之後。道之用也。人道也。周易言易有太極。是生兩儀。陰陽謂道。繼善成性。是道在德性之前。道之體也。天道也。老子言道。先天地生是即易所謂太極也。

圖六　《無求備齋老子集成續編》本《老子講義》封面

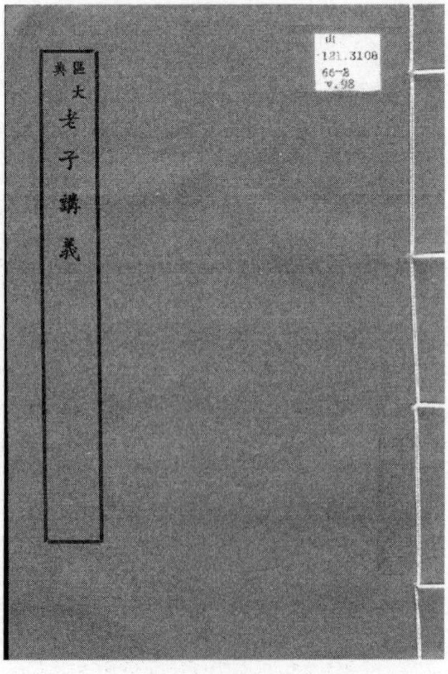

圖七　《無求備齋老子集成續編》本《老子講義》內頁

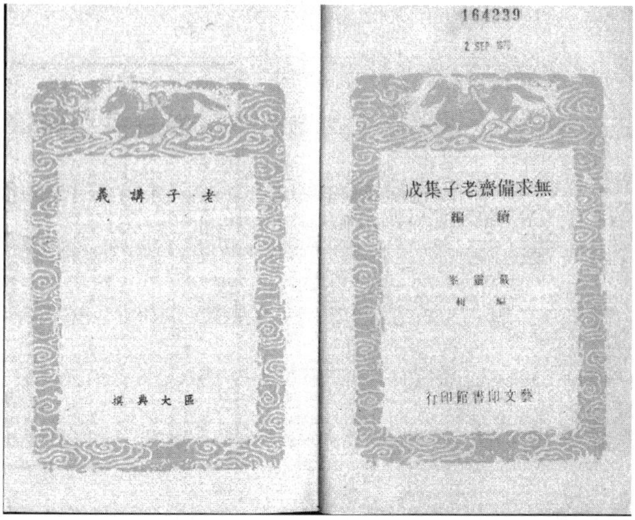

圖八　《預科季刊》第 1 卷第 1 期封面

圖九　《李景康先生百壺山館藏故舊書畫函牘》載〈區大典與李景康書〉

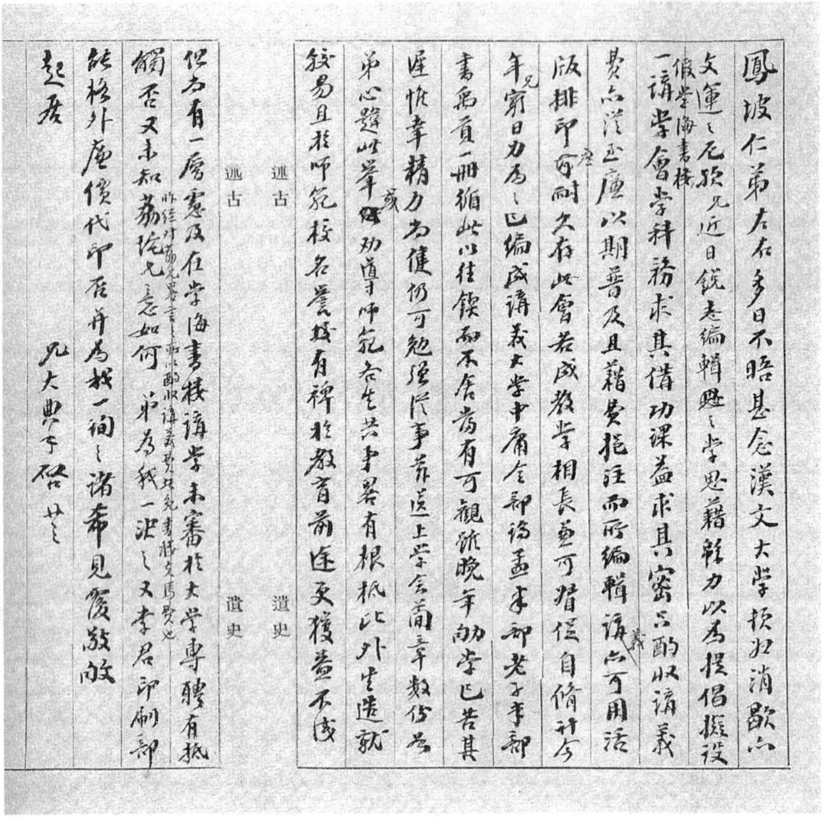
鳳坡仁弟左右：多日不晤，甚念。漢文大學極力消歇，亦文運之厄。兄近日銳意編輯，學思藉餘力以為提倡，擬設（假學海書樓）一講學會，學科務求其備，功課益求其密，亦酌收講義費，亦從至廉，以期普及，且藉費抵注，而所編輯講義亦可用活版排印，可耐久存。此會若成，教學相長，並可[illegible]從自修。計今年兄窮日力為之，已編成講義大學中庸全部、論孟本部、老子本部，書尚有一冊，循此以往，錄而不倦，尚有可觀。就晚年勵學，已若其遲，[illegible]幸精力為健，仍可勉強從事。茲送上學會簡章數份，為弟心贊此舉，或助尊師範各生共事，略有根柢，比外造就較易，且於師範校名譽，猶有裨於教育前途，更獲益不淺。

但為有一層憂及，在學海書樓講學，未審於大學專聘有抵觸否？又未知菊坡兄之意如何？（昨往對菊兄略言之，而小酌收講義費，並免書樓交[illegible]費也）弟為我一洩之。又李君印刷部能格外廉價代印否？并為我一詢之。諸希見覆。敬頌

起居。

兄大典手啟　廿七

胡適、許地山與香港大學經學教育的變革

車行健
國立政治大學中國文學系教授

一　引言

胡適（1891-1962）在一九三五年元月因接受香港大學頒贈的法學名譽博士學位，便作了生平第一次的南遊，在香港待了五天，在廣州住了兩天半，在廣西玩了十四天。[1]他回去之後，便陸陸續續地將這次的遊覽經過寫了出來，從是年二月完成〈香港〉一節、三月初寫就〈廣州〉一節、四月初前寫成〈廣西山水〉一節，一直到八月十二日才最終將〈廣西的印象〉一節脫稿。[2]雖然胡適在這篇遊記的序言中調侃自己：「天天用嘴吃喝，天天用嘴說話，嘴太忙，所以用眼睛耳朵的機會太少了。」因而前後二十多天之中，他竟沒有工夫記日記，再加上回家後又兩次患流行性感冒，「前後在床上睡了十天」，所以難免追憶起來印象模糊。[3]言下之意，似乎頗有為自己這篇遊記寫得不夠翔實周到而感到遺憾的味道。但若細讀全文，仍可發現胡適這篇遊記還是記載了許多豐富的考察遊覽內容，尤其在香港和廣州的部分並非只

1　參胡適：《南遊雜憶》，收入《胡適作品集》（臺北市：遠流出版公司，1986年），冊16，頁197。

2　參胡頌平編著：《胡適之先生年譜長編初稿》（臺北市：聯經出版公司，1984年），冊4，頁1347、1353、1403。

3　以上俱見胡適：《南遊雜憶》，頁197。

是單純的旅遊，還同時涉及了不少與學術、教育及社會文化活動有關的現象，如香港大學中文教學的改革與廣東執政當局所強力推動的讀經運動等，而他的香港之行更事關整個香港高等教育中之中文教學改革的問題。胡適對香港大學中文教育之觀察及所懷抱之改革理想，透過了他所舉薦的實踐者——許地山（1893-1941）之具體作為，為香港的當代文化造成了深遠的影響。胡從經從五四新文化思潮的角度，將胡適和許地山的南來香港分別視為新文化思潮影響及於香港的第二波及第三波，第一波則是魯迅（1881-1936）於一九二七年蒞港演講及稍後發表一系列關於香港新文化發展的文章對香港文化界所造成的迴響。[4]而胡適與許地山對香港大學中文教育的改革理想當然亦是屬於新文化思潮的一個重要環節，其重要性不言可喻。

從民國時期大學中之經學教育的角度來講，胡適和許地山對香港大學中文教學的改革亦對該校的經學課程帶來了極大的變革，對這樣變革的來龍去脈及其所蘊含的社會文化意涵之探討，無論是對香港三十年代以降的中文教育及經學在現代大學中之地位及命運，應該都是極有意義的工作。

二　胡適與香港大學中文教育的改革

胡適是在一九三五年元旦上午從上海搭船南下，一月四日早晨抵達香港，住在香港大學副校長韓耐兒（William Hornell）的家中。而他在香港五天的行程則是由香港大學文學院長佛斯脫先生（Dr. L. Forster）代為排定的。每天上午留給胡適自由支配，一切宴會講演都從下午一點開始。胡適很滿意這樣的安排，讓他很從容自在的玩了不少地方。[5]

在他的遊玩過程當中，他也對香港大學做了一番深入的觀察，他認為香港大學最有成績的是醫科與工科，而文科則「比較最弱」。[6]胡適甚至認為香

4　參氏著：〈新文化運動在香港迴響與勃興的實錄——讀陳君葆日記〉，收入謝榮滾主編：《陳君葆日記全集》（香港：商務印書館，2004年），卷7，頁603-611。

5　胡適：《南遊雜憶》，頁198。

6　胡適：《南遊雜憶》，頁199。

港大學的文科教育完全和中國大陸的學術思想不發生關係。他指出問題的癥結在於：

> 這是因為此地英國人士向來對於中國文史太隔膜了，此地的中國人士又太不注意港大文科的中文教學，所以中國文字的教授全在幾個舊式科第文人的手裏。[7]

他感歎大陸上的中文教學早已經過了很大的變動，但港大卻還完全在那個變動大潮流之外！[8]

胡適所指的「舊式科第文人」就是香港大學中文系的創系主任賴際熙（1865-1937），以及區大典（1877-1937）、溫肅（1879-1939）與朱汝珍（1870-1942）等人。賴際熙為廣東增城人，以增生入廣雅書院，光緒十五年（1889）舉人，光緒二十九年（1903）進士，欽點翰林院庶吉士，散館授編修，充國史館纂修，民國肇建後，僑居香港。[9]區大典為廣東南海人，光緒二十三年（1897）科舉孝廉，光緒二十九年賜進士出身，授翰林院編修，辛亥革命後亦移居香港。[10]溫肅為廣東順德人，亦光緒二十九年癸卯科翰林，散館授編修，官至副都御史。[11]朱汝珍則為廣東清遠人，光緒三十年（1904）甲辰科榜眼，授翰林院編修，光緒三十二年（1906）奉派留日，畢業於法政大學，回國後擔任京師法律學堂教授。[12]至於他們與香港大學中文教育的關係，據長期擔任香港大學中文系系主任的單周堯教授的描述：

---

7 胡適：《南遊雜憶》，頁199。

8 胡適：《南遊雜憶》，頁199。

9 參鄧又同輯錄：〈賴際熙太史事略〉，《學海書樓主講翰林文鈔》（香港：學海書樓，1991年），頁47-48；羅香林：〈故香港大學中文學院院長賴際熙先生傳〉，《香港與中西文化之交流》（香港：中國學社，1961年），頁245-246。

10 參鄧又同輯錄：〈區大典太史事略〉，《學海書樓主講翰林文鈔》，頁33；又參羅香林：《香港與中西文化之交流》，頁247。

11 參鄧又同輯錄：〈溫肅太史事略〉，《學海書樓主講翰林文鈔》，頁69；又參羅香林：《香港與中西文化之交流》，頁247-248。

12 參鄧又同輯錄：〈朱汝珍太史事略〉，《學海書樓主講翰林文鈔》，頁95；又參羅香林：《香港與中西文化之交流》，頁248。

> 香港大學中文學院，創始於一九二七年，初名中文系。……中文系成立之初，賴際熙、區大典二太史任專席講師，仿照廣雅書院學制，所授者經史、文詞為主。[13]

但賴際熙與區大典這兩位前清翰林與港大的淵源並非始於一九二七年中文系創設之時，事實上早在一九一三年二人便同時受聘於剛成立的香港大學文學院，分別講授經學與史學課程。[14]香港大學中文學院的許振興教授對當時的課程設施有相當清楚的說明：

> 當時大學的四年學制被區分為中期課程（Intermediate Course）與終期課程（Final Course）兩階段。學生修習中期課程的時間不得少於兩學年。採漢語授課的「傳統漢文（Classical Chinese）」課程由「史學（History）」與「文學（Literature）」兩科目組成。「史學（History）」講授中國歷史，由賴際熙負責，選取二十四史、《資治通鑑》、《續資治通鑑》、《通典》、《通考》、《通志》、《通鑑輯覽》與宋、元、明的歷史載錄，講授三代至東晉（中期課程）與南北朝至明朝（終期課程）的歷史；「文學（Literature）」則講授經學，由區大典負責，選授朱熹（1130-1200）與其他學者對《四書》（中期課程）與《五經》（終期課程）的評註。[15]

從一九一三年至一九二七年中文學院創設前的這期間，傳統中文課程又歷經一番調整，其結果是將原有四年的教學內容壓縮為兩年，當然學生接受史學與經學訓練的課時也相應地減少了半數。[16]

---

13 見單周堯：〈序〉，《香港大學中文學院歷史圖錄》（香港：香港大學中文學院，2007年），未標頁碼。

14 參許振興：〈區大典孝經通義考論〉，「經學國際學術研討會」（香港：嶺南大學中文系，2009年5月29-30日），頁3。然梁紹傑在單周堯主編之《香港大學中文學院歷史圖錄》中之相關說明卻謂二人於一九一二年同獲香港大學聘為漢文講師。（見頁1）。

15 許振興：〈區大典孝經通義考論〉，頁4。

16 許振興：〈區大典孝經通義考論〉，頁5-6。

直至一九二七年香港大學中文學院成立後，賴際熙被委任為學院的中國史學教授（Reader in Chinese History），而區大典則獲委為中國文學教授（Reader in Chinese Literature）[17]，此後賴港府及社會人士多方贊助，教職員亦迭有增加，除原有之賴、區二先生及擔任翻譯講師的林棟（1890-1934，香港大學文學院首屆文學士〔一九一七年畢業〕）三先生外，溫肅、朱汝珍、舉人羅憩棠（芾棠）、秀才崔師貫（字伯樾，一作百樾，1871-1941）等人亦先後應聘為兼任講師。[18]從單周堯主編的《香港大學中文學院歷史圖錄》中所影印的香港大學一九二七年度校曆所載之中文系課程可以很清楚地看到當年的課程內容。當時在四年的學制中皆設有經學、史學與文詞學三個科別，所教授的內容包括經學之《四書》（第一年）、《詩經》與《書經》（第二年）、《三禮》（第三年）、《春秋》及《三傳》（第四年）。史學則皆集中在歷代治亂興衰與歷代制度沿革這兩個主題，而授課材料則以《二十四史》、《資治通鑑》、《通鑑紀事本末》、《續資治通鑑》、《通鑑輯覽》與《九通》為主。文詞學則是以歷代名作為主，包含駢散文名著與詩文名著等。[19]

透過以上對港大早期中文教育的概略介紹，便不難想見這樣以傳統經史為主的課程內容及師資陣容會給胡適這樣的新派學人留下什麼好的印象，所以他才會在〈南遊雜記〉中對此大加嘲諷譏評。[20]

其實也不只胡適對此現象深感不耐，早在一九二六年英國威靈頓代表（Willington Delegation）的報告書中就已經對港大偏重傳統經史的中文教育

17 許振興：〈區大典孝經通義考論〉，頁6。

18 參羅香林：〈香港大學中文系之及發展〉，《香港與中西文化之交流》，頁224、229。

19 見單周堯編：《香港大學中文學院歷史圖錄》，頁8-11。

20 胡適在〈南遊雜記〉中對這批舊式科第文人的譏評還算客氣，他在香港公開發表的演說中就毫不留情面地予以大肆抨擊，如其於元月六日下午在華僑教育會向兩百多位華文學校的教員演說時就曾說了如下的一段話：翰林在江浙方面多得很，並不值得令人怎樣的驚羨，因為他們是不適用的東西了，猶如豆油燈是不應該貴重一樣。參見鄭德能：〈胡適之先生南來與香港文學〉，原載於一九三五年六月一日《香港華南中學校刊》創刊號，收入盧瑋鑾編：《香港的憂鬱——文人筆下的香港（1925-1941）》（香港：華風書局，1983年），頁73。又關於胡適在香港的演講行程請參胡適：《南遊雜憶》，頁203。

提出類似胡適的看法，其謂：本港大學應盡其所能以造就人才，其中文課目，雖不宜廢止經史，但大學之中文教育，不以造就中國舊式學者為鵠的，而另有其現代意義云云。[21]然而讓胡適感到不滿的局面似乎有所改善，胡適說港大副校長韓君與文學院佛君都很注意這個問題，他們二人曾在一九三四年去中國北方訪問考查，且同年夏天港大還曾邀請了廣東籍學者陳受頤（1899-1977）和容肇祖（1897-1997）來港大研究該校的中文教學問題，請他們自由批評並提出改革的途徑。此外胡適也提到，他在香港時，深刻地感到港大當局改革中國文字教學的誠意，而當地紳士如周壽臣（1861-1959）、羅旭龢（又作羅旭和，1880-1949）等人也都熱心贊助這件改革事業。[22]為此，他們希望能有一個主持這種改革計畫的人，但此人本須兼具四種資格：一，須是一位高明的國學家；二，須能通曉英文，能在大學會議席上為本系辯護；三，須是一位有管理才幹的人；四，最好須是一位廣東籍的學者。但有這種條件的人才畢竟一時難覓，所以胡適在這篇遊記中也只以「這件改革事業至今還不曾進行」為此事的敘述做個收束。[23]

其實胡適在這篇遊記中未曾寫出的真實情況是：胡適在港大改革中文教育一事上著力甚深，此從陳受頤和容肇祖二人受邀來港大研究中文教學，其背後的推薦人就是胡適一事上即可看出端倪。[24]此外，港大當局真正中意來

21 參羅香林：〈香港大學中文系之及發展〉一文所引述，見氏撰：《香港與中西文化之交流》，頁223。

22 案：周壽臣，廣東寶安人。一八七四年隨容閎（1828-1912）赴美國留學。歸國後歷任駐朝鮮仁川領事、京奉鐵路局總辦、香港大學董事、香港行政局非官守議員、救國公債香港分會主任等。羅旭和又作羅旭龢，香港太平紳士。一九二二年被港督授為香港定例局華人代表，歷任香港工務委員會委員、團防局紳、保良局紳、香港大學董事會會員等。（以上參《陳君葆日記全集》，卷1，頁141-142，編者附注。）

23 胡適：《南遊雜憶》，頁200。

24 胡適在一九三四年五月十八日的日記中明確記道：「下課後，E.R. Hughes 來談香港大學中文講師事。我寫一信與 Sir William Hornell。薦陳受頤與容肇祖兩兄去考察一次，然後作計畫。」參見曹伯言整理：《胡適日記全集》（臺北市：聯經出版公司，2004年），冊7，頁116-117。又於同年六月四日記道：「為香港大學中文部事，發兩電，一與 Sir Wm. Hornel，一與容元胎（肇祖）。陳受頤兄不日南行，將與元胎同視察香港大

主持改革計畫的人選就是胡適本人，但胡適並沒有接受港大的邀請。[25]雖然如此，胡適最終還是給港大推薦了兩位人選，一是許地山，另一則是陸侃如（1903-1978）[26]，後來港大當局接受了許地山。[27]胡適對此結果顯然很滿意，他在一九三五年七月十四日的日記中如此寫道：

> 港大決定先請許地山去作中國文學系教授，將來再請陸侃如去合作。此事由我與陳受頤二人主持計畫，至今一年，始有此結果。[28]

三　許地山在香港大學的作為

許地山一九二二年自燕京大學神學院畢業後，留校任助理，一九二三年至一九二六年分別至美國哥倫比亞大學及英國牛津大學就讀，專研宗教史、宗教比較學、印度哲學、梵文及民俗學等，取得哥倫比亞大學文學碩士及牛津大學文學學士學位。一九二七年回母校燕京大學任教，但卻於一九三五年遭燕京大學教務長司徒雷登（John Leighton Stuart, 1876-1962）排擠而去

學的中文部，為他們設計。」（同前，頁123。）

25 關於此事，在胡適自己的記述資料中並沒有太直接的表露，但根據從一九三四年即受聘於香港大學，長期擔任該校馮平山圖書館主任兼文學院教席的陳君葆（1898-1982）的日記所記載的內容，卻可以證實港大當局確曾希望聘請胡適前來主持中文部，但胡適在一九三五年年中回電說：「不能來。」此外，從陳君葆日記中也可發現，港大當局也同時邀聘陳受頤，但陳氏也同樣回電加以婉拒。（見《陳君葆日記全集》，卷1，頁167，1935年5月2日日記。）

26 參胡適：《胡適日記全集》，冊7，頁198-199，1935年5月10日日記；陳君葆：《陳君葆日記全集》，卷1，頁167，1935年5月2日日記。

27 關於許地山在港大內部同意聘用的過程，《陳君葆日記全集》中多有披露，相關資料可參見卷1，1935年5月2日條（頁167）、5月9日條（頁169）、6月5日條（頁173）、6月8日條（頁174）、8月8日條（頁182）。

28 胡適：《胡適日記全集》，冊7，頁260。案：胡適何以屬意許地山而極力向港大校方推薦以自代，雖然在胡適的日記及文集中皆未看到更進一步的資料披露，但推測可能是許地山與胡適皆共同具有留學英美、參與新文化運動，以及幼時的臺灣生長經驗等相似的背景，而得以為胡適所賞識。

職。[29]雖然根據許地山夫人周俟松的敘述，當許地山被燕大解聘後，適逢香港大學登報招聘中國文學教授，他正好符合條件（留學英國，能英語、粵語、普通話），故許地山毅然前往，舉家南遷。[30]但從胡適日記及陳君葆日記均可知，港大之所以會接受許地山，最主要的關鍵應該還是在於胡適的介紹。[31]

許地山來港大最主要的任務就是來主持中文教學的改革，他於一九三五年九月初正式上任後，就立即展開改革行動。首先，他將中文學院改為中國文史學系，理由是：

> 蓋文學與史學有連帶之關係，今將之拼成為一學系，固得其宜，在名義上亦較為妥當。[32]

其次，該系分為四部，即普通文學部、文學部、歷史部與哲學部。[33]第三，在師資方面，當時在中文部任中國史學教授（Reader in Chinese History）的賴際熙已在一九三三年左右便自港大退休了[34]，而任歷史講師的羅憩棠舉人

29 以上根據周俟松：〈許地山年表〉，收入劉紹銘編：《許地山作品選》（香港：三聯書店，2007年），頁213-217。

30 周俟松：〈許地山年表〉，頁217。

31 在許地山去世不久所出版的《追悼許地山先生紀念特刊》（香港：全港文化界追悼許地山先生大會籌備會編，1941年），其中〈許地山先生生平事略〉一文就明白地敘及：「民二十四，以胡適博士之荐，就任香港大學中文學院主任教授。」（頁2）可見這在當時應是眾所皆知之事。

32 引文為許地山於一九三五年九月初向香港報界的講話，見《工商日報》一九三五年九月九日，三張一版。轉引自盧瑋鑾：〈許地山與香港大學中文系的改革〉，收入氏撰：《香港故事：個人回憶與文學思考》（香港：牛津大學出版社，1996年），頁115。此文係由香港大學中文學院許振興教授提供給筆者，謹在此致上深摯的謝忱。

33 此係香港《華僑日報》一九三五年十月十四日報導內容，複印圖版收錄於單周堯編：《香港大學中文學院歷史圖錄》，頁44。

34 許振興：〈民國時期香港的經學：兩種大學中文哲學課本的啟示〉「變動時代的經學和經學家〔1912-1949〕第四次學術研討會」（臺北市：中央研究院中國文哲研究所，2008年11月6-7日），頁4。

與任國文講師的崔伯樾秀才亦於一九三五年底不被校方續聘[35]，至於擔任經學講師的區大典太史亦於一九三七年一月自港大退休[36]，至此這些被胡適所嫌惡的「舊式科第文人」就正式從港大的講堂上徹底絕跡了。反之，在一九三六年三月，港大中國文史學系在許地山的主導下聘任了馬鑑（1883-1959）為全職講師[37]，至此整套的改革計劃就可算是大功告成，從此也就確立了港大中文系以「中國文學」（Chinese Language and Literature）、「中國歷史」（Chinese History）、「中國哲學」（Chinese Philosophy）三組課程為核心，再配合翻譯（Translation and Comparison）課程的基本格局。[38]

許地山對香港大學中文教學的改革在當時的確獲得不少正面的肯定，如柳亞子（1887-1958）就曾如此評價他的貢獻：

> 據說香港的文化可說是許先生一年開拓出來的。原來，在許先生來就港大中國文化史系主任之前，香港的國文權威，還是落在一般太史公手上的。讀經尊孔，用文言文，簡直和前清時代看不出什麼分別來。自從許先生主持港大，招生的題目就用白話，那末學生的試卷也自然不能不用白話了。這樣，才把全香港中學校國文課的文言文的鎖完全打破，這是何等偉大的功績呢！[39]

而許地山的夫人周俟松所編撰的〈許地山年表〉亦做如此的評價：

---

35 盧瑋鑾：〈許地山與香港大學中文系的改革〉，頁116。

36 許振興：〈民國時期香港的經學：兩種大學中文哲學課本的啟示〉，頁4。

37 盧瑋鑾：〈許地山與香港大學中文系的改革〉，頁116。案：許地山主導港大聘任馬鑑一事可從陳君葆的日記中獲得證實，陳氏在一九三五年十月一日的日記中記道：「午下課後適許先生來，與談在羅、崔兩位退職後，將延聘何人最適當。陸侃如夫婦倘能來，自大佳，陸如能在港大得到六百元的待遇，他的夫人也許在中大可以得到三四百元，如此同在南方做事，省港相隔不遠，則再好莫過了。但許先生曾指出陸經驗還有點不夠，似乎他的意屬馬鑑。」（見《陳君葆日記全集》，卷1，頁192。）

38 以上參見盧瑋鑾：〈許地山與香港大學中文系的改革〉，頁116；許振興：〈民國時期香港的經學：兩種大學中文哲學課本的啟示〉，頁12。

39 柳亞子：〈我和許地山先生的因緣〉，載於《追悼許地山先生紀念特刊》，頁10。

> 港大中國文學課原以晚清八股為宗，教授四書五經、唐宋八家及桐城古文。地山就任後，參照內地大學的課程設置，分文學、史學、哲學三系，充實內容，文學院面目為之一新。[40]

在這些評價當中，應屬一九五〇年代以後長期任教於香港大學中文系的羅香林教授（1906-1978）的說法最為具體中肯，其云：

> 惟許先生在香港之貢獻，則尤在其將港大中文系之課程為高瞻遠矚之擴充。蓋前此賴先生等所定之課程，注意使一般學子於古文辭外，能于經史得為深切了解，自方法言之，猶偏于記誦之學。許先生則分課程為三組，一為文學，二為歷史，三為哲學。前人研習文學，只重視詩文，今則更及于詞曲、小說、戲劇、與文學批評等；前人治史，只重朝代興革，今則更及于文化史、宗教史、交通史、與板本目錄等部分；前人治經，每長于總述，今則將經中之文史資料，還之文史專學，而就其哲理部分、更與諸子百家，歷代哲人，與道教佛教等哲理，合為系統研究。皆就前人所建立之基礎，而為擴充發揚。繼往開來，影響自鉅。此後香港中國文學研究之日益發展，皆以此為機樞也。[41]

既然講授經學的舊式科第文人已經自港大的講堂中被請了出去，香港大學中的課表自然也就不會有跟經學相關的課程了。從許地山所改革的文學院中文課程中（1936-37 年度及 1937-38 年度）[42]，均不見傳統經學的跡影，甚至連經書的課程也付之闕如，許振興教授對此不禁感歎道：

> 這將傳統經學完全摒諸門外的課程設計，一直被沿用不替。香港大學文學院自一九一三年始設傳統漢文（Classical Chinese）課程，迄一

40 周俟松：〈許地山年表〉，頁217。

41 羅香林：《香港與中西文化之交流》，頁211-212。

42 一九三六至一九三七年度的課程見許振興：〈民國時期香港的經學：兩種大學中文哲學課本的啟示〉，頁12-15所引錄，一九三七至一九三八年度的課程則見載於單周堯編：《香港大學中文學院歷史圖錄》，頁46-49。

> 九四一年十二月大學因日本軍隊侵佔而停課，前後三十年間，傳統經學在大學課程裏的生存空間終被完全剝奪。[43]

之所以會有這樣的情況，可以從經學學科性質的問題及授課者的講授效果這兩個面向來加以探究。就前者而言，經學這門學科或學問領域一直在現代大學課程體制內處於委身不明的狀況，這乃是無庸置疑之事。[44]但雖然如此，這頂多使得以經學為整體的課程（如經學通論、經學史）在現代大學的課表上消失，但並不會影響及於經書的課程。在許地山改革港大中文課程的時代，中國內地很多大學雖然沒有經學整體的課程，但還保有經學專書的課。如在一九三六年參與教育部課程整理且長期主持清華大學中文系系務的朱自清（1898-1948），他雖也認為「經學已然不成其為學」[45]，但在他參與

---

43 許振興：〈民國時期香港的經學：兩種大學中文哲學課本的啟示〉，頁15-16。案：港大中文系經學方面的課要至一九五〇年代才得以恢復。根據《香港大學中文學院歷史圖錄》所收錄的香港大學一九五三至一九五四年度校曆複印圖版所載之文科中文課程（頁73-75），及羅香林在〈香港大學中文系之發展〉文中根據香港大學一九五七年至一九六〇年各年度之校曆整理出香港大學中文系這五年來各年級之課程內容（參氏撰：《香港與中西文化之交流》，頁232-238），二者均可看到在一年級中國文學的課程中有「經學導論」（Introduction to the Chinese Classics），而一年級之「專書選讀」中之經書課程則有《四書》（一九五三至一九五四年度）或《禮記》與《書經》（一九五七至一九六〇年度），二年級有《禮記》、《書經》、《春秋》（一九五三至一九五四年度）或《詩經》（一九五七至六〇年度），三年級有《詩經》（一九五三至一九五四年度）或（《易經》與《春秋》（一九五七至六〇年度），四年級則為《易經》（一九五三至一九五四年度）。當時中國文學的課程主要由劉百閔（1898-1968）與饒宗頤二先生講授（參羅香林：《香港與中西文化之交流》，頁231），而劉百閔有《經學通論》一書，曾與劉百閔在港大共事過的錢穆（1895-1990）認為此書「似為其在港大之講義」。參見錢穆：〈故友劉百閔兄悼辭〉，《八十憶雙親師友雜憶合刊》，收入《錢賓四先生全集》（臺北市：聯經出版事業公司，1998年），冊51，頁419-424；及〈劉百閔經學通論序〉，《素書樓餘瀋》，收入《錢賓四先生全集》，冊53，頁41。則講授「經學導論」一課者應就是劉百閔。

44 關於此問題的詳細討論，請參拙著：〈現代中國大學中的經學課程〉，《漢學研究通訊》第28卷第3期（2009年8月）。

45 朱自清：〈部頒大學中國文學系科目表商榷〉，《朱自清先生全集》（南京市：江蘇教育出版社，1993年），卷2，頁10。

修訂的一九三八年的大學科目表中，仍將中國文學系必修科目之「中國文學專書選讀（一）」的課，規劃為以講授「群經諸子」為主的課程內容。[46]再以許地山曾服務過的燕京大學為例，其一九四一學年度國文學系的課程中雖亦無經學整體的課，但仍保有經學專書的課（《尚書》、《三禮》、《春秋三傳》、《周易》、《論語》《孟子》、《詩經》等），燕京大學的做法是將這些經書的課放在「中國文學專書選讀（一）及（二）」內來實施。[47]相較之下，許地山所主導的港大課程規劃不但取消了經學整體的課程，而且連經書的課也都不見蹤影，這確實是相當極端的。所以這不得不令人懷疑這麼做的原因是否與授課者的講授效果有關。

當時在港大中文學院負責講授經學的教師主要是區大典，身為區大典學生的陳君葆在其日記中記下了不少有關區氏在港大教授經學的狀況，如其於一九三五年三月十三日記道：

> 晚八時徽師（案：即區大典，其字慎輝，號徽五）在大學禮堂講「經學大要」講到九點四個字剛講完，略不一等便從側門退出，於是我要代表中文學會來致謝詞，而他本人已出去，覺得可笑，再則聽眾中有許多恐怕已預備了一套話來駁他的，看見他出去以為他是逃避，這也是不好的印象。徽師若單是講經還不要緊，一涉到現代的問題便無往而不見其千瘡百孔，而且許多也是極淺薄之見。第一，經學若只限於士大夫階級，何與於平民？那更非廢不可；第二，經若不過禮，其初步工夫便在修己持人，便在實踐，然日前的誦讀於灑掃應對何補？第三，文字可以統一，言語不可以統一，也未見得，交通利便實促成語言統一的工具；第四，《水滸》、《紅樓夢》明明白白是文學，如何說不可以列入教材；第五，自殺亦非一定關係婚姻者。[48]

46 教育部編：《大學科目表》（重慶市：正中書局，1940年），頁35。

47 《燕京大學課程一覽》（北平市：燕京大學，1941年），頁30-31。

48 陳君葆：《陳君葆日記全集》，卷1，頁159。

次日又記道：

> 今晨對學生言，指出徽師的偏見，原來許多學生都已察出，類如程志宏專從文學立論，羅鴻機謂一比較胡適的演講與區先生的講演便看出他們的優劣來，這是無可諱言的，其他陳錫根早就不滿意於經學，以為那簡直是騙人的東西，甚至施爾也以為「區老師」講來講去總不外那一套話，好像是唸熟來的，那末為談經學的講，若果不變法，總不得了。[49]

又如其於一九三六年九月二十四日記道：

> 徽師的鍾點訂好了，但學生卻討厭了經學，只得改請他講授漢魏古詩，這原是過渡辦法。關於區先生的去留問題直覺真點難為情，我已盡我的能事挽留他多擔任一年，往後恐不能另有什麼方法了。[50]

由這幾條記載就可知道區大典當時在港大講授的經學課程是多麼的不受歡迎。在當時本就「不合時宜」的經學課程再由這類不合時宜的「舊式科第文人」來教授，可想而知，對與胡適一樣充滿新文化思維的許地山而言[51]，是多麼的極欲去之而後快了。因而不待區氏退休，港大中文學院就不再有經學的課程了。

四　結論

49 陳君葆：《陳君葆日記全集》，卷1，頁159。

50 陳君葆：《陳君葆日記全集》，卷1，頁275。

51 許地山思維之「新」僅從其對中國文字的態度即可看出一斑，他與當時的許多新式學人一樣，都皆主張將漢字改為拼音文字，至於面對用漢字所書寫的古書，他的主張更是極端，其云：「我們不能盡讀古人底書，也不必盡讀古人底書。若是古書中有值得保留底，自然在各個時代有人翻譯出來，至於毫無價值底古書，多留一本，衹多佔一些空間而已。」見許地山：〈中國文字底命運〉，《國粹與國學》（臺北市：水牛出版社，1979年），頁140。

胡適在一九三二年時曾作有〈領袖人才的來源〉一文[52]，文中沈痛地提到：

> 五千年的古國，沒有一個三十年的大學！八股試帖是不能造領袖人才的，做書院課卷是不能造領袖人才的，當日最高的教育，——理學與經學考據——也是不能造領袖人才的。現在這些東西都快成了歷史陳跡了……。[53]

因此，照胡適這種思維來推闡，香港大學的中文教育若仍落在只會做八股試帖與書院課卷，以及只懂得理學與經學考據的那幫「舊式科第文人的手裏」，顯然不會有前途的。胡適與許地山對港大中文教育的改革當然不是只針對經學課程，從他們的眼光來看，規仿清季廣雅書院學制，以傳統的經史、文詞為主的早期香港大學中文學院的課程規劃，無疑是跟不上時代的歷史陳跡。所以取消經學課程只是許地山改革港大中文教育整體計劃中的一環而已，這裡面所顯示出的訊息乃是：舊式的以科舉為導向，以書院教學為主體的學制與課程，向新時代的以學問為導向，以西式大學教育為主體的全面轉向。在轉向的過程中，傳統的學問與課程不可避免地會歷經激烈的衝撞，這其間經學的際遇可說是最為坎苛，港大三十年代的中文課程改革竟將經學的課程完全取消掉就是一個最明顯的例子。

今日吾人重新審視港大的例子，是否能給關心經學教育的人帶來一些啟發：亦即經學課程在港大的遭遇究竟只是新舊文化對立與衝突下的一個犧牲品，或是從事經學教育者（推動者、講授者）也要負起一定程度的責任？在胡適、許地山當時，經學的提倡（往往與尊孔運動結合在一起）不是落在一幫遺老、翰林的手上，就是由少數的軍人武夫來主導（如曾任湖南省主席的何鍵〔1887-1956〕與曾長期主掌廣東軍政大權的陳濟棠〔1890-1954〕）[54]，

---

52 胡頌平編著：《胡適之先生年譜長編初稿》，冊3，頁1078。

53 胡適：〈領袖人才的來源〉，收入《胡適作品集》，冊18，頁89。

54 胡適在一九三七年四月十四日夜寫了〈讀經評議〉一文，文章一開頭就說道：「前幾年陳濟棠先生在廣東，何鍵先生在湖南，都提倡讀經。去年陳濟棠先生下野後，現在

這當然對經學的傳播與推廣是頗為不利的。[55]這種帶有強烈文化保守主義色彩的經學倡導方式，在那個求新求變，追求改革、進步的年代，注定是難以受到歡迎的，區大典在香港大學的際遇就是一個最鮮明的例子。

提倡讀經的領袖，南方仍是何鍵先生，北方有宋哲元先生。何鍵先生本年在三中全會提出一個明令讀經的議案，他的辦法大致是要兒童從小學到中學十二年之間，讀《孝經》、《孟子》、《論語》、《大學》、《中庸》。到了大學，應選讀他經。冀、察兩省也有提倡小學、中學讀經的辦法。」（見胡頌平編：《胡適之先生年譜長編初稿》，冊5，頁1572-1573。）

55 何兆武在自述其求學經驗的《上學記》一書中就曾對此現象有深刻的批判，其云：「國民黨時期有一股復古風，在它的最高權力機關，比如戴傳賢（戴季陶），就是一個主張『尊孔讀經』的，像北京的宋哲元、山東的韓復榘，在南方我的家鄉，湘系軍閥何鍵，在廣東，號稱『南天王』的粵系軍閥陳濟棠，都是極力主張『尊孔讀經』的。這一點引起我們那輩人的反感，為什麼這些人都主張『尊孔讀經』？可見『尊孔讀經』絕不是個什麼好東西。我們的想法可以說是很幼稚、很天真的，不過你想這些官僚軍閥能提出什麼好東西？絕對不可能有好東西，好東西他們也提不出來。他們越要『尊孔讀經』，我們就越不『尊孔讀經』。」參見何兆武口述，文靜撰寫：《上學記（修訂版）》（北京市：三聯書店，2009年2版），頁25。

編者簡介

總策畫

林慶彰

臺灣臺南人，一九四八年生。東吳大學中國文學研究所碩士、國家文學博士。現任中央研究院中國文哲研究所研究員、東吳大學中國文學系兼任教授。專研經學、日本漢學、圖書文獻學。著有《明代考據學研究》、《明代經學研究論集》、《清初的群經辨偽學》、《學術論文寫作指引》、《中國經學研究的新視野》、《偽書與禁書》等十餘種。主編有《經學研究論著目錄》、《日本研究經學論著目錄》、《清領時期臺灣儒學參考文獻》、《日據時期臺灣儒學參考文獻》、《民國時期經學叢書》、《經學研究論叢》、《國際漢學論叢》等五十餘種。另有學術論文兩百餘篇。

蔣秋華

四川省遂寧縣人，一九五六年生。國立臺灣大學中國文學研究所碩士、博士。現任中央研究院中國文哲研究所副研究員，國立臺灣大學中國文學系、淡江大學中國文學系兼任副教授。專研《尚書》學、《詩經》學。著有《二程詩書義理求》、《宋人洪範學》、《沈括——中國科學史上的座標》等書。主編有《晚清經學研究目錄》、《李源澄著作集》、《張壽林著作集》等書。另有〈焦廷琥《尚書申孔篇》初探〉、〈韓愈詩之序議考〉、〈劉克莊商書講義析論〉、〈顧棟高《尚書質疑》撰作小考〉等學術論文數十篇。

分冊主編

林慶彰

簡介同上。

臺灣高等經學研討論集叢刊　0502005

變動時代的經學與經學家——民國時期（1912-1949）經學研究

總 策 畫　林慶彰、蔣秋華
主　　編　林慶彰
責任編輯　蔡雅如

發 行 人　陳滿銘
總 經 理　梁錦興
總 編 輯　陳滿銘
副總編輯　張晏瑞
編 輯 所　萬卷樓圖書股份有限公司
排　　版　浩瀚電腦排版股份有限公司
印　　刷　百通科技股份有限公司
封面設計　斐類設計工作室

發　　行　萬卷樓圖書股份有限公司
臺北市羅斯福路二段 41 號 6 樓之 3
電話 (02)23216565
傳真 (02)23218698
電郵 SERVICE@WANJUAN.COM.TW
大陸經銷　廈門外圖臺灣書店有限公司
電郵 JKB188@188.COM

ISBN 978-957-739-871-0
2014 年 12 月初版
定價：22000 元（全七冊不分售）

如何購買本書：
1. 劃撥購書，請透過以下郵政劃撥帳號：
帳號：15624015
戶名：萬卷樓圖書股份有限公司
2. 轉帳購書，請透過以下帳戶
合作金庫銀行 古亭分行
戶名：萬卷樓圖書股份有限公司
帳號：0877717092596
3. 網路購書，請透過萬卷樓網站
網址 WWW.WANJUAN.COM.TW
大量購書，請直接聯繫我們，將有專人為您服務。客服：(02)23216565 分機 10

如有缺頁、破損或裝訂錯誤，請寄回更換

國家圖書館出版品預行編目資料

變動時代的經學與經學家 ： 民國時期（1912-1949）經學研究 / 林慶彰, 蔣秋華總策畫. -- 初版. -- 臺北市 ： 萬卷樓, 2014.12
冊 ；　公分. --(經學研究叢書. 臺灣高等經學研討論集叢刊)

ISBN 978-957-739-871-0(全套 ： 精裝)
1. 經學 2. 文集
090.7　　103008278